여러분 [illegible] 하는

해커스공 [illegible] 별 혜택

FREE 공무원 한국사 **특강**

해커스공무원(gosi.Hackers.com) 접속 후 로그인 ▶ 상단의 [무료강좌] 클릭 ▶ [교재 무료특강] 클릭 후 이용

해커스공무원 온라인 단과강의 **20% 할인쿠폰**

E74757C4F4F47AED

해커스공무원(gosi.Hackers.com) 접속 후 로그인 ▶ 상단의 [나의 강의실] 클릭 ▶
좌측의 [쿠폰등록] 클릭 ▶ 위 쿠폰번호 입력 후 이용

* 등록 후 7일간 사용 가능(ID당 1회에 한해 등록 가능)

합격예측 **온라인 모의고사 응시권 + 해설강의 수강권**

C466A3E5345FFDA9

해커스공무원(gosi.Hackers.com) 접속 후 로그인 ▶ 상단의 [나의 강의실] 클릭 ▶
좌측의 [쿠폰등록] 클릭 ▶ 위 쿠폰번호 입력 후 이용

* ID당 1회에 한해 등록 가능

쿠폰 이용 관련 문의 **1588-4055**

단기 합격을 위한
해커스공무원 커리큘럼

입문

탄탄한 기본기와 핵심 개념 완성!

누구나 이해하기 쉬운 개념 설명과 풍부한 예시로 부담없이 쌩기초 다지기

TIP 베이스가 있다면 **기본 단계**부터!

▼

기본+심화

필수 개념 학습으로 이론 완성!

반드시 알아야 할 기본 개념과 문제풀이 전략을 학습하고
심화 개념 학습으로 고득점을 위한 응용력 다지기

▼

기출+예상 문제풀이

문제풀이로 집중 학습하고 실력 업그레이드!

기출문제의 유형과 출제 의도를 이해하고 최신 출제 경향을 반영한
예상문제를 풀어보며 본인의 취약영역을 파악 및 보완하기

▼

동형문제풀이

동형모의고사로 실전력 강화!

실제 시험과 같은 형태의 실전모의고사를 풀어보며 실전감각 극대화

▼

최종 마무리

시험 직전 실전 시뮬레이션!

각 과목별 시험에 출제되는 내용들을 최종 점검하며 실전 완성

PASS

* 커리큘럼 및 세부 일정은 상이할 수 있으며,
자세한 사항은 해커스공무원 사이트에서 확인하세요.

단계별 교재 확인 및
수강신청은 여기서!

gosi.Hackers.com

해커스공무원

이명호 한국사

기출로 적중 2

해커스공무원

이 책의
머리말

한국사 시험 만점을 원한다면
이명호 **한국사 기출로 적중**

제2의 기본서와 같은 상세한 해설 기출문제집

이 기출문제집을 출간한 이후, 많은 수험생들로부터 감사의 인사를 받았습니다. 해설이 상세한 것뿐만이 아니라 문제마다 어떻게 다음을 준비할지를 지시해 준 것들이 고맙다고 했습니다. 제 입장에서는 부끄럽기는 하지만 수험생들이 그렇게 짚어준 이 책의 특징들을 설명드리고자 합니다.

1. 수록된 기출문제의 범위가 넓다

이 책에는 그동안 출제되었던 국가직 9급・7급, 지방직 9급・7급, 경찰, 소방, 법원직, 사회복지직, 기상직 문제뿐만이 아니라, 수능 문제 중 공무원 시험에 적합한 문제들도 선택하여 수록하였습니다. 가급적이면 최근에 출제된 문제들로 구성하려고 했지만, 오래 전에 출제된 문제라 할지라도 다시 출제될 가능성이 있다고 판단되면 넣어 놓았습니다. 그리고 그런 판단들은 대부분 '적중'으로 나타났습니다.

2. 문제 해설이 풍부하다

이 책은 다른 어떤 기출문제집보다도 더 상세하고 더 풍부한 해설을 담고 있습니다. 그러므로 문제를 푸는 것에만 급급해하지 마시고, 반드시 해설을 꼼꼼하게 읽고 밑줄을 쳐가며 '해설까지' 외워 두시기 바랍니다. 해설의 문장도 가급적이면 '기출 문장'으로 구성하려고 했습니다. 그리고 자주 출제되는 문제들의 경우 그 전체 경향을 분석하여 한군데에 정답(또는 정답과 오답)을 모아 놓았습니다. 예를 들면 '상감청자'의 경우 "상감청자의 시험 포인트는 (1) 시기, (2) 제작 방식, (3) 생산지이다. 이와 관련된 기출 문장들을 확인해두기 바란다."고 하여 정답과 오답의 포인트를 정리해 놓았습니다.

3. 문제 해결 방식을 알려준다

이 책은 문제에 대한 설명뿐만이 아니라 '어떻게 문제를 풀어야 하는지?'에 대해서도 알려줍니다. 기출문제 분석을 통해 다음에 출제될 문제들이 무엇인지를 미리 예상해 볼 수 있도록 구성하였습니다.

4. 사료의 '원문'이 풍부하게 수록되어 있다

이 책에는 시험에 출제된 짧은 사료뿐만이 아니라, 그 사료의 원문 자체를 복원하여 해설에 추가하였습니다. 시험에 출제되는 자료는 '일부'입니다. 그러므로 그 '일부 출제된 앞과 뒤'에 어떤 문장들이 놓여져 있었는지를 함께 검토하는 것이 중요합니다. 해설에 있는 자료들도 숙지해주시기 바랍니다. 올해에도 작년에도 그 해설의 자료들이 많이 출제되었습니다.

기출문제는 '선생님'이며, '또 하나의 기본서'이며, 앞으로 나아갈 방향을 정해주는 '이정표'입니다. 하나의 기출문제가 전달하는 풍부한 메시지를 충분히 받아들이는 기출문제 학습이 되기 바랍니다. 이 책으로 공부할 때, 이 책을 교재로 하는 기출문제 해설 강의를 들으며 학습하시면 문제의 포인트를 파악하는 데 시간이 많이 줄어들 것입니다.

이 책이 한국사 실력을 놀랍게 성장시키는 좋은 도구가 되기 바랍니다.

2024년 8월 노량진 연구실에서

이명호

제4편 **한국 근현대사**

제5편 주제별 기출분석

이명호
한국사

제2의 기본서와 같은 상세한 해설
이명호 한국사 기출로 적중

P/A/R/T

한국 근현대사

01 개화와 주권 수호 운동

01 흥선대원군의 정치

01 밑줄 친 '그'에 대한 설명으로 옳은 것은? [2021 국가직 9급]

> 군역에 뽑힌 장정에게 군포를 거두었는데, 그 폐단이 많아서 백성들이 뼈를 깎는 원한을 가졌다. 그런데 사족들은 한평생 한가하게 놀며 신역(身役)이 없었다. … (중략) … 그러나 유속(流俗)에 끌려 이행되지 못하였으나 갑자년 초에 그가 강력히 나서서 귀천이 동일하게 장정 한 사람마다 세납전(歲納錢) 2민(緡)을 바치게 하니, 이를 동포전(洞布錢)이라고 하였다.
>
> 『매천야록』

① 만동묘 건립을 주도하였다.
② 군국기무처 총재를 역임하였다.
③ 통리기무아문을 폐지하고 5군영을 부활하였다.
④ 탕평 정치를 정리한 『만기요람』을 편찬하였다.

해설 정답 ③

'군포', '동포전' 등의 단어를 통해 제시된 자료는 흥선대원군이 실시한 호포제(戶布制) 관련 자료임을 알 수 있다. 호포제 자료는 이 문제처럼 「매천야록」에 수록된 자료가 출제되거나, 다음과 같이 「근세조선정감」에 있는 자료가 출제된다.

> 인정(人丁)에 대한 세를 신포(身布)라고 하는데 충신과 공신의 자손에게는 모두 그것이 면제되었다. 그 모자라는 액수는 반드시 평민에게만 덧붙여 징수하였다. 그는 이를 수정하고자 동포(洞布)라는 법을 제정하였다. 가령 한 동리에 2백여 호가 있으면 매 호에 더부살이 호가 약간씩 있는 것을 자세히 밝혀서 계산하고, 신포를 부과하여 고르게 징수하였다.
>
> 박제형, 『근세조선정감』 2017 국가직 7급, 2010년 서울시 9급

③ 통리기무아문을 폐지하고 5군영을 부활한 인물은 흥선대원군이다.
① 만동묘는 조선 후기에 명나라의 신종을 위해 세운 사당이다. 1689년(숙종 때) 송시열이 죽으면서 제자들에게 유언을 남겨 세운 사당이 만동묘이다. 흥선대원군은 오히려 만동묘를 철폐하였다(1865).
② 군국기무처는 제1차 갑오개혁을 추진하였던 최고 정책결정 기관이다. 군국기무처의 총재를 역임한 인물은 김홍집이다.
④ 『만기요람』은 조선 왕조의 재정과 군정에 관한 내용들을 집약한 책이다. 1808년(순조 때)에 서영보, 심상규 등이 왕명에 따라 편찬하였다.

02 다음 설명의 밑줄 친 '그'가 집권하여 개혁을 펼치던 시기에 발생한 역사적 사실을 모두 고른 것은? [2013 경찰]

> 그는 "백성을 해치는 자는 공자가 다시 살아난다 해도 내가 용서하지 않을 것이다."는 단호한 결의로 47개소만 남기고 대부분의 서원을 철폐하였다.

> ㉠ 갑신정변 ㉡ 신미양요
> ㉢ 임술농민봉기 ㉣ 제너럴셔먼호 사건
> ㉤ 오페르트 도굴 사건

① ㉠, ㉡, ㉤ ② ㉠, ㉢, ㉣
③ ㉡, ㉣, ㉤ ④ ㉢, ㉣, ㉤

해설 정답 ③

흥선대원군은 서원을 대폭 줄이는 정책을 추진하였다. ➲ 2021 지방직 9급 다음과 같은 '서원 철폐' 자료도 출제된 적이 있으니 함께 보기 바란다.

> 진실로 백성에게 해가 되는 것이 있으면 비록 공자가 다시 살아난다 하더라도 '나'는 용서하지 않겠다. 하물며 서원은 우리나라에서 존경받는 유학자를 제사하는 곳인데, 지금은 도둑의 소굴이 되어 버렸으니 말할 것도 없다.
> ➲ 2006 국가직 9급

흥선대원군 문제는 크게 두 가지로 출제되는데 첫째, 흥선대원군이 개혁을 추진할 때의 시대 상황(주요 사건)을 묻는 문제와 둘째, 흥선대원군의 개혁 정책을 묻는 문제이다. 2019년 지방직 9급에서는 흥선대원군 집권 시기를 '경복궁 중건을 위해 원납전을 거두었던 시기'로 표현하였다.

> 이때 거두어들인 돈을 '스스로 내는 돈'이라는 뜻에서 원납전이라 하였다. 그런데 백성들은 입을 삐쭉거리면서 '원납전, 즉 원망하며 바친 돈이다.'라고 하였다. ➲『매천야록』 ➲ 2019 지방직 9급

흥선대원군이 개혁을 추진할 때의 상황을 묻기도 하지만, 흥선대원군이 집권하기 직전의 상황을 묻기도 한다. '대원군 집권 직전'이란 곧 세도정치기이다. 그러므로 대원군 집권 직전의 상황을 묻는다면 '탐관오리의 부정부패', '삼정의 문란', '비변사와 훈련도감으로의 권력 집중' 등이 답이 될 수 있다.

이 문제처럼 흥선대원군이 '집권하여 개혁을 펼치던 시기'를 묻는다면 1차 섭정기간인 1863~1873년으로 이해하면 된다. 이 시기에는 제너럴셔먼호 사건(1866), 병인양요(1866), 오페르트 도굴사건(1868), 신미양요(1871)가 일어났다.

㉠ 갑신정변: 1884년, ㉢ 임술농민봉기: 1862년

03 밑줄 친 '그'의 활동에 대한 설명으로 옳은 것은? [2017 서울시 9급]

> 그는 만동묘와 폐단이 큰 서원을 철폐하도록 명령을 내렸다. 선비들 수만 명이 대궐 앞에 모여 만동묘와 서원을 다시 설립할 것을 청하니, 그가 크게 노하여 병졸로 하여금 한강 밖으로 몰아내도록 하였다.

① 갑오개혁 당시 군국기무처의 총재관으로 활동하였다.
② 갑신정변 당시 청군의 원조를 요청하였다.
③ 임오군란 직후 통리기무아문을 폐지하였다.
④ 강화도 조약 체결 직전 화서학파의 적극적인 지지를 받았다.

해설

정답 ③

'만동묘'와 '서원' 철폐를 명령한 인물은 흥선대원군이다. 대원군은 1882년 6월 임오군란이 일어나자 약 1개월간 재집권하여 통리기무아문을 폐지하였다.

① 제1차 갑오개혁 당시 군국기무처의 총재관이었던 인물은 '김홍집'이다.

② 갑신정변 당시 청군의 원조를 요청한 인물은 '명성황후(민비)'이다.

④ 화서학파는 화서 이항로의 영향을 받은 유림들이 만든 학파로, 대표적인 위정척사파 계열이다. 강화도 조약 체결 직전 화서학파의 적극적인 지지를 받은 대표적인 인물은 '최익현'이다.

04 다음의 노래가 유행하던 당시의 역사적 사실에 관한 설명 중 옳지 않은 것은?

[2012 서울시 9급, 경찰 변형]

> 에-에헤이야 얼널널 거리고 방에 흥애로다
> 을축년 4월 초3일에 경복궁 새 대궐 짓는데 헛방아 찧는 소리다
> 조선의 여덟도 좋다는 나무는 경복궁 짓노라 다 들어간다
> 도편수란 놈의 거동 보소 먹통 메고 갈팡질팡한다
> 남문 밖에 떡장수들아 한 개를 베어도 큼직큼직 베어라
> 남문 밖에 막걸리 장수야 한 잔을 걸러도 큰 애기 솜씨로 걸러라
> 에- 나 떠난다고 네가 통곡말고 나 다녀올 동안 네가 수절을 하여라
> 에- 인생을 살면 몇 백년 사나 생전 시절에 맘대로 노세
> 남문 열고 바라 둥당 치니 계명 산천에 달이 살짝 밝았네
> 경복궁 역사가 언제나 끝나 그리던 가족을 만나 볼까

① 비변사를 사실상 폐지하고, 의정부와 삼군부의 기능을 부활시켰다.

② 「대전회통」, 「육전조례」 등 새로운 법전을 편찬하였다.

③ 양반들의 근거지인 향교를 47개소만 남기고 철폐하였다.

④ 삼수병(三手兵)을 강화하고, 중국을 통하여 서양의 화포 기술을 도입하였다.

⑤ 상민들만 내던 군포를 양반에게도 징수하는 호포제를 실시하였다.

해설

정답 ③

제시된 자료는 대원군 문제의 대표적인 자료인 '경복궁 타령'이다. 대원군은 향교를 철폐한 것이 아니라 '서원'을 철폐하였다.

05 공민왕이 실시한 다음 정책과 같은 목적으로 대원군이 실시한 정책과 가장 거리가 먼 것은?

[2011 서울시 9급, 2018 경찰]

- 왕권을 제약하던 권문세족을 누르기 위해, 신진사대부의 등장을 억제하고 있던 정방을 폐지하였다.
- 전민변정도감을 설치하여 권문세족이 부당하게 빼앗은 토지와 노비를 돌려주거나 양민으로 해방시켰다.
- 권문세족들의 경제기반을 약화시키고 국가 재정 수입의 기반을 확대하였다.

① 임진왜란 때 소실된 경복궁을 재건하고, 광화문 앞의 육조 거리 등 한양의 도시 구조를 복원하였다.

② 대전회통을 편찬하였다.

③ 통상수교정책을 실시하였다.

④ 능력위주로 인재를 등용하였다.

⑤ 비변사를 폐지하고 의정부와 삼군부의 기능을 회복시켰다.

해설 정답 ③

공민왕이 실시한 정방 폐지, 전민변정도감 설치, 권문세족 기반 약화는 모두 '왕권 강화'의 목적을 가지고 있다. 흥선대원군의 1) 경복궁 중건, 2) 법전편찬(대전회통, 육전조례), 3) 능력위주의 인재 등용(사색등용), 4) 비변사 폐지도 왕권 강화가 목적이다.

③ 흥선대원군은 통상 수교를 거부하는 정책을 썼으므로, 이 말 자체도 틀리지만, 어떻게 쓴다하더라도 왕권 강화와는 관련이 없다.

06 밑줄 친 발언을 한 인물에 대한 설명으로 옳은 것은?

[2020 소방]

어느 공회 석상에서 음성을 높여 여러 대신에게 말하기를 <u>"나는 천리(千里)를 끌어다 지척(咫尺)을 삼겠으며 태산(泰山)을 깎아 내려 평지를 만들고 또한 남대문을 3층으로 높이려 하는데, 여러 공들은 어떠시오?"</u>라고 하였다. …… 대저 천리 지척이라 함은 종친을 높인다는 뜻이요, 남대문 3층이라 함은 남인을 천거하겠다는 뜻이요, 태산 평지라 함은 노론을 억압하겠다는 뜻이다.

『매천야록』

① 평시서를 설치하였다.

② 소격서를 폐지하였다.

③ 삼군부를 부활시켰다.

④『대전통편』을 편찬하였다.

해설 정답 ③

제시된 자료는 황현이 쓴『매천야록』에 담긴 흥선대원군 이야기이다. 남대문을 3층으로 높이는 것은 남인을 천거하겠다는 뜻이고, 태산을 깎아 내려 평지를 만든다는 것은 노론을 억압하겠다는 뜻인데, 이렇게 비유적인 표현으로 당시 세도가들을 억누르고 능력 있는 인재를 등용하겠다는 의사를 밝혔다.

③ 흥선대원군은 비변사를 폐지하고 의정부와 삼군부를 부활시켰다.
① 세조는 경시서를 개편하여 평시서를 설치하였다.
② 중종 때 조광조는 소격서를 폐지하였다.
④ 정조는 『대전통편』을 편찬하였다.

명호샘의 **한마디!!**

1. 시대별 시장 감독 관청은 다음과 같다.

삼 국	통일신라	고 려	조 선
동시전 (6C 초 지증왕)	서시전, 남시전 (7C 말 효소왕)	경시서 (11C 중엽 문종)	경시서, 평시서 (15C 세조 때 개칭)

2. 동시전은 삼국시대 지증왕 때 설치되었으며, 서시전과 남시전은 통일신라의 효소왕 때 설치되었다.

동시전(東市典)은 지증왕(智證王, 재위 437~514) 9년(508)에 설치하였다. 감(監)은 2명이었는데, 관등(官等)이 나마(奈麻)에서 대나마(大奈麻)까지인 자로 임용하였다. 대사(大舍)는 2명이었는데, 경덕왕(景德王, 재위 742~765)이 주사(主事)로 고쳤으나 후에 다시 대사로 일컬었으며, 관등은 사지(舍知)에서 나마까지인 자로 임용하였다. 서생(書生)은 2명이었는데, 경덕왕이 사직(司直)으로 고쳤으나 후에 다시 서생으로 칭하였다. 관등은 조부(調府)의 사(史)와 같았다. 사는 4명이었다.
서시전(西市典)은 효소왕(孝昭王, 재위 692~702) 4년(695)에 설치하였다. 감(監)은 2명이었다. 대사(大舍)는 2명이었는데, 경덕왕이 주사(主事)로 고쳤으나 후에 다시 대사로 칭하였다. 서생(書生)은 2명이었는데, 경덕왕이 사직(司直)으로 고쳤으나 후에 다시 서생으로 칭하였다. 사(史)는 4명이었다.
남시전(南市典)은 역시 효소왕 4년에 설치하였다. 감은 2명이었다. 대사는 2명이었는데, 경덕왕이 주사로 고쳤으나 후에 다시 대사로 칭하였다. 서생은 2명이었는데, 경덕왕이 사직으로 고쳤으나 후에 다시 서생으로 칭하였다. 사는 4명이었다. 『삼국사기』

07 다음 자료에 나오는 인물의 활동으로 옳은 것은? [2016 지방직 7급]

> 그가 대단한 능력을 발휘하여 힘써 교정하고 쇄신하니 치도(治道)가 맑고 깨끗하여 국가의 재정이 풍족하게 된 것은 득이며 장점인 것이요. … (중략) … 쇄국을 스스로 장하다 하여 대세의 흐름을 부질없이 반대하였으니 이것은 단점이요 실정인 것이다.

① 군국기무처에서 총재관을 역임하였다.
② 을미의병이 확산되자 해산권고 조칙을 발표하였다.
③ 갑신정변이 발발하자 청군의 개입을 요청하였다.
④ 임오군란으로 집권하여 5군영을 복구하였다.

해설 정답 ④

'국가의 재정이 풍족'하게 되었지만, '쇄국(鎖國)'이 단점으로 지목되는 인물은 흥선대원군이다. 대원군은 임오군란 때 입궐하여 통리기무아문을 폐지하고 5군영을 부활하였다. 2021 국가직 9급
① 군국기무처의 총재관은 김홍집이다.
② 을미의병이 확산되자 해산권고 조칙을 발표한 인물은 고종이다. 조칙(詔勅)은 임금만 내릴 수 있다.
③ 갑신정변이 발발하자 청군의 개입을 요청한 인물은 민비(명성황후)이다.

08 [보기]에서 흥선대원군이 추진한 정책을 모두 고른 것은? [2023 계리직 9급]

[보기]

ㄱ. 서원 철폐　　ㄴ. 호포제 시행
ㄷ. 원납전 징수　　ㄹ. 『대전통편』 편찬

① ㄱ, ㄴ　　② ㄷ, ㄹ
③ ㄱ, ㄴ, ㄷ　　④ ㄴ, ㄷ, ㄹ

해설 정답 ③

ㄱ. 흥선대원군은 지방 양반의 세력 근거지로서 국가재정과 정부의 지방통제력을 약화시켰던 6백여 개의 서원을 대폭 정리하였다. 그는 사액서원 중 47개만 남기고 나머지는 모두 철폐하였으며, 서원에 딸린 전지와 노비도 몰수하였다(1871).

ㄴ. 흥선대원군은 종래 양민에게만 부과하던 군포를 동포(洞布) 또는 호포(戶布)로 바꾸어 양반에게도 징수하였다. 이를 호포제라고 한다.

ㄷ. 흥선대원군은 경복궁 중건을 위한 공사비를 충당하기 위하여 원납전(願納錢)을 강제로 징수하였다.

ㄹ. 흥선대원군은 『대전회통』과 『육전조례』 등 각종 법전을 편찬하여 통치체제를 재정비하였다. 『대전통편』은 정조가 편찬한 법전이다.

09 (가) 인물이 추진한 정책으로 옳지 않은 것은? [2023 국가직 9급]

선비들 수만 명이 대궐 앞에 모여 만동묘와 서원을 다시 설립할 것을 청하니, (가) 이/가 크게 노하여 한성부의 조례(皂隸)와 병졸로 하여금 한강 밖으로 몰아내게 하고 드디어 천여 곳의 서원을 철폐하고 그 토지를 몰수하여 관에 속하게 하였다. 『대한계년사』

① 사창제를 실시하였다.
② 『대전회통』을 편찬하였다.
③ 비변사의 기능을 강화하였다.
④ 통상 수교 거부 정책을 추진하였다.

해설 정답 ③

흥선대원군은 노론의 정신적 지주 역할을 하던 만동묘를 철폐하였다(1865). 그리고 6백여 개의 서원도 대폭 정리하였다(1871). 제시된 자료는 그 '만동묘와 서원을 다시 설립'하자는 의견에 화를 내는 흥선대원군 이야기이다.

① 흥선대원군은 환곡제를 상당 부분 폐지하고, 면민들이 공동 출자하여 운영하는 사창제를 실시하였다(1867).
② 흥선대원군은 『대전회통』과 『육전조례』 등 각종 법전을 편찬하여 통치 체제를 재정비하였다.
④ 흥선대원군은 통상 수교 거부 정책을 추진하여, 서양 세력의 문호 개방과 통상 수교 요구를 거절하였다.
③ 흥선대원군은 비변사를 강화한 것이 아니라, 오히려 비변사를 폐지하고(1865), 의정부와 삼군부의 기능을 부활하였다.

02 외세의 침입과 개항

01 외세의 침입

01 다음 [보기]의 밑줄 친 '이 전쟁'에 대해 서술한 것 중 가장 적절한 것은? [2011 경찰]

> [보기]
> 침략을 통하여 약탈한 문화재를 본국에 돌려주어야 한다는 움직임이 유네스코를 중심으로 일어나고 있다. 프랑스가 한국에서 이 전쟁을 통하여 약탈해 간 외규장각 고문서가, 영구임대 형식으로 2011년에 한국에 반환된 것도 이러한 움직임의 일환이다.

① 이 전쟁의 결과로 인하여 9명의 프랑스 신부를 처형하는 병인박해(1866)가 일어나게 되었다.
② 이 전쟁 직후 전국 각지에 척화비(斥和碑)를 건립하여 쇄국 정책의 의지를 표명하였다.
③ 제너럴셔먼호 소각 사건을 구실로, 프랑스의 극동 함대 사령관 로즈(Rose) 제독이 7척의 군함을 이끌고 강화도에 침입하였다.
④ 한성근, 양헌수 부대가 문수산성, 정족산성에서 프랑스군을 격퇴하였다.

해설

정답 ④

'이 전쟁'은 병인양요(1866)이다. 병인양요의 대표적인 장수 두 명은 '한성근, 양헌수'이다. 신미양요의 '어재연'과 구분하여야 한다.

> 1975년 서지학자 박병선 박사는 이곳 도서관에서 조선 시대 도서가 보관되어 있음을 발견하고 목록을 정리하여 그 존재를 알렸다. 그 후 1990년대 초 한국 정부가 반환을 공식 요청하기에 이르렀다. 그 결과 2011년에 '5년마다 갱신이 가능한 대여 방식'으로 반환되었다. ➲ 2015 지방직 9급

① 병인박해(1866)는 병인양요의 결과가 아니라 '원인'이다.
② 척화비의 내용을 보면 '병인년(1866)에 짓고 신미년(1871)에 세운다.'고 하였다. 글을 지은 것은 병인년이지만, 비석을 전국 각지에 세운 것은 신미년이다. 그러므로 '이 전쟁(1866) 직후'에 척화비를 건립하였다고 말하기는 어렵다.
③ 제너럴셔먼호 사건을 구실로 미국의 '로저스' 제독이 침입하였다. 이것을 신미양요(1871)라 한다.

02 병인양요에 대한 설명으로 옳지 않은 것은? [2024 지방직 9급]

① 프랑스 함대가 강화부를 점령하였다.
② 외규장각이 소실되었고 의궤 등을 약탈당했다.
③ 어재연이 강화도 광성보 전투에서 전사하였다.
④ 프랑스 선교사와 천주교도가 처형당한 것이 원인이 되었다.

해설 정답 ③

① 프랑스 함대는 1866년 10월 14일 강화도에 상륙한 이래 거의 한달 동안 강화도를 점령하였다.
② 1866년 11월 10일 외규장각 고도서 340권, 197,231프랑 상당의 은괴 19상자 등 귀중한 문화재를 약탈하고 철수하면서, 행궁과 외규장각을 불태워 버렸다.
④ 병인박해로 8천여 명의 천주교도와 베르뇌, 다블뤼 등 프랑스 신부 9명이 처형당하였다. 병인박해 '이후' 병인양요가 발생했다.
③ 1871년 미군 해병 450명이 함포의 지원을 받으며 초지진에 상륙하여 점거하였다. 이후 덕진진을 함락시킨 미군은 '광성보'를 공격하여 어재연 장군의 수자기(帥字旗)를 약탈했다. 이것은 '병인양요'가 아닌 '신미양요'에 대한 설명이다.

명호샘의 **한마디!!**

병인양요(1866)와 신미양요(1871)는 각각 정답과 오답이 되므로, 확실하게 구분하여야 한다.

구분	병인양요	신미양요
원인	병인박해(1866)	제너럴셔먼호 사건(1866)
장군	한성근, 양헌수	어재연
탈취된 것	외규장각 도서 탈취	수자기 탈취
관련 인물	박병선 박사	평양감사 박규수

03 다음 사건이 일어난 왕의 재위 기간에 있었던 사실로 옳은 것은? [2020 국가직 9급]

> 그들 조선군은 비상한 용기를 가지고 응전하면서 성벽에 올라 미군에게 돌을 던졌다. 창칼로 상대하는데 창칼이 없는 병사들은 맨손으로 흙을 쥐어 적군 눈에 뿌렸다. 모든 것을 각오하고 한 걸음 한 걸음 다가드는 적군에게 죽기로 싸우다 마침내 총에 맞아 죽거나 물에 빠져 죽었다.

① 군포에 대한 양반들의 면세특권이 폐지되었다.
② 금난전권을 제한하려는 통공정책이 시작되었다.
③ 결작세가 신설되면서 지주들의 부담이 증가하였다.
④ 영정법이 제정되어 복잡한 전세 방식이 일원화되었다.

해설 정답 ①

조선군과 미군이 격돌한 사건은 신미양요(1871)이다. 1871년 6월 초지진, 덕진진을 점령한 미군은 광성보를 공격하였다. 어재연 장군이 이끄는 조선군은 죽기로 싸웠지만 전세를 역전시키지 못했고, 어재연 장군을 비롯한 350여 명의 장병들이 전사하였다. 이 사건은 흥선대원군 1차 집권기(1863~1873)에 발생했지만 이 문제는 당시 '왕'의 재위 기간에 있었던 사실을 묻고 있다.
① '군포에 대한 양반들의 면세특권이 폐지'되었다는 것은 호포제 실시를 말한다. 호포제는 흥선대원군 집권기, 즉 고종 때 실시되었다.
② 신해 통공은 정조 때 실시되었다.
③ 균역법을 시행하는 대신 재정감소 보완책으로 결작세를 거둔 왕은 영조이다.
④ 영정법은 인조 때 실시되었다. 영정법으로 연분 9등법이라는 '복잡한 전세 방식'이 1결당 4두라는 방식으로 '일원화'되었다.

명호샘의 한마디!!

<u>신미양요는 '제너럴셔먼호 사건'이 원인이 되어 일어났다.</u> 1866년 8월 미국 상선 제너럴셔먼호가 대동강을 거슬러 평양 부근까지 올라가 통상을 요구하였다. 셔먼호의 선원들이 박규수가 보낸 관리를 살해하고 주변 마을을 약탈하자, 박규수는 화공(火攻)으로 셔먼호를 불태우고 선원을 몰살하였다. 그 상황이 아래 자료에 잘 나타나 있다. 이 자료가 나오면 <u>'어재연, 로저스, 수자기, 척화비, 박규수'</u> 등을 답으로 고르면 된다.

> 성 안팎 군대와 백성들이 한결같이 격분한 마음을 품게 되었다. 명령이 없이도 모이고 북을 울리지 않아도 다투어 탄환과 화살을 마구 쏘아…… 평양부에 정박하고 있는 이양선은 더욱 광폭해져서 포와 총을 쏘아대고 우리 사람들을 살해하니……

신미양요의 특징 중 하나는 '수자기 탈취'이다. '어재연 장군기'는 장수 수(帥)자가 적혀 있는 깃발이다. 이 깃발은 어재연 장군이 광성보 전투에서 사용하였다. 예를 들어 '수자기 탈취'가 제시되면 '제너럴 셔먼호 사건'을 답으로 고를 수 있다.

04 (가) 시기에 있었던 사실로 옳은 것은? [2021 지방직 9급]

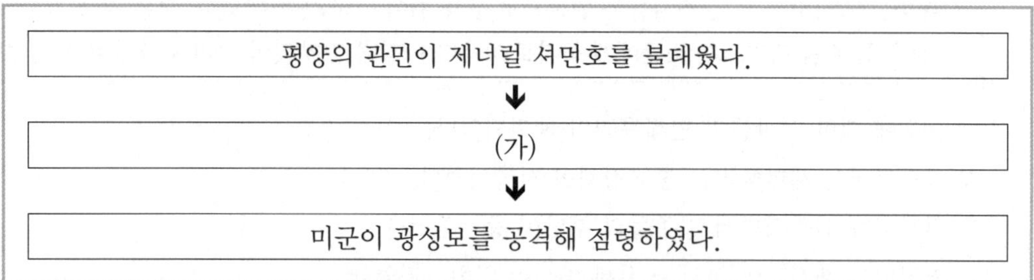

평양의 관민이 제너럴 셔먼호를 불태웠다.

↓

(가)

↓

미군이 광성보를 공격해 점령하였다.

① 고종이 홍범 14조를 발표하였다.

② 일본의 운요호가 초지진을 포격하였다.

③ 오페르트가 남연군의 묘 도굴을 시도하였다.

④ 차별 대우에 불만을 품은 군인이 임오군란을 일으켰다.

해설 정답 ③

제너럴 셔먼호 사건(1866)은 신미양요(1871)의 직접적인 원인이다. (가) 시기에는 오페르트 도굴사건(1868)이 들어갈 수 있다.

① 홍범 14조 발표(1895)

② 운요호 사건(1875)

④ 임오군란(1882)

명호샘의 **한마디!!**

오페르트 도굴 사건(1868)은 독일인 '오페르트'가 '남연군의 묘(덕산 묘지)'를 도굴하려다 실패한 사건이다. 이 사건은 1866년 병인년과 1871년 신미년 사이에 일어났다는 것이 시험의 핵심이다.

- '제너럴 셔먼호(1866)'와 '어재연(1871)' 사이에 오페르트 (○) ➲ 2018 해경간부, 2013 지방직 7급
- '문수산성, 정족산성(1866)'과 '척화비(1871)' 사이에 오페르트 (○) ➲ 2017 소방간부
- '양헌수(1866)'와 '어재연(1871)' 사이에 오페르트 (○) ➲ 2016 사회복지직
- '병인박해(1866)'와 '어재연(1871)' 사이에 오페르트 (○) ➲ 2011 경북 교육청
- '프랑스 극동함대(1866)'와 '로저스(1871)' 사이에 오페르트 (○) ➲ 2008 국가직 7급

연도	주요 사건
1866	병인박해, 제너럴 셔먼호 사건, 병인양요(한성근, 양헌수, 로즈 제독), 당백전 발행
1868	오페르트 도굴사건
1871	신미양요(어재연, 로저스 제독), 척화비

05 (가)~(라) 사건이 일어난 순서대로 바르게 나열된 것은? [2022 법원직 9급]

(가) 운요호가 강화도의 초지진을 포격하고 군대를 영종도에 상륙시켜 살인과 약탈을 자행하였다.
(나) 독일 상인 오페르트가 덕산군에 상륙하여 남연군의 무덤을 도굴하다가 실패하고 돌아갔다.
(다) 미군이 강화도의 초지진을 함락하고 광성보를 공격하였다.
(라) 프랑스군이 강화도의 주요 시설을 불태우고 외규장각 도서를 약탈하였다.

① (가) – (나) – (라) – (다)
② (나) – (라) – (가) – (다)
③ (다) – (나) – (가) – (라)
④ (라) – (나) – (다) – (가)

해설 정답 ④

(라) 병인양요(1866)
(나) 오페르트 도굴 사건(1868)
(다) 신미양요(1871)
(가) 운요호 사건(1875)

명호샘의 **한마디!!**

1860년대부터 1880년대까지의 주요 사건(<u>순서 문제 및 대원군의 업적을 묻는 문제에서 출제될 수 있는 사건</u>)은 다음과 같다.

연도	집권자	주요 사건
1863	대원군 1차 집권	흥선대원군 집권(고종 즉위)
1865		「대전회통」 간행, 비변사 폐지, 원납전 징수, 만동묘 철폐
1866		병인양요, 제너럴셔먼호 사건, 당백전 발행
1867		사창제 실시, 「육전조례」 간행
1868		오페르트 도굴 사건
1871		신미양요, 척화비 건립, 서원 철폐, 호포제 실시
1875	민씨 세력	운요호 사건
1876		강화도 조약, 1차 수신사(김기수)
1880		2차 수신사(김홍집), 「조선책략」 국내 유포, 통리기무아문 설치
1881		영남만인소, 조사시찰단, 영선사(김윤식) 파견, 별기군 창설
1882	대원군 2차 집권	조미수호 통상조약 체결, 임오군란, 3차 수신사, 조청 상민 수륙 무역 장정 체결, 제물포 조약 체결, 대동폐 발행
1883	민씨 세력	기기창 설치, 보빙사 파견, 동문학 설립, 박문국 설치, 원산학사 설립, 한성순보 발간
1884		갑신정변
1885		광혜원 설립, 경신학교 설립, 배재학당 설립, 영국의 거문도 불법 점령
1886		육영공원 설립, 이화학당 설립, 조불 수호 통상조약 체결
1888		박영효의 「건백서」

06 (가) 시기에 발생한 사건으로 옳은 것은?

[2018 법원직 9급]

> 너희 나라와 우리나라의 사이에는 애당초 소통이 없었고, 또 서로 은혜를 입거나 원수진 일도 없었다. 그런데 이번 덕산묘소에서 저지른 변고야말로 어찌 인간의 도리상 차마 할 수 있는 일이겠는가?
>
> ⇩
>
> (가)
>
> ⇩
>
> 조약 체결 이후 조선국 항구에 거주하는 일본인은 쌀과 잡곡을 수출, 수입할 수 있게 되었으며, 일본국 소속의 선박은 항세를 납부하지 않게 되었다.

① 영남 유생들은 "조선책략"의 내용을 비판하였다.
② 원산과 인천이 개항되어 일본과의 무역이 시작되었다.
③ 정부는 통리기무아문을 새로 설치하여 정국을 운영하였다.
④ 어재연이 이끄는 부대가 전력의 열세로 결국 함락당하였다.

해설

정답 ④

첫 번째 사료는 1868년 영종에 정박해 있던 서양배가 대원군에게 편지를 보내자, 영종 첨사의 명의로 이에 회답한 편지의 일부이다. 당시 서양배의 오페르트(Oppert, Ernest Jacob)는 "삼가 말하건대 남의 무덤을 파는 것은 예의가 없는 행동에 가깝지만 무력을 동원하여 백성들을 도탄 속에 빠뜨리는 것보다 낫기 때문에 하는 수 없이 그렇게 하였습니다. 본래는 여기까지 관을 가져오려고 하였으나 과도한 것 같아서 그만두고 말았습니다. 이것이 어찌 예의를 중하게 여기는 도리가 아니겠습니까? 군사와 백성들이 어찌 석회를 부술 기계가 없었겠습니까? 절대로 먼 데 사람의 힘이 모자라서 그만두었으리라고 의아하게 생각하지 말 것입니다."라고 하였다. 이에 영종 첨사는 다음과 같이 화답하였다.

> "우리나라 대원군 각하는 지극히 공경스럽고 존엄한 위치에 있다. 이런 글을 어떻게 전달하겠는가? 그래서 도로 돌려보낸다. 귀국과 우리나라의 사이에는 애당초 소통이 없었고 또 서로 은혜를 입었거나 원수진 일도 없었다. 그런데 이번 덕산(德山) 묘소에서 저지른 변고야말로 어찌 인간의 도리상 차마 할 수 있는 일이겠는가? 또 방비가 없는 것을 엿보고서 몰래 침입하여 소동을 일으키고 무기를 약탈하며 백성들의 재물을 강탈한 것도 어찌 사리상 할 수 있는 일이겠는가? 이런 지경에 이르렀기 때문에 우리나라 신하와 백성들은 단지 힘을 다하여 한마음으로 귀국과는 한 하늘을 이고 살 수 없다는 것을 다짐할 따름이다. (이하 생략)" 「고종실록」

두 번째 사료는 다음과 같은 1876년에 맺어진 조일무역규칙의 일부이다.

> 제6칙 조선국 항구에 거주하는 일본인은 쌀과 잡곡을 수출할 수 있다.
> 제7칙 조선국 항구로 들어오는 상선은 항세를 납부하여야 한다. 단, 일본국 정부에 소속된 선박들은 항세를 납부하지 않는다.

그러므로 '(가) 시기'란 1868년과 1876년 사이의 기간을 말한다. 이 시기에 '어재연이 이끄는 부대가 전력의 열세로 결국 함락 당한' 신미양요가 발생하였다(1871).

① 영남 유생들은 1881년 초에 '영남만인소'를 올려 '조선책략'의 내용을 조목조목 비판하였다.

'조선책략'의 주장	'영남만인소'의 비판
방러시아	러시아 = 혐의가 없는 나라(미워할 필요가 없는 나라)
친중국	중국 = 속방이 된 지가 2백 년이 이미 넘은 나라
결일본	일본 = 임진왜란의 원한이 남아 있는 나라, 침략 가능성이 있는 나라
연미국	미국 = 우리가 모르던 나라, 무리한 요구를 할 수 있는 나라

② 원산은 1880년에, 인천은 1883년에 개항하였다.

③ 정부는 1880년에 통리기무아문을 설치하였다.

02 개항과 불평등 조약 체제

07 다음 내용의 서적에 해당하는 것은? [2006 서울시 9급]

> 역관으로 10여 차례나 중국을 왕래했던 오경석이 들여온 책으로 세계 정세와 문물의 변화를 국내에 전했다.

① 「우서」, 「열하일기」
② 「북학의」, 「열하일기」
③ 「열하일기」, 「조선책략」
④ 「영환지략」, 「해국도지」
⑤ 「조선책략」, 「해국도지」

해설

정답 ④

19세기 중엽 조선 사회의 내부에서도 서양 문물을 수용하고 근대화를 이루어야 한다고 주장하는 통상 개화론자들이 나타나기 시작하였다. 김정희 문하의 중인 출신 오경석은 통역관으로 10여 차례 중국에 왕래하면서 「해국도지」, 「영환지략」 등의 서적을 국내에 전파하였다.

08 (가)~(라) 사건이 일어난 순서대로 바르게 나열된 것은? [2024 법원직 9급]

> (가) 삼가 말하건대 남의 무덤을 파는 것은 예의가 없는 행동에 가깝지만 무력을 동원하여 백성들을 도탄 속에 빠뜨리는 것보다 낫기 때문에 하는 수 없이 그렇게 하였습니다.
> (나) 정족 산성 수성장 양헌수가 … 우리 군사들이 좌우에 매복했다가 일제히 총탄을 퍼부었습니다. 저들은 죽은 자가 6명이고 아군은 죽은 자가 1명입니다.
> (다) 흉악한 적들을 무찌르다가 수많은 총알을 고슴도치의 털처럼 맞아서 순직하였으니 … 죽은 진무중군 어재연에게 특별히 병조 판서와 지삼군부사의 관직을 내리노라.
> (라) 일본국 인민이 조선국의 각 항구에서 머무르는 동안 죄를 범한 것이 조선국 인민과 관계되는 사건일 때에는 모두 일본국 관원이 심판한다.

① (가)-(나)-(다)-(라)　② (가)-(다)-(라)-(나)
③ (나)-(가)-(다)-(라)　④ (나)-(다)-(라)-(가)

해설 정답 ③

(나) '정족산성'에서 '양헌수'가 프랑스 군대를 맞아 싸운 사건은 병인양요이다(1866).
(가) '남의 무덤을 파는 것'은 (너무 일반적인 표현을 사용하긴 했으나) 오페르트 도굴사건이다(1868).
(다) '진무중군 어재연'이 전사한 사건은 신미양요이다(1871).
(라) '모두 일본국 관원이 심판한다'는 것은 강화도 조약의 치외법권을 말한다(1876).

09 다음 조약과 직접 관련된 내용으로 옳은 것은? [2012 지방직 9급]

> 제10조 일본인이 조선국 지정의 각 항구에 머무는 동안에 죄를 범한 것이 조선인에 관계되는 사건일 때에는 모두 일본국 관원이 심판할 것이다.

① 일본은 조선에 주둔시켰던 군대를 철수하였다.
② 개항장에 일본 군인을 주둔하게 하는 규정을 두었다.
③ 일본국 항해자가 자유롭게 조선해양을 측량하도록 허가하였다.
④ 일본 공사관에 군인을 두어 경비하게 하고 그 비용은 조선이 부담하게 하였다.

해설 정답 ③

강화도 조약(1876) 제10조(제10관)는 개항장에 거주하는 일본인의 불법행위에 대해 조선 정부의 사법권을 배제하고 일본 영사가 재판할 수 있도록 한 조항이다. 이것을 치외법권(治外法權) 또는 영사재판권이라 한다. 강화도 조약 제7조에는 해안 측량권이 규정되어 있다.

① 임오군란 이후 청과 일본은 모두 조선에 군대를 주둔시켰다. 그러나 갑신정변 이후 텐진조약(1885)을 맺어 청과 일본은 (나중에 동시파병하기로 약속하고) 군대를 모두 철수시켰다.
② 개항장에 일본 군인을 두기로 한 조약은 따로 없다. 일본군의 경복궁 점령(1894) 이후에는 일본군이 조선 땅에 함부로 들어왔고, 러·일 전쟁 이후에는 상시적으로 주둔하는 모습을 보였다. '개항장에 일본군 주둔'은 앞으로도 '강화도 조약'의 오답으로 출제될 가능성이 높으니 꼭 기억해두기 바란다.

④ "일본 공사관에 군인 약간을 두어 경비한다. 그 비용은 조선국이 부담한다."는 임오군란의 결과 맺어진 제물포 조약(1882)의 내용이다.

명호샘의 **한마디!!**

강화도 조약에서 '자주권 침해'의 성격이 가장 큰 것 두 가지는 1) 해안측량권, 2) 치외법권이다. 그러므로 이 두 가지가 '문제 – 답'의 위치에 있는 것은 지극히 당연한 출제 패턴이다. 한편 해안측량권이나 치외법권이라는 답을 요구하기 위해, 다음과 같이 (강화도 조약 체결 직후 다녀온) '1차 수신사(1876, 김기수)'를 자료로 제시할 수 있다.

➲ 2013 법원직 9급

> 저번에 사절선이 온 것은 오로지 수호(修好) 때문이니 우리가 선린(善隣)하는 뜻에서도 이번에는 사신을 전위(專委)하여 수신(修信)해야겠습니다. 사신의 호칭은 수신사라 하고 김기수를 특별히 차출하고 따라가는 인원은 일을 아는 자로 적당히 가려서 보내십시오. 이는 수호 조약을 체결한 뒤에 처음 있는 일이니, 이번에는 특별히 당상관을 시켜 서계(書契)를 가지고 들어가게 하고, 이 뒤로는 서계를 옛날처럼 동래부에 내려 보내어 에도로 옮겨 보내는 것이 어떠하겠습니까.
>
> ➲ 「승정원일기」

10 다음 조약에 대한 설명으로 옳은 것을 [보기]에서 모두 고른 것은? [2013 국가직 7급 변형]

> • 조선국은 부산 등 개항장에 일본인이 와서 통상을 하도록 허가한다. …(중략) … 조선국 연해의 도서와 암초를 조사하지 않아 매우 위험하니 일본국 항해자가 자유로이 해안을 측량하도록 허가한다.
>
> ➲ ○○○○조규
>
> • 일본국 인민은 본국에서 현행되는 화폐들로 조선국 인민이 소유하고 있는 물자와 교환할 수 있다.
>
> ➲ ○○○○조규 부록

[보기]

㉠ 청을 의식하여 조선을 자주국으로 인정하였다.
㉡ 일본인은 개항장의 방파제로부터 10리까지만 자유로이 다닐 수 있게 하였다.
㉢ 부산, 원산, 인천에 이어 군산, 마산까지 개항하기로 하였다.
㉣ 초량에 전관거류지를 설치하고 수출입 물품에 5%의 관세를 부과하였다.

① ㉠, ㉡　　② ㉠, ㉣
③ ㉡, ㉢　　④ ㉢, ㉣

해설 정답 ①

㉠ 조일수호조규(강화도 조약, 1876)에서는 조선에 대한 청의 종주권을 부인하기 위해서 조선을 '자주국'으로 정의하였다.
㉡ 조일수호조규부록(1876)에서는 간행이정을 10리로 하여 거류지 무역이 가능하게 하였다.
㉢ 부산은 1876년에 개항하였고, 원산은 1880년에, 인천은 1883년에 개항하였다. 군산, 마산은 개항에 포함되지 않는다. '부산 → 원산 → 인천'의 순서를 묻는 문제도 출제된다. ➲ 2017 경찰
㉣ 초량에 전관거류지(일본이 우리나라 땅에서 행정권·경찰권 등을 행사할 수 있는 지역)를 설치한 것은 1876년이다. 일본에서 수입되는 물품에 관세가 부과되기 시작한 것은 1883년 조·일통상장정이 체결된 이후이다.

1876년	
조일수호조규	1) (1조) 자주국 2) (7조) 해안측량권(2개 항구 추가 개항) 3) (9조) 자유무역 4) (10조) 치외법권
조일수호조규 부록	1) 간행이정 10리 2) 일본 화폐 사용(개항장)
조일무역규칙	1) 무항세 2) 무관세 3) 무제한 곡물 유출

1882년	
조일수호조규 속약	간행이정 100리(내지무역)
제물포 조약	1) 피해배상금 지불 2) 일본 공사관에 군대 주둔

1883년	
조일통상장정	1) 관세화 2) 최혜국대우 3) 방곡령 선포 가능

11 (가), (나) 조약 사이의 시기에 있었던 사실로 옳은 것은? [2023 국가직 9급]

> (가) 제10관 일본국 인민이 조선국 지정의 각 항구에 머무는 동안에 죄를 범한 것이 조선국 인민에 관계되는 사건일 때에는 일본국 관원이 재판한다.
>
> (나) 제4관 중국 상인이 조선의 양화진 및 한성에 영업소를 개설할 경우를 제외하고, 각종 화물을 내륙으로 운반하여 상점을 차리고 파는 것을 허가하지 않는다. 단, 내륙행상이 필요한 경우 지방관의 허가서를 받아야 한다.

① 개항장에서는 일본 화폐가 통용되었다.
② 러시아가 압록강 유역의 산림 채벌권을 획득하였다.
③ 황국 중앙 총상회가 조직되어 상권 수호 운동을 전개하였다.
④ 함경도의 방곡령에 불복하여 일본 상인이 손해 배상을 요구하였다.

해설

정답 ①

(가) '일본국 인민'은 '일본국 관원이 재판'한다는 것은 강화도 조약의 치외법권 규정이다(1876).
(나) '각종 화물을 내륙으로 운반하여 상점을 차리고 파는 것', 즉 내지무역은 허가하지 않지만, '지방관의 허가서'를 받으면 가능하다는 것은 조청 상민 수륙 무역 장정의 내지무역(내륙통상권) 규정이다(1882).
① (가)와 (나) 사이에 조일수호조규 부록에 따라 '개항장에서 일본 화폐가 통용되었다'(1876). 해당 조약은 강화도 조약의 부록 조약으로서, 강화도 조약 이후에 체결되었다.
② 러시아가 압록강 유역의 산림 채벌권을 획득한 시기는 1896년 이후(아관파천 이후)이다.
③ 황국 중앙 총상회가 조직되어 상권 수호 운동을 전개한 시기는 1898년이다.
④ 함경도의 방곡령에 불복하여 일본 상인이 손해 배상을 요구한 시기는 1889년 이후이다.

12 ㉠ ~ ㉢에 대한 설명으로 옳은 것은? [2016 국가직 7급]

> 운요호 사건으로 조선은 일본과 ㉠ 조·일수호조규를 체결하였고, 몇 달 후에는 부속으로 ㉡ 조·일수호조규 부록과 ㉢ 조·일무역규칙을 약정하였다.

① ㉠–개항장에서 일본화폐의 유통을 허용하였다.

② ㉡–일본국 항해자가 조선의 연해를 자유롭게 측량하도록 허가하였다.

③ ㉢–일본정부 소속의 선박에는 항세를 면제하였다.

④ ㉠, ㉡, ㉢–일본인 범죄자에 대한 영사재판을 허용하는 조항이 모두 들어 있다.

해설 정답 ③

조일무역규칙(1876)에서는 다음과 같이 무항세(無港稅) 규정을 두었다.

> 제7칙 조선국 항구로 들어오는 상선은 항세를 납부하여야 한다. 단, 일본국 정부에 소속된 선박들은 항세(港稅)를 납부하지 않는다.

① 개항장에서 일본화폐의 유통을 허용하였다. → ㉡ 조일수호조규 부록

② 일본국 항해자가 조선의 연해를 자유롭게 측량하도록 허가하였다. → ㉠ 조일수호조규

④ 일본인 범죄자에 대한 영사재판을 허용하는 조항이 들어 있다. → ㉠ 조일수호조규

13 다음 조약과 관련한 설명으로 가장 적절한 것은? [2013 지방직 9급]

> • 양국 관리는 양국 인민의 자유로운 무역활동에 일체 간섭하지 않는다. ➲ ○○수호조규
> • 개항장 부산에서 일본인 간행이정(間行里程)은 10리로 한정한다. ➲ ○○조규 부록
> • 조선국 여러 항구에 거주하는 일본인은 쌀과 잡곡을 수출입할 수 있다. ➲ ○○무역 규칙

① 쌀 유출이 허용되면서 쌀값이 폭등하고 쌀의 상품화가 촉진되었다.

② 개항지 지정이 약정되면서 군산항, 목포항, 양화진이 차례로 개항되었다.

③ 은행권의 발행이 용인되면서 제일은행권이 조선의 본위화폐가 되었다.

④ 최혜국 대우와 무관세 조항이 함께 명문화되면서 불평등 무역이 조장되었다.

해설 정답 ①

조일무역규칙(1876) 제6조에서는 '조선국 항구에 거주하는 일본인은 쌀과 잡곡을 수출할 수 있다.'고 하였다. 여기에서는 그 수출량이 제한되지 않았으므로, 사실상 '무제한적인 곡물 유출'이 가능해진 것이다. 이로 인해 많은 양의 쌀이 일본으로 유출되고, 쌀값이 폭등하였고, 도시 영세민의 생활은 피폐해졌다. 이것은 1882년 도시 빈민층이 임오군란에 합세하는 이유가 되기도 한다. '쌀의 상품화가 촉진'되었다는 것이 이 상황의 긍정적인 면을 표현한 것은 아니다. 당시에는 '먹기 위하여 생산한 쌀'을 먹지 못하고, '상품이 된 쌀'이 되어 일본으로 유출되었다.

② 부산(1876), 원산(1880), 인천(1883)이 차례대로 개항되었다. 2013년 7급, 2008년 법원직 9급에서도 이 '개항의 순서'가 출제되었다. 개항의 순서와 연도를 꼭 알아두길!

③ 제일은행권이 조선의 본위화폐가 된 것은 1905년 화폐정리사업의 결과이다.

④ 최혜국 대우는 1882년 조미수호통상조약에 처음 들어갔고, 일본과의 조약에서는 그 다음해인 1883년의 조일통상장정에 들어갔다.

14 조약 (가), (나) 사이 시기의 경제 상황으로 옳은 것은? [2019 지방직 9급]

(가)	(나)
• 조선국 항구에 머무르는 일본은 쌀과 잡곡을 수출 · 수입할 수 있다. • 일본국 정부에 소속된 모든 선박은 항세(港稅)를 납부하지 않는다.	• 입항하거나 출항하는 각 화물이 세관을 통과할 때에는 세칙에 따라 관세를 납부해야 한다. • 조선 정부가 쌀 수출을 금지하고자 할 때에는 반드시 먼저 1개월 전에 지방관이 일본 영사관에게 통고해야 한다.

① 메가타 재정고문이 화폐정리사업을 시도하였다.
② 혜상공국의 폐지 등을 주장한 정변이 발생하였다.
③ 양화진에 청국인 상점을 허용하는 조약이 체결되었다.
④ 함경도 방곡령 사건으로 일본과 외교적 마찰이 일어났다.

해설 정답 ③

(가) 제한 없이 곡물(쌀과 잡곡)을 수출입할 수 있고, 무항세(無港稅)를 규정한 조약은 조일무역규칙(1876)이다.
(나) 관세 납부와 방곡령이 규정된 일본과의 조약은 조일통상장정(1883)이다.
③ '양화진에 청국인 상점을 허용하는 조약'은 1882년(고종 19) 8월 23일에 체결된 『조청상민수륙무역장정』이다.

> 제4조 양국 상인이 피차 개항한 항구에서 무역을 할 때에 법을 제대로 준수한다면 땅을 세내고 방을 세내어 집을 지을 수 있게 허가한다. 토산물과 금지하지 않는 물건은 모두 교역을 허가한다. 입항하고 출항하는 화물에 대해 납부해야 할 화물세와 선세를 모두 피차의 해관 통행 장정에 따라 완납하는 것을 제외하고 토산물을 이 항구에서 저 항구로 실어 가려고 하는 경우에는 이미 납부한 출항세 외에 이어 입항할 때에는 완납한 사실을 확인하고 출항세의 절반을 납부한다. 조선 상인이 베이징[北京]에서 규정에 따라 교역하고, 중국 상인이 조선의 양화진(楊花鎭)과 서울에 들어가 영업소를 개설한 경우를 제외하고 각종 화물을 내지로 운반하여 상점을 차리고 파는 것을 허가하지 않는다. 양국 상인이 내지로 들어가 토산물을 구입하려고 할 때에는 피차의 상무위원에게 품청하여, 지방관과 연서(連署)하여 허가증을 발급하되 구입할 처소를 명시하고, 거마(車馬)와 선척을 해당 상인이 고용하도록 하고, 연도(沿途)의 세금은 규정대로 완납해야 한다. 피차 내지로 들어가 유력(遊歷)하려는 자는 상무위원에게 품청하여, 지방관이 연서하여 허가증을 발급해야만 들어갈 수 있다. 연도 지방에서 범법 등 일이 있을 때에는 모두 지방관이 가까운 통상 항구로 압송하여 제2조에 의하여 처벌한다. 도중에서 구금을 풀 수 있고 학대하지 못한다.
>
> 『조청상민수륙무역장정』

① 메가타 재정고문이 화폐정리사업을 시도한 때는 1905년으로, (나) 이후이다.
② 혜상공국의 폐지 등을 주장한 갑신정변이 일어난 때는 1884년으로, (나) 이후이다.
④ 함경도 방곡령 사건으로 일본과 외교적 마찰이 일어난 때는 1889년으로, (나) 이후이다.

15 다음은 1876년 개항 이후 우리나라가 외국과 맺은 조약의 내용이다. 시기 순으로 바르게 나열한 것은? [2010 국가직 9급]

> ㉠ 조선과 미국 두 나라 중 한 나라가 다른 나라의 핍박을 받을 경우 분쟁을 해결하도록 주선한다.
> ㉡ 일본국 국민은 본국에서 사용되는 화폐로 조선국 국민의 물자와 마음대로 교환할 수 있다.
> ㉢ 영국 군함은 개항장 이외에 조선 국내 어디서나 정박할 수 있고 선원을 상륙할 수 있게 한다.
> ㉣ 일본 공사관에 군인 약간을 두어 경비하게 하고 그 비용은 조선국이 부담한다.

① ㉡ – ㉣ – ㉢ – ㉠
② ㉡ – ㉠ – ㉢ – ㉣
③ ㉡ – ㉣ – ㉠ – ㉢
④ ㉡ – ㉠ – ㉣ – ㉢

해설 정답 ④

㉡ 조·일수호조규 부록(1876) – ㉠ 조·미수호통상조약(1882. 4) – ㉣ 제물포 조약(1882. 8) – ㉢ 조·영수호통상조약(1883. 11)

명호샘의 **한마디!!**

영국과의 통상 조약은 1882년에 처음으로 체결되었지만, 조약의 내용에 대한 영국의 거부로 인하여 1883년 11월 26일 수정하여 조인하였다. 시험에서는 이 수정 조인된 조·영수호통상조약을 기준으로 문제를 풀면 된다. '영국 군함이 개항장 이외에 조선 국내 어디서나 정박할 수 있다'는 내용을 꼭 기억한다.

16 밑줄 친 '조약'에 대한 설명으로 옳지 않은 것은? [2021 국가직 9급]

> 1905년 8월 4일 오후 3시, 우리가 앉아있는 곳은 새거모어 힐의 대기실. 루스벨트의 저택이다. 새거모어 힐은 루스벨트의 여름용 대통령 관저로 3층짜리 저택이다. … (중략) … 대통령과 마주하자 나는 말했다. "감사합니다. 각하. 저는 대한제국 황제의 친필 밀서를 품고 지난 2월에 헤이 장관을 만난 사람입니다. 그 밀서에서 우리 황제는 1882년에 맺은 <u>조약</u>의 거중조정 조항에 따른 귀국의 지원을 간곡히 부탁했습니다."

① 영사재판권이 인정되었다.
② 임오군란을 계기로 체결되었다.
③ 최혜국 대우 조항이 포함되었다.
④ 『조선책략』의 영향을 받았다.

해설 정답 ②

'거중조정'을 담고 있는 '조약'은 조미 수호 통상 조약이다. 조미 수호 통상 조약은 1882년 4월에 체결되었고, 임오군란은 그로부터 2개월 후인 1882년 6월에 일어났다.

① 조미 수호 통상 조약은 조선 국내에서 미국인이 범죄를 저지른 경우 미국의 영사가 재판권을 가지도록 하였다. 이것을 '영사재판권' 또는 '치외법권'이라고 한다.

> 제4조 조선 신민으로서 미합중국 공민에게 어떠한 범행을 한 자는 조선 당국이 조선 법률에 의거하여 처벌하고 미합중국 공민으로서 그가 해안에 있어서나 상선에 있어서나 간에 조선 신민의 인신을 능욕하거나 괴롭게 하거나 가해하거나 혹은 그 재산을 훼손하거나 하는 자는 미합중국의 영사 또는 해(該) 권능을 가진 기타 관리만이 미합중국 법률에 의거하여 체포하고 처형한다.

③ 조미 수호 통상 조약은 체약국이 다른 나라와 똑같은 혜택을 받는다는 균점 조항을 두었다. 이것은 최초의 최혜국 대우 조항으로서 이후 열강의 이권 침탈을 위한 근거가 되었다.

> 제14조 양 체약국은 조선국이 어느 때든지 어느 국가나 어느 나라 상인 또는 공민에 대하여 항해, 통상, 정치 기타 어떠한 통교에 관련된 것임을 막론하고 본 조약에 의하여 부여되지 않은 어떤 권리 특권 또는 특혜를 허가할 때에는 이와 같은 권리 특권 및 특혜는 미합중국의 관민과 상인 및 공민에게도 무조건 균점(均霑)된다.

④ 황쭌셴(황준헌)이 작성하고, 김홍집에게 전달한 「조선책략」은 고종 및 개화파 인사들에게는 국제 지식을 갖는 데 도움을 주었고 결국 조미 수호 통상 조약 체결로 이어졌으나, 보수파 유학자들에게는 위정척사론을 불러 일으켰다.

17 [보기]는 개항 이후 각국과 맺은 조약이다. ㉠과 ㉡에 들어갈 용어로 옳은 것은?

[2018 서울시 지방직 9급]

> [보기]
>
> (가) 조선국은 ___㉠___ 으로 일본국과 평등한 권리를 보유한다. 금후 양국이 화친의 성의를 표하고자 할진대 모름지기 서로 동등한 예의로써 상대할 것이며 추호도 경계를 넘어 침입하거나 시기하여 싫어함이 있어서는 아니될 것이다.
>
> (나) 수륙무역장정은 중국이 ___㉡___ 을 우대하는 후의에서 나온 것인 만큼 다른 각국과 일체 균점하는 예와는 같지 않으므로 여기에 각항 약정을 한다.

① ㉠ 인근국 – ㉡ 속방
② ㉠ 자주국 – ㉡ 우방
③ ㉠ 인근국 – ㉡ 우방
④ ㉠ 자주국 – ㉡ 속방

해설 정답 ④

(가) '조선국은 자주국으로 일본국과 평등한 권리를 보유한다.'는 강화도 조약의 '제1관'을 시작하는 선언이다. 1876년 강화부에서 조선과 일본 사이에 체결된 조약인 강화도 조약의 정식 명칭은 '조일수호조규'이며, '병자수호조규'라고도 한다. 그 중 제1관은 가장 주목받는 조항이라 할 수 있다. 조선을 자주국으로 명기한 것 자체가 일본 정부의 의도가 담겨 있었다. 근대 조약에서는 조약국의 대내외적 지위를 굳이 명문화할 필요가 없었기 때문이다. 이를 명시한 것은 일본이 조선에 대한 청나라의 종주권을 부인하려는 의도로, 조선 문제에 청국의 개입을 방지하려는 목적에서 나온 것이다.

(나) '수륙무역장정은 중국이 속방을 우대하는 후의(뜻)에서 나온 것'이라는 부분은 조청상민수륙무역장정의 서문에 포함된 문구이다. 1882년 조선의 주정사 조영하와 청국의 직예총독 이홍장 사이에 조선과 중국 양국 상인들의 무역 통상을 규정한 '조청상민수륙무역장정'은 조선이 중국의 속방임을 강조하려 했으며, 그 명칭도 '조약'이 아닌 '장정'이라 하여 조선의 청국에 대한 종속성을 나타내려 하였다.

18 (가)~(마)에 들어갈 내용으로 옳지 않은 것은? [2020 국회직 9급]

연도	조약명	주요내용
1876	조 · 일 수호 조규	(가)
1876	조 · 일 무역 규칙	(나)
1882	조 · 청 상민 수륙 무역 장정	(다)
1882	조 · 미 수호통상 조약	(라)
1883	조 · 일 통상 장정	(마)

① (가) – 조선이 자주국임을 명시하였다.

② (나) – 일본정부에 소속된 선박의 항세를 면제하였다.

③ (다) – 청의 북양대신과 조선 국왕은 대등한 권리를 갖는다고 규정하였다.

④ (라) – 거중조정의 원칙과 최혜국대우 조항을 규정하였다.

⑤ (마) – 일본 물품에 대한 관세를 폐지하였다.

해설 정답 ⑤

① (가) 1876년 맺어진 조 · 일 수호 조규(강화도 조약)은 1) 조선은 자주국, 2) 해안 측량하여 부산 외 2개 항구 추가 개항, 3) 치외법권을 규정하였다.

② (나) 조 · 일 수호 조규의 부속 조약으로 '조 · 일 수호 조규 부록'과 '조 · 일 무역 규칙'이 맺어졌다. '조 · 일 수호 조규 부록'은 1) 간행이정 10리, 2) 개항장에서 일본 화폐 사용을 규정하였고, '조 · 일 무역 규칙'은 1) 무항세, 2) 무관세, 3) 무제한 곡물 유출을 규정하였다.

③ (다) 1882년 임오군란의 결과 맺어진 조 · 청 상민 수륙 무역 장정은 1) 내륙 통상권(내지 무역), 2) 양화진에 점포 개설, 3) 조선=청의 속방, 4) 치외법권을 규정하였다. 이 중 '조선=청의 속방'이란 청의 북양대신(北洋大臣)과 조선의 국왕을 동등한 위치로 간주한다는 의미이다.

> 제1조 앞으로 북양대신(北洋大臣)의 신임장을 가지고 파견된 상무위원은 개항한 조선의 항구에 주재하면서 전적으로 본국의 상인을 돌본다. 해원과 조선 관원이 내왕할 때에는 다같이 평등한 예로 우대한다. 중대한 사건을 맞아 조선 관원과 마음대로 결정하기가 편치 않을 경우 북양대신에게 상세히 청하여 조선 국왕에게 자문을 보내 그 정부에서 처리하게 한다. 조선 국왕도 대원(大員)을 파견하여 천진(天津)에 주재시키고 아울러 다른 관원을 개방한 청나라의 항구에 나누어 파견하여 상무위원으로 충당한다. 해원이 도(道) · 부(府) · 주(州) · 현(縣) 등 지방관과 왕래할 때에도 평등한 예로 상대한다. 해결하기 어려운 사건을 만나면 천진에 주재하는 대원에게 상세히 청하여 정탈한다. 양국 상무위원이 쓸 경비는 자비에 속하며 사사로이 요구할 수 없다. 이를 관원이 멋대로 고집을 부려 일처리가 부당할 때에는 북양대신과 조선 국왕은 피차 통지하고 즉시 소환한다.
> 『조청상민수륙무역장정』

④ (라) 1882년 임오군란 직전에 맺어진 조 · 미 수호통상 조약은 1) 관세, 2) 최혜국 대우, 3) 거중조정, 4) 치외법권을 규정하였다.

⑤ (마) 1883년 맺어진 조 · 일 통상 장정은 1) 관세, 2) 최혜국 대우, 3) 방곡령을 규정하였다. 일본 물품에 대한 무관세를 규정한 것은 1876년 맺어진 조 · 일 무역 규칙이다.

03 개화파의 성장과 위정척사 운동의 대립

01 다음 자료에 나타난 사상에 대한 설명으로 옳은 것은? [2020 국가직 9급]

> 군신, 부자, 부부, 붕우, 장유의 윤리는 인간의 본성에 부여된 것으로서 천지를 통하는 만고불변의 이치이고, 위에 존재하는 것으로서 도(道)가 됩니다. 이에 대해 배, 수레, 군사, 농사, 기계가 국민에게 편리하고 나라에 이롭게 하는 것은 외형적인 것으로서 기(器)가 됩니다. 신이 변혁을 꾀하고자 하는 것은 기(器)이지 도(道)가 아닙니다.

① 왜양일체론(倭洋一體論)을 주장하였다.
② 근대 문물 수용의 사상적 기반이 되었다.
③ 갑신정변 주도 세력의 견해를 대변하였다.
④ 우등한 사회가 열등한 사회를 지배하는 것이 당연하다고 보았다.

해설 정답 ②

'도(道)가 아니고 기(氣)'를 바꾸려는 동도서기론으로, 온건개화파의 주장이다. 이것은 근대 문물 수용의 사상적 기반이 되었다.

명호샘의 한마디!!!

동도서기(東道西器)의 대표적인 사료인 다음 자료는 2020년 국가직 9급, 2020년 기상직 9급, 2012년 지방직 9급 등에서 출제된 '개화 유생' 윤선학의 상소문이다. 이 자료의 사상은 <u>근대 문물 수용의 사상적 기반</u>이 되었다. 빈출 사료이니 꼭 숙지하기 바란다.

> 군신, 부자, 부부, 붕우, 장유의 윤리는 인간의 본성에 부여된 것으로서 천지를 통하는 만고불변의 이치이고, 위에 존재하는 것으로서 도(道)가 됩니다. 이에 대해 배, 수레, 군사, 농사, 기계가 국민에게 편리하고 나라에 이롭게 하는 것은 외형적인 것으로서 기(器)가 됩니다. 신이 변혁을 꾀하고자 하는 것은 기(器)이지 도(道)가 아닙니다.
>
> ➲ 개화유생 윤선학의 상소

동도서기론을 명확히 밝힌 다음의 자료도 함께 확인하기 바란다.

> 동서고금을 막론하고 바뀔 수 없는 것은 도(道)이고, 자주 변화하여 고정될 수 없는 것은 기(器)이다. 삼강, 오상(五常)과 효제충신을 도라 한다. 요순, 주공의 도는 해와 별처럼 빛나서 비록 오랑캐 지방에 가더라도 버릴 수 없다. 무엇을 기라 하는가? 예악(禮樂), 형정(刑政), 복식(服飾), 기용(器用)을 기라 한다. … 진실로 때에 맞고 백성에 이롭다면 비록 오랑캐 법일지라도 행할 수 있다.
>
> ➲ 2012 기상직 9급

02 다음 자료와 가장 밀접한 역사적 사건은? [2008 국가직 9급]

> 새로 만든 국기를 묶고 있는 누각에 달았다. 기는 흰 바탕으로 네모졌는데 세로는 가로의 5분의 2에 미치지 못하였다. 중앙에는 태극을 그려 청색과 홍색으로 색칠을 하고 네 모서리에는 건(乾)·곤(坤)·감(坎)·이(離)의 4괘(四掛)를 그렸다.

① 김윤식 등이 근대식 무기 제조 기술과 군사 훈련법을 배웠다.
② 김홍집 등이 「조선책략」을 가져와 국제 정세의 이해에 기여하였다.
③ 김옥균 등이 일본에서 차관 교섭을 벌이고 구미 외교 사절과 접촉하였다.
④ 박정양 등이 일본 정부 기관의 사무와 시설을 조사하고 시찰 보고서를 올렸다.

해설 정답 ③

태극 도형이 그려진 국기를 임시로 사용하고 있다가, '건(乾)·곤(坤)·감(坎)·이(離)의 4괘(四掛)'를 그려 현재와 같은 모양의 태극기가 만들어진 것은 1882년이다. 임오군란으로 별기군 교관 등 일본인들이 피해를 입었다는 이유로 조선은 일본에 사죄사(3차 수신사)를 파견하게 되었다. 이때 박영효가 태극기를 처음 사용하였다. 박영효와 동행한 김옥균은 개혁을 추진하기 위한 차관을 얻기 위하여 교섭을 벌였으나 결국 실패하였다. 이때의 차관교섭 실패는 갑신정변을 일으키는 이유 중의 하나가 되었다.

03 위정 척사 운동을 다음 표와 같이 정리할 때, (가)~(라)에 들어갈 인물과 활동 내용이 맞는 것은? [2015 법원직 9급]

1860년대		1870년대		1880년대		1890년대
(가)	⇒	(나)	⇒	(다)	⇒	(라)
통상 반대 운동		개항 반대 운동		개화 반대 운동		항일 의병 운동

① (가) : 최익현 – 일본의 세력 확대에 맞서 척화주전론을 주장하였다.
② (나) : 이항로 – 미국 및 러시아와의 수교를 모두 반대하는 상소를 올렸다.
③ (다) : 이만손 – 조선책략의 유포에 반대하고 영남 만인소를 올렸다.
④ (라) : 신돌석 – 평민 의병장으로서 일월산을 근거로 유격전을 펼쳤다.

해설 정답 ③

문제에 제시된 대로, 1860년대는 통상 반대 운동, 1870년대는 개항 반대 운동, 1880년대는 개화 반대 운동, 1890년대부터는 항일 의병 운동이 전개되었다.

시 기	주요 사건	중심인물	내 용	
(가) 1860년대	병인양요	이항로, 기정진	통상 반대 운동	척화주전론
(나) 1870년대	강화도 조약	유인석, 최익현	개항 반대 운동	왜양일체론
(다) 1880년대	조선책략 유포	이만손, 홍재학	개화 반대 운동	영남만인소
(라) 1890년대	을미사변	유인석, 허위	항일 의병 운동	을미의병

① 최익현은 일본 세력 확대에 맞서 '왜양일체론'을 주장하였다. → (나)

② 미국과의 수교를 반대하는 상소(영남만인소)를 올린 인물은 이만손이다. 이만손은 「조선책략」에서 주장하는 '친중국, 결일본, 연미국'을 비판하면서, 미국과의 수교를 명시적으로 반대하였다. (미국은 러시아와 마찬가지로 모두 오랑캐라는 인식 아래 주장된 것이므로, 러시아와의 수교를 반대하였다는 말이 틀리지는 않는다.) 이항로는 통상 반대 운동을 주도하였다. → (가)

④ 신돌석은 을사조약에 항거하여 일월산, 백암산 등에서 유격전을 펼쳤다. 신돌석이 참여한 '을사의병'은 항일 의병 운동이기는 하지만, 1890년대가 아니라 1900년대이다. 이 문제에서는 들어갈 자리가 없다.

04 (가), (나) 시기 사이에 있었던 사실만을 [보기]에서 모두 고른 것은? [2023 법원직 9급]

(가) 수신사 김홍집이 가져와 유포한 황준헌의 사사로운 책자를 보노라면, …… 러시아·미국·일본은 같은 오랑캐입니다. ……

(나) 이미 국모의 원수를 생각하며 이를 갈았는데, … 이에 감히 먼저 의병을 일으키고서 마침내 이 뜻을 세상에 포고하노라. ……

[보기]

ㄱ. 관민 공동회가 개최되었다.
ㄴ. 교육 입국 조서가 반포되었다.
ㄷ. 영국이 거문도를 불법 점령하였다.
ㄹ. 나철이 대종교를 창시하였다.

① ㄱ, ㄴ
② ㄱ, ㄹ
③ ㄴ, ㄷ
④ ㄷ, ㄹ

해설

정답 ③

(가) 황준헌의 「조선책략」에 반대하여 쓴 영남만인소(1881)이다.
(나) '국모의 원수' 때문에 '의병'을 일으켰다는 것은 을미의병(1895)을 말한다.
ㄴ. 교육 입국 조서는 제2차 갑오개혁의 일환으로 1895년 초에 반포되었다(1895. 2). 을미의병은 1895년 말부터 일어났다.
ㄷ. 영국이 거문도를 불법 점령한 시기는 1885년이다. 영국은 1887년에 거문도에서 철수하였다.
ㄱ. 관민 공동회는 (나) 이후인 1898년에 개최되었다.
ㄹ. 나철이 대종교를 창시한 시기는 1909년으로 (나) 이후이다.

05 다음 중 위정척사 운동을 시기 순으로 나열한 것은? [2013 기상직 9급]

> ㉠ 러시아, 미국, 일본은 같은 오랑캐입니다. 그들 사이에 누구는 후하게 대하고, 누구는 박하게 대하기는 어려운 일입니다.
>
> ㉡ 이미 국모의 원수를 생각하며 이를 갈았는데, … 이에 감히 먼저 의병을 일으키고 마침내 이 뜻을 세상에 포고하노니 …
>
> ㉢ 일단 강화를 맺고 나면 저들은 물화를 교역하는 데 욕심을 낼 것입니다. … 저들이 비록 왜인이라고 하나 실은 양적입니다.
>
> ㉣ 전하께서는 … 사학의 무리를 잡아 베게 하시고, 밖으로는 장병으로 하여금 바다를 건너오는 적을 정벌케 하소서.

① ㉣ – ㉢ – ㉠ – ㉡　　② ㉣ – ㉡ – ㉠ – ㉢

③ ㉠ – ㉢ – ㉡ – ㉣　　④ ㉠ – ㉡ – ㉣ – ㉢

해설 정답 ①

㉣ '사학의 무리'는 서양 세력이며, '바다를 건너오는 적'은 이양선을 타고 오는 서양세력을 말한다. 이것은 1860년대의 통상반대 운동이다.

㉢ '왜인이라고 하나 실은 양적'은 왜양일체를 말한다. 최익현의 '척화의소'에 나타난 이것은 1870년대의 개항반대 운동이다. 이 자료는 '개항반대 운동'의 재료로 쓰일 수도 있지만, '최익현' 문제의 재료로 쓰일 수도 있다. ➲ 2023 지방직 9급, 2014 국가직 7급 최익현(1833~1906)에 대해서는 1) 대원군 퇴진 상소, 2) 개항 반대 상소(척화의소, 5불가소), 3) 을사의병(태인, 순창), 4) 대마도에서 순국, 5) 「면암집」을 기억해야 한다.

㉠ 조선책략의 내용을 반박한 이만손의 '영남만인소'이다. 이것은 1880년대의 개화반대 운동이다.

㉡ '국모의 원수'로 인하여 일으킨 '의병'은 을미의병이다. 이것은 1890년대의 항일의병이다.

06 다음 자료의 빈 칸에 공통적으로 들어갈 국가에 대한 설명으로 옳은 것은? [2012 해양경찰]

> • 조선 땅은 실로 아시아의 요충을 차지하고 있어 열강들이 서로 차지하려고 할 것이다. 조선이 위태로우면 중국도 위급해진다. (　　)가(이) 영토를 넓히려고 한다면 반드시 조선이 첫 번째 대상이 될 것이다. ➲ 「조선책략」
>
> • (　　)는(은) 본래 우리와 혐의가 없는 나라입니다. 공연히 남의 말만 듣고 틈이 생기게 된다면 우리의 위신이 손상될 뿐만 아니라 만약 이를 구실로 침략해온다면 장차 이를 어떻게 막을 것입니까? ➲ 「일성록」

① 군함 '운요호'를 동원하여 초지진과 영종도를 공격하였다.

② 이 국가와 최초로 관세 부과와 최혜국 대우 조항이 규정되었다.

③ 고종은 이 국가의 공사관으로 피신해 일본의 압력을 피하였다.

④ 거문도를 불법으로 점령하여 동북아시아의 긴장을 고조시켰다.

해설 정답 ③

빈 칸에는 '러시아'가 들어간다. 「조선책략」에서는 '방러(러시아 방어)'하기 위하여 '친중국, 결일본, 연미국'해야 한다고 주장한다. 이에 대하여 이만손의 상소문 '영남만인소'에서는 러시아와 우리는 사이가 나쁜 것도 아닌데(혐의가 없는 나라인데), 공연히 경계했다가 침략의 구실을 만들 필요가 있겠냐고 묻고 있다. 1896년 고종은 러시아 공사관으로 피신하여 일본의 압력을 피하였다(아관파천).

① 운요호 사건(1875) – 일본, ② 조미수호통상조약(1882) – 미국, ④ 거문도 불법 점령(1885) – 영국

07 다음 [보기]의 글에 대한 설명으로 옳지 않은 것은? [2012 계리직 변형]

[보기]

㉠ 러시아는 본래 우리와 혐의가 없는데 공연히 타인을 믿음으로써 먼 나라와 친교에 기대어 가까운 이웃에 도전하게 되어 이를 구실로 러시아가 내침하면 이를 어떻게 구할 것입니까? 러시아, 미국, 일본은 모두가 오랑캐들이어서 어느 누구를 후하게 대하거나 박하게 대하기가 어렵습니다.

㉡ 동서고금을 막론하고 바뀔 수 없는 것은 도(道)이고, 자주 변화하여 고정될 수 없는 것은 기(器)이다. 삼강, 오상(五常)과 효제충신을 도라 한다. 요순, 주공의 도는 해와 별처럼 빛나서 비록 오랑캐 지방에 가더라도 버릴 수 없다. 무엇을 기라 하는가? (중략) 진실로 때에 맞고 백성에 이롭다면 비록 오랑캐 법일지라도 행할 수 있다.

㉢ 우리나라가 아시아의 중립국이 된다면 러시아를 방어하는 큰 기틀이 될 것이고, 또한 아시아의 여러 대국들이 서로 보전하는 전략도 될 것입니다. (중략) 이는 우리나라만을 위한 것이 아니라 중국의 이익도 될 것이고, 여러 나라가 서로 보전하는 계책도 될 것이니 무엇이 두려워서 하지 않겠습니까.

㉣ 서양 오랑캐의 화가 금일에 이르러서는 이보다 심할 수 없사옵니다. 전하께서는 안으로는 사학의 무리를 잡아 베시고, 밖으로는 바다를 건너오는 적을 정벌하소서. 사람 노릇을 하느냐, 짐승이 되느냐, 존속하느냐 멸망하느냐 하는 기틀이 잠깐 사이에 결정되옵니다.

① ㉠ 황쭌셴의 「조선책략」에 반발하여 쓴 글이다.
② ㉡ 메이지유신보다는 양무운동에 가까운 개화사상을 가진 자가 쓴 글이다.
③ ㉢ 갑신정변 이후에 쓰여진 글이다.
④ ㉣ 강화도 조약 체결에 반발하여 쓴 글이다.

해설 정답 ④

① ㉠은 이만손의 영남만인소(1881)이다. '우리와 혐의가 없는' 러시아를 막기 위해 미국 등과 친교를 맺을 때 공연히 러시아를 자극하여 그들이 침략하면 어떻게 하느냐는 주장을 하고 있다. '방러'를 위해 '친중국, 결일본, 연미국'하라는 황쭌셴의 「조선책략」의 내용을 조목조목 반박한 글이다.
② ㉡에서는 '바꿀 수 없는' 도(道)와 '바꿀 수 있는' 기(氣)에 대하여 말하고 있다. 청의 양무운동의 영향을 받은 온건개화파의 동도서기론적 개화 사상이 나타난다.
③ ㉢은 유길준의 조선중립화론(1885)이다.
④ ㉣에는 '서양 오랑캐'와 '사학의 무리'를 배척하는 척화주전론이 나타난다. 이것은 1860년대의 통상 반대 주장으로서, 1876년의 강화도 조약 체결에 반발한 것은 아니다.

08 다음 자료가 조선 조정에 소개된 이후에 일어난 사건으로 옳지 않은 것은? [2017 지방직 9급]

> 러시아를 막을 수 있는 조선의 책략은 무엇인가? 중국과 친하고 [親中] 일본과 맺고 [結日] 미국과 연합해 [聯美] 자강을 도모하는 길 뿐이다.

① 육영공원(育英公院)을 설립해 서양의 새 학문을 교육했다.
② 임오군란이 일어나고 제물포조약이 체결되어 일본에 배상금을 지불하였다.
③ 개화파가 우정총국 개국 축하연을 이용해 정변을 일으켜 정권을 장악하였다.
④ 최익현은 일본과 통상을 반대하는 「오불가소(五不可疏)」를 올렸다.

해설 정답 ④

'다음 자료'인 조선책략이 '조정에 소개된 이후'란 1880년 말 이후이다.
④ 최익현의 「오불가소」는 '1880년 이전'인 1876년에 올린 상소문이다.
① 1886년, 육영공원을 설립해 서양의 새 학문을 교육했다.
② 1882년, 임오군란이 일어나고 제물포조약이 체결되어 일본에 배상금을 지불하였다.
③ 1884년, 개화파가 우정총국 개국 축하연을 이용해 정변을 일으켜 정권을 장악하였다.

09 다음 [보기]는 우리나라 사람들과 접촉한 인물들이다. 그 시기가 빠른 순으로 배열된 것은? [2010 기능직 10급]

> [보기]
> ㉠ 묄렌도르프(Möllendorff) ㉡ 하멜(Hamel)
> ㉢ 오페르트(Oppert) ㉣ 벨테브레이(Weltevree)

① ㉡ - ㉣ - ㉢ - ㉠
② ㉡ - ㉣ - ㉠ - ㉢
③ ㉣ - ㉡ - ㉢ - ㉠
④ ㉣ - ㉡ - ㉠ - ㉢

해설 정답 ③

㉣ 네덜란드인 벨테브레이(귀화 후 이름은 '박연')는 17세기 인조 때 훈련도감에 소속되어 서양식 대포의 제조법과 조종법을 가르쳤다.
㉡ 네덜란드인 하멜은 17세기 효종 때 조선에 표류하여 15년간 억류되어 있다가 네덜란드로 돌아가 「하멜 표류기」를 지었다.
㉢ 독일 상인 오페르트는 1868년 흥선대원군의 생부인 남연군의 묘를 도굴하려다가 발각되었다.
㉠ 1882년 임오군란을 진압한 청은 조선에 외교 고문으로 묄렌도르프를 파견하였다.

10 다음 인물의 활동으로 옳은 것은? [2015 법원직 9급]

> 1886년 우리나라에 왔다. 을사늑약 사건 후 고종의 밀서를 휴대하고 미국에 가서 국무장관과 대통령을 면담하려 했으나 실현하지 못하였다. 1906년 다시 내한하였으며, 고종에게 헤이그에서 열리는 제2차 만국 평화 회의에 밀사를 보내도록 건의하였다. 그는 이상설 등 헤이그 특사보다 먼저 도착하여 '회의시보'에 한국 대표단의 호소문을 싣게 하는 등 한국의 국권 회복을 위해 노력하였다.

① 대한매일신보의 발행인이었다.
② 육영공원의 교사로 초빙되었다.
③ 광혜원의 설립에 깊이 관여하였다.
④ 우리나라 최초의 서양인 고문이었다.

해설 정답 ②

헐버트(Hulbert)는 미국 북감리교의 선교사이자 언어학자로, 한국 이름은 할보(轄甫)이다. 1886년 고종의 초청을 받아 국내에 들어와 육영공원의 교사가 되었다. 육영공원의 특징으로 '외국인 교사 초빙'을 드는 이유 중의 하나가 헐버트 등 미국인 교사들 때문이다. 1905년 을사조약이 맺어지자 이 부당성을 알리는 고종의 밀서를 갖고 미국의 수뇌부를 만나려 했으나 실패하였다. 1906년에 다시 국내에 들어와 헤이그 특사 파견을 건의하였으며, 1907년 이상설 등보다 먼저 헤이그에 도착하여 '회의시보'에 우리 대표단의 호소문을 싣는 등 우리나라의 주권 회복 운동을 도왔다.

11 밑줄 친 '이들'에 대한 설명으로 옳은 것은? [2012 지방직 9급]

> <u>이들</u>이 받은 교육 내용은 주로 서양의 말과 문장, 탄약 제조, 화약 제조, 제도, 전기, 소총 수리 등이었다. 그러나 이들 가운데에는 자질이 부족하여 교육에 어려움을 느끼다가 자퇴하는 사람들도 있었다.

① 갑신정변을 주도하였다.
② 일본에 파견되어 활동하였다.
③ 정부의 재정지원으로 외국에서 3년간 교육을 받았다.
④ 이들의 활동을 계기로 근대적 병기공장인 기기창이 설치되었다.

해설 정답 ④

영선사에 대한 설명이다. 영선사는 1881년에 중국에 도착하여 중국의 선진 군사 기술과 무기 제조법을 학습하였다. 그러나 1) 기술 습득의 한계(근대 기술에 대한 기본 지식 부족)와 2) 경비 부족(정부 지원의 부족), 3) 임오군란 발발 등의 문제로 그 다음 해에 조기 귀국할 수밖에 없었다. 그러나 (다 배우지는 못했지만) 영선사는 귀국하여 '기기창' 설치를 건의하였고, 1883년 '근대적 병기 공장'인 기기창이 설치되었다.

① 영선사의 정사인 김윤식은 온건개화파이다. 갑신정변을 주도한 급진개화파에 포함되지 않는다.
② 일본에 파견된 사절단에는 수신사와 조사시찰단이 있다.
③ 영선사는 1년 만에 귀국하였다.

12 강화도 조약 이후 외국에 파견된 시찰단 (가) ~ (라)를 파견 순서대로 바르게 나열한 것은?

[2017 사회복지직, 2016 서울시 7급]

(가) 박정양 등의 조사 시찰단 (나) 김홍집 등의 2차 수신사
(다) 민영익 등의 보빙사 (라) 김윤식 등의 영선사

① (나) – (가) – (다) – (라) ② (나) – (가) – (라) – (다)
③ (나) – (라) – (가) – (다) ④ (나) – (라) – (다) – (가)

해설 정답 ②

강화도 조약 이후 선진 문물을 경험하기 위해, 청・일본・미국에 파견한 사절단은 다음과 같다.

파견 순서	사절단
1	김기수 등의 1차 수신사(1876)
2	(나) 김홍집 등의 2차 수신사(1880)
3	(가) 박정양 등의 조사 시찰단(1881.4)
4	(라) 김윤식 등의 영선사(1881.9)
5	박영효 등의 3차 수신사(1882)
6	(다) 민영익 등의 보빙사(1883~1884)

13 1880년대 개화정책과 관련된 사실에 대한 설명으로 옳은 것만을 모두 고르면?

[2018 국가직 7급]

㉠ 교정청은 개화정책을 총괄하는 기구였다.
㉡ 청에 파견된 영선사 김윤식 일행은 무기제조법을 배웠다.
㉢ 미국에 파견된 보빙사는 근대 시설을 시찰하고 대통령을 접견하였다.
㉣ 김홍집은 조사시찰단으로 일본을 방문하여 『조선책략』을 가지고 돌아왔다.

① ㉠, ㉡ ② ㉠, ㉣
③ ㉡, ㉢ ④ ㉢, ㉣

해설 정답 ③

㉡ 영선사는 1881년 9월에 김윤식을 대표로 하여 중국의 선진 군사 기술 및 무기 제조법을 학습하기 위해 파견된 사절단이다. 그러나 기술 습득의 한계와 정부 지원 부족으로 1882년에 조기 귀국하였다. 귀국 후 무기 제조공장인 기기창 설치(1883)를 건의하였다.

㉢ 보빙사(견미단)는 1883년에 민영익을 대표로 하여 미국에 파견된 사절단이다. 보빙사는 임오군란 이후 커진 청의 세력을 견제하고, 조미수호통상조약 체결 후 미국공사 부임에 답례하기 위해, 또 개화 정보를 수집하기 위해 파견되었다. 보빙사 일행은 샌프란시스코, 시카고, 워싱턴을 거쳐, 뉴욕을 방문하고 있던 미국 대통령 아서(Arthur, C. A.)를 접견한 후 국서와 신임장을 제출하였다. 보빙사 일행은 40여 일 동안 미국에 머물면서 대통령을 비롯한 각계 인사를 만났으며, 외국 박람회・공업제조회관・병원・신문사・조선공장・육군사관학교 등을 시찰하였다. 오른쪽 사진은 보빙사 일행이 미국 대통령 아서를 접견하고 있는 모습을 담은 신문의 삽화이다.

㉠ 1894년(고종 31년) 6월 조선 정부는 교정청(校正廳)을 설치하여 동학 농민군의 「폐정 개혁안」을 수용하는 자주적인 개혁과 함께 일본군의 철병을 강력히 요구하였다. 그러나 6월 21일 일본군의 경복궁 점령을 계기로 교정청의 개혁은 좌절되었다. 교정청은 '1880년대 개화정책과 관련'되지 않을 뿐만이 아니라, 당시 교정청을 중심으로 한 개혁이 제대로 이루어지지도 못했으므로 '개화정책을 총괄하는 기구'라는 별명도 어울리지 않는다. '1880년대 개화정책을 총괄하는 기구'에 가장 적합한 기구는 1880년 말에 설립된 '통리기무아문'이다.

㉣ 김홍집이 일본을 방문하여 「조선책략」을 가지고 돌아온 해는 1880년이므로, '1880년대 개화정책과 관련'되어 있다. 그러나 김홍집은 '조사시찰단'이 아닌 '제2차 수신사'로 다녀왔다.

04 개화정책의 추진과 반발

01 개화정책의 추진

01 (가) 시기에 있었던 일로 옳은 것은? [2020 지방직 9급]

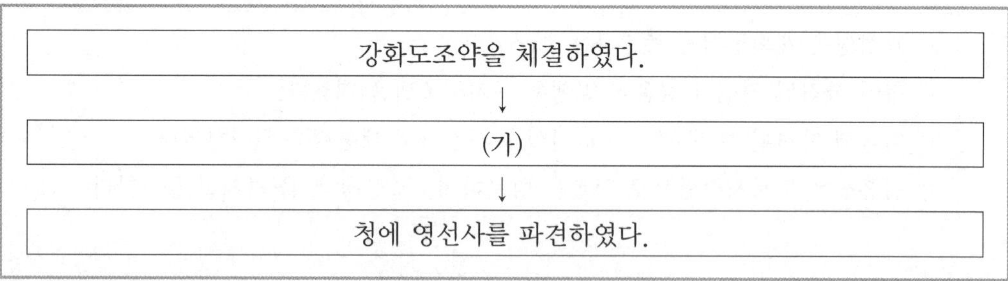
강화도조약을 체결하였다.
↓
(가)
↓
청에 영선사를 파견하였다.

① 군국기무처를 두고 여러 건의 개혁안을 처리하였다.
② 개화 정책을 추진할 기구로 통리기무아문을 설치하였다.
③ 국정 개혁의 기본 방향을 담은 홍범 14조를 공포하였다.
④ 구본신참의 개혁 원칙을 정하고 대한국국제를 선포하였다.

해설 정답 ②

강화도 조약이 체결된 때는 1876년이고, 청에 영선사를 파견한 때는 1881년이다. (가)는 1876년과 1881년 사이에 발생한 사건이다.

② 통리기무아문(統理機務衙門)은 1880년에 설치되었다. 통리기무아문은 '개혁정책을 추진'하기 위한 정부 기구이며, '청나라의 제도를 모방'한 관청이다. 그 아래에서는 개혁정책 집행을 위해 '12사'를 설치하였다. 12사에는 사대(事大), 교린(交隣), 군무(軍務), 통상(通商) 등이 있는데, 이 명칭을 보면 당시의 개혁이 신문물의 수용과 부국강병을 목표로 하고 있음을 알 수 있다. '1882년 6월' 임오군란이 발생하여 흥선대원군이 일시집권하였을 때, 통리기무아문은 폐지되었다.

> 우리나라는 근대조약을 맺어 외국과 통상을 시작하면서 개혁정책을 추진하고자 정부의 기구를 개편, 청나라의 제도를 모방하여 이 관청을 설치하였다. 군국기밀과 일반정치를 총괄하는 이 기관 아래에 12사를 두어 사무를 분담하게 하였는데, 그 장관을 총리대신이라 칭하고 각 사에 당상관과 낭청을 두었다. 그러나 '이 관청'은 1882년 6월 폐지되었고 그 기능은 삼군부로 이관되었다.

① 군국기무처는 제1차 갑오개혁을 추진하였던 관청으로 1894년에 설치되었다.
③ 홍범 14조는 제2차 갑오개혁의 일환으로 1895년 초에 선포되었다.
④ 대한국국제는 광무개혁의 일환으로 1899년에 선포되었다.

02 다음 사건에 대한 설명으로 옳은 것은? [2016 지방직 9급]

> 임오년 서울의 영군(營軍)들이 큰 소란을 피웠다. 갑술년 이후 대내의 경비가 불법으로 지출되고 호조와 선혜청의 창고도 고갈되어 서울의 관리들은 봉급을 못 받았으며, 5영의 병사들도 가끔 결식을 하여 급기야 5영을 2영으로 줄이고 노병과 약졸들을 쫓아냈는데, 내쫓긴 사람들은 발붙일 곳이 없으므로 그들은 난을 일으키려 했다.

① 군대 해산에 반발한 군인들은 의병 부대에 합류하였다.
② 보국안민, 제폭구민의 대의를 위해 봉기할 것을 호소하였다.
③ 정부의 개화 정책에 반대하는 서울의 하층민들도 참여하였다.
④ 충의를 위해 역적을 토벌한다는 명분을 내걸고 유생들이 주동하였다.

해설 정답 ③

제시된 자료는 구식 군대의 차별적인 대우가 직접적인 원인이 되어 일어난 임오군란(1882)에 대한 설명이다. 강화도 조약 이후 일본으로 많은 쌀이 유입되자 쌀 값이 폭등하였고, 도시 빈민층은 배고픔에 시달려야 했다. 이로 인해 빈민층도 임오군란에 합세하였다.

① 정미의병(1907), ② 동학농민운동(1894)
④ 동학농민운동 때 동학농민군을 토벌하기 위해 양반유생들이 '민보군'을 조직하였다.

03 빈칸에 들어갈 내용으로 옳은 것을 [보기]에서 고른 것은? [2016 법원직 9급]

> ○ ○ ○ ○
>
> 1. 배경
>   - 민씨 정부의 개화 정책에 대한 반발
>   - 별기군에 대한 우대 정책
> 2. 경과
>   - 무기고 파괴, 민씨 정권 고관 살해
>   - 흥선대원군 재집권
>   - 청군 개입해 난 진압
> 3. 결과 : [   ]

> [보기]
>
> ㉠ 일본이 공사관에 경비병을 주둔시켰다.
> ㉡ 김홍집이 수신사로 일본에 파견되었다.
> ㉢ 조·청상민수륙무역장정이 체결되었다.
> ㉣ 5군영이 2영으로 통합되고 통리기무아문이 신설되었다.

① ㉠, ㉢　　② ㉠, ㉣
③ ㉡, ㉢　　④ ㉡, ㉣

해설　　정답 ①

'별기군'에 대한 우대 정책에 불만을 가지고 일어나, '민씨 정권'의 고관을 살해하고, '흥선대원군이 재집권'하였으나 '청군이 개입해 진압'한 반란은 임오군란(1882)이다.

㉠ 임오군란의 결과 조선과 일본 사이에 맺어진 제물포 조약이 맺어졌다. 제물포 조약 제5조에는 '일본 공사관에 군인 약간을 두어 경비한다. 그 비용은 조선국이 부담한다.'라고 규정되어 있다.

㉢ 임오군란을 진압한 청은 일본보다 유리한 통상관계를 맺기 위해 조·청상민수륙무역장정의 체결을 강요하였다.

㉡ (임오군란 이전인) 1880년 여름, 김홍집이 제2차 수신사로 일본에 파견되었다. 관세 문제, 미곡금수(米穀禁輸) 문제 등을 해결하기 위해 파견되었다가, 그 해 겨울에 '조선책략'을 가지고 돌아왔다.

㉣ (임오군란 이전인) 1880년 말에 통리기무아문이 신설되었고, 1881년에는 5군영이 2영으로 통합되었다.

임오군란의 결과(일본과의 관계 변화)
1. 제물포 조약이 체결되었다. • 배상금 지불 • 일본군의 조선 주둔 • 사죄사(3차 수신사) 파견 2. 조일수호조규속약이 체결되었다. • 내지무역 허용(간행이정 100리로 확대)

임오군란의 결과(청과의 관계 변화)
1. 조청상민수륙무역장정이 체결되었다. • 내지무역 허용 • 양화진에 점포 개설 인정 • '조선 = 청의 속방' 명시 • 치외법권 2. 청의 내정간섭이 시작되었다. • 청군의 조선 주둔 • 내정간섭을 위한 고문 파견 : 위안스카이(군사 고문), 마젠창(정치 고문), 묄렌도르프(외교 고문) 3. 친청 정권이 수립되었다.

04 다음 조약이 체결된 시기를 연표에서 옳게 고른 것은? [2012 법원직 9급]

> 제2조 중국 상인이 조선 항구에서 만일 개별적으로 신소(伸訴)를 제기하였을 경우에는 중국 상무위원에 넘겨 심의·처리한다. …(후략)…
>
> 제4조 …(전략)… 조선 상인이 북경(北京)에서 규정에 따라 물건을 팔고 사도록 하며 중국 상인이 조선의 양화진과 서울에 들어가서 영업소를 차려놓을 수 있도록 허락하는 외에 각종 화물을 내륙 지방으로 운반하여 상점을 차려놓고 파는 것은 승인하지 않는다.

1876	1882	1884	1894	1896
(가)	(나)	(다)	(라)	
강화도 조약	임오군란	갑신정변	청·일전쟁	아관파천

① (가) ② (나)
③ (다) ④ (라)

해설 정답 ②

제2조의 '중국 상인'과 관련된 분쟁은 '중국 상무위원'이 처리한다는 것은 치외법권(治外法權)을 의미한다. 제4조의 '양화진과 서울'에 들어가서 '영업소'를 차린다는 것은 내지무역(內地貿易)을 의미한다. 제4조의 뒷부분에 그 이외에는 승인하지 않는다며 무엇인가를 제한하는 느낌의 단서가 붙었지만, 사실상 '양화진과 서울'을 주면 중요한 시장은 다 준 것이나 마찬가지이다. 임오군란의 결과 체결된 조청상민수륙무역장정(1882)의 내용이다. 이 장정의 주요 내용은 1) 내지무역, 2) 양화진에 점포(영업소) 개설, 3) 조선 = 청의 속방, 4) 치외법권이다. 조청상민수륙무역장정은 북경과 한성, 양화진에서 양국 상인의 무역을 허용하고, 지방관이 발행한 여행 허가증이 있으면 내지행상도 할 수 있다고 규정하고 있다. 이 장정(조약)이 체결된 이후 청과 일본의 상권 경쟁이 치열해졌다. ➲ 2017 경찰

05 (가)에 들어갈 말로 옳은 것은? [2024 국가직 9급]

> 정부의 개화 정책이 추진되면서 구식 군인과 도시 하층민이 반발하였다. 제대로 봉급을 받지 못한 구식 군인들이 난을 일으키고 도시 하층민이 여기에 합세하였으나 청군에 의해 진압되었다. 이후 청은 조선에 군대를 주둔시키고 조선의 내정에 개입하였다. 또 (가) 을 체결하여 조선이 청의 속방임을 명문화하고 청 상인의 내륙 진출을 인정받았다.

① 한성 조약
② 톈진 조약
③ 제물포 조약
④ 조청상민수륙무역장정

해설

정답 ④

임오군란 후 '조청상민수륙무역장정'(1882)이 체결되어 조선이 청의 속방임을 명문화하고 청 상인의 내륙 진출을 인정받았다.
① 한성 조약은 갑신정변의 결과 조선-일본이 맺은 조약이다.
② 톈진 조약은 갑신정변의 결과 일본-청이 맺은 조약이다.
③ 제물포 조약은 임오군란의 결과 조선-일본이 맺은 조약이다.

06 (가), (나)는 조선이 외국과 맺은 조약이다. 이와 관련한 설명 중 옳은 것은? [2014 지방직 9급]

> (가) • 조선국은 자주국으로 일본국과 평등한 권리를 보유한다.
> • 경기, 충청, 전라, 경상, 함경 5도 연해 중에서 통상하기 편리한 항구 두 곳을 택하여 지정한다.
>
> (나) 이 수륙 무역 장정은 중국이 속방(屬邦)을 우대하는 뜻에서 상정한 것이고, 각 대등 국가 간의 일체 동등한 혜택을 받는 예와는 다르다.

① (가)는 '운요호 사건' 이후 체결된 것이다.
② (가)에는 일본 상인의 내지 통상권에 대한 허가가 규정되어 있다.
③ (나)는 갑신정변 이후 체결된 것이다.
④ (나)에는 천주교의 포교권 인정이 규정되어 있다.

해설

정답 ①

(가) '조선국 = 자주국', '(부산항 이외의) 항구 두 곳 선택'이라는 표현을 볼 때 1876년의 조일수호조규(강화도 조약)이다. 이 조약은 1875년의 '운요호 사건'이 직접적인 원인이 되어 체결되었다.
(나) 조청상민수륙무역장정을 말한다. '장정'이라 한 것은 '각 대등 국가 간'에 맺어지는 조약과는 달리 본국과 속방 사이에 맺어지는 약조를 말한다.
② '일본 상인의 내지 통상권에 대한 허가'가 규정된 조약은 임오군란 직후의 '조일수호조규속약'이다.
③ 조청상민수륙무역장정은 1882년 청나라가 임오군란을 진압한 후 맺은 것이다.
④ 천주교의 포교권이 인정된 것은 1886년 프랑스와 맺은 '조불수호통상조약'이다.

02 급진적 개화의 시도

07 밑줄 친 '정변'에서 제기된 개혁 방안으로 옳은 것을 [보기]에서 고른 것은? [2014 서울시 9급]

> 그의 생각은 무엇보다 청의 세력을 꺾어 버리는 동시에 청을 추종하는 세력으로부터 권력을 빼앗은 후 우리나라의 완전한 자주 독립 정치를 이룩하자는 것이었다. 그래서 일본의 군사적 지원을 믿고 우정총국 개국 축하연을 이용하여 정변을 일으켰다.

[보기]

㉠ 은본위제 시행 ㉡ 혜상공국 혁파
㉢ 인민 평등권 제정 ㉣ 농민에게 토지 재분배
㉤ 공사노비법 혁파 ㉥ 호조로의 재정 일원화

① ㉠, ㉡, ㉤ ② ㉠, ㉢, ㉥
③ ㉡, ㉢, ㉥ ④ ㉡, ㉣, ㉥
⑤ ㉢, ㉣, ㉤

해설 정답 ③

제시된 자료에서 '청을 추종하는 세력'이란 임오군란을 진압한 청에 밀착해 버린 '친청 민씨 정권'을 말한다. '자주 독립 정치'란 청의 영향력에서 벗어나는 정치를 말한다. 일본의 군사적 지원을 믿고 우정총국 개국 축하연을 이용하여 일으킨 사건은 갑신정변(1884)이며, '그'란 갑신정변의 리더인 김옥균일 것이다.

㉡ 갑신정변에서는 정부가 보부상을 보호하기 위하여 만든 관청인 혜상공국이 전근대적인 것이라 판단하여 그 혁파를 주장하였다.
㉢ 갑신정변은 '문벌을 폐지하여 인민 평등의 권리를 세워, 능력에 따라 관리를 임명한다'를 주장하였다. 다만, ㉤ 공사노비법 폐지는 제1차 갑오개혁(1894) 때 명시된 개혁안이다.
㉥ 갑신정변은 '모든 재정은 호조에서 관할한다'를 주장하였다.
㉠ 은본위제 시행은 1차 갑오개혁의 개혁안이다.
㉣ '농민에게 토지를 나누어 경작하게 한다'는 동학농민운동의 폐정개혁안에 포함된 내용이다.

08 다음의 내각에서 발표한 개혁안의 내용으로 옳은 것은? [2013 법원직 9급]

내각명단

좌의정	이재원	우의정	홍영식
전후영사	박영효	좌우영사	서광범
병조참판	서재필	호조참판	김옥균

① 지조법을 개혁한다. ② 과거제를 폐지한다.
③ 토지를 평균으로 분작한다. ④ 태양력을 사용하고 종두법을 시행한다.

해설

정답 ①

'내각명단'은 급진개화파가 우정국 개국 축하연을 이용하여 민씨 일족을 처단하고 수립한 개화정부의 내각명단이다. 이 내각은 지조법을 개혁하여 관리의 부정을 막고 백성을 보호하며, 국가재정을 넉넉하게 할 것을 주장하였다.

② 갑오 1차 개혁, ③ 동학농민군의 폐정개혁 12조, ④ 을미개혁

명호샘의 한마디!!

갑신정변 및 갑신정변의 14개조 정강에 대한 '정답'과 '오답'을 비교하여 정리하기 바란다.

정 답	1. 김옥균, 서광범, 박영효 등 급진개화파가 주도하였다. (○) 2. 민씨 정권의 친청 정책이 정변의 원인이 되었다. (○) 3. 개화당에 대한 탄압이 정변의 원인이 되었다. (○) 4. 문벌제도를 폐지하여 인민평등을 실현하고자 하였다. (○) 5. 보부상 등 특권상인을 억압하고 상업의 자유로운 발전을 꾀하고자 하였다. (○) 6. 내각제도, 근대적 경찰제도 및 군제를 기반으로 한 입헌군주제를 지향하였다. (○) = 전제군주제를 입헌군주제로 바꾸어 근대 국민국가를 수립하려고 하였다. (○) = 내시부, 규장각 등 왕의 근시기구를 폐지하고 입헌군주제에 입각한 내각제를 수립한다. (○) 7. 일본의 침략 의도를 인식하지 못하고 무력 지원을 받아 외세의 조선 침략을 촉진하는 결과를 가져왔다. (○)
오 답	1. 부세제도의 개혁뿐만 아니라 지주제적 생산관계를 혁파하고 농민적 토지소유를 실현하고자 하였다. (×) → 부세제도의 개혁은 이루어졌다. 지조법의 개혁이 그것이다. 그러나 지주제적 생산관계를 혁파하고 농민적 토지소유를 실현하기 위해서는 '토지의 분배'가 이루어져야 한다. 토지의 분배(토지의 평균분작) 주장은 동학농민군의 폐정개혁안에 있다. 2. 외세에 의존하지 않고 자주적으로 개혁을 추진하였다. (×) → 일본의 지원을 받아 개혁을 이루려고 하였으므로 '자주적'이라고 말할 수 없다. 3. 청일전쟁으로 청군이 일부 철수한 상황에서 일본의 군사력을 끌어들여 일으켰다. (×) → 청일전쟁은 1894년에 발발하였다. 갑신정변이 일어난 후 10년이 지나 발생한 사건이다.

명호샘의 한마디!!

충의계(忠義契)라는 비밀 조직이 있었다. 충의계는 개혁과 개화에 뜻을 둔 청년들의 모임으로, 김옥균·서광범·홍영식·서재필 등 갑신정변의 주역들이 가담하였다.

> 45명의 개화당이 사건을 일으켜서 나라를 위태롭게 한 다음 청나라 사람의 억압과 능멸이 대단하였다. …(중략)… 종전에는 개화가 이롭다고 말하면 그다지 싫어하지 않았으나 이 사건 이후 조야(朝野) 모두 '개화당은 충의를 모르고 외인과 연결하여 매국배종(賣國背宗)하였다'고 하였다. ➲『윤치호일기』 ➲ 2016 국가직 9급

09 밑줄 친 '사건'에 대한 설명으로 옳은 것은? [2016 국가직 9급]

> 4 ~ 5명의 개화당이 <u>사건</u>을 일으켜서 나라를 위태롭게 한 다음 청나라 사람의 억압과 능멸이 대단하였다. …(중략)… 종전에는 개화가 이롭다고 말하면 그다지 싫어하지 않았으나 이 <u>사건</u> 이후 조야(朝野) 모두 '개화당은 충의를 모르고 외인과 연결하여 매국배종(賣國背宗)하였다'고 하였다.
>
> 『윤치호일기』

① 정동구락부 세력이 주도하였다.

② 일본군과 함께 경복궁을 침범하였다.

③ 차관 도입을 위한 수신사 파견의 계기가 되었다.

④ 일본 공사관이 불타고 일본군이 청군에 패퇴하였다.

해설 정답 ④

'개화당'이 일으킨 사건은 갑신정변(1884)이다. 임오군란 후, 청나라는 김옥균을 중심으로 한 개화당의 개화 운동이 '청으로부터 조선을 독립시키려는 시도'라고 보고 개화당을 탄압하였다. 이에 개화당은 청을 몰아내고 조선의 완전독립을 이루기 위해 정변을 모색하였다.

박영효와 윤웅렬은 군대를 양성하였고, 김옥균은 일본 사관학교에 유학시켰던 서재필 등을 귀국시켰고 비밀무장조직 충의계(忠義契)를 만들었다. 1884년 청–프 전쟁으로 인해 청이 서울에 주둔시켰던 3,000명의 청군 중 1,500명을 베트남 전선으로 이동시키고 점차 청국의 패색이 짙어지자 정변을 단행할 것을 결정하였다. 일본공사 다케소에[竹添進一郎]는 개화당에 공사관 병력 150명과 3백만 엔을 빌려주겠다고 약속하였다. 개화당은 마침내 1884년 12월 4일 홍영식이 총판으로 있던 우정총국 개국 축하연을 계기로 정변을 일으켰다.

정변 이틀 후, 고종은 갑신정변의 신정부 강령 14개조를 재결하였다. 그러나 이 날 청군 1,500명의 병력이 창덕궁을 공격하여 들어왔다. 개화당의 군대와 일본군은 청군에게 패하여 개화당의 집권은 3일 천하로 끝나고 말았다.

① 정동구락부(貞洞俱樂部, Cheongdong Club)는 1894년 서울에서 조직된 친미・친러적 사교단체이다. 서재필, 민영환, 윤치호, 이상재, 박정양, 이완용 등이 참여하였고, 미국인으로는 선교사 언더우드와 아펜젤러 등이 참여하였다. 정동구락부의 활동 방향은 배일(排日) 운동이었다. 제2차 갑오개혁 때, 친일정부의 실세인 박영효를 공격하여 박영효는 결국 일본으로 다시 망명하게 되었다. 정동구락부의 지원으로 마침내 박정양이 총리 내각이 되어 소위 '박정양 내각'이 출범하였다. 1896년 7월 정동구락부 세력들은 뜻을 같이 하는 이들과 함께 독립협회를 조직하였다.

② 개화당은 일본군과 함께 경복궁을 침범한 것이 아니라, 정변 후 국왕과 왕후를 창덕궁으로부터 경우궁(景祐宮)으로 옮겼다. 개화당은 민비(명성황후)의 요구로 창덕궁으로 환궁한 후, 그 넓은 창덕궁을 방어하기 어려워 청군에게 패배하였다.

③ 제3차 수신사(사죄사)로 박영효가 파견될 때, 김옥균이 동행하였다. 김옥균은 일본에서 차관 도입을 위해 노력하였으나, 결국 실패하였다. 갑신정변은 '차관 도입을 위한 수신사 파견의 계기'가 아니라 '차관 도입 실패의 결과'이다.

10 다음 [보기]의 사건을 주도했던 세력에 대한 설명으로 가장 적절한 것은? [2012 경찰]

> [보기]
> 청나라에 대한 종속관계를 청산하고 인민 평등권의 내용과 능력에 따른 인재의 등용을 표방하였으며 행정 조직의 개편과 조세제도의 개혁을 모색하였다. 우리나라에서 처음으로 근대국가를 건설하려 하였던 사건으로 큰 의미가 있다. 또한 양반 지주층 일부가 중심이 되어 위로부터의 근대화를 꾀하였다는 점에서 의의가 있다고 하겠다. 그러나 이 사건은 외세의 조선침략을 촉진하는 결과를 가져왔으며, 농민들의 바람인 토지문제의 해결에 적극적이지 않았다는 한계가 있다.

① 영은문(迎恩門)과 모화관(慕華館)을 없앴다.
② 구본신참(舊本新參)의 원칙 아래 개혁정책을 수행하였다.
③ 일제가 날조한 105인 사건으로 인해 와해되었다.
④ 일본에서 차관을 도입하여 국가 재정을 보충하고자 하였다.

해설

정답 ④

'청나라에 대한 종속관계 청산', '인민 평등권', '행정 조직의 개편', '조세제도의 개혁(지조법 개혁)', '근대국가 건설', '양반 지주층 일부가 중심', '위로부터의 근대화' 등으로 갑신정변(1884) 자료임을 알 수 있다. 김옥균 등 급진개화파는 일본에서 차관을 도입하여 재정을 보충하고 개혁을 추진하려고 하였다. 그러나 차관 도입이 실패하였고, 이것은 갑신정변을 일으키는 하나의 원인이 되었다.

① '독립협회'는 청의 사신을 맞이하던 영은문(迎恩門)을 헐어 버리고 그 자리에 독립문을 세웠으며, 모화관(慕華館)을 개수하여 독립관과 독립공원을 만들었다.
② '대한제국'은 구본신참(舊本新參)의 원칙 아래 개혁정책을 수행하였다.
③ '신민회'는 105인 사건으로 해체되었다.

11 다음 (㉠)에 들어갈 인물과 관련이 없는 것은? [2010 기능직]

> 각국과 더불어 통상한 이래 안팎의 관계와 교섭이 날로 늘어나고, 따라서 청과 상인들이 주고받는 통신이 많아지게 되었다. …(중략)… 우정총국(郵征總局)을 설립하여 연해의 각 항구에서 왕래하는 서신을 관장하고, 내지(內地)의 우편(郵便)도 또한 마땅히 점차 확장하여 공사(公私)의 이익을 거두도록 하라. 병조참판 (㉠)을 우정총판(郵征總辦)으로 뽑고, 그로 하여금 우정총국의 장정(章程)의 마련과 임원의 선정을 보고하여 시행하도록 할 것을 통리군국사무아문(統理軍國事務衙門)과 통리교섭통상사무아문(統理交涉通商事務衙門)에 분부한다.
>
> 일성록, 고종 21년 3월 27일(양력 4월 22일)

① 갑신정변 ② 조사시찰단
③ 보빙사 ④ 아관파천

해설 정답 ④

고종 21년은 1884년(1863 + 21)이다. 이 해에 우정총판(郵征總辦)이 되어 갑신정변에서 주도적인 역할을 한 인물은 홍영식이다. 홍영식은 조사시찰단(1881), 보빙사(1883~1884), 갑신정변(1884)에 참여하였다. 그러나 갑신정변 때 사망하였으므로 아관파천(1896)과는 관련이 없다.

12 연표의 (가), (나) 시기에 공통적으로 해당하는 내용은? [2013 법원직 9급]

1884	1885	1894	1904	1905
	(가)	(나)		
갑신정변	거문도사건	동학농민운동	러·일 전쟁	을사늑약

① 조선을 중립화하자는 주장이 대두되었다.

② 미국에 대하여 거중 조정을 요구하였다.

③ 외국인 고문의 즉시 철수를 요구하였다.

④ 청·일 양국군의 동시 철수를 요구하였다.

해설 정답 ①

(가) 거문도 사건은 조러통상조약 체결(1884)에 위기감을 느낀 영국이 거문도를 불법 점령한 사건이다. 이것은 조선을 사이에 두고 '열강들의 대립이 격화'되고 있음을 상징적으로 보여주는 사건이다. 갑신정변의 소식을 듣고 귀국한 유길준은 열강들의 대립 속에서 조선이 부당한 영향을 받아서는 안 된다며 조선 중립화론을 주장하였다(1885).

(나) 용암포 사건 등으로 러시아와 일본의 대립이 본격화되고 러·일 전쟁 발발이 임박해지자, 고종은 '너희가 싸워도 우리 땅은 밟지 말라'는 전시(戰時) 국외 중립을 선언하였다(1904).

② 거중조정은 1882년 조미수호통상조약에 포함된 내용이다. 을사조약이 체결되자 거중조정 조항을 근거로 미국에 도움을 요청하였다. 즉, 거중조정 요구는 1905년 이후이다.

③ '외국인 고문'에는 임오군란 이후 청의 고문, 아관파천 이후 러시아의 고문, 제1차 한일협약 이후 일본의 고문 등이 있다. 지문의 외국인 고문이 어느 시기를 지시하는 것인지 명확하지 않으나, '외국인 고문의 즉시 철수 요구'는 독립협회의 활동 중의 하나이다. 독립협회는 자주국권 운동의 일환으로 러시아의 군사·재정 고문의 철수를 요구하였다. → (나)에만 해당

④ 동학농민군을 진압하기 위해 청·일 양국의 군대가 조선에 들어오자, 동학농민군은 이들의 철수를 요구하였다. → (나)에만 해당

13 다음 내용을 주장한 인물에 대한 설명으로 가장 적절한 것은? [2020 경찰]

> 우리나라가 아시아의 인후에 처해 있는 지리적 위치는 유럽의 벨기에와 같고, 중국에 조공하던 처지는 터키에 조공하던 불가리아와 같다. 그런데 불가리아가 중립 조약을 체결한 것은 유럽 여러 대국들이 러시아를 막으려는 계책에서 나온 것이었고, 벨기에가 중립 조약을 체결한 것은 유럽의 여러 대국들이 자국을 보전하려는 계책에서 나온 것이었다. 대저 우리나라가 아시아의 중립국이 된다면 러시아를 방어하는 큰 기틀이 될 것이고, 또한 아시아의 여러 대국들이 서로 보전하는 정략도 될 것이다. 오직 중립만이 우리나라를 지키는 방책인데, 우리 스스로가 제창할 수도 없으니 중국에 청하여 처리해야 할 것이다. 중국이 맹주가 되어 영국, 프랑스, 일본, 러시아 같은 아시아에 관계 있는 여러 나라들과 화합하고 우리나라를 참석시켜 같이 중립 조약을 체결토록 해야 될 것이다. 이것은 비단 우리나라만을 위한 것이 아니라 중국의 이익도 될 것이고, 여러 나라가 서로 보전하는 계책도 될 것이니 무엇이 괴로워서 하지 않겠는가.

① 1881년에 조사시찰단으로 일본에 다녀왔고, 1884년에 우정총국이 설립되자 우정국 총판에 임명되었다.

② 1882년 수신사로 일본에 다녀왔고, 일제강점기에는 일제로부터 후작을 받고 중추원 고문에 임명되었다.

③ 갑신정변 이후 일본을 거쳐 미국에 망명하였고, 1894년에 귀국하여 제2차 김홍집 내각의 법부대신이 되었다.

④ 1894년 제1차 갑오개혁 당시 군국기무처의 회의원으로 참여하였고, 후에 국어 문법서인 『조선문전』을 저술하였다.

해설 정답 ④

제시된 자료는 유길준의 '한반도 중립론'이다. 유길준(1856~1914)이 「중립론」을 집필한 것은 1885년(고종 22년) 말이다. 그는 미국 유학 중 갑신정변에 연루되었다는 이유로 소환 명령을 받고 귀국하자마자 유폐되었다. 그의 「중립론」은 이 시기에 집필된 것으로 알려져 있다. 유길준은 영국의 거문도 사건, 러시아의 남하 정책, 미국의 입장, 중국의 보장, 일본의 침략 의도 등을 종합해 강대국들의 보장 아래 조선을 중립지대화하자는 「중립론」을 집필하였다. 유길준의 '한반도 중립론'은 벨기에식에 불가리아식 조건을 가미한 국제적 보장을 전제로 한 중립 구상이었다.

④ 유길준은 갑오개혁과 을미개혁에 모두 참여하였다. 갑오개혁 후 국어문법서인 『조선문전』을 간행하였고, 1909년에는 『대한문전』을 간행하기도 하였다.

① 홍영식, ② 박영효, ③ 서광범

명호샘의 한마디!!

유길준(1856~1914)의 한반도 중립론은 '유길준 문제'의 주된 사료이다. 유길준의 중립론이 제시되었을 때 답이 될 수 있는 것들은 다음과 같다.

1. 1881년 조사시찰단(신사유람단)에 참여하였다. 이때 일본 유학생이 되었다.
2. 1883년 보빙사에 참여하였다. 이때 미국 유학생이 되었다.
3. 1885년 조선 중립화론을 주장하였다.
4. 1894년 제1차 갑오개혁 당시 군국기무처의 회의원으로 참여하였다.
5. 1895년 개화사상을 소개하기 위해 「서유견문(西遊見聞)」을 지었다(국한문 혼용체). ➲ 2006 선관위 9급
6. 1895년 을미개혁 당시 내부협판으로 일본의 간섭을 받아들였다.
7. 1897~1902년 최초의 국어문법서 「조선문전」을 간행하였다.
8. 1908년 노동자 교육용 교과서인 「노동야학독본」을 간행하였다.
9. 1909년 국어 문법서인 「대한문전」을 간행하였다.

14 갑신정변 이후 국내외 정세로 옳지 않은 것은? [2017 국가직 9급]

① 독일 부영사 부들러는 조선의 영세 중립국화를 건의하였다.

② 러시아의 남하정책에 대응하여 영국 함대가 거문도를 불법 점령하였다.

③ 조·청 상민수륙무역장정을 체결하여 청나라 상인에게 통상 특혜를 허용하였다.

④ 청·일 양국 군대가 조선에서 철수하는 것 등을 내용으로 하는 톈진조약이 체결되었다.

해설 정답 ③

'갑신정변 이후 국내외 정세'란 갑신정변(1884)이 진압된 직후인 1885년 및 그 이후의 일을 말한다.

① 독일 부영사 부들러가 조선의 영세 중립국화를 건의한 때도, ② 영국 함대가 거문도를 불법 점령한 때도, ④ 톈진조약이 체결된 때도, 모두 1885년이다.

③ 조·청 상민수륙무역장정은 임오군란 후 체결되었다(1882). 갑신정변 이전의 사건이다.

15 (가)~(다) 국가에 대한 설명으로 가장 옳은 것은? [2024 법원직 9급]

> 조선은 김기수와 김홍집을 수신사로 (가) 에 파견하였다. (나) 에는 김윤식을 영선사로 삼아 무기 제조 기술 등을 배우는 유학생을 보냈다. 또한 조선은 민영익 등을 보빙사로 (다) 에 파견하였다.

① (가) – 흥선 대원군을 자국으로 납치하였다.

② (나) – 조선과 강화도 조약을 맺었다.

③ (다) – 거문도를 불법 점령하였다.

④ (가)와 (나) – 톈진 조약을 체결하였다.

해설

정답 ④

제1차 수신사 김기수와 제2차 수신사 김홍집이 파견된 (가) 국가는 일본이며, 김윤식이 영선사로 파견된 (나) 국가는 중국(청)이다. 갑신정변 직후, 조선과 일본 사이에 한성 조약이 체결되었으며, 일본과 청 사이에는 톈진 조약이 체결되었다.

① 임오군란 직후 흥선 대원군을 자국으로 납치한 국가는 (나) 중국이다.

② 조선과 강화도 조약을 맺은 국가는 (가) 일본이다.

③ 거문도를 불법 점령한 국가는 영국이다.

16 거문도 사건이 전개된 동안, 당시 사람들이 볼 수 있었던 모습은? [2017 서울시 9급]

① 당오전을 발행하는 기사

② 한성순보를 배포하는 공무원

③ 서유견문을 출간한 유길준

④ 일본과의 무관세 무역을 항의하는 동래 부민

해설

정답 ①

'거문도 사건이 전개된 동안'이란 1885년부터 1887년까지 영국이 거문도를 불법적으로 점령하였던 기간을 말한다.

① (상평통보) 당오전(當五錢)은 1883년에 처음으로 발행되어, 1894년까지 발행되었다. 당오전은 1883년 초에 발행이 시작되었으나, 그 해 여름에 전환국이 설치되면서, 전환국에서 당오전을 발행하게 되었다. 당오전 발행 기간 중에 '거문도 점령' 사건이 발생하였다.

② 한성순보는 1883년에 발행되기 시작하여, 그 다음 해인 1884년까지만 발행되었다. '거문도 점령' 이전의 사건이다.

③ 유길준의 「서유견문」은 1895년에 출간되었다. '거문도 점령' 이후의 사건이다.

④ 일본과의 무관세 무역은 1876년 조일무역규칙에 의해 시작되었다. 그러나 1883년 조일통상장정(개정 조일통상장정)에 따라 조·일 간의 무역에도 관세 규정이 포함되었다. '거문도 점령' 이전의 사건이다.

17 (가)와 (나)를 주장한 인물의 활동으로 옳은 것은? [2016 국가직 7급]

(가) 서양 종교는 사교이므로 마땅히 음탕한 음악이나 미색처럼 여겨서 멀리해야겠지만, 서양 기계는 이로워서 진실로 백성의 생활을 편리하게 할 수 있다.

(나) 오늘날 급선무는 인재를 등용하며 국가 재정을 절약하고 사치를 억제하며, 문호를 개방하고 이웃나라와 친선을 도모하는 데 있다. …(중략)… 일본은 법을 변경한 이후로 모든 것을 바꾸었다[更張]고 한다.

① (가) – 개벽 사상을 담은 동학을 창도하였다.

② (가) – 갑신정변이 일어나자 청국 군대의 개입을 요청하였다.

③ (나) – 만동묘 철폐를 주도하였다.

④ (나) – 보부상단을 통괄하는 혜상공국의 설치를 주장하였다.

해설 정답 ②

(가)는 대표적인 동도서기론(東道西器論) 사료이다. 이것은 〈고종실록〉 1882년 기사로 고종이 전교(傳敎, 임금이 명령을 내림)한 것이다. 그러므로 이것을 주장한 인물은 '고종'이다. 그러나 1863~1873년의 '고종'을 흥선대원군으로 이해하는 것처럼, 1873~1895년의 '고종'을 민씨 세력으로 이해할 수 있어야 한다. ② 갑신정변이 일어나자 고종(민씨 세력)이 청의 군대 개입을 요청하였다.

> 전교하기를, "…… 그들의 종교는 사교이므로 마땅히 음탕한 음악이나 미색(美色)처럼 여겨서 멀리하여야겠지만, 그들의 기계는 이로워서 진실로 이용후생(利用厚生)할 수 있으니 농기구・의약・병기・수레 같은 것을 제조하는 데 무엇을 꺼려하며 하지 않겠는가? 그들의 종교는 배척하고, 기계를 본받는 것은 진실로 병행하여도 사리에 어그러지지 않는다. 더구나 강약(强弱)의 형세가 이미 현저한데 만일 저들의 기계를 본받지 않는다면 무슨 수로 저들의 침략을 막고 저들이 넘보는 것을 막을 수 있겠는가? ……"
>
> 고종실록

(나)는 김옥균이 쓴 치도략론(治道略論)은 도시 환경 개선을 위한 건의안이다.

> 오늘의 급선무는 반드시 인재를 등용하며, 국가재정을 절약해 쓰며 부화하고 사치한 것을 억제하며 문호를 개방하고 이웃나라들과 친선을 잘 도모하는 데 있는 바 이 가운데 하나가 빠져도 안 될 것이다. 그러나 국한 의견보다도 문제는 실사구시다. …… 세계각국에서 실시하는 정치의 요점을 찾아본다면 첫째 위생이요, 둘째 농상(農桑)이요, 셋째는 도로(道路)이다. …… 춘추시대에도 외국의 사절로 갈 때는 우선 보는 것이 도로와 교량이다.

① '최제우'가 동학을 창도하였다(1860).
③ '흥선대원군'이 만동묘 철폐를 주도하였다(1865).
④ '김병국'이 혜상공국의 설치를 주장하였다(1883).

05 동학농민운동과 갑오개혁

01 동학농민운동

01 다음 자료에 나타난 사상에 대한 설명으로 옳은 것은? [2020 국가직 9급]

> 사람이 곧 하늘이라. 그러므로 사람은 평등하며 차별이 없나니, 사람이 마음대로 귀천을 나눔은 하늘을 거스르는 것이다. 우리 도인은 차별을 없애고 선사의 뜻을 받들어 생활하기를 바라노라.

① 이 사상에 대해 순조 즉위 이후 대탄압이 가해졌다.
② 이 사상을 바탕으로 『동경대전』과 『용담유사』가 편찬되었다.
③ 이 사상을 근거로 몰락한 양반의 지휘 아래 평안도에서 난이 일어났다.
④ 이 사상을 근거로 단성에서 시작된 농민봉기는 진주로 이어졌다.

해설 정답 ②

'사람이 곧 하늘이다'(인내천)와 '평등'을 주장하는 사상은 동학이다. 동학은 『동경대전』이라는 경전과 『용담유사』라는 가사집을 편찬하였다.

① 순조 즉위 이후 대탄압(신유박해)이 가해진 사상은 천주교이다.
③ '몰락한 양반의 지휘 아래 평안도에서 일어난 난'(홍경래의 난)은 정감록이라는 예언서를 바탕으로 하고 있다.
④ 단성에서 시작되고, 진주로 파급되고, 전국으로 확산된 농민봉기(임술농민봉기)는 삼정의 문란을 문제 삼으며 일어났다. 특별히 어떤 사상을 기반으로 한 것은 아니다.

02 다음 개혁 내용과 관련된 설명으로 옳지 않은 것은? [2008 서울시 9급]

- 횡포(橫暴)한 부호(富豪)를 엄징한다.
- 노비 문서를 소각한다.
- 왜(倭)와 통하는 자는 엄징한다.
- 공사채(公社債)는 무효로 한다.
- 토지는 평균하여 분작(分作)한다.

① 전통적 지배 체제의 타파를 주장하였다.
② 외세의 침략에 대한 강한 저항의식이 반영되었다.
③ 조세제도와 토지제도의 개혁을 주장하였다.
④ 최초의 근대적 개혁으로 근대 국가 수립을 목표로 하였다.
⑤ 밑으로의 개혁운동이나 전근대적 성격에서 탈피하지 못하였다.

해설

정답 ④

제시된 자료는 동학농민군의 폐정개혁 12조이다.
④ 최초의 근대적 개혁으로, 근대 국가 수립을 목표로 한 것은 갑신정변(1884)이다.
①, ② 동학농민운동은 '반봉건(反封建)+반외세(反外勢)'의 성격을 가지고 있다.
③ '무명의 잡세는 일체 폐지한다'는 조항은 '조세제도의 개혁'이다. '토지는 균등하게 나누어 경작한다'는 조항은 '토지제도의 개혁'이다.
⑤ 동학농민운동은 '밑으로의 개혁운동', '아래로부터의 근대지향적 개혁운동'이다. 그러나 근대국가를 건설하기 위한 구체적인 방안을 제시하지 못하였으며, 전제왕정의 통치체제를 그대로 인정하여 전근대적 성격에서 벗어나지 못하였다.

03 다음의 격문이 나타나게 된 사회적 배경에 대한 설명으로 옳은 것은? [2007 국가직 9급]

우리가 의를 들어 이에 이름은 그 본의가 다른 데 있지 아니하고 창생을 도탄에서 건지고 국가를 반석 위에 두고자 함이다. 안으로는 탐학한 관리의 머리를 베고, 밖으로는 횡포한 강적의 무리를 몰아내고자 함이다. 양반과 호강(豪强)의 앞에서 고통을 받는 민중들과, 방백 및 수령의 밑에서 굴욕을 받는 소리(小吏)들은 우리와 같이 원한이 깊은 자이다. 조금도 주저치 말고 이 시각으로 일어서라. 만일 기회를 잃으면 후회해도 미치지 못하리라.

① 명성황후 시해에 대한 농민들의 반발심이 팽배하였다.
② 친위대와 진위대를 신설하여 군사력을 증강하였다.
③ 일본의 경제적 침략에 대한 농민들의 적개심이 확산되었다.
④ 고종의 강제 퇴위와 군대 해산을 계기로 항일 의식이 강화되었다.

해설 정답 ③

1894년 3월 전봉준과 손화중 등이 이끄는 동학농민군은 백산에서 4대 강령과 격문을 발표하였다. ➲ 2017 국회직 9급 제시된 자료는 '백산 격문'이다. '호남창의대장소'라고도 하는데, 1차 봉기를 주도하면서 전봉준이 발표한 격문이다. 2016년 지방직 7급에서 동일한 자료가 주어지고 이 격문을 작성한 세력이 '각종 무명잡세를 근절할 것'을 주장하였음을 고르는 문제가 출제되었다. ➲ 2016 지방직 7급 이 격문은 '고부농민봉기'와 '전주화약' 사이에 발표되었다. ➲ 2016 기상직 7급 이 자료를 제시하고 1894년의 대표적인 사건을 고르는 문제에서는 1) 일본의 경복궁 점령, 2) 제1차 갑오개혁, 3) 청일전쟁이 답이 될 수 있다. ➲ 2013 국가직 7급

동학농민운동은 무장·백산에서 봉기가 일어나면서 본격화되었다. 이 문제는 동학농민운동의 배경을 묻고 있다. 동학농민운동이 일어났던 당시 조선의 농촌 경제는 일본의 경제적 침탈로 인하여 매우 피폐해져 있었다. 일본은 영국산 면제품과 일본산 면제품을 조선에 수출하여 막대한 이익을 챙겼고, 이로 인하여 조선의 가내수공업이 몰락하였다. 일본 상인들은 고리대의 방법으로 조선의 곡물을 사들여 폭리를 취하였으며, 1889년과 1890년에 선포된 방곡령도 실효성 없이 끝났다. 이런 상황에서 동학농민운동이 일어났다.

명호샘의 **한마디!!**

동학농민운동이 일어난 '배경'은 다음과 같이 정리할 수 있겠다.

1) 임오군란, 갑신정변 등을 거치며 외국에 막대한 배상금을 지불하며 국가의 재정이 궁핍해졌다.
2) 근대문물의 수용을 위한 막대한 경비의 지출로 국가의 재정이 궁핍해졌다.
3) 국가 재정이 궁핍해지면서 농민에 대한 지배층의 수탈이 심화되었다.
4) 일본의 경제적 침탈로 농촌 경제가 피폐해지자, 일본에 대한 농민들의 적개심이 확산되었다.
5) 토지 소유의 편중 상태가 심화되어 있었다.
6) 동학사상이 농민들의 요구에 부응하며 확산되고 있었다.

명호샘의 **한마디!!**

'동학농민운동' 기출사료들을 점검하자.

〈사발통문〉
1. 고부성을 격파하고 군수 조병갑의 목을 베어 매달 것
1. 군기창과 화약고를 점령할 것
1. 군수에게 아첨하여 백성을 침탈한 탐욕스러운 아전을 쳐서 징벌할 것
1. 전주 감영을 함락하고 서울로 곧바로 향할 것

〈호남 창의문〉
우리는 비록 초야에 묻힌 백성이지만, 임금의 땅에서 나는 곡식을 먹고, 임금의 옷을 입고 사는 사람이라, 어찌 국가의 위망을 앉아서 보겠는가. 팔로(八路)가 마음을 합하고 억조창생(億兆蒼生)이 뜻을 모아 이제 의로운 깃발을 들어, 나라를 보존하고 백성을 편안히 하는 것이다.

〈농민군 4대 강령〉
1. 사람을 죽이지 말고 물건을 해하지 말라.
2. 충효를 다하며 세상을 구하고 백성을 편안케 하라.
3. 일본 오랑캐를 쫓아 버리고 왕의 정치를 깨끗이 하라.
4. 군대를 몰고 서울로 들어가 권세가와 귀족을 없애라.

➲ 대한계년사

〈새야새야〉
새야 새야 녹두새야
웃녘 새야 아랫녘 새야
전주 고부 녹두새야
함박 쪽박 열나무 딱딱 후여

새야 새야 녹두새야
녹두밭에 앉지마라
녹두꽃이 떨어지면
청포장수 울고 간다

새야 새야 팔왕(八王)새야
네 무엇하러 나왔느냐
솔잎 댓잎이 푸릇푸릇
하절인가 하였더니

백설이 펄펄 흩날리니
저 강 건너 청송 녹죽이 날 속인다

04 (가) 시기에 해당되는 사실로 옳은 것은? [2018 국가직 9급]

방금 안핵사 이용태의 보고에 따르면 "죄인들이 대다수 도망치는 바람에 조사하지 못하였다."라고 하였다.
『승정원일기』

(가)

전봉준은 금구 원평에 앉아 (전라) 우도에 호령하였으며, 김개남은 남원성에 앉아 좌도를 통솔하였다.
『갑오약력』

① 논산에서 남·북접의 동학군이 집결하였다.
② 우금치 전투에서 동학군이 일본군과 격전을 벌였다.
③ 동학교도가 궁궐 앞에서 교조 신원을 주장하는 집회를 열었다.
④ 백산에서 전봉준이 보국안민을 위해 궐기하라는 통문을 보냈다.

해설 정답 ④

이 문제는 안핵사 이용태의 악행(1894년 2월)과 집강소 설치(1894년 5월) 사이에 무장·백산 봉기(1894년 3월) 발생이 있었음을 묻는 문제이다.

(첫 번째 사료) 만석보에 대한 과중한 수세(水稅) 등 고부 군수 조병갑의 지나친 가렴주구에 항거하여 전봉준을 지도자로 하여 농민들이 봉기하였다(1894. 1. 고부 봉기). 이에 정부는 조병갑을 파면하고 박원명을 고부 군수로 내려보냈고, 농민들은 신임 군수의 유화책으로 인해 사태가 진정되는 것 같았다. 그러나 장흥부사 이용태가 안핵사로 임명되어 오히려 동학교도를 탄압하고 악행을 저질러 동학교도를 격분하게 하였다(1894. 2. 이용태의 악행).
(가) 1894년 3월 20일 동학농민군은 무장에서 기포(起包)하고 포고문을 발표하였다. 4천여 명의 동학 농민군이 편성되었고, 대장은 전봉준이 맡았다. 이어 3월 25일 백산에 집결하여 지휘부를 개편하여 대장에 전봉준, 총관령에 손화중·김개남, 총참모에 김덕명·오시영, 영솔장에 최경선을 추대하였다. 농민군 지도부는 백산에 '호남창의대장소(湖南倡義大將所)'를 설치하고 대장기에 무장기포 때의 동도대장 이외에 '보국안민(保國安民)'이란 네 글자를 크게 써 넣었으며, 격문을 공포해 전라도를 비롯한 전국에 띄워 백성들의 궐기를 촉구했다.
(두 번째 사료) 1894년 5월 7일에 전주 화약이 맺어진 이후, 동학농민군은 전라도 53개 고을에 농민의 자치적 개혁기관인 집강소를 설치하고 폐정개혁안을 실시하였다(기본서 464쪽 참조). 문제에서 제시된 『갑오약력』의 기록은 집강소의 지역별 지휘권을 묘사한 것이다. 전봉준이 앉아 있다는 '금구 원평'과, 김개남이 앉아 있다는 '남원성'은 모두 집강소가 설치된 '전라도'에 있는 지역이다. 농민군 집강소의 질서(지휘 체제)는, "이 때 호남적(湖南賊)은 여러 부분으로 나뉘어 있었다. 김기범 등은 우도를 경영하였고 전봉준은 좌도를 경영하였다(『오하기문(梧下記聞)』의 기록)"라거나, "전봉준은 수천의 무리를 거느리고 금구원평에 둔거하여 전라우도를 통솔하였고, 김개남은 수만의 무리를 거느리고 남원성에 둔거하여 전라 좌도를 통솔하였으며, 그 이외 김덕명·손화중·최경선 등도 각기 한 지역에 둔거하였다(『갑오약력(甲午略歷)』의 기록)"라고 하였듯이, 전봉준·김개남·김덕명·손화중·최경선 등은 각기 한 지역을 장악·지배하고 있었다.

05 (가)의 사건에 대한 설명으로 옳은 것은?

[2017 서울시 9급, 2005 국가직 9급]

> 심문자 : 작년 3개월간 무슨 사연으로 고부 등지에서 민중을 크게 모았는가?
> 답변자 : 고부 군수의 수탈이 심하여 민심이 억울하고 통한스러워 의거를 하였다.
> 심문자 : 흩어져 돌아간 후에는 무슨 일로 봉기하였는가?
> 답변자 : 안핵사 이용태가 의거 참가자 대다수를 동학도로 몰아 체포하여 살육하였기 때문이다.
> 심문자 : 고부에서 기포할 적에 동학이 많았느냐 원통한 사람이 많았느냐?
> 답변자 : 원통한 사람이 많았다.
> 심문자 : (가) 이후 다시 봉기를 일으킨 이유는 무엇인가?
> 답변자 : 일본이 군대를 거느리고 경복궁을 침범하였기 때문이다.

① 일본군이 풍도의 청군을 공격하면서 성립하였다.
② 법규교정소를 설치한다는 내용이 들어 있었다.
③ 집강소 및 폐정개혁에 관한 규정이 포함되었다.
④ 제물포 조약을 근거로 실행한 것이다.

해설 정답 ③

제시된 자료는 전봉준의 공초(供招)이다. (가)에는 '전주화약'(1894. 5)이 들어간다. 동학농민군이 전주성을 점령한 후, 전봉준이 제시한 폐정개혁안을 정부가 받아들임으로써 전주에서 화약(和約)이 맺어졌다. 여기에는 집강소 설치 및 폐정개혁에 관한 규정이 포함되어 있었다.

① '일본군이 풍도의 청군을 공격'하면서 시작된 사건은 청일전쟁(1894. 7)이다. 전주화약은 청일전쟁 이전에 맺어졌다.
② '법규교정소'는 1899년 대한국국제를 제정하기 위해 대한제국이 교전소를 개편한 관청이다.
④ '제물포 조약'은 1882년에 임오군란을 계기로 맺어진 조약으로, 동학농민운동과는 거리가 멀다.

06 [보기 1]의 밑줄 친 부분에 대한 서술로 옳은 것을 [보기 2]에서 모두 고르면? [2019 서울시 7급]

[보기 1]

심문자 : 작년(1894) 3월 고부 등지에서 무슨 사연으로 민중을 크게 모았는가?
전봉준 : 그때 고부 군수(조병갑)의 수탈이 심하여 의거하였다.
심문자 : 흩어져 돌아간 후에는 무슨 일로 ㉠ 군대를 봉기 하였느냐?
전봉준 : 고부 민란 조사 책임자 이용태가 내려와 의거 참가자 대다수가 일반 농민이었음에도 모두를 동학도로 통칭하고, 그 집을 불태우며 체포하고 살육을 행했기 때문에 다시 일어났다.
심문자 : ㉡ 전주 화약 이후 ㉢ 다시 군대를 일으킨 이유가 무엇이냐?
전봉준 : ㉣ 일본이 개화를 구실로 군대를 동원하여 왕궁을 공격하고 임금을 놀라게 했으니, 의병을 일으켜 일본과 싸워 그 책임을 묻고자 함이다.

『전봉준 공초』(발췌요약)

[보기 2]

가. ㉠ : 반봉건의 기치를 높이 들고 남·북접이 연합하여 봉기하였다.
나. ㉡ : 정부와 정치를 개혁할 것을 합의하였다.
다. ㉢ : 공주 우금치에서 우세한 화력으로 무장한 일본군과 정부군에게 패하고 말았다.
라. ㉣ : 명성황후를 무참히 살해하는 을미사변을 일으켰다.

① 가, 라　　② 나, 다
③ 가, 다, 라　　④ 가, 나, 다, 라

해설

정답 ②

「전봉준 공초」는 동학농민운동(1894)을 주도하였던 전봉준이 체포된 후 작성된 일종의 조서이다.

가. ㉠ '군대 봉기'는 전주 화약 이전의 봉기이므로 1차 봉기이다. 동학의 1차 봉기에 북접은 참여하지 않았다. 2차 봉기 때 북접의 최시형이 반외세라는 명분을 받아들여 무력투쟁을 지시함으로써 손병희가 이끄는 북접의 농민군이 남접의 농민군과 합류하였다.

나. ㉡ '전주화약'은 1894년 5월에 전주성을 점령한 동학농민군과 조선 정부가 맺은 화약(和約)을 말한다. 전주 화약으로 동학 농민군과 정부는 전라도 지역의 개혁 사무를 관장할 자치 기구로 집강소를 설치하고 정부와 정치를 개혁할 것을 합의하였다.

다. ㉢ '다시 군대를 일으킨' 것이 2차 봉기이다. 전봉준은 1894년 11월 8~9일에 공주 우금치에 집결해서 관군 및 일본군과 전투를 전개하였다. 그러나 불리한 지형과 관군 및 일본군의 우세한 화력을 이겨내지 못하고 패배하고 말았다.

라. ㉣ 일본이 왕궁(경복궁)을 점령한 것은 1894년(동학의 1차 봉기와 2차 봉기 사이)이고, 을미사변은 1895년에 일어났다. 별개의 사건이다.

07 다음 사건이 일어난 시기를 (가) ~ (라) 중에서 찾으면? [2016 법원직 9급]

> 동학의 무리가 금구현을 거쳐 전주 삼천에 주둔하였다가 이날 전주부에 돌입한 것이다. 전주 감사 김문현 등은 동학의 무리가 갑자기 뛰어듦을 보고 군졸을 급히 동원하여 전주부민과 더불어 사문(四門)을 파수하였으나 동학의 무리가 별안간 사방을 포위하고 기세가 심히 맹렬하매 성을 지키는 군졸 등이 놀라 흩어져 버렸다.

	(가)		(나)		(다)		(라)	
고부봉기 발생		백산 집결		황토현 전투		청일전쟁 발발		우금치 전투

① (가) ② (나)
③ (다) ④ (라)

해설 정답 ③

제시된 자료는 '전주성 점령'(1894. 4)이다.

> 고부 봉기(1894. 1) → 무장·백산 봉기(1894. 3) → 황토현 전투(1894. 4) → 황룡촌 전투(1894. 4) → 전주성 점령(1894. 4) → 전주 화약(1894. 5) → 청일전쟁(1894. 6) → 우금치 전투(1894. 11)

명호샘의 한마디!!

동학농민운동의 전개 순서를 외우자.

교조신원운동	1) 삼례집회 2) 복합상소 3) 보은집회
고부민란	4) 고부봉기
1차 봉기	5) 무장·백산봉기 6) 황토현 전투 7) 황룡촌 전투 8) 전주성 점령 9) 청군과 일본군의 파병, 전주화약 10) 교정청·집강소 설치
휴지기	11) 일본의 경복궁 점령 12) 제1차 갑오개혁, 청일전쟁
2차 봉기	13) 우금치 패전 14) 전봉준 체포

08 (가), (나) 시기에 목격될 수 있는 장면으로 옳은 것은? [2011 법원직 9급]

• 농민군 이끌고 고부 관아 습격 → 군수 추방, 아전 징벌 • 정부, 안핵사로 이용태 파견 → 동학농민군 탄압	(가) ⇒	• 6조를 8아문으로 개편 • 과거제 폐지 • 은본위 화폐제 실시 • 도량형 통일	(나) ⇒	• 태양력 사용 • 종두법 시행 • 소학교 설치 • '건양'이라는 새 연호 사용

① (가) : 농민의 요구를 반영한 개혁을 시도하려는 교정청 관리들

② (가) : 일본이 요동 반도를 차지하는 것을 포기하라고 권고하는 삼국의 대표들

③ (나) : 단발령 공포에 분노하여 항일 의병을 일으키는 유생과 민중들

④ (나) : 동아시아의 세력 확장을 위해 거문도를 불법 점령한 영국 군인들

해설

정답 ①

동학동민운동과 갑오개혁 · 을미개혁이 복합된 문제이다.

고부민란 (1894. 1)	(가) ⇒	1차 갑오개혁 (1894. 6)	(나) ⇒	을미개혁 (1895. 8)

① 전주화약(1894. 5) 이후 정부는 자주적인 개혁기구 '교정청'을 설치하고, 농민군은 전라도에 '집강소'를 설치하였다. → (가)

② 일본군이 경복궁을 점령한 상태에서 청일전쟁이 일어났다. 전쟁이 일본의 승리로 끝난 후 시모노세키 조약(1895. 4. 17)이 체결되었다. 이 조약으로 청은 일본에 요동반도를 할양하게 되었는데, 이것은 러시아 · 프랑스 · 독일의 삼국간섭(1895. 4. 23)으로 저지되었다. → (나)

③ 을미사변과 단발령이 원인이 되어 전국적인 항일의병인 을미의병(1896. 1)이 일어났다. → 을미개혁 이후

④ 영국의 거문도 점령은 갑신정변 직후인 1885년에 발생하였다. → 고부민란 한참 전

09 (가), (나) 격문이 발표된 사이의 시기에 있었던 사실로 옳은 것을 [보기]에서 모두 고른 것은?

[2022 법원직 9급]

(가) 우리가 의로운 깃발을 들어 이곳에 이름은 그 뜻이 결코 다른 데 있지 아니하고 창생을 도탄 속에서 건지고 국가를 반석 위에 두고자 함이다. 안으로는 양반과 탐학한 관리의 목을 베고 밖으로 횡포한 강적의 무리를 내몰고자 함이다.

(나) 일본 오랑캐가 분란을 야기하고 군대를 출동하여 우리 임금님을 핍박하고 우리 백성들을 뒤흔들어 놓았으니 어찌 차마 말할 수 있겠습니까. …… 지금 조정의 대신들은 망령되이 자신의 몸만 보전하고자 위로는 임금님을 협박하고 아래로는 백성들을 속이며 일본 오랑캐와 내통하여 삼남 백성들의 원망을 샀습니다.

[보기]

ㄱ. 조선 정부가 개혁 기구인 교정청을 설치하였다.
ㄴ. 동학 농민군과 관군이 전주 화약을 체결하였다.
ㄷ. 조선 정부가 조병갑을 파면하고 박원명을 고부 군수로 임명하였다.
ㄹ. 동학교도들이 전라도 삼례에서 교조 신원을 요구하는 집회를 벌였다.

① ㄱ, ㄴ
② ㄱ, ㄹ
③ ㄴ, ㄷ
④ ㄷ, ㄹ

해설

정답 ①

(가) '우리가 의를 들어(창의)'라는 표현이나 '양반과 탐학한 관리의 목을 베고 밖으로 횡포한 강적의 무리를 내몰고자 함'이라는 표현을 볼 때 이 글은 동학 제1차 봉기의 백산 격문이다.

(나) '일본 오랑캐'라는 표현이나 '우리 임금님을 핍박하고'라는 표현을 볼 때 이 글은 동학 제2차 봉기의 격문이다.

그러므로 '(가), (나) 격문이 발표된 사이의 시기에 있었던 사실'이란 동학 제1차 봉기의 사건들을 말한다. 교정청 설치와 전주화약이 여기에 들어간다.

ㄷ. 고부 민란에 대한 설명으로 동학 제1차 봉기 이전의 사실이다.
ㄹ. 교조 신원 운동(삼례집회)에 대한 설명으로 동학 제1차 봉기 이전의 사실이다.

10 동학농민운동에 관한 다음 설명 중 가장 적절하지 않은 것은? [2012 경찰]

① 전주성을 점령한 농민군은 토지개혁 등 자신들의 요구를 담은 폐정개혁안을 제출하여 관군과 전주화약을 맺었다.

② 농민군은 삼남(三南) 지역에 자치적 개혁기구인 집강소를 설치하여 해당 지역의 치안을 유지하고 잘못된 행정을 개혁해 나갔다.

③ 양반, 부호들로 조직된 민보군은 관군과 일본군 등으로 구성된 진압군과 연계하여 동학 농민군을 공격하기도 하였다.

④ 동학농민군의 잔여 세력 가운데 일부는 이후 활빈당 등과 같은 반(反)봉건적, 반(反)침략적 민족운동을 지속하기도 하였다.

해설 정답 ②

농민군은 '전라도 53개 군현'에 집강소를 설치하여 지역의 치안을 유지하고 부패한 행정을 개혁해 나갔다. 집강소의 설치 지역을 삼남 지방 전체인 것처럼 표현해서는 안 된다.

1) 동학은 포접제를 바탕으로 삼남 지방을 중심으로 교세를 확장하였다. (○) 2) 동학은 경상도를 중심으로 포교를 시작하였다. (○) 3) 동학은 전라도 53개 고을에 집강소를 설치하고, 폐정개혁안을 실시하였다. (○)

① 농민군이 전주성을 점령하자 정부는 농민군을 진압하기 위해 청에 지원을 요청하였다. 이에 따라 청의 군대가 아산만에 도착하였고, 일본은 10년 전에 체결한 톈진 조약을 구실로 인천에 대규모 병력을 상륙시켰다. 농민군은 청군과 일본군의 개입으로 생긴 혼란을 막기 위해 외국 군대 철수와 폐정 개혁을 조건으로 관군과 전주 화약을 맺고 전주성에서 물러났다.

③ 각지의 양반, 아전들이 조직한 민보군도 관군에게 정보를 주고 농민군을 공격하였다. '민보군'이란 동학농민운동 때 농민군을 진압하기 위해 유생들이 조직한 군대이다. 즉, 보수 세력이 조직한 반(反) 동학의 자위 조직을 말한다.

④ 농민군의 요구는 갑오개혁에 영향을 주었고, 농민군 중 잔여 세력은 이후 활빈당 같은 민중 운동이나 항일 의병 투쟁에도 참여하였다.

11 [보기]는 동학농민군이 제시한 「폐정개혁안」 12개조 중 일부이다. 이 중 갑오개혁에 반영된 것을 모두 고른 것은? [2020 서울시 지방직 9급]

[보기] ㄱ. 무명의 잡다한 세금은 일체 거두지 않는다. ㄴ. 토지는 균등히 나누어 경작한다. ㄷ. 왜와 통하는 자는 엄중히 징벌한다. ㄹ. 젊어서 과부가 된 여성의 재혼을 허용한다.

① ㄱ, ㄴ　② ㄱ, ㄹ

③ ㄴ, ㄷ　④ ㄷ, ㄹ

해설

정답 ②

동학농민운동 폐정개혁안 중 갑오개혁 때 그대로 반영된 조항은 다음과 같다. ㄴ과 ㄷ의 주장도 동학농민군의 폐정개혁안에 포함되어 있지만, 갑오개혁에 반영되지는 못하였다.

1) 노비 문서를 소각한다.
2) 7종의 천인 차별을 개선하고 백정이 쓰는 평량갓은 없앤다.
3) 청상과부의 개가를 허용한다.
4) 무명의 잡세는 일체 폐지한다.
5) 관리 채용에는 지벌을 타파하고 인재를 등용한다.

명호샘의 **한마디!!**

동학농민운동(1894)의 기출 문장을 정리한다.

1. 동학 창시
   ① '사람이 곧 하늘이라'를 강조하는 종교는 19세기 사회 불안이 계속되는 상황에서 최제우에 의해 창시되었다. ➲ 2021 경찰간부
   ② (흥선대원군 집권기에) 동학의 최제우가 혹세무민으로 처형당한 이후 이필제의 난이 일어났다. ➲ 2020 경찰
   ③ '사람이 곧 하늘이라'를 주장하는 종교는 『동경대전』과 『용담유사』를 편찬하였다. ➲ 2020 국가직 9급
   ④ 최시형은 교세를 확대하면서 『동경대전』과 『용담유사』를 펴내어 교리를 정리하는 한편, 의식과 제도를 정착시켜 교단조직을 정비하였다. ➲ 2014 경찰
   ⑤ 동학은 서양과 일본 세력으로부터 나라를 구한다는 반외세적 성격도 가지고 있다. ➲ 2021 경찰간부
   ⑥ 초기의 교조신원 운동이 점차 지방관의 횡포에 저항하는 보국안민의 항쟁으로 바뀌어 갔다. ➲ 2009 지방직 7급
2. 동학 제1차 봉기
   ① 동학농민운동은 1894년 전라도 고부에서 시작되었다. ➲ 2017 경찰
   ② 고부에서 일어난 민란은 동학농민운동의 발단이 되었다. ➲ 2017 국회직 9급
   ③ 동학농민운동은 보국안민, 제폭구민을 기치로 내걸었다. ➲ 2021 소방
   ④ 전봉준과 손화중 등이 이끄는 동학농민군은 백산에서 4대 강령과 격문을 발표하였다. ➲ 2017 국회직 9급
3. 전주화약
   ① 전주화약에는 집강소 및 폐정개혁에 관한 규정이 포함되었다. ➲ 2017 서울시 9급
   ② 전주화약 후 전라도를 중심으로 집강소가 설치되어 폐정개혁이 추진되었다. ➲ 2024 지방직 9급, 2020 경찰간부, 2017 국회직 9급
   ③ 전주화약 이후 군국기무처가 설치되었다. ➲ 2018 서울시 9급
   ④ 전주화약 이후 동학 농민군은 내정을 개혁할 목적으로 전라도 53개 군에 집강소를 설치하여 한 사람의 집강과 그 아래 서기, 성찰, 집사, 동몽 등의 임원을 두었다. ➲ 2017 경찰
   ⑤ '전주 화약 이후 다시 군대를 일으킨 이유'는 일본이 군대를 동원하여 경복궁을 공격하였기 때문이다. ➲ 2019 소방간부
   ⑥ '전주 화약 이후' 남접군과 북접군이 논산에서 합류하여 연합군을 형성하였다. ➲ 2019 국가직 9급
   ⑦ '전주 화약 이후' 조선 정부는 청 · 일 군대의 철수를 요청하였다. ➲ 2015 지방직 9급
4. 동학 제2차 봉기
   ① (동학 제2차 봉기에서) 손병희의 북접 농민군과 전봉준의 남접 농민군이 충청도 논산에서 합류하였다. ➲ 2020 경찰
   ② '일본의 경복궁 습격 이후' 북접군과 남접군이 논산에서 합류하여 집결하였다. ➲ 2017 국가직 7급
   ③ '일본의 경복궁 습격 이후' 농민군은 공주 우금치에서 관군과 일본군 연합부대를 맞아 격돌하였다. ➲ 2017 국가직 7급
   ④ '일본군이 경복궁을 점령한 후' 전라도와 충청도 지역의 농민군이 연합하였다. ➲ 2015 지방직 9급
   ⑤ 동학농민군은 공주 우금치에서 패배 후 전세를 회복하지 못하였다. ➲ 2017 국회직 9급

5. 동학농민운동의 전개(순서)
   ① 고부 봉기, 황토현 전투, 황룡촌 전투, 전주 화약, 우금치 전투 순서대로 일어났다. ➲ 2016 소방간부
   ② 전주화약과 우금치 패전 사이에 집강소를 설치하고 폐정개혁을 추진하였다. ➲ 2019 소방
   ③ 전주성 점령과 우금치 전투 사이에 일본군이 경복궁을 점령하였다. ➲ 2015 국가직 9급
6. 동학농민운동과 갑오개혁
   ① 당시의 집권 세력과 일본 침략 세력의 탄압으로 실패하였지만, 이들의 요구는 갑오개혁에 부분적으로 반영되었다. ➲ 2017 경찰
   ② 동학 농민군이 제시한 「폐정개혁안」 12개조 중 '무명의 잡다한 세금은 일체 거두지 않는다', '젊어서 과부가 된 여성의 재혼을 허용한다'는 주장은 갑오개혁에 반영되었다. ➲ 2020 서울시 9급
   ③ 우금치 전투가 진행된 당시에 동학농민군은 '정부가 개국기년을 사용하기로 하였다'는 사실을 알 수 있었다. ➲ 2016 국가직 7급
7. 기타
   ① 동학 농민군의 잔여 세력은 활빈당, 영학당, 남학당 등을 조직해 항일 투쟁을 계속하였다. ➲ 2020 경찰
   ② (김구는) 동학 접주로서 농민 전쟁에 참전하였다. ➲ 2020 경찰간부, 2017 국가직 7급

02 갑오개혁, 을미개혁

12 다음 기구에서 추진한 개혁 내용으로 옳은 것은? [2013 국가직 9급]

> 총재 1명, 부총재 1명, 그리고 16명에서 20명 사이의 회의원으로 구성되었다. 이밖에 2명 정도의 서기관이 있어서 활동을 도왔고, 또 회의원 중 3명이 기초 위원으로 선정되어 의안의 작성을 책임졌다. 총재는 영의정 김홍집이 겸임하고, 부총재는 내아문독판으로 회의원인 박정양이 겸임하였다.

① 은본위 화폐 제도를 실시하였다.
② 의정부와 삼군부의 기능을 회복하였다.
③ 양전 사업을 실시하여 지계를 발급하였다.
④ 재판소를 설치하여 사법권과 행정권을 분리시켰다.

해설 정답 ①

'총재–김홍집, 부총재–박정양'으로 구성된 군국기무처는 제1차 갑오개혁의 중추 기구였다. 제1차 갑오개혁 때, 화폐의 기본 단위를 은(銀)으로 하는 '은본위' 화폐 제도가 실시되었다.

② 흥선대원군의 개혁, ③ 광무개혁, ④ 제2차 갑오개혁

명호샘의 **한마디!!**

'군국기무처'가 나오면 제1차 갑오개혁 문제이다. 그렇다면 다음의 것들이 답이 될 것이다.

1) 정부와 왕실의 사무가 제도적으로 분리되었다.
2) '개국'이라는 연호를 사용하였다.
3) 중앙 행정 조직이 6조에서 8아문으로 개편되었다.
4) 과거제가 폐지되었다.
5) 경무청이 설치되었다.
6) 모든 재정은 탁지아문으로 일원화되었다.
7) 은본위 화폐 제도와 조세의 금납화가 실시되었다.
8) 공사노비 제도가 폐지되었다.
9) 연좌제가 폐지되었다.
10) 남녀의 조혼이 금지되었다.
11) 과부의 재가가 허용되었다.

13 **군국기무처가 폐지되고 시행된 제2차 갑오개혁의 내용으로 옳은 것은?** [2018 국가직 7급]

① 교육입국조서를 반포하였다.

② 종래의 6조를 8아문으로 개편하였다.

③ 경무청을 신설하여 경찰제도를 도입하였다.

④ 궁내부를 신설하여 왕실과 정부 사무를 분리하였다.

해설 정답 ①

1894년 제1차 갑오개혁을 주도했던 군국기무처는 1894년 6월(양력 7월)에 설치되었다가 1894년 11월(양력 12월)에 폐지되었다. 그래서 제2차 갑오개혁(1894.11~1895.7)은 군국기무처가 폐지된 상태에서 추진되었다.

① 제2차 갑오개혁에 따라 근대적 교육제도를 마련하기 위해, 고종은 1895년(고종 32년) 2월 2일 「교육입국조서」를 반포하였다. 「교육입국조서」는 교육이 국가 보존의 가장 중요한 요건이며, 그 모델로 "부유하고 강성하여 독립하여 웅시(雄視)하는 여러 나라"를 언급하고 있다. 이는 사실상 청국에 종속되어 있는 조선의 상황을 우회적으로 비판하는 한편, 중국에서 전래된 유학의 허명(虛名)을 지양하고 실용(實用)을 추구할 것을 주장한 것이다.

> 백성을 가르치지 않으면 나라를 굳건히 하기가 매우 어렵다. 세상 형편을 돌아보면 부유하고 강성하여 독립하여 웅시(雄視)하는 여러 나라는 모두 그 나라 백성의 지식이 개명(開明)했다. 지식이 개명함은 교육이 잘됨으로써 말미암은 것이니, 교육은 실로 나라를 보존하는 근본이다. 그러므로 짐이 임금과 스승의 자리에 있으면서 교육하는 책임을 스스로 떠맡고 있다. 교육에는 또한 그 방도가 있으니, 허명(虛名)과 실용(實用)의 분별을 먼저 세워야 할 것이다. 책을 읽고 글자를 익히어 고인(古人)의 찌꺼기만 주워 모으고 시대의 큰 형국에 어두운 자는 문장이 고금보다 뛰어나더라도 쓸모가 전혀 없는 서생(書生)이다. (이하 생략)
> 「교육입국조서」

②, ④ 제1차 갑오개혁 때 군국기무처는 종래의 통치・행정제도에 일대 개혁의 메스를 가하여 중앙의 모든 정치・행정기구를 궁내부–의정부–8아문체제로 재정비하였다. 잡다한 궁중부서는 새로 만들어진 '궁내부' 산하로 통합하여 의정부와 분리시켰다. 군국기무처는 권력을 의정부로 집중시키고 그 산하의 6조를 8아문으로 늘리고 각 아문에 행정권을 배분하였다.

③ 제1차 갑오개혁 때 군국기무처는 내무아문 예하에 경무청(警務廳)이란 강력한 경찰기구를 설치하여, "민(民)의 재해(災害)를 막고 정밀(靜謐)을 순치(馴致)"한다는 명목하에 국민의 제반 활동, 특히 정치활동을 규제하고 그들의 반정부활동을 탄압할 수 있는 제도적 장치를 마련하였다.

14 우금치 전투가 진행된 당시에 동학농민군이 알 수 있었던 사실로 적절한 것은?

[2016 국가직 7급]

① 정부가 개국기년을 사용하기로 하였다.

② 건양이라는 연호가 제정되었다.

③ 고종이 홍범 14조를 발표하였다.

④ 지방제도가 23부 337군으로 개편되었다.

해설 정답 ①

우금치 전투는 1894년 11월에 동학농민군이 관군・일본군과 치른 전투이다. 우금치 전투는 동학 2차 봉기 때 일어난 전투로 동학농민군이 크게 패했다. 동학 2차 봉기는 갑오 1차 개혁과 갑오 2차 개혁 사이에 있었으므로, '우금치 전투가 진행된 당시'에는 갑오 1차 개혁의 결과들을 확인할 수 있었다. 갑오 1차 개혁 때 정부는 중국의 연호 광서를 버리고, 개국기년(개국기원)을 사용하기로 하였다.

② 건양이라는 연호가 제정된 것은 을미개혁 때이다.

개혁 전	1차 갑오개혁 (1894)	을미개혁 (1895)	대한제국 (고종, 1897)	대한제국 (순종, 1907)
광서(光緖)	개국기년 (開國紀年)	건양(建陽)	광무(光武)	융희(隆熙)

③ 고종이 홍범 14조를 발표한 것은 갑오 2차 개혁 때이다.

④ 지방제도가 23부 337군으로 개편된 것은 갑오 2차 개혁 때이다.

명호샘의 한마디!!

지방행정구역은 다음과 같이 변천하였다.

시 기	국 가	지방행정구역	지방장관
삼국 시대	고구려	5부	욕살
	백 제	5방	방령
	신 라	5주	군주
남북국 시대	통일신라	'9주' 5소경	총관, 도독
	발 해	5경 '15부' 62주	도독
고 려		'5도' 양계 경기	안찰사
조 선		8도	관찰사
제2차 갑오개혁		'23부' 337군	관찰사
대한제국		13도	관찰사

15 밑줄 친 '이 내각'의 재정 개혁안으로 옳은 것은? [2017 국가직 7급]

> 이 내각의 개혁 정책은 초정부적 비상 기구인 군국기무처를 중심으로 추진되었다. 당시 군국기무처에는 박정양, 유길준 등의 개화 인사들이 참여하여 개혁 정책을 결정하였다.

① 모든 재정은 호조에서 통할하도록 한다.

② 국가 재정을 탁지아문의 관할로 일원화시키도록 한다.

③ 궁내부 산하의 내장원에서 광산, 홍삼 사업 등의 재정을 관할하도록 한다.

④ 국가 재정은 탁지부에서 전관하고, 예산과 결산을 국민에게 공표하도록 한다.

해설 정답 ②

군국기무처(1894)를 중심으로 추진된 개혁은 제1차 갑오개혁이며, '이 내각'이란 제1차 갑오개혁을 주도한 제1차 내각(김홍집 내각)을 말한다. 제1차 갑오개혁에 따라 모든 재정은 탁지아문으로 일원화되었다.

① '모든 재정은 호조에서 통할'하자는 주장은 갑신정변 14개조 정강의 내용이다.

③ 궁내부 내장원이 광산, 홍삼 사업 등의 재정을 관할하였던 시기는 대한제국 때이다.

④ '국가 재정은 탁지부에서 전관하고, 예산과 결산을 국민에게 공표'하자는 주장은 독립협회 헌의 6조의 내용이다.

16 다음 법령이 반포된 때에 시행된 개혁으로 옳은 것을 [보기]에서 모두 고르면? [2012 계리직]

> • 문벌과 양반, 상민 등의 계급을 타파하여 귀천에 구애됨이 없이 인재를 뽑아 쓸 것
> • 남녀의 조혼을 엄금하여 남자는 20세, 여자는 16세 이후에 비로소 결혼을 허락할 것
> • 과부의 재혼은 귀천을 따지지 말고 자유에 맡길 것
> • 공사노비법을 혁파하고 인신매매를 금할 것

> [보기]
>
> ㉠ 금본위제를 시행하였다.
>
> ㉡ 지방의 8도를 23부로 개편하였다.
>
> ㉢ 궁내부가 설치되어 왕실사무를 전담하였다.
>
> ㉣ 과거제를 폐지하고, 새로운 관리 임용 제도를 마련하였다.
>
> ㉤ 재판소를 설치하여 사법권을 행정기관으로부터 분리, 독립시켰다.

① ㉠, ㉡　　② ㉡, ㉢

③ ㉢, ㉣　　④ ㉣, ㉤

해설 정답 ③

계급 타파, 조혼 엄금, 과부 재혼 허용, 공사노비법 혁파는 모두 제1차 갑오개혁의 개혁안이다.

㉢ 제1차 갑오개혁 때 국정사무는 의정부가, 왕실 사무는 궁내부가 전담하였다. 즉 국정 사무와 왕실 사무가 분리되었다.

㉣ 과거제는 1) 고려 광종 때 과거제도 실시, 2) 조선 시대 과거제도 정비, 3) 제1차 갑오개혁 때 과거제도 폐지의 순서로 변천하였다. 과거제가 폐지되고 '선거조례'와 '전조국조례'라는 새로운 관리 등용 제도가 시행되었다.

㉠ 제1차 갑오개혁에서는 은본위제 화폐 제도가 실시되었다. 금본위제는 대한제국에서 시행되었다.

㉡, ㉤ 제2차 갑오개혁 때 실시되었다.

17 다음 내용이 포함된 개혁에 대한 설명으로 옳지 않은 것은? [2016 지방직 9급]

- 공·사 노비 제도를 모두 폐지하고, 인신 매매를 금지한다.
- 연좌법을 폐지하여 죄인 자신 외에는 처벌하지 않는다.
- 과부의 재혼은 귀천을 막론하고 그 자유에 맡긴다.

① 중국 연호의 사용을 폐지하였다.
② 독립 협회 활동의 영향을 받았다.
③ 군국기무처의 주도 하에 추진되었다.
④ 동학농민운동의 요구를 일부 수용하였다.

해설 정답 ②

제시된 내용은 제1차 갑오개혁 때(1894)의 법령의 일부이다. 갑오개혁은 독립협회(1896) 설립 이전의 개혁이기 때문에 독립협회와는 관련이 없다.

① 제1차 갑오개혁 때부터 중국 연호의 사용을 폐지하고 개국기원을 사용하였다.
③ 김홍집 내각이 1894년 6월에 군국기무처를 설치하고 제1차 갑오개혁을 추진하였다.
④ 동학농민운동의 요구 중 신분제와 관련된 일부 개혁안들은 갑오개혁 때 그대로 반영이 되었다.

18 밑줄 친 '14개 조목'에 해당하는 것만을 모두 고르면? [2023 국가직 9급]

> 이제부터는 다른 나라를 의지하지 않으며 융성하도록 나라의 발걸음을 넓히고 백성의 복리를 증진하여 자주독립의 터전을 공고하게 할 것입니다. … (중략) … 이에 저 소자는 14개 조목의 홍범(洪範)을 하늘에 계신 우리 조종의 신령 앞에 맹세하노니, 우러러 조종이 남긴 업적을 잘 이어서 감히 어기지 않을 것입니다.

ㄱ. 탁지아문에서 조세 부과
ㄴ. 왕실과 국정 사무의 분리
ㄷ. 지계 발급을 위한 지계아문 설치
ㄹ. 대한 천일 은행 등 금융기관 설립

① ㄱ, ㄴ ② ㄱ, ㄹ
③ ㄴ, ㄷ ④ ㄷ, ㄹ

해설 정답 ①

'14개 조목'의 홍범(洪範)은 다음과 같다. 이 중 제4조와 제7조가 문제에서 언급되었다.

1. 청에 의존하는 생각을 버리고 자주독립의 기초를 세운다.
2. 왕실 전범을 제정하여 왕위 계승의 법칙과 종친과 외척과의 구별을 명확히 한다.
3. 임금은 대신과 의논하여 정사를 행하고, 종실, 외척의 내정간섭을 금지한다.
4. 왕실 사무와 국정 사무를 분리하여 서로 혼동하지 아니한다.
5. 의정부와 각 아문의 직무와 권한을 명확히 규정한다.
6. 납세는 법으로 정하고 함부로 세금을 징수하지 않는다.
7. 조세의 징수와 경비 지출은 모두 탁지아문이 관할한다.
8. 왕실의 경비는 솔선하여 절약하고, 이로써 각 아문과 지방관의 모범이 되게 한다.
9. 왕실과 관부의 1년 회계를 예정하여 재정의 기초를 세운다.
10. 지방 제도를 개정하여 지방 관리의 직권을 제한한다.
11. 총명한 젊은이들을 파견하여 외국의 학술과 기예를 견습시킨다.
12. 장교를 교육하고 징병제를 실시하여 군제의 근본을 확립한다.
13. 민법과 형법을 제정하여 인민의 생명과 재산을 보전한다.
14. 문벌을 가리지 않고 인재 등용의 길을 넓힌다.

ㄷ. 지계 발급을 위한 지계아문은 대한제국이 설치하였다.
ㄹ. 대한 천일 은행 등 금융기관 설립은 대한제국이 지원하였다.

19 다음 법령을 만든 개화파 내각의 개혁으로 옳은 것을 [보기]에서 모두 고르면? [2014 국가직 7급]

> 제1조 소학교는 아동의 신체 발달에 맞추어 인민 교육의 기초와 생활상 필요한 보통 지식과 기능을 가르치는 것을 목적으로 한다.
>
> 제2조 소학교는 관립 소학교·공립 소학교·사립 소학교 등의 3종이며, 관립 소학교는 정부 설립, 공립 소학교는 부(府) 혹은 군(郡) 설립, 사립 소학교는 사립 학교 설립과 관계된 것을 말한다.
>
> ➲ 소학교령

> [보기]
>
> ㉠ 건양이라는 연호를 제정하였다.
>
> ㉡ 조·일 무역 규칙을 개정하였다.
>
> ㉢ 서울에 친위대를, 지방에 진위대를 두었다.
>
> ㉣ 단발령을 폐지하고 의정부를 다시 설치하였다.

① ㉠, ㉡　　② ㉠, ㉢

③ ㉡, ㉣　　④ ㉢, ㉣

해설　　정답 ②

'소학교' 제도는 을미개혁(1895) 때 시행되었다.

㉠ 을미개혁 때 태양력을 채택하고, 연호는 건양(建陽)으로 정하였다.

㉢ 왕실 호위를 하는 '시위대'는 2차 갑오개혁 때 설치되었고, 중앙군인 '친위대'와 지방군인 '진위대'는 을미개혁 때 설치되었다.

㉡ 조·일 무역 규칙(1876)이 개정된 것은 조·일 통상장정(1883)이다. 을미개혁보다 10년도 더 앞선 일이다.

㉣ 을미개혁 때 단발령이 실시되었다. 그러나 아관파천(1896)으로 을미개혁이 중단되자, 단발령도 폐지되었다.

명호샘의 한마디!!

소학교(小學校)는 현재의 초등학교를 의미하는 일본식 학교명이다. '소학교'는 1) 을미개혁(1895), 2) 제3차 조선 교육령(1938)에서 출제된다.

20 다음과 같은 개혁이 단행될 수 있었던 배경으로 옳은 것은? [2013 법원직 9급]

> 제1조 국내의 육군을 친위와 진위 2종으로 나눈다.
> 제2조 친위는 경성에 주둔하여 왕성 수비를 전적으로 맡는다.
> 제3조 진위는 부(府) 혹은 군(郡)의 중요한 지방에 주둔하여 지방 진무와 변경 수비를 전적으로 맡는다.

① 명성황후 시해 ② 러·일 전쟁의 발발
③ 통리기무아문의 설치 ④ 동학농민운동의 전개

해설 정답 ①

'친위'란 '경성에 주둔'하는 중앙군이다. '진위'란 '지방에 주둔'하는 지방군이다. 친위대와 진위대가 설치된 것은 을미개혁 때(1895)이다. 1895년에 '을미사변 → 을미개혁 → 을미의병' 순으로 사건이 전개되었다. 즉 을미사변은 을미개혁의 '배경'이다. 일제는 명성황후를 시해한 후 친일내각을 수립하였다. ➲ 2011 경찰
그 친일내각이 실시한 개혁이 을미개혁이다.

21 다음 칙령에 의해 성립된 내각에서 추진했던 개혁으로 옳은 것은? [2012 법원직 9급]

> 제1호 내가 재가한 공문 식제(式制)를 반포하게 하고 종전의 공문 반포 규례는 오늘부터 폐지하며 승선원, 공사청도 아울러 없애도록 한다.
> 제3호 내가 동지날에 백관들을 거느리고 태묘(太廟)에 나아가 우리나라가 독립하고 모든 제도를 이정(釐正)한 사유를 고하고, 다음 날에는 태사(太社)에 나아가겠다.
> 제4호 박영효를 내무대신으로, 서광범을 법무대신으로 …(중략)… 삼도록 하라고 명하였다.
> – 이상은 총리대신 김홍집, 외무대신 김윤식, 탁지대신 어윤중, 학무대신 박정양이 칙령을 받았다.

① 과거제도를 폐지하였다. ② 전국을 23부로 재편하였다.
③ 재정을 탁지아문으로 일원화시켰다. ④ 서울에 친위대, 지방에 진위대를 설치하였다.

해설 정답 ②

청일전쟁에서 승리한 일본은 청의 세력을 축출하고 친일적 성격이 강한 갑오개혁을 추진했다. 이러한 정국 속에서 일제의 도움으로 귀국한 박영효(1861~1939)는 1894년 12월에 제2차 김홍집 내각의 내무대신에 임명되었는데, 이를 '김홍집·박영효 연립내각'이라고 부른다. 즉 '총리대신 = 김홍집, 내무대신 = 박영효'가 나오면 제2차 갑오개혁 문제이다.

② 제2차 갑오개혁에서는 지방행정구역 8도(道)를 23부(府)로 개편하였다. 이것은 대지역주의에서 소지역주의로 변화한 것을 말한다. 그리고 부 밑에는 총 337개의 군(郡)을 두었다.

①, ③ 제1차 갑오개혁, ④ 을미개혁

명호샘의 한마디!!

'총리 김홍집 + 부총재 박정양'은 군국기무처를 뜻하는 것으로 '제1차 갑오개혁'이다. '총리대신 김홍집 + 내무대신 박영효'는 연립내각을 뜻하는 것으로 '제2차 갑오개혁'이다.

22 다음 약력에 해당하는 인물은? [2016 서울시 9급]

- 1872년 철종의 딸 영혜옹주와 결혼
- 1884년 갑신정변에 참여함. 실패 후 일본 망명
- 1894년 내무대신에 임명됨. 다음 해 일본 망명
- 1910년 국권 피탈 이후 일본의 작위를 받고 동아일보사 초대사장, 중추원의장·부의장, 일본 귀족원 의원 등 역임

① 박영효 ② 윤치호
③ 김옥균 ④ 김홍집

해설 정답 ①

갑신정변에 참여한 인물은 '박영효, 김옥균'이다. 1894년 갑오개혁 때 내각에 참여할 수 있었던 인물은 '박영효, 윤치호, 김홍집'이다. 김옥균은 1894년 초 청나라로 망명하였다가 민씨 세력이 보낸 자객에 의해 살해되었기 때문이다. 1910년 국권 피탈 이후까지 생존하였던 인물은 '박영효, 윤치호'이다. 이를 모두 종합하면 약력에 해당하는 인물은 '박영효(1861~1939)'이다.

명호샘의 한마디!!

여러 문제에 감초처럼 등장하는 박영효(1861~1939)에 대해서 다음과 같은 이력을 알아 두고, 1888년에 일본에서 고종에게 올린 개화상소인 '건백서(1888)'가 박영효 문제의 사료로 출제될 가능성이 있으니 아래의 사료도 숙지하기 바란다.

1. 1882년 임오군란의 사후 수습을 위해 제3차 수신사로 일본에 파견되었다. 일본으로 가는 배 위에서 태극사괘(太極四卦)의 국기를 만들어 일본에 가서 사용했는데 이것이 태극기의 원형이 되었다.
2. 1884년 김옥균 등과 함께 갑신정변을 일으켜 신정부를 세웠을 때 전후영사(前後營使)가 되었다. 그러나 3일천하로 갑신정변이 실패하자, 일본으로 망명하였다.
3. 1888년 일본에서 고종에게 장문의 개혁 상소를 올렸는데, 이것을 '건백서(建白書)'라 한다.
4. 1894년에 귀국하여 제2차 김홍집 내각의 내부대신이 되어 제2차 갑오개혁을 추진하였다.
5. 1895년 4월 삼국간섭 이후, 그 해 7월에 역모 혐의로 쫓겨나 일본으로 다시 망명하였다.

> 일본에 머물고 있는 신(臣) 박영효는 삼가 네 번 절하며 대군주 폐하께 상소를 올립니다. 엎드려 생각건대, 신의 가문은 세신(世臣)의 후예로서 신(臣)의 대에 이르러 부자 형제가 특별히 총애를 받았습니다. …… 성은(聖恩)의 만분의 일이나마 제 마음으로 삼으려 했지만 일의 순리를 헤아리지 못하고 갑신년(1884)에 이르러 멋대로 경솔한 거사를 행했습니다. 그러나 천운과 마음이 어긋나 공적으로는 폐하의 진노를 사고 삼국의 분란을 일으켰으며, 사적으로는 헛되이 신의 부모 형제와 친구들을 죽음에 이르게 했습니다. ……
>
> 1. 세계의 형세. 지금 세계의 모든 나라는 옛날 전국시대의 열국들과 같습니다. 한결같이 병세(兵勢)를 으뜸으로 삼아 강한 나라는 약한 나라를 병합하고 큰 나라는 작은 나라를 삼키고 있습니다. ……
> 2. 법률을 부흥시켜 나라를 안정시키십시오. ……
> 3. 경제로 나라와 백성을 윤택하게 하십시오. ……
> 4. 백성을 보살펴 건강하고 번성하게 하십시오. ……
> 5. 군비(軍備)를 갖추어 백성을 보호하고 나라를 지키십시오. ……
> 6. 백성들에게 재주와 덕행과 문화와 기예를 가르쳐서 근본을 다스리십시오. ……
> 7. 정치를 바로잡아 나라를 평정하십시오. ……
> 8. 백성에게 합당한 자유를 주어 원기를 배양하도록 하십시오. ……

이상에 나열한 8개 조항은 단지 경성만을 말한 것이 아니라 감히 전국을 함께 논한 것입니다. 이 같은 얕은 견해를 그 누가 모르겠습니까. 다만 아는 사람은 당연히 행할 것이고, 행하지 않는 사람이 있다면 그것은 모르기 때문입니다.

➲ 박영효, <건백서> 「일본외교문서」

23 다음 내용의 결과로 나타난 역사적 사실이 아닌 것은? [2009 지방직 9급]

> 삼국 간섭으로 대륙을 침략하려던 일본의 기세가 꺾이자, 조선 정부 안에서는 러시아의 힘을 빌려 일본의 간섭에서 벗어나려는 움직임이 일어났다.

① 일본은 낭인과 군대를 앞세워 궁중을 침범하여 명성황후를 시해하였다.

② 신변의 위협을 느낀 고종은 러시아 공사관으로 피신하였다.

③ 김홍집 내각이 출범하여 '홍범 14조'를 발표하였다.

④ 박영효는 반역 음모가 발각되어 다시 일본으로 망명하였다.

해설 정답 ③

청일전쟁에서 일본이 승리한 후, 청일전쟁의 강화조약인 시모노세키 조약에 따라 청은 일본에 요동반도와 대만을 할양하게 되었다. 그러자 러시아, 독일, 프랑스가 일본을 압박한 삼국간섭(1895)이 발생하였다. 삼국간섭의 결과 조선에서는 친러 정부가 구성되었으며, ① 을미사변이 일어났고, ② 아관파천으로 이어졌으며, ④ 역모를 꾀하였다는 혐의로 인해 박영효가 일본으로 쫓겨나게 되었다.

③ 1) 홍범 14조, 2) 독립서고문, 3) 연립내각, 4) 교육입국조서 등은 모두 제2차 갑오개혁과 관련된 개념들이다. 삼국간섭 이전에 일어난 사건들이다.

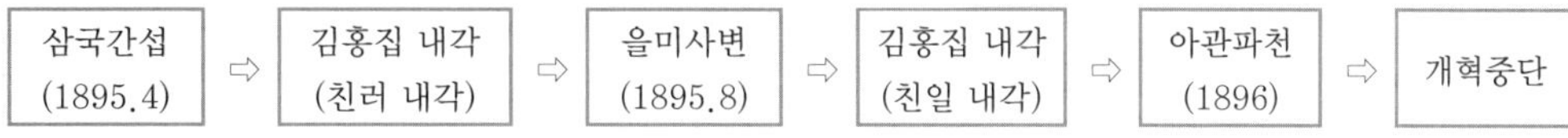

24 (가), (나) 사이에 있었던 사실로 옳지 않은 것은? [2024 지방직 9급]

> (가) 조선은 오랫동안 제후국으로서 중국에 대해 정해진 전례가 있다는 것은 다시 의논할 여지가 없다. …(중략)… 이번에 제정한 수륙 무역 장정은 중국이 속방을 우대하는 뜻이니만큼, 다른 조약 체결국들이 모두 똑같은 이익을 균점하도록 하는 데 있지 않다.
>
> (나) 제1조 청국은 조선국이 완전무결한 독립 자주국임을 확인한다. 아울러 조선의 청에 대한 공물 헌납 등은 장래에 완전히 폐지한다.
>
> 제4조 청국은 군비 배상금으로 은 2억 냥을 일본국에 지불할 것을 약정한다.

① 영국이 거문도를 점령하였다.
② 한·청 통상조약이 체결되었다.
③ 김옥균 등이 갑신정변을 일으켰다.
④ 청과 일본 사이에 전쟁이 발발하였다.

해설 정답 ②

(가) 임오군란의 결과 맺어진 조청상민수륙무역장정이다(1882).
(나) 청이 일본에 배상하는 것을 골자로 하는 시모노세키조약이다(1895. 4).
① 영국은 1885년에 거문도를 점령하고, 1887년에 철수하였다.
③ 갑신정변은 1884년에 발생하였다.
④ 청일전쟁은 1894년에 발생하였다.
② 한 · 청 통상조약은 '대한제국'과 청 사이에 맺어진 조약이다(1899).

06 독립협회와 대한제국

01 다음 단체의 활동으로 옳은 것은? [2012 경찰간부]

> 한말 대표적인 대중 계몽 사회단체로, 1896년 7월 2일 정부의 지원 아래 청의 간섭에서 벗어난 것을 기념하여 독립문을 건립하고 독립공원을 조성하기 위해 발족되었다.

① 만민공동회를 개최하였다. ② 대성학교를 설립하였다.
③ 양전 지계 사업을 추진하였다. ④ 한글 전용의 제국신문을 발간하였다.

해설 정답 ①

'계몽'이라는 단어는 독립협회에 잘 어울리는 단어이다. 독립협회는 '1896년'에 발족하였으며, 청의 간섭에서 벗어난 것을 기념하여 영은문 자리에 '독립문'을 세우고 모화관을 고쳐 '독립관, 독립공원'이라고 하였다. 독립협회가 해산되던 1898년, 독립협회가 연 대중적인 정치 집회를 '만민공동회'라고 한다.

② 대성학교(1908)는 독립사상을 고취하고 국민을 계몽하기 위하여 1) 신민회가 설립한, 2) 애국계몽운동 계열이 설립한, 3) 안창호가 설립한 학교이다.
③ 대한제국은 전정을 개혁하여 민생을 안정시키고 국가재정도 확보하기 위하여 '양전' 사업을 적극적으로 추진하고, '지계'를 발급하였다.
④ 독립협회의 신문은 독립신문이다. 제국신문은 1898년 이종일이 발행한 순한글 신문이다.

명호샘의 **한마디!!**

2011년 기상직 9급, 2012년 경찰, 2002년 국가직 9급 시험에서 정리한 '독립협회'의 특징은 다음과 같다.

1) 서재필과 개화 지식인들이 중심이 되어 만들었다. (○)
2) 독립문과 독립관을 건설하였다. = 국민의 성금을 모아 독립문을 세웠다. (○)
3) 최초로 근대적 의회 설립을 주장하였다. = 의회 설립에 의한 국민 참정과 국정 개혁 운동을 전개하였다. (○)
4) 우리나라 최초의 근대적 민중 대회인 만민공동회를 개최하였다. = 만민공동회를 개최하여 헌의6조를 채택하였다. = 독립협회는 1898년에 대구, 평양 등지에 지회를 설립하고, 서울에서는 만민공동회를 열어 개혁 운동을 대중적으로 확산시켰다. (○)
5) 강연회와 토론회의 개최, 신문과 잡지의 발간을 통하여 근대적 지식과 국권·민권 사상을 고취시켰다. (○)

명호샘의 **한마디!!**

독립협회 문제의 재료로 쓰였던 기출 자료들을 정리한다. 아래의 자료들이 출제되면 독립협회의 여러 가지 활동사항이 답이 될 것이다. 그 중 으뜸은 '헌의 6조를 고종(국왕)에게 올렸다'이다.

> 나는 대한의 가장 천한 사람이고 무지몰각합니다. 그러나 충군애국의 뜻은 대강 알고 있습니다. 이에 나라에 이롭고 백성을 평안하게 하는 길은 관과 민이 합심한 연후에야 가능하다고 생각합니다.
> ➲ 관민공동회에서의 백정 박성춘의 연설 ➲ 2010 지방직 9급

> (독립협회의) 회원 김정현이 급히 배재학당으로 가서 교사 이승만 및 학도 40~50인과 함께 경무청 앞에 갔고 다른 회원들은 백목전 도가(都家, 상인들이 모여 의논하는 집)에 모여 윤시병을 만민공동회 회장으로 삼아 경무청 앞으로 갔다. 이때 인민들이 다투어 모인 자가 수천 인이었다. ➲ <대한계년사> ➲ 2012 법원직 9급

02 밑줄 친 ( )를 간행한 인물의 활동으로 옳은 것은?

[2023 계리직 9급]

> 우리가 ( )을/를 오늘 처음으로 출판하는데, 조선에 있는 내외국 인민에게 우리 주의를 미리 말하여 아시게 하노라. …(중략)… 우리가 이 신문 출판하기는 취리(取利)하려는 것이 아닌 고로 값을 헐하도록 하였고, 모두 언문으로 쓰기는 남녀 상하 귀천이 모두 보게 함이요, 또 구절을 띄어 쓰는 것은 알아보기 쉽도록 함이다.
>
> ➲ 창간호 논설

① 아관파천을 주도하였다.

② 독립협회를 설립하였다.

③ 헌정연구회를 조직하였다.

④ 국채보상운동을 전개하였다.

해설

정답 ②

'신문을 처음으로 출판'하면서 기념으로 게재한 '창간호 논설'이다. '모두 언문'으로 썼다는 것으로 보아, 한글로 발행한 독립신문이나 제국신문일 것이다. 첫 문장 뒤에 '우리는 첫째 편벽되지 아니한 고로 무슨 당에도 상관이 없고'라는 말이 뒤따른다. 제시된 자료는 독립신문 창간호 논설이며, 이 신문을 간행한 인물은 서재필(1864~1951)이다.

> <u>우리가 독립신문을 오늘 처음으로 출판하는데, 조선 속에 있는 내외국 인민에게 우리 주의를 미리 말씀하여 아시게 하노라.</u> 우리는 첫째 편벽되지 아니한 고로 무슨 당에도 상관이 없고 상하귀천을 달리 대접 아니 하고 모두 조선 사람으로만 알고 조선만 위하며 공평히 인민에게 말할 터인데, 우리가 서울 백성만 위할 게 아니라 조선 전국 인민을 위하여 무슨 일이든지 대신 말하여 주려고 함. 정부에서 하시는 일을 백성에게 전할 터이요, 백성의 정세를 정부에 전할 터이니 만일 백성이 정부 일을 자세히 알고 정부에서 백성의 일을 자세히 아시면 피차에 유익한 일만이 있을 터이요. 불평한 마음과 의심하는 생각이 없어질 터임.
>
> <u>우리가 이 신문을 출판하여 이익을 취하려는 게 아니므로 값을 헐하도록 하였고 모두 언문으로 쓰기는 남녀 상하귀천이 모두 보게 함이오. 또 구절을 떼어 쓰기는 알아보기 쉽도록 함이다.</u>
>
> ➲ 독립신문(제1권 제1호), 1896. 4

② 서재필은 독립협회를 설립하였다(1896).

① 아관파천을 주도한 인물은 이범진, 이완용 등이다(1896).

③ 헌정연구회를 조직한 인물은 이준, 양한묵, 윤효정 등이다(1905).

④ 국채보상운동을 전개한 인물은 서상돈, 김광제 등이다(1907).

03 다음 주장을 펼친 단체에 대한 설명으로 옳은 것은?

[2013 법원직 9급]

> 나라라 하는 것은 사람을 두고 이름이니, 만일 빈 강산에 초목금수만 있고 해와 달만 내왕하는 곳이면 어찌 나라라고 칭하리오. 그러므로 사람이 토지에 의거하여 나라를 세울 때 임금과 정부와 백성이 동심 합력하여 나라를 세웠나니,… 백성의 권리로 나라가 된다고 말하는 것이요. … 해외 강국이 와서 나라를 빼앗는데 종묘사직과 임금과 나라 이름을 그대로 두고 사람의 권리와 토지 이익만 가져가고 또 총명 강대한 백성을 옮겨다 가두고 주장을 하나니,… 관민이 합심하여 정부와 백성의 권리가 절반씩 함께 한 후에야 대한이 억만 년 무강할 줄로 나는 아노라.
>
> ➲ 1898. 12. 15.

① 대성학교와 오산학교를 설립하였다.

② 일제의 황무지 개간권 요구에 반대하였다.

③ 러시아의 절영도 조차 요구를 저지하였다.

④ 월보를 간행하고 고종 퇴위 반대 운동을 벌였다.

해설

정답 ③

제시된 자료는 독립신문에 실렸던 기사이다. '백성의 권리로 나라가 된다'는 것은 민권(民權) 및 국민참정권(國民參政權)을 인정하는 표현이다. '관민이 합심'한다는 말은 헌의 6조에도 등장하는 표현으로 독립협회와 잘 어울린다. '1898년 12월'은 독립협회가 왕성한 활동을 하다가 해산되었던 때이다.

③ 독립협회의 자주국권 운동은 반(反) 러시아 운동에 집중되었다. 그 중 대표적인 것이 '절영도 조차 요구'를 저지한 활동이다.

① 신민회, ② 보안회, ④ 대한자강회

04 다음은 대한제국 시기에 설립된 어느 회사에 관한 내용이다. 밑줄 친 '이 회사'에 대한 설명으로 옳은 것은?

[2018 국가직 9급]

> • <u>이 회사</u>의 고금(股金, 주권)은 액면 50원씩이고, 총 1천만 원을 발행하고, 주당 불입금은 5년간 총 10회 5원씩 나눠서 낸다.
> • <u>이 회사</u>는 국내 진황지 개간, 관개 사무와 산림천택(山林川澤), 식양채벌(殖養採伐) 등의 사무 이외에 금·은·동·철·석유 등의 각종 채굴 사무에 종사한다.

① 종로의 백목전 상인이 주도가 된 직조 회사였다.

② 역둔토나 국유 미간지를 약탈하려는 국책 회사였다.

③ 황무지 개간권 요구에 대응하여 설립된 특허 회사였다.

④ 외국 상인과의 상권 경쟁을 위해 시전 상인이 만든 척식 회사였다.

해설

정답 ③

진황지(陳荒地)란 버려 두어서 거칠어진 땅으로 진전(陳田)과 황무지(荒蕪地)를 포함하는 개념이다. 진황지 개간 등을 하기 위해 설립된 이 회사는 '농광회사(1904)'이다.

일본이 대한시설강령(1904)에 따라 황무지 개척권을 요구하자 보안회와 농광회사가 이에 대한 반대 운동을 전개하였다. 1904년 6월 홍긍섭이 구체적인 회사 설립안을 제안하였다. 그는 모든 진황지(陳荒地)를 인민들에게 특허하여 개척하게 하면, 인민에게는 이롭고 외국인들의 청구를 막을 수 있을 것이라고 주장하였다. 홍긍섭의 제안은 고조되는 국민의 반대여론과 계속되는 일본의 강요 사이에서 곤경에 처한 한국 정부에게 하나의 돌파구가 되었다. 이러한 때에 중추원부의장 이도재·장례원경 김종한 그리고 안필중·정문원·홍중섭 등이 주동이 되어 황무지 개척사업을 목적으로 농광회사(農鑛會社, 농광주식회사)를 설립하고, 궁내부와 농상공부에 특허를 청원하였다. 회사설립 자본금은 액면 50원의 고(股) 20만 주(株)로 총 1천만 원이었고, 사장에는 이도재가 선임되었다. 회사규칙은 18조로 되어 있는데, 이 규칙은 회사가 황무지개척 사업뿐만 아니라, 외국인들의 관심이 크고 또 실지 경영하던 금(金)·은(銀)·동(銅)·철(鐵) 등 각종 광업에 관한 사업도 할 수 있도록 하였다.

① 청일 전쟁 이후 일본산 면포가 조선 시장에 대거 유입되었다. 이에 대항하기 위하여 서울 종로의 백목전(白木廛) 상인들은 직접 면포를 생산할 계획을 세웠고, 이에 따라 민병석을 사장으로, 이근호를 부사장으로 하여 세워진 회사가 '종로직조사'이다(1900).

② 역둔토나 국유 미간지를 약탈하려는 일본의 국책 회사는 '동양척식주식회사'이다(1908). 1908년 3월 일본 의회는 동양척식주식회사의 설립을 위하여 일반회사법과 별도로 '동양척식주식회사법'을 통과시키고, 한국 정부에 강요하여 8월 한일 양국이 동시에 법안을 공포하였다. 한일합작회사로 창립되었음에도 불구하고, 창립위원 중의 다수는 일본인이었으며, 한국측의 참가는 형식적으로만 이루어졌다. 1910년 조선이 국권을 상실한 이후부터는 막대한 토지를 사들이며 대륙침략의 일익을 담당하게 되었다.

④ 외국 상인과의 상권 경쟁을 위해 시전 상인이 만든 회사는 황국중앙총상회(1898)이다. 황국중앙총상회는 "외국 상인은 발전하고 우리나라 상인의 생업은 쇠락하여 심지어 점포 자리를 외국 사람에게 팔아 버리는 지경에 이른 것"에 대응하여 상권을 수호하기 위해 조직한 단체였다. '척식 회사'라는 말은 황국중앙총상회와는 어울리지 않는다.

05 다음에서 설명하고 있는 기관의 공통된 이름으로 옳은 것은? [2014 서울시 9급]

- 고려와 조선에서는 왕명 출납, 군사 기무, 숙위의 일을 맡았다.
- 대한제국에서는 정부의 자문기구로 개편되었고, 독립협회가 의회로의 개편을 시도하였다.

① 중추원 ② 홍문관
③ 규장각 ④ 성균관
⑤ 집현전

해설

정답 ①

추부(樞府)라고도 불렸던 중추원은 고려 성종 때 처음 설치되었다. 중추원의 주요 기능은 '왕명 출납'과 '군사 기밀'이었다. 대한제국 때에는 정부의 자문기구로 개편되었고, 독립협회가 '의회 설립 운동'을 추진하면서 '중추원 관제'가 반포되었다. 이외에도 일제 강점기에 조선총독부 아래의 부속 관청에도 '중추원'이 있었다. 이때의 중추원은 한국인들에게 정치 참여의 명분을 주는 어용 기구였다.

06 **다음은 어느 신문의 창간사이다. 이 신문이 창간될 당시 상황에 대한 설명으로 가장 적절한 것은?** [2013 경찰]

> 우리는 첫째, 편벽되지 아니한 고로 무슨 당에도 상관이 없고, 상하귀천을 달리 대접하지 아니하고, 모두 조선 사람으로만 알고, 조선만을 위하여 공평히 인민에게 말할 터인데, 우리가 서울 백성만 위한 것이 아니라 조선 인민을 위하여 무슨 일이든지 대언하여 주려 함.
> 우리는 바른대로만 신문을 할 터인 고로, 정부 관원이라도 잘못하는 이 있으면 우리가 말할 터이요, 탐관오리들을 알면 세상에 그 사람의 행적을 펴일 터이요, 사사로운 백성이라도 무법한 일을 하는 사람을 찾아 신문에 설명할 터임…
> 또 한쪽에 영문으로 기록하기는 외국 인민이 조선 사정을 자세히 모른즉, 혹 편벽된 말만 듣고 조선을 잘못 생각할까 보아 실상 사정을 알게 하고자 하여 영문으로 조금 기록함…

① 운요호 사건을 구실로 강압적인 문호 개방을 강요하여 강화도 조약 체결

② 고종은 헤이그에서 열리던 만국평화회의에 이상설, 이준, 이위종을 특사로 파견

③ 별기군에 비해 차별받던 구식군인들이 민겸호 집과 일본공사관을 습격하고 흥선대원군이 재집권

④ 고종이 러시아 공사관으로 거처를 옮김에 따라 김홍집 내각이 무너지고 이범진·이완용 내각이 새로 출범

해설 정답 ④

'편벽되지 아니한 고로 무슨 당에도 상관이 없고'는 특정 정치 세력 쪽으로 치우치지 않는 공정한 보도 태도를 취하겠다는 말이다. 처음에는 '한쪽에 영문'으로 발간하였다가, 나중에는 국문판과 영문판으로 나누어 발간한 신문은 독립신문(1896~1899)이다. 독립신문은 서구와 일본의 신문명을 찬양하고 소개하였다.

④ 독립신문이 창간될 당시인 1896년에 '아관파천'이 있었고, 이로 인해 이범진・이완용 등으로 구성된 '친러 내각'이 새로 출범하였다.

① 운요호 사건(1875), 강화도 조약(1876)

② 헤이그 특사 파견(1907)

③ 임오군란(1882)

07 다음과 관련된 단체에 대한 설명으로 가장 적절한 것은? [2013 경찰]

> 1. 외국인에게 의지하지 말고, 관·민이 힘을 합하여 전제 황권을 견고하게 할 것
> 2. 외국과의 이권에 관한 조약은 각 대신과 중추원 의장이 합동 날인하여 시행할 것
> 3. 국가 재정은 탁지부에서 전관하고, 예산과 결산을 국민에게 공포할 것
> 4. 중대 범죄를 공판하되, 피고의 인권을 존중할 것
> 5. 칙임관을 임명할 때에는 정부의 자문을 받아 다수의 의견에 따를 것
> 6. 정해진 규정을 실천할 것

① 자유 민권 운동과 국민 참정권 운동을 전개하였다.
② 옛것을 근본으로 삼고 새것을 참고한다는 뜻을 표방하였다.
③ 신분 제도의 폐지와 조혼 금지 등의 악습 혁파를 주장하였다.
④ 장교 양성을 위해 무관학교를 설치하였다.

해설

정답 ①

제시된 자료는 독립협회의 관민공동회(1898)에서 채택된 '헌의 6조'이다. 독립협회의 3대 사상은 1) 자주 국권, 2) 자유 민권, 3) 자강 개혁이다. 자유 민권 사상에 따라 국민 참정권 운동이 전개되었다.
② '옛것을 근본으로 삼고 새것을 참고한다'는 구본신참(舊本新參)은 광무개혁의 방향이다.
③ 신분제 폐지와 조혼 금지는 갑오 1차 개혁의 개혁안이다.
④ 장교 양성을 위해 무관학교를 설치한 개혁은 광무개혁이다.

08 밑줄 친 '이 단체'의 활동으로 옳은 것을 [보기]에서 모두 고른 것은? [2023 법원직 9급]

정부의 지원을 받아 설립된 <u>이 단체</u>는 고종에게 아래의 문서를 재가 받았어요.

1. 외국인에게 의지하지 말고 관민이 합심하여 황제권을 공고히 할 것.
2. 외국과의 이권에 관한 계약과 조약은 해당 부처의 대신과 중추원 의장이 함께 날인하여 시행할 것.

……

[보기]

ㄱ. '구국 운동 상소문'을 지었다.
ㄴ. 고종 강제 퇴위 반대 운동에 앞장섰다.
ㄷ. 일제의 황무지 개간권 요구에 반대하였다.
ㄹ. 러시아의 내정 간섭과 이권요구에 반대하였다.

① ㄱ, ㄴ
② ㄱ, ㄹ
③ ㄴ, ㄷ
④ ㄷ, ㄹ

해설 정답 ②

'1. 외국인에게 의지하지 말고 관민이 합심하여 황제권을 공고히 할 것. 2. 외국과의 이권에 관한 계약과 조약은 해당 부처의 대신과 중추원 의장이 함께 날인하여 시행할 것.'은 독립협회의 헌의 6조 중 일부이다(1898).

ㄱ. 독립협회는 자주 국권을 회복하기 위해 '구국 운동 상소문'을 지었다.
ㄹ. 독립협회는 러시아의 내정 간섭과 이권 요구(침탈)에 반대하였으며, 절영도 조차 요구를 저지하는 등 자주적 중립 외교를 전개하였다.
ㄴ. 고종 강제 퇴위 반대 운동에 앞장선 단체는 대한자강회이다.
ㄷ. 일제의 황무지 개간권 요구에 반대한 단체는 보안회이다.

09 (가)~(라)가 반포된 순서대로 바르게 나열한 것은? [2020 법원직 9급, 2007 국가직 7급 혼합]

(가) 2. 모든 정부와 외국과의 조약에 관한 일은 각부 대신과 중추원 의장이 합동으로 서명, 날인하여 시행할 것.
4. 중대 범죄는 공개 재판을 시행하되, 피고가 죄를 자백한 후에 시행할 것.
(나) 1. 이후 국내의 공사(公私)문서에 개국 기원을 사용한다.
6. 남자 20세, 여자 16세 이하의 조혼을 금지한다.
8. 공사 노비법을 혁파하고 인신 매매를 금지한다.
(다) 1. 흥선 대원군을 빨리 귀국시키고 종래 청에 행하던 조공의 허례를 폐지한다.
9. 혜상공국을 혁파한다.
12. 모든 재정은 호조에서 관할한다.
(라) 1. 요순(堯舜)의 법을 행할 것.
6. 시장에 외국 상인이 나오는 것을 엄금할 것.
13. 외국에 철도 부설권을 허락하지 말 것

① (가) - (다) - (나) - (라)　② (나) - (라) - (다) - (가)
③ (다) - (가) - (라) - (나)　④ (다) - (나) - (가) - (라)

해설 정답 ④

각 개혁안의 각 조항이 몇 조인지까지 외운다면 큰 확신을 가지고 풀 수 있는 문제들이다.
(다)는 갑신정변 신정부 강령 제14조 중의 1조, 9조, 12조이다(1884).
(나)는 제1차 갑오개혁 때의 개혁법령 중의 1조, 6조, 8조이다(1894).
(가)는 독립협회의 헌의 6조 중 2조, 4조이다(1898).
(라)는 활빈당 강령인 대한사민논설 13조목의 1조, 6조, 13조이다(1900).

10 다음의 내용을 시기순으로 바르게 나열한 것은? [2017 국회직 9급]

㉠ 외국인에게 의지하지 않고 관민이 한마음으로 협력하여 전제 황권을 공고히 할 것
㉡ 칠반천인(七班賤人)의 대우를 개선하고 백정(白丁)이 쓰는 패랭이를 벗겨 버릴 것
㉢ 전국적으로 지조법(地租法)을 개혁하여 아전들의 부정을 막고 백성의 곤경을 구제하며, 더불어 국가 재정을 넉넉하게 할 것
㉣ 공노비(公奴婢)와 사노비(私奴婢)에 관한 법을 일체 혁파하고 사람을 사고 파는 일을 금지한다.
㉤ 장관(將官)을 교육하고 징병법을 적용하여 군사 제도의 기초를 확립한다.

① ㉠ - ㉢ - ㉣ - ㉤ - ㉡　② ㉡ - ㉢ - ㉣ - ㉤ - ㉠
③ ㉡ - ㉣ - ㉠ - ㉢ - ㉤　④ ㉢ - ㉡ - ㉣ - ㉤ - ㉠
⑤ ㉢ - ㉣ - ㉤ - ㉠ - ㉡

해설

정답 ④

㉢ 지조법 개혁: 갑신정변 신정부 강령(1884)
㉡ 칠반천인 대우 개선, 패랭이(평량갓) 제거: 동학농민운동 폐정개혁안(1894)
㉣ 공사노비 제도 폐지, 인신매매 금지: 제1차 갑오개혁 개혁법령(1894)
㉤ 장관(장교) 교육, 징병제 실시: 제2차 갑오개혁 홍범 14조(1895)
㉠ 자주, 관민 협심, 황권 강화: 독립협회 헌의 6조(1898)

11 구한말 서구 열강의 이권침탈 상황을 잘못 설명한 것은?

[2001 국가직 7급 변형]

① 러시아는 압록강 및 울릉도의 삼림 채벌권을 확보하였다.
② 영국은 경의철도 부설권을 확보하였다.
③ 일본은 경부철도 부설권을 확보하였다.
④ 미국은 서울 시내의 전차 부설권을 확보하였으나, 이후 타국에 양도하였다.

해설

정답 ②

아관파천 이후 열강의 이권 침탈이 심화되었다. 영국이 확보한 것은 '광산 채굴권'이다. 경의철도 부설권을 확보한 나라는 일본이다. 일본은 전쟁 수행을 위하여 경의선 · 경부선 철도를 착공하고, 통신망을 강점하였으며, 한국의 해안과 하천의 항행권도 획득하였다.

국 가	연 도	이권 침탈
미 국	1896	평안도 운산 금광채굴권 ➲ 2019 서울시 9급, 2017 경찰간부
	1896	경인선 철도부설권(후에 일본에 양도)
러시아	1896	함경도 경원·종성의 광산채굴권
	1896	압록강 유역 및 울릉도 삼림채벌권
일 본	1898	경부선 철도부설권
	1900	충청도 직산 금광채굴권

12 다음 사실들을 시기 순으로 바르게 연결한 것은?

[2018 경찰간부]

가. 경의선 철도 개통
나. 국채보상운동 전개
다. 덕수궁 석조전 완성
라. 신채호 「독사신론」 발표
마. 경부선 철도 개통

① 가 – 라 – 마 – 나 – 다
② 마 – 가 – 라 – 나 – 다
③ 가 – 마 – 나 – 라 – 다
④ 마 – 가 – 나 – 라 – 다

해설

정답 ④

마. 경부선 철도 개통(1905): 경부선은 서울과 부산을 연결하는 철도로, 1901년에 기공식이 열렸고 1905년 1월 1일 개통되었다.

가. 경의선 철도 개통(1906): 경의선은 서울과 신의주를 연결하는 철도로, 1904년 러일전쟁이 일어나자 건설을 시작하여 1906년 4월 용산과 신의주 구간의 철도가 개통되었다.

나. 국채보상운동 전개(1907): 대구의 광문사 사장 김광제와 부사장 서상돈은 1907년 국채 1,300만원을 갚자는 국채보상운동을 전개하였다.

라. 신채호 「독사신론」 발표(1908): 신채호는 1908년에 50회에 걸쳐 《대한매일신보》에 「독사신론(讀史新論)」을 연재하여, 한민족이 단군의 후예이며 부여족이 중심 종족이라는 사실을 밝혔다.

다. 덕수궁 석조전 완성(1910): 영국인들이 설계한 석조전은 1900년에 착공하여 1910년에 완공하였다.

13 다음 글에서 설명하고 있는 문화유산은? [2020 서울시 지방직 9급]

> 이곳은 원래 성종의 형인 월산대군(月山大君)의 집이 있던 곳으로, 선조가 임진왜란 뒤 임시 거처로 사용하면서 정릉동 행궁으로 불리었고, 광해군 때는 경운궁이라 하였다. 아관파천 후 고종이 이곳에 머물렀다. 주요 건물로는 중화전, 함녕전, 석조전 등이 있다.

① 경복궁　　② 경희궁

③ 창덕궁　　④ 덕수궁

해설

정답 ④

덕수궁(德壽宮)은 서울시 중구 정동에 위치한 조선 시대의 궁궐이다. 원래 월산대군(月山大君)의 거처였으나, 임진왜란 이후 임시 궁궐로 사용하면서 광해군이 경운궁(慶運宮)이라는 궁호를 붙였다. 아관파천 이후 고종이 옮겨와 대한제국을 선포하고 광무개혁을 실시하였다. ◐ 2022 계리직 9급 고종이 순종에게 황위(皇位)를 양위한 뒤에는 고종의 장수를 빈다는 뜻으로 덕수궁(德壽宮)이라 부르게 되었다. 1919년 덕수궁 함녕전에서 고종이 승하하였으며, 1945년 광복 후에는 덕수궁 석조전에서 미소 공동 위원회가 열려 한반도 문제를 논의하기도 하였다.

14 (가)와 (나) 사이에 있었던 사실로 옳은 것을 [보기]에서 고른 것은? [2018 기상직 9급]

> (가) 제1조 한국 정부는 경성–부산 사이에 철도를 부설 사용하는 건 및 경과하는 곳의 강과 내에 다리를 놓는 권리로 일본의 경부철도회사 발인에 허가하고 ……
>
> (나) 제4조 제3국의 침해나 혹은 내란으로 인하여 대한제국 황실의 안녕과 영토의 보전에 위험이 있을 경우에는 대일본제국 정부는 속히 정황에 따라 필요한 조치를 취할 수 있다. 그러나 대한제국 정부는 위 대일본제국의 행동을 용이하게 하기 위하여 충분한 편의를 제공한다.

[보기]

㉠ 간도가 함경도의 행정 구역으로 편입되었다.
㉡ 대한제국 칙령 제41호를 공표하였다.
㉢ 청과 일본이 간도협약을 체결하였다.
㉣ 일본 태정관이 독도가 자국의 영토가 아니라는 지시를 내렸다.

① ㉠, ㉡ ② ㉡, ㉢
③ ㉢, ㉣ ④ ㉡, ㉣

해설 정답 ①

(가)는 '경부 철도 합동 조약'(1898)의 일부이다. 일본은 경부 철도 부설권을 차지하기 위해 대한제국 정부의 고관대작들을 회유하거나 협박하여 1898년 9월에는 '경부 철도 합동 조약'을 체결하였다. 이 조약은 지엽적인 부분에서는 대한제국 정부의 의견이 반영되기는 했지만, 철도 부설권과 철도 영업권 및 철도 용지를 무상으로 일본에 공여하도록 규정한 불평등 조약이었다.

(나)는 '한일 의정서'(1904)의 일부이다. '제3국의 침해나 혹은 내란으로 인하여 대한제국 황실의 안녕과 영토의 보전에 위험이 있을 경우에는 일본 제국 정부는 속히 정황에 따라 필요한 조치를 취할 수 있다.'는 한일 의정서(1904) 제4조의 내용이다. ➲ 2020 경찰

㉠ 1902년 대한제국 정부는 이범윤을 간도 관리사로 임명・파견하는 한편, 이를 한국 주재 청국 공사에게 통고하고 간도의 소유권을 주장하였다. 또한 간도를 함경도의 행정 구역으로 편입하였다.
㉡ 1900년 대한제국은 대한제국 칙령 제41호에 따라 울릉도를 군으로 승격시켜 독도를 관할하게 하였다.
㉢ 1909년 일제는 청과 간도 협약을 체결하여 남만주의 안동–봉천간 철도 부설권을 얻는 대가로 간도를 청의 영토로 인정하였다.
㉣ 1877년 일본 최고 통치 기관인 태정관이 독도와 울릉도가 자국의 영토가 아님을 명심하라는 지시를 내렸다.

15 다음 밑줄 친 '제국'에서 추진한 정책으로 옳지 않은 것은? [2014 서울시 9급]

제1조 대한국은 세계만국에 공인되어온 바 자주독립한 제국이니라.

① 상무사 조직
② 양전지계사업
③ 외국어학교 설립
④ 서북철도국 개설
⑤ 군국기무처 설치

해설

정답 ⑤

제시된 자료는 '대한제국'의 대한국국제(1899)의 제1조이다. 군국기무처는 대한제국이 수립되기 이전인 1894년에 설치되어 제1차 갑오개혁의 중추기관 역할을 하였다.

① 대한제국은 보부상을 지원하기 위해 상무사를 조직하여, 이들에게 상업특권을 부여하였다.
② 대한제국은 조세 수입을 늘리고, 근대적인 토지소유권 제도를 확립하기 위하여 양지아문과 지계아문을 설치하고 양전사업 및 지계발급을 추진하였다.
③ 대한제국은 근대적 기술학교로서 기예학교(技藝學校)·의학교·상공학교(商工學校)·외국어학교 등을 설립하였다.
④ 대한제국은 서북철도국(西北鐵道局)을 설치하여 경의철도 부설을 시도하였다.

16 밑줄 친 '개혁'의 내용으로 옳은 것은? [2013 지방직 9급]

독립협회가 해산된 후 대한제국은 황제 중심의 근대국가를 수립하기 위하여 노력하였다. …(중략)… 대한제국의 개혁 이념은 옛 법을 근본으로 하고 새로운 제도를 참작한다는 것이었다. 갑오개혁이 지나치게 급진적으로 진행되었다고 생각하여 점진적인 개혁을 추구한 것이었다.

① 지조법을 개혁하고 혜상공국을 폐지하려 하였다.
② 황제의 군사권을 강화하고자 원수부를 설치하였다.
③ 태양력을 사용하고 건양이라는 연호를 제정하였다.
④ 관민공동회를 종로에서 개최하고 헌의 6조를 채택하였다.

해설

정답 ②

대한제국은 군사력을 황제에게 집중시키기 위하여 1899년 7월 황제 직속의 원수부(元帥府)를 설치하고, 그 밑에 시위대, 친위대, 진위대를 소속시켰으며, 원수부 안에 육군헌병대를 설치하였다.

① 지조법 개혁, 혜상공국 혁파: 갑신정변(1884)
③ 태양력 사용, 연호 '건양': 을미개혁(1895)
④ 관민공동회 개최, 헌의 6조: 독립협회(1898)

17 대한제국의 건국 배경과 활동에 대한 설명으로 옳은 것을 모두 묶은 것은? [2009 서울시 9급]

> ㉠ 국내적으로 국가의 자주 독립에 대한 요구가 많았다.
> ㉡ 고종을 황제로 격상해야 한다는 여론이 높아졌다.
> ㉢ 고종은 제천단인 환구단에서 황제 즉위식을 거행하였다.
> ㉣ 교전소와 사례소라는 기구를 설치하는 개혁을 실시하였다.
> ㉤ 대한국국제에는 국민의 참정권에 대한 규정을 두지 않았다.

① ㉠
② ㉠, ㉡
③ ㉠, ㉡, ㉢
④ ㉠, ㉡, ㉢, ㉣
⑤ ㉠, ㉡, ㉢, ㉣, ㉤

해설 정답 ⑤

㉠, ㉡ 1894~1895년에 걸쳐 추진된 갑오개혁과 을미개혁의 급진적인 제도 개혁은 일반 국민들의 반발을 샀다. 이에 따라 국가의 자주 독립을 쟁취하고, 제도를 복고적으로 수정하자는 주장과 고종을 황제(皇帝)로 격상시켜야 한다는 여론이 높아졌다. 아관파천 이후에 정부는 일본의 강요로 급진적으로 추진되었던 갑오개혁·을미개혁의 제도 개혁을 재조정하는 작업에 착수하였다. ➲ 2012 서울시 9급

㉢ 경운궁으로 환궁한 고종은 1897년 연호를 '광무'로 고치고, 그 해 10월 12일 문무백관을 거느리고 제천단인 환구단(圜丘壇)에 나아가 황제 즉위식을 거행하고, 국호를 '대한제국'으로 바꾸었다.

㉣ 고종은 교전소(敎典所)와 사례소(史禮所)라는 기구를 설치하여 개혁작업에 나섰다. 교전소(1897)는 신·구법의 절충과 그에 관한 법전을 편찬하기 위하여 설치한 기관으로, 1899년에 대한국국제를 제정하기 위해 법규교정소로 개편되었다. 사례소(1897)는 조선 왕조 역대 임금의 치적을 정리하기 위해 설치한 역사 편찬 기관이다.

㉤ 대한국국제는 황제권의 무한함을 강조한 반면에, 국민참정권은 규정하지 않았다.

18 대한제국의 성립 과정에 대한 설명으로 가장 옳지 않은 것은? [2016 서울시 9급]

① 을미사변 이후 위축된 국가 주권을 지키고 고종의 위상을 높여야 한다는 여론이 높아졌다.
② 고종은 러시아 공사관에 있는 동안 경운궁을 증축하였다.
③ 고종은 연호를 광무라 하고 경운궁에서 황제 즉위식을 거행하였다.
④ 대한제국의 헌법이라 할 수 있는 대한국 국제를 발표하였다.

해설 정답 ③

고종은 연호를 광무라 하였다. 그러나 황제 즉위식은 '원구단(환구단)'에서 거행하였다.

① 을미사변 이후 고종을 황제라 칭하여 그 위상을 높여야 한다는 여론과 자주독립을 바라는 여론이 조성된 상황에서 대한제국이 선포되었다.

② 고종은 아관파천 중에 경운궁을 증축하고, 1897년 초 경운궁(지금의 덕수궁)으로 환궁하였다.

④ 1899년 대한제국의 헌법인 '대한국 국제'를 반포하였다.

19 다음 법령을 읽고 대한제국에 대하여 추론한 내용으로 가장 적절한 것은? [2016 법원직 9급]

> 제1조 대한국은 세계 만국에 공인된 자주 독립 제국이니라.
> 제2조 대한국의 정치는 만세 불변할 전제 정치이니라.
> 제3조 대한국 대황제께서는 무한한 군권을 향유하시느니라.
> 제5조 대한국 대황제께서는 육·해군을 통솔하시고 계엄·해엄을 명하시느니라.
>
> ➲ 대한제국에서 1899년 제정한 대한국 국제

① 원수부를 설치해 황제가 군대를 통솔하였다.

② 양전 사업을 실시해 지주전호제를 폐지하였다.

③ 헌법을 제정해 '주권재민'의 원칙을 실현하려 하였다.

④ 입헌 군주제의 도입을 시도해 민주주의를 발전시켰다.

해설 정답 ①

광무정권은 일종의 헌법인 대한국 국제를 제정하였다. 여기에서 대한제국의 정치는 만세 불변의 전제 정치임과 황제권의 무한함을 강조하고 군대 통수권, 입법권, 행정권, 사법권, 외교권, 인사권 등을 황제의 대권으로 규정하였다. 광무정권은 군사력을 황제에게 집중시키기 위하여 황제 직속으로 원수부를 설치하고, 그 밑에 시위대(왕실 호위), 친위대(중앙군), 진위대(지방군)를 소속시켰다.

② 대한제국이 실시한 양전 사업은 지계 발급을 위한 것이었다. 지계 발급은 토지의 소유권을 확인하는 것일 뿐, 토지를 분배하지 않았으므로 기존의 지주전호제를 그대로 인정하는 개념이었다.

③ 주권재민(主權在民)은 주권이 국민에게 있는 헌법 제도를 말한다. 대한민국 임시 정부의 '임시의정원'은 우리나라 최초로 주권재민을 천명한 임시헌법을 제정하였다.

④ 갑신정변의 세력, 독립협회, 헌정연구회가 입헌 군주제의 도입을 주장하였다.

20 다음 조치 이후 정부가 추진한 정책으로 옳지 않은 것은? [2016 지방직 7급]

> 황제께서 조칙을 내리시길 "민은 오직 나라의 근본이라. 근본이 굳어야 나라가 평안한 것이다. 근본을 굳게 하는 방도는 제산안업(制産安業)하여 항심(恒心)이 있게 하는 것이니 누가 그 직책을 맡는 것인가 하면 정부일 뿐이다."라고 하였다.

① 양잠전습소와 잠업시험장을 설립하였다.

② 금본위제를 실시하려고 하였다.

③ 산업정책을 담당하는 공무아문을 설치하였다.

④ 상공학교와 광무학교를 설립하였다.

해설 정답 ③

제시된 자료는 1898년(광무 2년) 10월 8일자 〈고종실록〉에 담긴 기록이다. 제목은 '의정부에 그 역할을 다할 것을 명하다'이다. 제산안업(制産安業)이란 '항상 할 수 있는 일을 정해 주고, 생업에 안착하게 하는 것'을 말한다.

> 조령(詔令)을 내리기를, "백성은 나라의 근본이니, 근본이 튼튼해야 나라가 편안하다. 근본을 튼튼하게 하는 방법은 항산(恒産)을 제정해 주고 생업에 안착하게 하여 항심(恒心)을 두게 하는 데 달려 있다. 그러면 그 책임은 누구에게 있는가? 정부(政府)뿐일 것이다." 아, 태평하고 근심이 없는 때에도 부지런히 해서 백성들을 편안히 하고 나라에 이익을 주기 위한 것을 강구해야 하는 것인데, 더구나 오늘은 개혁한 지 얼마 되지 않아 백성들의 마음이 안정되지 못한 만큼 정사를 맡은 신하들은 마땅히 곱절 더 노력해야 한다. ……

①, ④ 대한제국은 양잠학교(양잠전습소), 상공학교(1899년 칙령 제28호), 광무학교(1900년 칙령 제31호)를 설립하였다.
② 대한제국은 1901년에 '금본위제를 실시한다'는 화폐조례를 제정하였다.
③ '공무아문'은 8아문 중의 하나로, 갑오 1차 개혁 때(1894) 설치되었다. 7부 체제인 갑오 2차 개혁 때 '공무아문'과 '농상아문'을 합쳐 '농상공부'로 하였으므로, 대한제국 시기에는 산업정책을 담당하는 관부를 '농상공부'라고 하여야 한다.

21 다음 상황이 나타난 시기에 추진한 정부 정책으로 옳지 않은 것은? [2016 국가직 9급]

> 외국 사람들이 조계지를 지키지 않고 도성의 좋은 곳에 있는 집은 후한 값으로 사고 터를 넓히니 잔폐(殘廢)한 인민의 거주지가 침범을 당한다. 또한 여러 해 동안 도로를 놓고 있기 때문에 집들이 줄어들었다. 탑동(塔洞) 등지에 집을 헐고 공원을 만든다 하니 …(중략)… 결국 집 없는 사람이 태반이 될 것이다.
>
> 매일신문

① 경운궁을 정궁으로 삼았다.
② 한성은행, 대한천일은행 등 민족계 은행을 지원하였다.
③ 중추원을 개조하여 우리 옛 법령과 풍속을 연구하였다.
④ 한성전기회사를 통하여 서울에 전차노선을 개통하였다.

해설 정답 ③

조계지(租界地)는 주로 개항장에 외국인이 자유롭게 통상 거주하며 치외법권을 행사할 수 있도록 설정한 구역이다. 강화도 조약 이후 부산에 처음으로 조계지가 설정되었다(1877). '탑동 등지에 집을 헐고 공원을 만든다'는 것은 탑골공원을 조성한다는 뜻이다. 탑골공원은 1897년 영국인 고문인 브라운이 설계하여 공원으로 꾸몄다.

자료의 출처인 '매일신문'은 1898년에 창간하여 그 다음 해 폐간된 일간신문으로, 양홍묵이 대표로 있고 이승만 등이 기자로 활동하던 신문이다. 이 모두를 고려해 볼 때, 제시된 자료와 관련된 시기는 '대한제국'이다.

경운궁을 정궁으로 삼은 대한제국은 한성은행(1897), 대한천일은행(1899) 등 민족계 은행을 지원하고 중앙은행 창립을 시도하였다. 한성전기회사를 통하여 1899년에는 서대문에서 청량리에 이르는 전차노선을 개통하였다.

③ 대한제국 시기의 '중추원'은 독립협회가 중추원 관제 반포를 주장하여 대한제국이 소집한 의회이다. '옛 법령과 풍속 연구'와는 관련이 없다.

22 다음 대한제국에 대한 설명으로 옳은 것을 모두 고른 것은? [2017 서울시 7급]

> ㉠ 과거와는 달리 목포, 군산, 원산을 스스로 개항하였다.
> ㉡ '대한국국제'는 황제에게 육해군 통수권, 입법권, 행정권, 조약체결권 등 모든 권한을 집중시켰다.
> ㉢ 두 차례에 걸쳐 토지조사사업을 실시하였고, 지계발급사업을 실시하였다.
> ㉣ 만국우편연합에 가입하고, 만국박람회에 참여하였다.

① ㉠, ㉡
② ㉠, ㉡, ㉢
③ ㉡, ㉢, ㉣
④ ㉠, ㉡, ㉢, ㉣

해설

정답 ③

대한제국은 1897년 10월 12일 그 수립이 선포된 황제국이다. 그로부터 4일 후인 10월 16일에 목포를 개항하였고, 1899년 5월 1일에는 군산을 개항하였다. 그러나 원산은 강화도 조약에 따라 1880년에 개항하였다.

㉡ 대한국국제는 황제에게 육해군 통수권, 입법권, 행정권, 조약체결권 등 모든 권한을 집중시켰다. 대한제국은 1899년 8월 17일, 교정소(校正所)라는 특별입법기구를 통해 9개조에 걸친 '대한국국제(大韓國國制)'를 발표하여 만국공법(국제법)상 근대국가의 모습을 확실하게 갖추었다. 대한제국의 헌법이라 할 수 있는 '대한국국제'는 황제에게 육해군의 통수권, 입법권, 행정권, 관리임면권, 조약체결권과 사신임면권 등 모든 권한을 집중시켰다.

㉢ 대한제국은 정부의 조세수입을 늘리고 근대적인 토지 소유권을 확립하기 위해 1898년에 양지아문을 설치하고 미국인 측량사를 초빙하면서까지 두 차례에 걸쳐 토지조사사업(양전사업)과 지계 발급 사업을 실시하였다.

㉣ 대한제국은 국제사회와 교류하기 위해 1899년에 만국우편연합에 가입하고, 1900년에는 프랑스 파리에서 열린 만국박람회에 참여했으며, 1903년에는 일본 오사카 박람회에도 참여했다. 이 해 서울에서 만국박람회를 개최하려고 시도했으나 이루어지지 못했다.

23 다음 조약이 체결되었던 당시 상황으로 옳은 것은? [2021 경찰]

> 제1관 앞으로 대한국과 대청국은 영원히 우호를 다지며 양국 상인과 인민이 거류하는 경우 모두 온전히 보호와 우대의 이익을 얻는다.
> 제2관 이번 조약을 맺은 이후부터 양국은 서로 병권대신을 파견하여 피차 수도에 주재시키고, 아울러 통상 항구에 영사 등의 관원을 설립하는 데 모두 편의를 봐줄 수 있다.
> 제5관 재한국 중국 인민이 범법(犯法)한 일이 있을 경우에는 중국 영사관이 중국의 법률에 따라 심판 처리하며, 재중국 한국 인민이 범법한 일이 있을 경우에는 한국 영사관이 한국의 법률에 따라 심판 처리한다.

① 광무 연호가 사용되고 있었다.
② 대한매일신보가 발간되고 있었다.
③ 금본위 화폐제가 시행되고 있었다.
④ 고종이 러시아 공사관에 머무르고 있었다.

해설 정답 ①

제1관의 '대한국과 대청국'이라는 표현을 보면, 한국이라는 명칭이 등장하고 청나라와 대등한 모습을 보이고 있다. 제시된 자료는 한 · 청 통상조약(1899)인데 대한제국 황제와 청 황제가 대등한 위치에서 조약을 체결하였다. ➲ 2019 해경간부, 2016 국가직 9급

① 한 · 청 통상조약이 체결된 때는 1899년으로, 이때는 대한제국의 '광무' 연호가 사용되고 있었다.

② 대한매일신보는 1904년부터 1910년까지 발간되었다.

③ 대한제국은 1901년에 금본위제를 채택하였다.

④ 아관파천은 1896년부터 1897년까지이다.

명호샘의 **한마디!!**

'대한제국' 문제의 기출문장을 정리한다.

정 답	1. '옛 것을 근본으로 하고 새로운 것을 참작한다'는 구본신참의 원칙을 내세워 개혁을 추진하였다. (○) ➲ 2020 경찰 = 구본신참의 개혁 방향을 제시하고, 대한국국제를 제정하여 황권을 강화하였다. (○) ➲ 2011 지방직 9급 = 개혁 방향은 동도서기(東道西器), 구본신참(舊本新參), 식산흥업(殖産興業)이었다. (○) 2. 양지아문에서 양전 사업을 착수하였다. (○) ➲ 2020 국가직 7급, 2018 지방직 9급 = 조세수입을 늘리기 위해 양전사업을 실시하였다. (○) = 양전사업을 실시하여 근대적 토지증서인 지계(地契)를 발급하였다. (○) = 양전 사업에 의하여 근대적 토지소유권 제도라 할 수 있는 지계가 일부 지역에 발급되었다. (○) 3. 간도 교민의 보호를 위해 북변도관리를 설치하였다. (○) ➲ 2011 서울시 9급 = 블라디보스토크와 간도 지방에 해삼위 통상사무관과 북변도 관리를 설치하였다. (○) 4. 원수부를 설치하여 황제가 군의 통수권을 장악하였다. (○) ➲ 2020 지방직 7급, 2016 법원직 9급 = 원수부를 설치하고 시위대, 진위대를 강화하였다. (○) ➲ 2011 지방직 7급 5. 무관학교를 설립하고 식산흥업 정책으로 많은 회사를 설립하였다. (○) ➲ 2019 해양경찰 = 고급장교의 양성을 위해 무관학교를 설립하였다. (○) ➲ 2011 서울시 9급 6. 상공업의 진흥 정책을 시행하고 민간회사 설립도 지원하였다. (○) ➲ 2014 해경간부, 2011 지방직 7급, 2011 지방직 9급 7. '금본위제 개정 화폐조례'를 제정하여 금본위제를 도입하려고 하였다. (○) ➲ 2021 해경간부 = 금본위제에 기반을 둔 화폐제도의 개혁과 중앙은행의 창립을 시도하였다. (○) 8. 황실 재정을 담당하는 내장원의 기능을 확대하고, 이를 바탕으로 황실 주도의 개혁 사업을 추진하였다. (○) ➲ 2020 경찰, 2019 지방직 9급 9. 만국우편연합에 가입하고, 만국박람회에 참여하였다. (○) ➲ 2017 서울시 7급 10. 대한제국 정부는 도량형을 담당하는 평식원을 설치하였다. (○) ➲ 2007 세무직 11. 대한제국의 황제와 청 황제가 대등한 위치에서 한 · 청 통상 조약을 체결하였다. (○) ➲ 2019 해경간부, 2016 국가직 9급 12. 양잠전습소를 설치하여 양잠기술의 전습에 노력하였다. (○) ➲ 2021 해경간부 = 양잠전습소와 잠업시험장을 설립하였다. (○) ➲ 2016 지방직 7급 13. 상공학교와 광무학교를 설립하였다. (○) ➲ 2021 해경간부, 2016 지방직 7급
오 답	1. 궁내부 내장원에서 관리하던 수입을 탁지아문에서 관장하게 하여 국가재정을 건전하게 운영하였다. (×) – 대한제국은 탁지부 및 농상공부에서 관리하던 광산, 홍삼, 포사(푸줏간), 철도, 수리사업 등의 수입을 궁내부 내장원으로 이관하여 황제가 직접 지출할 수 있게 하였으며, 이로 인하여 탁지부가 위축되었다. 2. 근대적인 재정일원화를 위해 내장원의 업무를 탁지부로 이관하였다. (×) – 대한제국에서는 궁내부 내장원이 재정을 총괄하여 탁지부가 위축되었다. 3. 대한국국제를 제정하여 황제권을 강화하고 입헌군주제를 천명하였다. (×) – 대한국국제에서는 '만세불변할 전제 정치'를 천명하였다. 4. 청나라와의 관계를 끊기 위해 중국 연호를 폐지하였다. (×) – 대한제국은 '건양'을 버리고 '광무'를 채택하였다. 중국 연호인 '광서'를 폐지한 때는 갑오 1차 개혁이다. 5. 『독립신문』의 창간을 지원하였다. (×) – 『독립신문』은 대한제국이 수립되기 이전인 1896년에 창간되었으므로, 대한제국이 이 신문의 창간을 지원할 수는 없다.

24 다음은 근대 개혁 방안에 관한 자료이다. 이를 시기 순으로 바르게 나열한 것은?

[2014 지방직 9급]

> ㉠ 내시부를 없애고 그 가운데서 재능 있는 자가 있으면 뽑아 쓴다.
> ㉡ 왕실 사무와 국정 사무를 모름지기 나누어 서로 뒤섞지 아니한다.
> ㉢ 대한국 대황제는 육해군을 통솔하고 편제를 정하며 계엄과 해엄을 명한다.
> ㉣ 재정은 모두 탁지부에서 전담하여 맡고, 예산과 결산을 인민에게 공포한다.

① ㉠ → ㉡ → ㉢ → ㉣
② ㉠ → ㉡ → ㉣ → ㉢
③ ㉡ → ㉠ → ㉢ → ㉣
④ ㉡ → ㉠ → ㉣ → ㉢

해설

정답 ②

㉠ '내시 제도의 폐지'는 갑신정변의 주장이다(1884).
㉡ '의정부와 궁내부의 분리'는 갑오개혁 때이다(1894).
㉣ '재정의 탁지부 전관'은 독립협회의 헌의 6조의 내용이다(1898).
㉢ 황제의 '육해군 통솔'은 대한국국제의 내용이다(1899).

25 이 법령과 관련된 사업에 대한 설명으로 옳은 것은?

[2009 국가직 7급]

> 제2조 전답·산림·천택·가옥을 매매 양도하는 경우 관계(官契)를 반납한다.
> 제3조 소유주가 관계를 받지 않거나, 저당 잡힐 때 관허가 없으면 모두 몰수한다.
> 제4조 대한제국 인민 외 소유주가 될 권리가 없고, 외국인에게 명의를 빌려주거나 사사로이 매매·저당·양도할 경우 법에 따라 처벌한다.
> ➲ 순창군훈령총등

① 양지아문에서 지권(地券)을 발급하였다.
② 신고주의에 의한 양전(量田)을 추구하였다.
③ 전국의 군현을 대상으로 양전을 완료하였다.
④ 러·일 전쟁으로 인하여 지권 발급을 중단하였다.

해설

정답 ④

대한제국 시기에 실시하였던 지계 발급에 관련된 내용이다. 정부의 조세수입을 늘리고 근대적인 토지소유권을 확립하기 위하여 1898년에 양지아문을 설치하고 1899~1903년 사이에 미국인 측량사를 초빙하면서까지 두 차례에 걸쳐 토지조사사업과 지계 발급 사업을 실시하였다. 전국 토지의 3분의 2 가량이 대상이 된 토지조사사업을 통하여 소유권이 확인된 소유주에게는 근대적 토지증서인 지계(地契)를 발급해 주었다.

① 지권(지계)은 '지계아문'에서 발급하였다.
② '신고주의'는 1910년대 일제의 토지조사사업의 방식이다.
③ 지계 발급으로 재정 수입은 확대되었다. 그러나 1904년 초 러·일 전쟁으로 지계 발급이 중단되면서 전국적으로 시행되지는 못하였다.

26 **다음 자료에 나타난 근대 시설을 볼 수 있는 시기의 사회 모습으로 옳지 않은 것은?**

[2016 기상직 9급]

> 화륜차 소리는 우레와 같아 천지가 진동하고, 기관차의 굴뚝 연기는 하늘 높이 솟아오르더라. 차창에 앉아서 밖을 내다보니 산천초목이 모두 움직이는 것 같고, 나는 새도 미처 따르지 못하더라.

① 노량진에서 제물포행 전차를 타는 상인
② 황성신문을 읽고 있는 양반
③ 세브란스 병원에서 치료받는 환자
④ 을사늑약에 반대하여 의병에 가담한 농민

해설 정답 ①

화륜차(火輪車)를 이용한 우리나라 최초의 철도는 경인선(1899)이다. 경인선의 운행 구간은 노량진부터 제물포까지였다. 같은 해 개통이 된 '전차'의 운행 구간은 서대문부터 청량리까지였다.
② 황성신문은 경인선 개통 1년 전인 1898년에 창간되었다가 1910년에 폐간되었다.
③ 제중원이 세브란스 병원으로 바뀐 때는 1904년이다. 경인선 열차가 한창 달리고 있을 때이다.
④ 을사늑약에 반대한 의병은 1905년에 일어났다.

27 **다음 기사가 보도된 당시에 볼 수 있는 사회 모습으로 가장 적절한 것은?** [2016 법원직 9급]

> 경인 철도 회사에서 어저께 개업식을 거행하는데, 인천에서 화륜거가 떠나 삼개 건너 영등포로 와서 내외국 빈객들을 수레에 영접하여 앉히고 오전 9시에 떠나 인천으로 향하는데, 화륜거 구르는 소리는 우레 같아 천지가 진동하고 기관거의 굴뚝 연기는 반공에 솟아 오르더라.
>
> ➲ 독립신문(1***.9.19)

① 진단 학회 창립을 준비하는 학자
② 한용운의 '님의 침묵'을 읽는 학생
③ 명동 성당에서 예배를 보는 천주교 신자
④ 국문 연구소에서 국문법을 연구하는 학자

해설 정답 ③

1899년의 경인선 개통과 관련된 기사이다. 명동성당은 그 이전인 1898년에 완공되었다. 나머지 사건들은 모두 경인선 개통 이후에 발생한 사건들이다.
① 진단학회는 일제 강점기인 1934년에 창립되었다. 1930년대에 들어 이병도, 손진태가 진단학회의 창립을 준비했을 것이다.
② 한용운이 〈님의 침묵〉이라는 시집에 '님의 침묵'을 게재하여 발표한 때는 1926년이다.
④ 국문 연구소는 1907년 학부에 설치되었던 학문연구기관이다.

28 **발생 시기 순서로 나열할 때 다음 빈칸에 들어갈 사건으로 옳은 것은?** [2015 서울시 9급]

> 을미사변 – 아관파천 – [　　　　] – 대한제국 수립

① 단발령 공포　　② 독립협회 결성
③ 홍범 14조 반포　　④ 춘생문 사건 발발

해설

정답 ②

아관파천은 1896년 2월이고, 대한제국 수립은 1897년 10월이다. 이 사이에 발생한 사건은 '독립협회 결성'(1896. 7)이다. 아관파천 → 독립협회 결성 → 경운궁 환궁 → 대한제국 수립 → 독립협회 해산의 순서로 전개되었다.

① 을미개혁의 결과 1895년 11월에 단발령이 공포되었다.
③ 갑오 2차 개혁의 결과 1895년 1월에 홍범 14조가 반포되었다.
④ 을미사변이 일어나자 이에 항거한 인물들이 1895년 11월 궁궐 안의 고종을 탈출시키려 했던 사건, 즉 춘생문 사건이 발발하였다.

29 **아관파천 기간에 사람들이 볼 수 있었던 사실로 적절한 것은?** [2016 지방직 7급]

① 청량리행 전차를 운행하는 기사
② 한성순보를 배부하는 관리
③ 대한천일은행에서 근무하는 은행원
④ 백동화를 주조하는 주전관

해설

정답 ④

아관파천 기간은 '1896년 2월부터 1897년 2월까지'이다. '백동화를 주조하는 주전관'은 1892년부터 전환국이 폐지된 1904년까지 볼 수 있다.

① 서대문에서 청량리를 오가는 전차는 1899년부터 볼 수 있다.
② 한성순보를 배부하는 관리는 1883년부터 1884년까지 잠깐 볼 수 있다.
③ 민족계 은행인 대한천일은행에서 근무하는 은행원은 1899년부터 볼 수 있다.

30 다음 두 건물의 완공 사이에 나타난 사실로 적절하지 않은 것은? [2012 법원직 9급]

명동 성당

원각사

① 서울과 부산 간 철도가 개통되었다.
② 최초의 서양식 병원인 광혜원이 설립되었다.
③ 서대문에서 청량리 사이에 전차 운행이 시작되었다.
④ 최초의 중등 교육 기관인 한성 중학교가 설립되었다.

해설 정답 ②

'대표적인 근대 건축물' 명동성당은 1898년에, '최초의 서양식 극장' 원각사는 1908년에 지어졌다. '최초의 서양식(근대) 병원' 광혜원은 1885년에 설립되었으므로, 1898~1908년의 구간을 벗어난다.
① 1905년, ③ 1899년, ④ 1900년

31 다음 근대 문물과 관련된 설명으로 옳지 않은 것은? [2021 국회직 9급]

① 1883년에 우리나라 최초의 근대 신문인 한성순보가 창간되었다.
② 1898년에 최초의 고딕식 벽돌 건축물인 명동성당이 완공되었다.
③ 전차는 서대문과 청량리 구간에서 최초로 운행되었다.
④ 한성전기회사는 발전소를 세우고 서울에 전등을 가설하였다.
⑤ 경인선에 이어 일본이 경부선, 경의선을 가설하였다.

해설 정답 ②

명동성당의 길이는 68미터이고 너비는 29미터인데 종탑의 높이는 47미터에 달하였다. 당시 높은 건물이 없었기 때문에 명동성당은 하늘을 찌를 듯한 모습 때문에 '뾰족집'이란 이름이 붙었다. 즉 '고딕식 벽돌 건축물'로 1898년에 완공되었다. 그러나 명동성당은 '최초의 고딕식 벽돌 건축물'은 아니다. 한국 최초의 고딕식 벽돌 건축물은 1892년에 완공된 약현성당이다.

① 임오군란이 진압된 후 1883년에 박문국이 설치되었다. 박문국은 1883년 10월 한성순보 발간을 시작했다. 우리나라 최초의 신문인 한성순보는 관보의 성격을 띠고 10일에 한 번 한문으로 발행되었다. ➲ 2020 해경간부 초대 총재에는 민영목, 부총재에는 김만식이 임명되었고, 이노우에 가쿠고로가 고문으로 활동하였다. 그러나 1884년 갑신정변이 일어났을 때 박문국도 공격을 받았고 건물과 인쇄 기계가 파괴되면서 한성순보 역시 발간이 중단되었다.
③ 1899년 한성의 서대문에서 청량리 사이에 전차가 개통되었다. ➲ 2013 경찰간부, 2010 계리직
④ 1887년 경복궁에 처음으로 전등이 점등되었다. ➲ 2010 계리직 한성전기회사는 발전소를 세우고 서울 경복궁 건청궁에 전등을 가설하였다.
⑤ 경인선은 1899년에 개통되었다. ➲ 2017 국회직 9급 이어서 1905년에 경부선, 1906년에 경의선이 가설되었다.

07 항일의병전쟁과 애국계몽운동

01 항일의병전쟁의 전개

01 다음은 항일의병운동이 일어난 배경을 정리한 것이다. 각 의병운동에 관한 설명 중 옳은 것을 [보기]에서 모두 고른 것은? [2009 법원직 9급]

> (가) 명성황후 시해와 단발령 실시에 항거하여 일어났다.
> (나) 고종의 강제 퇴위와 군대해산을 계기로 일어났다.
> (다) 외교권을 빼앗고, 통감부를 설치한 것을 계기로 확산되었다.

> [보기]
> ㉠ (가) → (나) → (다) 순으로 의병운동이 전개되었다.
> ㉡ (나)의 의병은 13도 창의군을 결성하고 서울 진공 작전을 시도하였다.
> ㉢ (다)의 의병 때 평민 출신 신돌석의 활약이 두드러졌다.
> ㉣ (다)의 의병은 (나)에 비해 전투력이 한층 강화되었다.

① ㉠, ㉡ ② ㉡, ㉢
③ ㉠, ㉡, ㉢ ④ ㉡, ㉢, ㉣

해설 정답 ②

> "의병(義兵)이란 민군이다. 나라가 위급한 때에 즉각 의(義)로써 분기하여 조정의 징발령을 기다리지 않고 종군(從軍)하여 적개(敵愾, 적에 대하여 분노를 표출)하는 사람들이다. … 빼어난 공훈과 높은 절개는 해와 달처럼 밝게 빛나며 강상을 부식하고 영토를 회복하는 데 크게 힘을 입었다. 그러므로 의병은 한국민족의 '나라의 국수(國粹, 나라의 고유한 강점)'인 것이다."

민족주의 역사학자 박은식은 1920년에 「한국독립운동지혈사」라는 책을 통해 '의병의 개념'을 이와 같이 밝혔다. 의병 문제의 자료로 출제될 수 있으니 알아두길.

(가) 1895년, 을미사변과 단발령에 항거하여 '을미의병'이 일어났다.

(나) 1907년, 고종퇴위와 군대해산에 항거하여 '정미의병'이 일어났다. 대한제국의 중심 부대였던 서울의 시위대와 지방의 진위대 군인들은 군대 해산에 반대하여 일본군과 시가전을 벌이기도 하였으나, 곧 의병 부대에 합류하였다. 특히 김덕제와 민긍호가 이끈 원주진위대의 군인들은 근대적인 무기로 무장하고 원주·평창·강릉·여주·장호원·충주 등 강원·경기·충북 지방에서 여러 차례 일본군을 격파하여 타격을 주었다. 해산 군인들의 의병 가담은 의병의 사기와 전투력을 높여 주는 데 크게 기여하였다.

(다) 1905년, 을사조약에 따라 외교권이 박탈되고 통감부가 설치되자 '을사의병'이 일어났다.

㉠ '(가) → (다) → (나)'의 순으로 의병운동이 전개되었다.

㉣ 정미의병에서 해산 군인들의 의병 가담은 의병의 사기와 전투력을 높여 주는 데 크게 기여하였다. 따라서 (나) 정미의병이 (다) 을사의병에 비해 전투력이 향상되었다.

02 **다음은 항일의병운동의 시기별 특징을 설명한 것이다. (나) 시기에 일어난 역사적 사실이 아닌 것은?**

[2007 국가직 9급]

(가) 존왕양이를 내세우며 지방 관아를 습격하여 단발을 강요하는 친일 수령들을 처단하였다.
(나) 일본의 외교권 박탈을 계기로 국권 회복을 위한 무장 항전을 전개하였다.
(다) 유생과 군인, 농민, 광부 등 각계각층을 포함하여 전력이 향상된 의병은 일본군과 직접 전투를 벌였다.

① 민종식은 1천여 의병을 이끌고 홍주성을 점령하였다.
② 평민 출신 의병장 신돌석이 처음으로 등장하여 강원도와 경상도의 접경지대에서 크게 활약하였다.
③ 의병 지도자들은 서울 진공 작전을 시도하여 경기도 양주에서 13도 창의군을 결성하였다.
④ 최익현은 정부 진위대와의 전투에 임해서 스스로 부대를 해산시키고 체포당하였다.

해설

정답 ③

(가) 존왕양이(尊王攘夷)란 우리의 왕을 높이고, (일본) 오랑캐를 무찌르자는 의미이다. 존왕양이를 내세우며, 을미사변과 단발령에 항거하였던 '을미의병'이다. 을미의병은 개화 정책에 비판적이었던 유생들이 주도하였다.

유인석의 창의문
우리 팔도 동포는 차마 망해 가는 나라를 내버려 둘 것인가. 제 할아버지 제 아버지가 없는 백성이 아니거늘 내 나라 내 집을 위하여 어찌 한두 사람의 의사(義士)도 없단 말인가……우리 국모의 원수를 생각하면 이미 이를 갈았는데 참혹한 일이 더하여……우리 부모에게서 받은 머리털을 풀 베듯이 베어 버리니 무슨 변고란 말인가.

(나) 을사조약에 항거한 '을사의병'이다.
(다) '군인'과 '전력이 향상'이라는 말을 보면, 해산 군인들이 의병에 참여했다는 것을 알 수 있다. '정미의병'이다.
③ 전국 각지에서 모인 1만여 명의 의병이 양주에서 13도 창의군을 결성하고(1907), 서울 진공 작전을 시도하였다(1908). 이것은 (다) 정미의병(1907)의 연장선상에 있었던 사건이다.
① 전 참판이었던 민종식은 충남 내포 지방(충남 정산)에서 의병을 일으켰다. ➲ 2018 서울시 7급 민종식은 1천여 명의 의병을 규합하여 100여 명의 일본군을 사살하면서 홍주성을 점령하였다.
② 평민 출신의 의병장이었던 신돌석은 경상북도 영해에서 300여 명의 농민을 모아 봉기하였는데, 강원도・경상도의 해안 지역을 무대로 활약하면서 3,000여 명의 대부대로 성장하여 일본군에 큰 타격을 주었다.
④ 최익현은 전북 태인에서 의병을 일으켜 순창으로 진격하였다. 최익현 부대는 순창에서 대한제국 정부가 보낸 진위대와 대치하게 되자 "일본군이라면 죽음을 각오하고 싸우겠지만, 임금의 군대와 싸울 수는 없다."라고 말하면서 스스로 포로가 되었다. 그 뒤 최익현은 일본의 대마도로 끌려가 단식 끝에 순직하였다.

최익현의 의병 격문
오호라, 작년 10월에 저들이 한 행위는 만고에 일찍이 없던 일로서, 억압으로 한 조각의 종이에 조인하여 500년 전해 오던 종묘사직이 드디어 하룻밤 사이에 망하였으니, 임금이 없으면 신하가 어찌 홀로 있을 수 있으며, 나라가 망하면 백성이 어찌 홀로 보존될 수 있겠는가. 나라가 이처럼 망해 갈진대 어찌 한 번 싸우지 않을 수 있는가. 또 살아서 원수의 노예가 되기보다는 죽어서 충의의 혼이 되는 것이 나을 것이다.
➲ 면암집 ➲ 2018 국가직 7급

03 다음 표는 항일의병의 전투상황을 나타낸 것이다. 표에 나타난 시기의 의병활동에 대한 설명으로 옳지 않은 것은? [2011 지방직 9급 변형]

연 도	전투 횟수	참가 의병수
1907(8월~12월)	323	44,116
1908	1,452	69,832
1909	898	25,763
1910	147	1,891
1911(1월~6월)	33	216

① 강화 분견대 등 해산 군인들의 의병 가담은 의병의 사기와 전투력을 크게 높여주었다.

② 일본의 '남한 대토벌 작전'으로 인해 의병 투쟁은 크게 타격을 받았다.

③ 전국의 의병부대가 연합전선을 형성하여 서울 진공 작전을 시도하였다.

④ 평민출신 의병장인 신돌석이 등장하여 호남지역에서 유격전을 벌였다.

해설 정답 ④

고종의 강제 퇴위와 군대 해산 이후의 의병 항쟁은 그 조직 규모와 성격 면에서 의병 전쟁으로 발전하였다. ➲ 2009 서울시 9급 이 당시의 의병을 '정미의병'이라 한다. 문제의 표를 보면 항일의병에 참가한 의병수가 1907년 후반부터 1908년에 이르러 급격하게 증가하고 있다. 서울 진공 작전을 전개하기 위한 13도 연합의병이 결성되는 시점이기 때문이다.

1907년 말 이인영·허위 등은 전국적 의병연합군인 13도 창의군을 결성하였다. 1908년 1월 이인영은 각국 영사관에 의병을 국제공법상 전쟁단체로 인정해 달라는 통문을 보냈다. ➲ 2017 경찰간부 군사장 허위는 통감부를 격파하기 위해 서울 동대문 밖 30리 지점까지 진격하였다. 그러나 이인영은 부친상을 당하자 '불효는 불충'이라면서 귀가해버려 결국 서울진공작전은 실패하고 말았다. ➲ 2017 지방직 7급

① 1907년 대한제국의 군대가 해산된 후, 그 해산된 군인들이 의병에 합류하여 의병의 전투력이 크게 향상되었다. 이것도 '정미의병'이다.

② '정미의병'과 '그 이후 끊이지 않는 의병활동(전해산, 신남일, 안규홍 등)'을 탄압하기 위해 일제는 '남한 대토벌 작전(1909)'이라는 이름으로 의병 근거지를 방화·약탈하고 주민들을 폭행하였다. 특히 이 시기에 전라도 지방(호남 지방)의 의병들이 크게 타격을 받았고, 의병활동이 위축되었다. 위 표에서도 1909년, 1910년으로 넘어가면서 의병 수가 크게 줄어든 것을 볼 수 있다. 일제의 남한 대토벌 작전 이후 많은 의병들이 간도와 연해주로 넘어가 국내 진공 작전을 도모하기도 했다. ➲ 2009 서울시 9급

1895	1905	1907	1909	1910
을미의병	을사의병	정미의병		
을미개혁	을사조약	고종 퇴위	남한대토벌작전	한일병합

③ 1907년에 모여 1908년에 서울 진공 작전이 '시도'되었지만, 총사령관 이인영의 부친상 등을 이유로 서울 진공 작전은 실패하였다.

④ 신돌석은 1) 평민출신 의병장으로서, 2) 을사의병 때, 3) 일월산을 거점으로 하여 강원도와 경상도에서 활동하였다.

명호샘의 **한마디!!**

정미의병 문제의 재료로 쓰일 수 있는 사료들을 모아본다.

시위대 참령 ○○○이 …(중략) … "내가 몇 해 동안 군사를 거느리고 있었는데, 갑자기 해산을 당하고 말았으니 차마 내 병정들을 대할 면목이 없다."라고 말하고 차고 있던 군도를 빼어 스스로 목을 찔러 죽으니 병정들이 분기를 이기지 못하였다고 한다.
➲ 시위대 대대장 박승환의 자결 ➲ 2012 국가직 7급

짐이 생각건대 용비(冗費)를 절약하여 이용후생의 업에 응용함이 급무라. 현재 군대는 용병으로서 상하 일치하여 국가를 안전하게 지키는 방위에 부족한지라. 타일(他日) 징병법을 발표하여 공고한 병력을 구비할 때까지 황실시위에 필요한 자를 빼고 모두 일시 해산하노라.
➲ 대한제국의 군대해산을 명하는 1907년의 조칙 ➲ 2005 행정고시

〈해외 동포에게 드리는 격문〉
동포들이여! 우리는 함께 뭉쳐 우리의 조국을 위해 헌신하여 우리의 독립을 되찾아야 한다. 우리는 야만 일본 제국의 잘못과 광란에 대해서 전 세계에 호소해야 한다. 간교하고 잔인한 일본 제국주의자들은 인류의 적이요, 진보의 적이다. 우리는 모두 일본놈들과 그들의 첩자, 그들의 동맹인과 야만스런 제국주의 군인을 모조리 죽이는 데 힘을 다해야 한다.
➲ 대한 관동 창의대장 이인영 ➲ 2013 법원직 9급

용병(用兵)의 요체는 고립을 피하고 일치단결하는 데 있다. 각 도의 군사를 통일하여 뚝이 무너질 듯 근기(近畿) 지방으로 밀려들어가면 온 천하를 우리 보물로 하기는 불가능하더라도 한국 문제를 해결하는 데 유리하게 될 것이다.
➲ 서울 진공 작전 ➲ 2016 수능, 2012 국가직 7급

군사장은 미리 군비를 신속히 정돈하여 철통과 같이 함에 한 방울의 물도 샐 틈이 없는지라. 이에 전군에 전령(傳令)하여 일제히 진군을 재촉하여 동대문 밖으로 진박할 새 대군은 장사(長蛇, 뱀처럼 긴 행렬)의 세력으로 천천히 전진하게 하고, 씨가 3백 명을 인솔하고 선두에 서서 동대문 밖 삼십리의 지(地)에 나아가 전군의 내회(來會, 와서 모임)를 기다려 일거에 서울을 공격하여 돌아오기로 계획하더니, 전군의 내집(來集)은 시기를 어긋나고 일본군이 갑자기 진박하는지라. 여러 시간을 격렬히 사격하다가 후원이 이르지 않으므로 할 수 없이 마침내 퇴진하였더라. 어시에 사기를 고무하여 서울진공의 영을 발하니, 그 목적은 입경(入京)하여 통감부를 쳐부수고 성하(城下)의 맹(盟)을 이루어 저들의 소위 신협약 등을 파기하여 대대적 활동을 기도함이라.
➲ 13도 통합의병의 서울진공 작전 <대한매일신보>

04 [보기]의 그에 대한 설명으로 가장 옳지 않은 것은? [2018 서울시 9급]

[보기]

그는 평안도 양덕 사람으로 (중략) 체격이 장대하고 지기가 왕성하였는데, 비록 글은 배우지 못하였으나 천성적인 의협심이 있어, 남을 돕는 일을 급무로 삼은 연유로 사람들이 많이 따랐다. 1907년 겨울에 차도선, 송상봉, 허근 등 여러 사람들과 의병을 일으켜 (중략) 전투를 벌였다.

① 산포수들을 모아 의병을 구성하였다.
② 주요 활동지는 함경도 삼수, 갑산 등지였다.
③ 1920년 청산리 전투에서 일본군을 격파하였다.
④ 13도창의군을 결성하고 서울 진공 작전을 개시하였다.

해설 정답 ④

홍범도(1868~1943)는 평안북도 양덕 출신으로 1907년에 처음으로 의병에 가담한 이래 만주와 간도 지방에서 독립군을 양성하며 일본군과 싸웠던 독립운동가이다. 홍범도는 1907년 11월 차도선, 태양욱, 송상봉, 허근 등과 함께 산포수를 규합하는 한편 의병대와 연합전략을 펼쳤다. 주요 활동지는 삼수, 갑산이었으며, 대표적인 전투는 후치령 전투(1907)이다. 홍범도는 이후 1920년에 국민회군, 군무도독부군과 연합하여 봉오동 전투를 승리로 이끌었을 뿐만이 아니라, 북로군정서군과 연합하여 청산리대첩을 승리로 이끄는 데 큰 공헌을 하였다.

④ 서울 진공 작전이란 1908년 1월 13도 의병연합군이 서울 탈환을 목표로 진행한 전투 작전이다. 1908년 1월 허위가 이끄는 의병 부대가 동대문 밖 30리 지점까지 육박하였다. 이 부대는 이인영을 총대장으로 하는 13도 창의군의 선발대였다. 13도 창의군은 전국에서 모인 의병들이 편성한 연합부대였다. 다만, 이 당시 홍범도는 해외 독립 운동 기지 건설을 위해 간도를 거쳐 연해주로 망명하였으므로 서울 진공 작전에서는 주도적인 역할을 하지 못하였다.

05 다음 조칙이 발표된 이후의 상황에 대한 설명으로 옳은 것만을 [보기]에서 모두 고른 것은?

[2017 국가직 9급]

≪관보≫ 호외

짐이 생각건대 쓸데없는 비용을 절약하여 이용후생에 응용함이 급무라. 현재 군대는 용병으로서 상하의 일치와 국가 안전을 지키는 방위에 부족한지라. 훗날 징병법을 발표하여 공고한 병력을 구비할 때까지 황실시위에 필요한 자를 빼고 모두 일시에 해산하노라.

[보기]

㉠ 신돌석과 같은 평민 출신의 의병장이 처음으로 등장하였다.
㉡ 단발령의 실시로 위정척사 사상에 바탕을 둔 의병 운동이 시작되었다.
㉢ 연합 의병 부대인 13도 창의군이 결성되어 서울 진공 작전을 계획하였다.
㉣ 일본군의 '남한 대토벌 작전'으로 의병 부대의 근거지가 초토화되었다.

① ㉠, ㉡ ② ㉠, ㉣
③ ㉡, ㉢ ④ ㉢, ㉣

해설 정답 ④

제시된 '조칙'이란 정미 7조약(1907)의 부속 밀약으로 교환된 '한일협약 규정 실행에 관한 각서'의 내용을 발표한 것이다. 차후에 '징병법'을 발표하여 새로운 군대를 만들기 위해 이전의 군대를 해산시킨다는 취지의 발표이다. '군대 해산'이라는 이 사건으로 인해서, 시위대 대대장 박승환이 자결하였다. 여기에 고종의 강제 퇴위 소식이 더해져, 정미의병(1907)을 촉발시키는 계기가 되었다. 정미의병의 연장선상에서 서울 진공 작전(1908)의 계획이 수립되었다. 정미의병 이후 일제는 소위 '남한 대토벌 작전'이라 하여 국내에 남아 있는 의병 세력을 완전히 진압하는 군사작전을 펼쳤다(1909).

㉠ 평민 의병장이 처음으로 등장한 의병은 을사의병(1905)이다.
㉡ 단발령의 실시가 원인이 된 의병은 을미의병(1895)이다.

06 밑줄 친 '나'에 대한 설명으로 옳은 것만을 모두 고르면? [2022 지방직 9급]

> 오늘날 사람은 모두 법에 의하여 생활하고 있는데 실제로 사람을 죽인 자가 벌을 받지 않고 생존할 도리는 없는 것이다. …(중략)… 나는 한국의 의병이며 지금 적군의 포로가 되어 와 있으므로 마땅히 만국공법에 의해 처단되어야 할 것으로 생각한다.

> ㄱ. 일본에서 순국하였다.
> ㄴ. 한인 애국단 소속이었다.
> ㄷ. 「동양평화론」을 집필하였다.
> ㄹ. 연해주에서 의병 투쟁을 전개하였다.

① ㄱ, ㄴ　　② ㄱ, ㄹ
③ ㄴ, ㄷ　　④ ㄷ, ㄹ

해설 정답 ④

자신을 '한국의 의병'이라고 말하고, 자신이 '만국공법에 의해 처단되어야 한다'고 말하는 '나'는 안중근(1879~1910)이다. 자신을 '한국의 의병'이라고 말한 이유는 안중근이 연해주에서 의병 활동을 했기 때문이다. 또 '만국공법에 의해 처단되어야 한다'는 것은 자신이 이토 히로부미를 죽인 것은 독립 전쟁의 일환으로 죽인 것이므로, 자신은 형사범이 아니라 전쟁 포로로 대우받아야 한다고 주장하는 것이다. 안중근은 뤼순 감옥에서 사형을 앞두고 「동양평화론」을 집필하였다.

> 일왕이 러·일 전쟁을 선전 포고하는 글에 "동양 평화와 대한 독립을 공고히 한다."라고 하였다. …… 슬프다! 가장 가깝고 가장 친하며 어질고 약한 한국을 억압하여 조약을 맺고 강점하였다. 지금 서양 세력이 동양으로 침략의 손길을 뻗어 오고 있는데, 이 재앙을 동양이 일치단결해서 막아내는 것이 가장 중요함은 어린아이도 다 아는 일이다. 무슨 까닭으로 일본은 이러한 당연한 형세를 무시하고 같은 동양의 이웃나라를 약탈하고 친구의 정을 끊어, 서양 세력이 애쓰지 않고 이득을 얻게 하려 한단 말인가. ➲ 안중근, 「동양평화론」

ㄱ. 안중근은 일본이 아닌 '뤼순 감옥'에서 옥고를 치르다가 1910년 3월 26일 순국하였다. ➲ 2010 서울시 9급
ㄴ. 안중근은 스스로를 '대한 의군의 참모 중장'이라고 소개했다. 한인 애국단 소속은 이봉창, 윤봉길 등이다.

명호샘의 한마디!!

안중근(1879~1910) 문제의 핵심은 1) 1909년 의거, 2) 1910년 순국, 3) 대한 의군 참모 중장(연해주 의병), 4) 동양평화론 집필(미완)이다.

1. 1909년, 안중근이 하얼빈 역에서 이토 히로부미를 저격하였다. (○) ➲ 2021 소방간부, 2020 소방, 2015 국가직 9급
2. 1910년, 안중근은 뤼순 감옥에서 순국하였다. (○) ➲ 2010 서울시 9급
3. 안중근은 연해주에서 의병투쟁을 전개하였다. (○) ➲ 2022 지방직 9급
4. 안중근은 「동양평화론」을 집필하였다. (○) ➲ 2022 지방직 9급
5. 안중근은 뤼순감옥에서 「동양평화론」을 완성하였다. (×) ➲ 2018 경찰간부

07 (가), (나) 사이 시기에 있었던 사실로 옳은 것은? [2021 소방간부]

> (가) 고종은 네덜란드 헤이그에서 열린 만국 평화 회의에 이준, 이상설, 이위종을 특사로 파견하여 일본의 부당한 간섭을 국제사회에 알리려고 하였다.
> (나) 안중근은 북만주 하얼빈 역에서 이토 히로부미를 처단하였다.

① 을사늑약이 체결되었다.
② 러·일 전쟁이 시작되었다.
③ 한·일 의정서가 체결되었다.
④ 대한 제국의 군대가 해산되었다.
⑤ 일본이 한국을 강제 병합하는 조약이 체결되었다.

해설 정답 ④

(가) 헤이그 특사(1907), (나) 안중근 의거(1909)
(가), (나) 사이 시기에 대한 제국의 군대가 해산되었다(1907). 헤이그 특사의 영향으로 고종이 퇴위되었고, 그 이후 군대가 해산되었다.

> 1907년 6월, 헤이그 특사 네덜란드 도착
> 1907년 7월 20일, 고종 퇴위 및 순종 즉위
> 1907년 7월 24일, 한 · 일 신협약(정미 7조약) 체결
> 1907년 7월 31일, 군대 해산
> 1907년 8월 1일, 시위대 참령 박승환 자결

① 을사늑약 체결(1905)
② 러·일 전쟁 시작(1904)
③ 한·일 의정서 체결(1904)
⑤ 강제 병합 조약 체결(1910)

02 애국계몽운동의 전개

08 한말 구국계몽운동에 대한 설명으로 옳지 않은 것은? [2011 지방직 7급]

① 보안회는 일본이 황무지 개척을 구실로 토지를 약탈하려 하자 이를 철회시켰다.
② 대한자강회는 국권회복을 위해 자강에 힘쓰자는 입장에서 교육개발 식산흥업 등을 주장하였다.
③ 신민회는 국권회복과 공화정치 체제의 국민국가 건설을 목표로 삼은 비밀 조직이었다.
④ 한글 보급에 크게 기여한 대한매일신보는 물산장려운동 등을 적극 주도하였다.

해설 정답 ④

일본의 검열을 피하면서 구국계몽운동의 실효를 거두기 위하여 양기탁이 영국인 베델을 발행인으로 초빙하여 만든 것이 '대한매일신보'(1904)이다. 대한매일신보는 처음에 국한문 혼용으로 간행되었으나, 뒤에는 일반 대중을 위해 순한글판을 발간하였고, 외국인을 위한 'The Korea daily news'도 간행하였다. 대한매일신보는 항일의병운동에 대해 사실 그대로 보도하였으며, '국채보상운동'을 적극적으로 지원하였다.

④ 물산장려운동은 1920년대에 일어난 운동으로 1910년에 폐간된 대한매일신보가 주도할 수 있는 운동이 아니다. 한글 보급에 기여한 신문은 문맹퇴치운동을 주도한 조선일보, 동아일보이다.

09 다음은 일제의 한국침탈이 노골화되던 시기에 구국운동을 전개한 사회 단체에 대한 설명이다. 단체명이 옳게 연결된 것은? [2010 지방직 7급 변형]

> ㉠ 일본이 황무지 개척권을 요구하며 영토 강탈의 의도를 드러내자 이를 저지하기 위해 만들어진 단체이다.
> ㉡ 식산흥업을 내걸고 고종 양위 반대 투쟁을 전개하다가 해산되었다.
> ㉢ 유신한 국민이 통일 연합하여 유신한 자유문명국을 성립하자는 취지로 설립되었다.

	㉠	㉡	㉢
①	보안회	대한자강회	신민회
②	헌정연구회	대한자강회	대한협회
③	보안회	헌정연구회	신민회
④	대한자강회	신민회	대한협회

해설 정답 ①

㉠ 일제는 대한시설강령(1904)에 따라 황무지 개척권(개간권)을 요구하였다. 이에 반대하여 1904년에 이상설, 송수만, 심상진 등이 보안회(1904)를 조직하여 황무지 개척권 요구를 철회시켰으나, 보안회는 일제의 압력으로 곧 해산되었다.

㉡ '고종 양위(퇴위) 반대 투쟁'은 대한자강회(1906~1907)이다.

㉢ 유신(維新)이란 낡은 것을 새롭게 고치는 것을 말한다. 그렇게 새로워진 국민이 연합하여 새로운 자유문명국을 만들자는 것이 (유)신(국)민회, 즉 신민회(1907)이다.

10 다음에서 설명하고 있는 독립 운동 단체와 관련이 없는 것은? [2013 법원직 9급]

> • 이 단체의 중심 인물은 안창호, 양기탁, 신채호 등이다.
> • 서북 지방의 기독교인들이 다수 참가한 항일 비밀 결사 조직이다.
> • 공화 정체의 근대 국가 수립을 목적으로 했다.
> • 일제가 날조한 105인 사건으로 국내 조직이 해체되었다.

① 국내의 요인 암살, 식민 통치 기관 파괴 활동을 전개하였다.
② 자기회사, 태극서관을 설립하여 민족 산업 육성에 노력하였다.
③ 대성학교와 오산학교를 세워 민족 교육을 실시하였다.
④ 이회영 형제의 헌신으로 남만주에 독립운동기지를 건설하였다.

해설 정답 ①

1907년부터 1911년까지 활동했던 '신민회'에 대한 설명이다. 신민회는 안창호, 양기탁, 이동휘 등이 중심이 되어 만들어진 민족 운동가들의 비밀 결사 조직으로 국권 회복과 공화정체의 국민 국가 건설을 목표로 하였다. 이들은 태극서관을 설립하여 서적을 간행하였으며, 대성학교·오산학교를 설립하여 민족주의 교육을 실시하였다. 1911년에 양기탁은 이회영 형제와 함께 서간도 지역에 '삼원보'와 같은 독립운동기지를 건설하였으며 ➲ 2001 국가직 9급, 독립운동 단체인 경학사(耕學社)를 설립하였다.

④ 이회영 형제는 오늘날의 가치로 최소 600억 원에서 수천억 원에 이를 것이라고 하는 전 재산을 처분하고 만주로 망명하였다. 남만주의 삼원보에 신한민촌을 건설하고, 신흥무관학교를 만들어 운영하면서 민족 교육과 독립군 양성을 추진하였다. ➲ 2017 기상직 7급

> 8월 초에 여러 형제분이 모여서 같이 만주로 갈 준비를 하였다. 비밀리에 땅과 집을 파는데, 여러 집을 한꺼번에 처분하니 얼마나 어려우리요. 그때만 해도 여러 형제분 집은 예전 대갓집이 그렇듯이 종살이를 하는 사람이 수없이 많았고 (……) 우리 집 어른(이회영)은 옛날 범절을 따지지 않고 위아래 구분 없이 뜻만 같으면 악수하여 동지로 대접하였다. (……) 1만여 석의 재산과 가옥을 모두 팔고 경술년(1910) 12월 30일에 큰집, 작은집이 함께 압록강을 건너 떠났다. ➲ 이은숙, 민족 운동가 아내의 수기, 서간도 시종기 ➲ 2019 서울시 9급

① 요인 암살과 기관 파괴의 투쟁 방법을 '의열 투쟁'이라 한다. 의열 투쟁 단체에는 노인동맹단, 의열단, 한인애국단 등이 있다.

11 신민회에 관한 다음 설명 중 옳은 것은 모두 몇 개인가? [2012 경찰]

> ㉠ 『만세보』라는 기관지를 발간하였다.
> ㉡ 데라우치 총독 암살미수사건에 연루되었다.
> ㉢ 안창호, 양기탁, 신채호, 이동녕 등 인사들이 비밀결사로 조직하였다.
> ㉣ 고종의 퇴위 반대 운동을 전국적으로 전개하였다.
> ㉤ 평양에 대성학교, 정주에 오산학교를 건립하였다.
> ㉥ 해외에 삼원보와 같은 독립운동 기지를 건설하였다.

① 1개 ② 2개
③ 3개 ④ 4개

해설 정답 ④

㉡, ㉢, ㉤, ㉥이 옳은 내용이다.
㉠ '만세보'는 손병희가 동학을 개칭하여 천도교를 창설한 직후 발행한 신문이다(1906).
㉣ 고종 황제 퇴위 반대 투쟁을 주도한 것은 대한자강회이다.

명호샘의 한마디!!

신민회 문제의 대표적인 사료 세 개를 기억하기 바란다.

1. 국민에게 민족 의식과 독립사상 고취
2. 동지를 발견하고 단합하여 국민 운동 역량 축적
3. 상공업 기관 건설로 국민의 부력(富力) 증진
4. 교육 기관 설립으로 청소년 교육 진흥 ➲ 신민회의 방향 ➲ 2016 서울시 7급

"……무릇 우리 대한인은 내외를 막론하고 통일 연합으로써 그 진로를 정하고 독립 자유로써 그 목적을 세움이니, 이것이 원하는 바이며 품어 생각하는 것이다. 간단히 말하면 오직 신정신을 불러 깨우쳐서 신단체를 조직한 후에 신국가를 건설할 뿐이다.……" ➲ 신민회 창립 취지문 ➲ 2011 서울시 9급

(가)의 목적은 한국의 부패한 사상과 습관을 혁신하여 국민을 유신케 하며, 쇠퇴한 발육과 산업을 개량하여 사업을 유신케 하며, 유신한 국민이 통일 연합하여 유신한 자유 문명국을 성립케 한다고 말하는 것으로서, 그 깊은 뜻은 열국 보호 하에 공화정체의 독립국으로 함에 목적이 있다고 함. ➲ 신민회의 목적 ➲ 2020 법원직 9급

명호샘의 한마디!!

그 밖에 신민회와 관련된 기출 문장을 정리한다.

1) 국권 회복과 공화정체의 국민국가 건설을 목표로 했다. ➲ 2011 서울시 9급
2) 국외에 독립운동 기지를 건설하였다. ➲ 2013 수능
3) 이동휘는 의병운동에 고무되어 무장투쟁론을 주장하였다. ➲ 2010 경찰
4) 교과서와 서적 출판보급을 위해 태극서관을 설립하였다. ➲ 2010 기능직
5) 평양과 대구에 태극서관을 설립하여 출판 사업을 벌였다. ➲ 2016 서울시 7급
6) 민족자본육성을 위해 평양에 자기회사를 운영하였다. ➲ 2010 기능직
7) 신교육과 신사상 보급 등 교육운동에서 활발한 활동을 하였다. ➲ 2010 경찰
8) 정주에 오산학교 등을 세워 민족교육을 실시하였다. ➲ 2010 기능직
9) 평양에 대성학교, 정주에 오산학교를 설립하였다. ➲ 2016 서울시 7급
10) 일제의 탄압을 피해 비밀 결사 조직의 형태를 유지하였다. ➲ 2010 경찰

08 근대의 경제

01 다음은 1890년 대일 무역 실태를 보여주는 표이다. 당시의 경제 상황으로 옳지 않은 것은?

[2012 지방직 9급]

〈1890년 대일 수출입 상품의 품목별 비율〉

수출 상품		수입 상품	
품 목	비 율	품 목	비 율
쌀	57.4%	면제품	55.6%
콩	28.3%		
기타	14.3%	기타	44.4%

※ 자료: 통상휘찬

① 쌀값이 올랐다.

② 면공업 발전에 타격을 주었다.

③ 지주나 부농의 경제적 형편이 어려워졌다.

④ 지방관의 방곡령 발령을 초래하기도 하였다.

해설

정답 ③

관세가 설정되지 않은 불평등조약(강화도 조약) 체결 이후 1890년대까지 조선과 일본의 무역에 있어서 가장 두드러진 특징은 '일본 상인에 의한 영국제 면제품의 중계무역과 조선 농산물(쌀)의 대일 수출'이었다. ➲ 2004 국가직 7급 이를 미면(米綿) 교환이라 한다. 쌀의 유출량이 증가하면서 쌀값이 올라 쌀 폭동이 일어났고, 농촌의 면직물 공업이 크게 타격을 받았으며, 방곡령 발령을 하게 만들었다.

③ 지주나 부농들은 일본이 대규모로 쌀을 수입해가고 그에 따라 쌀값이 폭등하면서 오히려 많은 수익을 얻었다.

02 다음과 같은 민족 운동을 촉발한 일제의 침략 정책으로 가장 적절한 것은? [2012 국가직 7급]

> 국채 1,300만원은 나라의 존망과 관계한다. 갚으면 나라가 살고 갚지 못하면 망하는 것은 시대의 대세이다. 현재 국고로는 이 국채를 갚기 어려운 즉, 삼천리 강토가 자칫 우리나라와 백성의 것이 아니 될 위험에 처하게 되었다.

① 화폐 정리 사업과 시정 개선 사업을 강요하였다.
② 청국과 간도협약을 맺어 대륙 철도를 부설하였다.
③ 제1차 한일협약을 강요하여 경찰고문을 파견하였다.
④ 회사령을 공포하고, 일본 물품의 수입 관세를 유지하였다.

해설 정답 ①

일본은 1905년부터 화폐 정리와 시설 개선 명목으로 강제적으로 차관을 제공하면서 대한제국을 재정적으로 종속시키려는 시도를 하였다. 1907년에 이르러 국채가 '1,300만원'이라는 상당한 규모에 이르렀고, 국가의 독립을 위협하는 국채를 갚자는 '국채보상운동'이 일어났다. 국채보상운동은 대구에서 개최한 국민대회를 계기로 전국으로 확산되었다. ➲ 2005 서울시 세무직 9급 대한매일신보, 제국신문, 황성신문, 만세보 등 여러 언론기관이 의연금 모집에 적극적으로 나섰다. 담배를 끊고 돈을 절약하여 이를 의연금으로 내기 위한 금연운동이 전개되었고, 부녀자들은 비녀와 가락지를 팔아서 이에 호응하였다.

03 다음과 같은 취지로 전개된 운동에 대한 설명으로 옳은 것은? [2023 지방직 9급]

> 지금 우리들은 정신을 새로이 하고 충의를 떨칠 때이니, 국채 1,300만 원은 우리 대한 제국의 존망에 직결된 것입니다. 이것을 갚으면 나라가 보존되고 이것을 갚지 못하면 나라가 망할 것은 필연적인 사실이나, 지금 국고에서는 도저히 갚을 능력이 없으며, 만일 나라에서 갚지 못한다면 그때는 이미 삼천리 강토는 내 나라 내 민족의 소유가 못 될 것입니다.
>
> ➲ 『대한매일신보』

① 조선 형평사를 조직하였다.
② 조선 물산 장려회를 조직하였다.
③ 신사 참배 거부 운동을 전개하였다.
④ 1907년 대구에서 시작되어 전국으로 확산되었다.

해설 정답 ④

'국채 1,300만원', '갚을 능력', '대한매일신보' 등을 종합해 볼 때 이 '운동'은 국채보상운동이다. 국채보상운동은 1907년 서상돈 · 김광제 등의 주도로 대구에서 시작되어 전국으로 확산되었다.
① 조선 형평사를 조직하여 전개한 운동은 백정들의 신분 해방 운동인 형평 운동이다.
② 조선 물산 장려회를 조직하여 전개한 운동은 평양에서 시작된 물산 장려 운동이다.
③ 신사 참배 거부 운동을 전개한 종교 단체는 개신교이다.

명호샘의 **한마디!!**

국채보상운동은 '서상돈' 등이 발의하였다.

⊙ 알림　　의연금 명단

처음 서상돈 씨가 발의한 이래 본 신문사가 현재까지 수합한 의연금 총액은 14만 3천여 전이더라.

명 단	내 역
서울 김일당 외	매끼에 밥 한 그릇을 반 그릇으로 감하여 모은 쌀값 2원 70전
서울 약방업자 178명	단연 동맹을 하고 모은 의연금 603원 75전
계산 학교 학동	동조자에게 수합한 15환 25전
대구 부인 227명	구화 407냥 3전, 신화 189원 90전, 쌍가락지 등 패물 5점
양근 분원 초동 및 백정	땔감과 짚신 판 값 3원 40전
로스앤젤레스 거주 한인 교포 20명	미화 42달러

국채보상운동이 남녀노소를 불문하고 각계각층이 참여하였다는 것을 강조하기 위해 다음과 같이 여성 단체가 국채를 갚자고 호소하는 자료가 국채보상운동 문제의 재료로 쓰일 수도 있다.

부인 동포에게 고하노라.
우리가 함께 여자 몸으로 규문 안에 있어 삼종지의에 간섭할 일 오랫동안 없었으나, 나라 위하는 마음과 백성된 도리에 어찌 남녀가 다르리요. 듣자하니 국채를 갚으려고 이천만 동포가 석 달간 담배를 아니 피우고, 금전을 모은다 하니 족히 사람으로 흥감케 할지요, 앞날에 아름다움 있으리. …… 우리는 여자인 까닭에 이 몸에 값진 것이 다만 패물뿐이다. 하지만 큰 산이 흙덩이를 사양치 아니하고 큰 바다가 가는 물을 가리지 아니하기로, 적음으로 큰 것을 도우리오.

➲ 대구 남일동 7부인회(1907.2.23.)

04 **다음의 경제 조치에 대한 설명으로 옳지 않은 것은?** [2013 국가직 9급]

> 제1조 구 백동화 교환에 관한 사무는 금고로 처리케 하여 탁지부 대신이 이를 감독함
> 제3조 구 백동화의 품위(品位)·양목(量目)·인상(印象)·형체(形體)가 정화(正貨)에 준할 수 있는 것은 매 1개에 대하여 금 2전 5푼의 가격으로 새 화폐로 교환함이 가함

① 한국 상인들이 경제적으로 큰 타격을 받았다.
② 일본제일은행이 중앙은행의 역할을 하게 되었다.
③ 액면가대로 바꾸어 주는 화폐교환 방식을 따랐다.
④ 구 백동화 남발에 따른 물가 상승이 이 조치에 영향을 끼쳤다.

해설 정답 ③

제시된 자료는 제1차 한·일 협약 체결 후 재정 고문 메가타가 주도한 화폐 정리 사업(1905)의 내용이다. 이 조치로 인하여 구화폐인 백동화를 정리하고, 한국의 화폐 본위를 일본과 동일하게 하였다. 일본의 제일은행권이 법적 통화가 되고 일본 제일은행이 중앙은행의 역할을 맡게 되었다.

③ 교환함에 있어서 백동화는 그 질에 따라 갑(甲)·을(乙)·병(丙)의 3종으로 구분하여, 갑종은 한 개당 2전(錢) 5리(厘), 을종은 1전으로 교환하되, 병종은 이를 무효로 하여 교환해 주지 않았다. 그런데 당시 병종이 전체 백동화의 3분의 2나 되었으므로 이를 소유한 한국 상공업자는 막대한 손해를 보게 된 것이다. 따라서 액면가대로 바꾸어 주는 화폐교환 방식을 따랐다는 것은 틀린 말이다.

> 제1조 구(舊) 백동화 교환에 관한 사무는 금고로 처리하게 하여 탁지부 대신이 이를 감독함
> 제2조 교환을 위하여 제공한 구 백동화는 모두 화폐 감정인으로 하여금 감정하게 함
> 제3조 구 백동화의 품위·양목·인상·형체가 정화(正貨)에 준할 수 있는 것은 1개당 2전 5리의 비가(比價)로 신화(新貨)로 교환할 수 있음
> ◐ 구 백동화 교환에 관한 건

09 근대의 사회·문화

01 근대 민중운동과 민족 언론·교육

01 다음 자료와 관련된 단체의 설명으로 옳지 않은 것은? [2017 지방직 7급]

> ○ 시장에 외국 상인의 출입을 엄금할 것
> ○ 다른 나라에 철도부설권을 허용하지 말 것
> ○ 시급히 방곡령을 실시하고 구민법을 채용할 것
> ○ 금광의 채굴을 금지하고 인민의 방책을 꾀할 것

① 정치적 · 경제적 각성을 촉진하고, 단결을 공고히 함을 강령으로 삼아 투쟁하였다.
② 1900년 전후 충청과 경기, 낙동강 동쪽의 경상도 등지에서 활동하였다.
③ '가난한 사람을 살려내는 무리'라는 뜻으로 『홍길동전』에서 이름을 따왔다.
④ 을사늑(조)약 이후에 이들 가운데 일부는 의병운동에 참여하였다.

해설 정답 ①

제시된 자료는 활빈당의 '대한사민논설 13조목'이다(1900).

② 활빈당은 1900년 전후 충청도 내포 지방에서 봉기하여, 경기도 · 경상도 등지에서 활동하였다.
③ 활빈당의 활(活)은 '살린다'는 뜻이고, 빈(貧)은 '가난한 사람들'을 의미한다. 즉 활빈당은 '가난한 사람을 살려낸다'는 뜻의 의적 단체였다. ◐ 2017 경찰간부 활빈당의 이름은 『홍길동전』에서 유래하였다.
④ 활빈당의 일부는 을사의병으로 흡수되었다.
① 정치적 · 경제적 각성 촉진, 단결을 공고히 함, 기회주의 일체 부인은 '신간회'의 3개 활동 강령이다.

명호샘의 한마디!!

1900년에 발표한 활빈당의 '대한사민논설 13조목'의 내용을 확인하기 바란다.

대한사민논설 13조목

1. 요순공맹(堯舜孔孟)의 효제안민(孝悌安民)의 대법을 행할 것을 간언할 것
2. 사치하지 않은 선왕의 복제(服制)를 사용할 것
3. 민간의 화목하고 상하가 원망하지 않는 정법(正法)을 행할 것을 간언할 것
4. 백성이 청원하는 바의 문권(文券)을 폐하께 올려 일국의 흥인(興仁)을 꾀할 것
5. 시급히 방곡령을 실시하여 구민법을 채용토록 할 것
6. 시장에 외국 상인의 출입을 엄금시킬 것
7. 행상인에게 징세하는 폐단을 금할 것
8. 금광의 채굴을 금지하고 인민의 방책을 꾀할 것
9. 사전(私田)을 혁파하고 균전(均田)으로 하는 구민법을 채택할 것
10. 곡가의 앙등을 막기 위해 곡가를 저렴하게 안정시킬 법을 세워 구민책을 쓸 것
11. 만민의 바람을 받아들여 악형의 여러 법을 혁파할 것
12. 도우(屠牛, 소를 죽임)를 엄금하여 농사를 못 짓게 하는 폐해를 제거할 것
13. 다른 나라에 철도 부설권을 허용하지 말 것

02 다음은 어느 신문기사의 일부이다. 이 내용이 실린 시기로 가장 적절한 것은? [2017 경찰]

"북촌의 어떤 여자 중에서 군자(君子) 수 삼 인이 개명(開明)에 뜻이 있어 여학교를 설시하라는 통문(通文)이 있기에 놀랍고 신기하여 우리 논설을 삭제하고 다음에 기재한다."

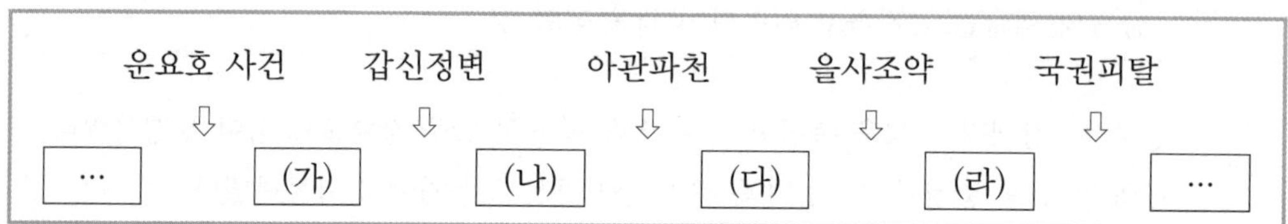

① (가) ② (나)
③ (다) ④ (라)

해설

정답 ③

제시된 자료는 '1898년' 북촌에 사는 양반 부인들을 중심으로 여학교 설립을 주장한 「여권통문(女權通文)」이다. 1898년 9월 1일 서울 북촌의 양반 여성이었던 이소사(李召史), 김소사(金召史)의 명의로 「여학교 설시통문(女學校設施通文)」, 즉 「여권통문(女權通文)」이 발표되었다. 「여권통문」의 내용은 문명개화를 이루는 데 남성뿐만 아니라 여성도 참여해야 할 의무와 권리가 있으며, 여성도 남성과 마찬가지로 평등하게 직업을 가질 권리가 있다고 주장했다. 통문은 특히 여성이 교육받아야 할 당위성과 권리를 강조하였다. 이를 계기로 우리나라 최초의 여성 운동 단체인 찬양회가 설립되었다.

찬양회는 정부에 관립 여학교 설립을 청원하는 한편 1899년 2월 26일 서울에 30명 정원의 순성 여학교(順成女學校)를 개교하여 운영하기 시작했다. 이 학교는 한국 여성에 의해 설립된 최초의 여학교로 7, 8세에서 12, 13세 연령의 여학생들을 대상으로 소학교 과정을 교육하였다. 찬양회는 순성 여학교를 관립 여학교로 만들고자 했으나 재정 부족 및 여성 교육을 반대하는 세력에 의해 실현되지는 못했다.

03 (가) 신문에 대한 설명으로 옳은 것은? [2019 소방]

> 영국인 베델이 서울에 신문사를 창설하여 이를 (가) (이)라고 하고, 박은식을 주필로 맞이하였다. …(중략)… 각 신문사에서도 의병들을 폭도나 비류(匪類)로 칭하였지만 오직 (가) 은/는 의병으로 칭하며, 그 논설도 조금도 굴하지 않고 일본인의 악행을 게재하여 들으면 들은 대로 모두 폭로하였다. 그러므로 사람들은 모두 그 신문을 구독하여 한때 그 신문은 품귀상태에까지 이르렀고, 1년도 못 되어 매일 간행되는 신문이 7천~8천 장이나 되었다.
>
> 『매천야록』

① 박문국에서 인쇄하였다.
② 국채 보상 운동을 지원하였다.
③ 우리나라 최초의 민간 신문이었다.
④ 대한민국 임시 정부의 기관지 역할을 하였다.

해설 정답 ②

'영국인 베델'이 창설하였으며, '박은식'을 주필로 맞이한 (가) 신문은 대한매일신보이다. 대한매일신보는 국채 보상 운동을 가장 적극적으로 지원하였다.
① 박문국에서 인쇄한 신문은 한성순보와 한성주보이다.
③ 우리나라 최초의 민간 신문은 독립신문이다.
④ 대한민국 임시 정부의 기관지 역할을 한 신문은 독립신문(독립협회의 독립신문과는 다른 신문)이다.

명호샘의 한마디!!

대한매일신보(1904~1910)의 기출문장은 다음과 같다.

1. 고종은 을사늑약의 불법성을 폭로하는 친서를 양기탁과 영국인 베델의 대한매일신보를 통하여 발표하였다. 2016 서울시 9급
2. 신채호는 '대한매일신보'에 「독사신론」을 발표하여 민족주의 사학의 연구방향을 제시하였다. 2021 소방
3. '대한매일신보'의 주필이었던 박은식은 민족정신으로서 국혼을 강조하였다. 2018 지방직 교행
4. 국채보상운동은 '대한매일신보' 등의 적극적 홍보에 힘입어 전국으로 확산되었다. 2020 경찰간부
5. '대한매일신보'는 양기탁이 신민회를 조직하면서 신민회의 기관지 역할을 하였다. 2016 해경간부

명호샘의 한마디!!

대한매일신보에 대하여 유의해야 할 점이 두 가지 있다.

1) 다른 신문들이 19세기에 간행된 반면에, 대한매일신보는 1904년, 즉 20세기에 간행되었다. 2009 서울시 9급
2) 대한매일신보는 1910년 경술국치 다음날부터 총독부의 기관지로 변질되어 '대한(大韓)'을 빼고 '매일신보'라는 이름으로 발간되었다.

04 다음은 개항 이후 근대 문물의 수용과 외세의 침략에 관한 내용이다. 다음 연표를 보고 ㉠ ~ ㉣ 각 시기에 들어갈 사실로 올바른 것은? [2009 법원직 9급]

1882		1894		1896		1904		1910
	㉠		㉡		㉢		㉣	
임오군란		청·일 전쟁		아관파천		러·일 전쟁		한일 합방

① ㉠ – 국한문체를 사용한 한성주보가 발간되었다.

② ㉡ – 경인선 철도가 개통되었다.

③ ㉢ – 일제는 화폐 정리 사업을 단행하였다.

④ ㉣ – 영국이 거문도 사건을 일으켰다.

해설

정답 ①

한성주보는 '1) 1886년, 2) 박문국, 3) 국한문 혼용체, 4) 최초의 상업광고 게재'가 키워드인 신문이다.

② 최초의 철도인 경인선은 1899년에 개통되었다. → ㉢

③ 화폐정리 사업은 1905년에 이루어졌다. → ㉣

④ 거문도 사건은 갑신정변 이후, 1885년에 발생하였다. → ㉠

05 다음 글을 게재한 신문에 대한 설명으로 옳은 것은? [2016 사회복지직]

> 천하의 일이 측량하기 어렵도다. 천만 뜻밖에도 5조약을 어떤 이유로 제출하였는고. 이 조약은 비단 우리나라만 아니라 동양 3국이 분열하는 조짐을 나타내는 것인즉 이토 히로부미의 본래 뜻이 어디에 있느냐? …(중략)… 오호라 찢어질 듯 한마음이여! 우리 2,000만 동포들이여! 살았느냐? 죽었느냐? 단군 기자 이래 4,000년 국민정신이 하룻밤 사이에 졸연히 망하고 멈추지 않았는가? 아프고 아프도다. 동포여 동포여!

① 오세창 등 천도교 측에서 발행하여 일진회 등의 매국행위를 비판하였다.

② 언론 검열을 피하기 위해 영국인 베델을 발행인으로 초빙하였다.

③ 남궁억이 창간한 국한문혼용체의 신문으로 민족의식을 고취하였다.

④ 윤치호가 주필이 된 후 관민공동회를 주도하는 역할을 수행하였다.

해설 정답 ③

'이토 히로부미의 본래 뜻'이 무엇이냐고 질타하면서 시작하고, '개돼지만도 못한' 을사 5적을 규탄하고, '원통하고 원통하다(아프고 아프도다), 동포여 동포여'로 마무리되는 이 글은 '황성신문의 주필'인 장지연 ➲ 2024 국가직 9급이 '황성신문'에 게재한 시일야방성대곡이다. 황성신문은 1898년에 남궁억이 창간하였으며, 국한문혼용체로 간행되었다.

> 이 날을 목 놓아 우노라[是日也放聲大哭]. …(중략)… 천하만사가 예측하기 어려운 것도 많지만, 천만 뜻밖에 5개 조가 어떻게 제출되었는가. 이 조건은 비단 우리 한국뿐 아니라 동양 삼국이 분열할 조짐을 점차 만들어 낼 것이니 이토[伊藤] 후작의 본의는 어디에 있는가?

① 오세창이 사장이었던 천도교 신문은 '만세보'이다. 이 신문은 처음에 일진회 등의 매국행위를 비판하였지만, 창간 다음 해에 이인직이 인수하여 친일신문으로 개편되었다.

② 영국인 베델을 발행인으로 초빙하고, 양기탁이 실질적인 운영을 하였던 신문은 대한매일신보이다.

④ 독립신문은 서재필이 주도하여 발간하였으나, 1898년에는 윤치호에게 인계되었고 관민공동회를 주도하는 역할을 하였다.

06 다음 중 개화기 언론에 대한 설명으로 옳은 것은 모두 몇 개인가? [2016 경찰]

> ㉠ 국・한문 혼용체를 사용한 황성신문은 장지연의 '시일야방성대곡'을 실어 을사조약을 비판하고 민족의식을 고취하였다.
> ㉡ 순한글로 간행된 제국 신문은 창간 이듬해 이인직이 인수하였고, 이후 제국신문은 친일지로 개편되었다.
> ㉢ 대한매일신보는 영국인 베델과 양기탁에 의하여 설립되었고, 경제적 국권 회복 운동인 국채 보상 운동에도 앞장섰다.
> ㉣ 우리나라 최초의 신문인 한성순보는 관보적 성격을 띠고 한문으로 발행되었다.
> ㉤ 일본은 1909년 신문지법을 제정하여 언론에 대한 탄압을 강화하였다.

① 1개 ② 2개

③ 3개 ④ 4개

해설 정답 ③

옳은 것은 ㉠, ㉢, ㉣이다.

㉣ 한성순보는 우리나라 최초의 신문으로 1883년 창간되었으며, 한문체로 발간된 관보의 성격을 띠었다. ➲ 2017 사회복지직

> 그러므로 우리 조정에서도 박문국을 설치하고 관리를 두어 외국의 기사를 폭넓게 번역하고 아울러 국내의 일까지 기재하여 국중에 알리는 동시에 열국에까지 널리 알리기로 하고, 이름을 旬報라 하며…

㉡ 제국신문은 순한글로 간행되었다. 그러나 '창간 이듬해 이인직이 인수하여 친일지로 개편된 신문'은 천도교의 신문 만세보이다. 만세보(萬歲報)는 1906년 손병희의 발의로 창간되었고, 오세창이 사장이 되었으며, 이인직이 주필을 맡았다. 국한문 혼용체로 간행하다가 1907년 3월부터는 한문으로만 발행하였다. ➲ 2017 경찰특공대 1906년 7월부터 10월까지 이인직의 '혈(血)의 누(淚)'라는 신소설을 연재하였다. 경영난으로 창간 1년 만에 종간하였고, 1907년 7월 이인직이 시설을 인수하여 대한신문(大韓新聞)으로 이름을 바꾸어 간행하였다. 대한신문은 친일신문이 되어 이완용 내각의 기관지 역할을 하였다.

㉤ 일본은 1907년 신문지법을 제정하여 언론에 대한 탄압을 강화하였다. 광무신문지법이라고도 한다. 1907년에 제정하였으나, 1908년 법 개정을 통해 법 적용의 범위를 넓혔다. 그래서 영국인 베델 명의의 대한매일신보도 단속 대상에 포함되었다. 1952년 이승만 정부가 되어서야 폐지되었다.

07 다음에서 설명하는 신문은? [2023 지방직 9급]

- 서재필이 정부 지원을 받아 창간하였다.
- 한글판을 발행하여 서양의 문물과 제도를 소개하였다.
- 영문판을 발행하여 국내 사정을 외국인에게도 전달하였다.

① 제국신문 ② 독립신문
③ 한성순보 ④ 황성신문

해설

정답 ②

서재필이 정부 지원을 받아 창간한 신문은 독립신문이다. 1896년 창간된 독립신문은 우리나라 최초의 민간 신문이다. 국문판과 영문판으로 구성되었으며, 격일간지로 출발해 일간지로 발전하였다.

08 근대의 구국 계몽 운동에 대한 설명으로 가장 옳은 것은? [2016 서울시 9급]

① 송수만, 심상진은 대한자강회를 조직하고 일본의 황무지 개척에 반발하는 운동을 전개하여 이를 철회시켰다.

② 이종일은 순한글로 간행한 황성신문을 발간하여 정치 논설보다 일반 대중을 위한 사회계몽 기사를 많이 실었다.

③ 최남선은 을지문덕, 강감찬, 최영, 이순신 등의 애국 명장에 관한 전기를 써서 애국심을 고취하였다.

④ 고종은 을사늑약의 불법성을 폭로하는 친서를 양기탁과 영국인 베델의 대한매일신보를 통하여 발표하였다.

해설

정답 ④

을사늑약의 불법성을 폭로하는 고종의 친서는 대한매일신보에 발표되었다.

① 송수만, 심상진, 이상설 등이 보국안민을 기치로 서울에서 설립하고, 대한시설강령(1904)에 따라 일본이 황무지 개척권을 요구하자 이에 대한 반대 운동을 주도하였던 단체는 '보안회'이다.

② 이종일이 일반 대중을 위하여 순한글로 발간한 신문은 '제국신문'이다. 남궁억이 발간한 '황성신문'은 국한문혼용체였다.

③ 을지문덕전, 최영전, 이순신전 등을 써서 애국심을 고취한 인물은 '신채호'이다.

09 근대에 설립된 학교들을 설립된 순서대로 바르게 나열한 것은? [2008 선관위 9급]

① 이화학당 – 육영공원 – 오산학교 – 경신학교

② 육영공원 – 배재학당 – 이화학당 – 동문학

③ 원산학사 – 배재학당 – 흥화학교 – 경신학교

④ 동문학 – 배재학당 – 흥화학교 – 오산학교

해설 정답 ④

동문학(1883)은 조미수호통상조약 체결 이후 통역관을 양성하기 위하여 설립한 관립학교이다. 조미수호통상조약의 체결로 미국으로부터 선교사가 비교적 자유롭게 들어올 수 있었고, 선교사에 의해 배재학당(1885)이 설립되었다. 흥화학교(1898)는 민영환에 의해 설립된 사립학교이다. 1905년 을사조약 이후 사립학교 설립이 활성화되었으며, 특히 애국계몽운동 계열이 학교를 많이 세웠는데 그 중 하나가 신민회가 세운 오산학교(1907)이다.

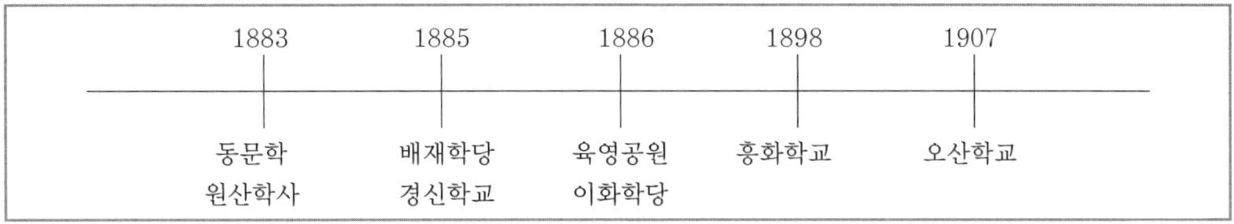

10 근대 교육기관 및 교육에 대한 설명으로 가장 적절한 것은? [2016 경찰]

① 고종은 광무개혁의 일환으로 교육입국조서를 반포하며 지·덕·체를 아우르는 교육을 내세웠고, 이에 따라 소학교, 한성사범학교 등이 설립되었다.

② 배재학당, 숭실학교, 경신학교, 정신여학교는 개신교 선교사들이 설립한 사립학교이다.

③ 최초의 사립학교인 육영공원은 함경도 덕원 주민들과 개화파 인사들의 합자로 설립되었으며, 외국어·자연 과학·국제법 등 근대학문과 함께 무술을 가르쳤다.

④ 대성학교, 오산학교, 서전서숙, 보성학교는 국내에 설립된 교육기관이다.

해설 정답 ②

근대적 사립학교에는 선교사가 설립한 사립학교와 애국계몽운동 계열이 설립한 사립학교가 있다.

개신교(기독교) 선교사가 설립한 사립학교	배재, 배화, 정신, 경신, 숭실, 숭의, 이화
애국계몽운동 계열이 설립한 사립학교	대성, 오산, 중앙, 점진, 휘문, 양정, 보성, 진명, 숙명, 순성

① 교육입국조서는 1895년 2월 '제2차 갑오개혁'의 일환으로 반포되었다. 이에 따라 소학교, 중학교, 사범학교, 외국어학교 등 각종 관립 학교가 설립되었다. 대표적인 사범학교는 한성사범학교(1895)이다.

③ 육영공원은 관립 학교이다. 최초의 사립 학교는 '원산 학사'로, 덕원(원산) 주민들과 개화파 인사들의 합자로 설립되었으며, 근대학문과 무술을 함께 가르쳤다.

④ 서전서숙은 1906년 이상설에 의해 북간도 용정에 설립되었다.

11 근대 교육기관에 대한 설명으로 가장 옳지 않은 것은? [2018 서울시 9급]

① 배재학당 : 선교사 아펜젤러가 서울에 설립한 사립학교이다.
② 동문학 : 정부가 설립한 외국어 교육 기관으로 통역관을 양성하였다.
③ 경신학교 : 고종의 교육입국조서에 따라 설립된 관립학교이다.
④ 원산학사 : 함경도 덕원 주민들이 기금을 조성하여 설립한 학교이다.

해설 정답 ③

경신학교는 1885년에 미국 북장로회 한국 선교사였던 언더우드가 세운 학교이다. 교육입국조서(1895)가 발표되기 전에 설립되었으며, 경신학교는 '사립학교'이다.
① 배재학당은 1885년에 미국 북감리회 선교사 아펜젤러가 설립한 사립학교이다.
② 동문학은 1883년에 정부가 설립한 외국어 교육 기관으로 통역관을 양성하였다.
④ 원산학사는 1883년에 함경도 덕원 주민들이 기금을 조성하여 설립한 학교이다.

12 다음 자료의 교육 기관에 대한 설명으로 가장 옳은 것은? [2017 법원직 9급]

> 문·무관, 유생 중에 어리고 총명한 자 40명을 뽑아 입학시키고 벙커와 길모어 등을 교사로 초빙하여 서양 문자를 가르쳤다. 문관으로는 김승규와 신대균 등 여러 명이 있고, 유사로는 이만재와 서상훈 등 여러 명이 있었다. 사색 당파를 골고루 배정하여 당대 명문 집안에서 선발하였다.
>
> 매천야록

① 관민이 합심하여 설립하였다.
② 경성 제국 대학으로 계승되었다.
③ 좌원과 우원의 두 반으로 편성되었다.
④ 근대식 사관 양성을 목적으로 하였다.

해설 정답 ③

'벙커, 길모어' 등 외국인 교사를 초빙하여 '당대 명문 집안'의 자제들에게 '서양 문자'를 가르친 학교는 육영공원(1886)이다. 육영공원은 문무 현직관료 중에서 선발된 학생을 수용하는 좌원(左院)과 양반자제에서 선발된 학생을 수용하는 우원(右院)의 두 반으로 구성되어 있었다.

02 20세기 초 문예의 새 경향

13 20세기 초 사회 현상에 대한 설명으로 옳지 않은 것은? [2011 사회복지직 9급]

① 신극 운동이 일어나 민족의식을 고취하였다.

② 외국의 역사서 혹은 문학작품들이 우리말로 번역되어 소개되었다.

③ 찬송가 등이 보급되면서 서양의 근대 음악이 자리잡기 시작하였다.

④ 기독교계에서는 영적 각성 운동으로 대부흥 운동이 일어났다.

해설

정답 ①

문화 문제에서 '20세기 초'란 일반적으로 '1900년~1910년'을 말한다. 이 시기의 키워드는 1) 신체시, 2) 신소설, 3) 번역문학, 4) 원각사, 5) 기독교 대부흥이다.

① '신극 운동'이란 민중의 각성을 촉구하는 연극 운동으로, 1920년대부터 토월회(1923), 극예술연구회(1931) 등을 중심으로 전개되었다. 이것은 '20세기 초'에 포함되지 않는다.

② '성경, 천로역정, 걸리버 여행기, 이솝우화' 등이 우리말로 번역되어 소개되었다.

③ 천주교·개신교의 활발한 전파와 함께 '성가, 찬송가' 등이 도입되었고, 서양식 악곡에 가사를 붙여 부르는 '창가'도 유행하였다.

④ 지식층의 정치운동이나 교육운동에 커다란 영향을 끼친 것은 기독교였는데, 특히 신교(新敎, 개신교)가 그러하였다. 1884년 미국 북장로회의 알렌이 오고, 다음 해에 같은 계통의 언더우드와 미국 북감리회의 아펜젤러가 온 이후 신교의 각파가 계속해서 선교사업을 활발히 전개하였다. 1905년에 이르러 개신교는 성경을 읽으며 자기반성을 하여 신앙심을 돋우는 사경회(査經會)를 대대적으로 개최하였고, 1907년에는 평양에서 시작된 기독교 대부흥 운동이 일어나기도 하였다.

14 다음 서적과 저자가 옳게 짝지어진 것은? [2017 경찰간부]

① 『말의 소리』 - 이봉운

② 『신정국문』 - 유길준

③ 『조선문전』 - 지석영

④ 『국어문법』 - 주시경

해설

정답 ④

주시경 본인의 말에 따르면 그가 『국어문법』을 쓰기 시작한 것은 1893년이고, 그의 나이 23세 되는 1898년에 완성하였다고 한다. 이 기간은 주시경이 배재학당에 다니고 있을 때였으므로 언더우드 선교사의 '한영문법' 등 영문법에 영향을 받은 것으로 보인다. 유길준은 자신의 책에 '문전(文典)'이라는 말을 주로 쓰는데, 주시경은 '문법(文法)'이라는 말을 써서 흥미로운 대조를 보여준다.

① 『말의 소리』는 1914년 신문관에서 발행한 주시경의 국어문법서이다.

② 『신정국문』은 1905년 지석영이 상소로 올린 국문 개혁안이다.

③ 『조선문전』은 1897~1902년 사이에 지은 유길준의 국어문법서이다. 이후 유길준은 1909년에 『대한문전』이라는 국어문법서를 간행하였다.

15 밑줄 친 '그'에 대한 설명으로 옳은 것은? [2018 국가직 7급]

> 독립신문 발간에 관여했던 그는 독립신문사 안에 '국문동식회(國文同式會)'를 조직했으며, 1897년 4월에 '국문론'이라는 글을 발표하기도 했다. 그는 당시의 문장들이 한문에 토를 다는 형식에 그치고 있다면서 실제로 말하는 대로 글을 쓰는 '언문일치'가 필요하다고 주장했다.

① 우리말큰사전의 편찬을 주도하였다.

② 문법 서적인 『국어문법』을 저술하였다.

③ 조선어연구회를 주도적으로 조직하였다.

④ 한글맞춤법 통일안을 만들어 발표하였다.

해설 정답 ②

주시경(1876~1914)은 개항과 식민지화의 흐름 속에서 우리말과 글을 연구하고 보급함으로써 국민을 계몽하고 나라의 자강과 독립을 도모하려 한 한글학자이다. 아펜젤러 선교사가 세운 배재학당에서 영문법을 공부하며 언어학의 이론을 정립했다. 서재필이 주도한 협성회와 독립협회에 참여하며 애국계몽사상을 고취할 수 있었다. 주시경은 독립협회가 발행한 우리나라 최초의 한글 신문 『독립신문』의 회계 및 교정을 맡아, 1896년에는 신문의 한글 표기를 합리적으로 통일하기 위해 독립신문사 안에서 국문동식회(國文同式會)를 결성해 한글을 연구하였는데, 이 국문동식회(1896)는 최초의 국어 연구회이다.

➲ 2018 경찰간부 한글을 전용하고 맞춤법을 제정할 것을 주장하는 등 실제적 측면에서 국어 연구를 본격화했다.

주시경이 처음 한글 전용을 주장한 것은 우리말과 일치하는 한글을 통해 보다 효과적으로 신학문을 보급하고 나라의 자강과 독립을 이룰 수 있다는 실용적인 목적 때문이었다. 배재학당에 재학 중이던 1897년 4월 『독립신문』에 기고한 국문론(國文論)에서는 한자와 같은 표의문자보다 한글과 같은 표음문자가 훨씬 배우기 쉽고 유용하다고 주장하였다. 즉, 한글은 "어리석은 어린 아이라도 하루 동안만 공부하면 넉넉히 다 알 만"한데, 이러한 글자를 두고 한자와 같은 "어렵고 어려운 그 몹쓸 그림을 배우려고 다른 일은 아무 것도 못 하고 다른 재주는 하나도 못 배우고 십여 년을 허비하여 공부하고서도 성취하지 못하는 사람"이 반을 넘는다. 그 때문에 백성은 무식하고 가난해지며 나라는 어둡고 약해진다는 것이다. 따라서 세종대왕이 "남녀 노소 상하 빈부 귀천 없이" 편리하게 사용하도록 창제한 훈민정음으로 모든 일을 기록하고, 사람들은 이로써 의회, 내무 외무, 재정, 법률, 육해군, 경제학 등 실상에 유익한 학문을 익혀 "우리나라 독립에 기둥과 주초"가 되어야 한다는 주장이었다.

② 주시경의 경우, 대한제국이 망국의 길을 걷게 되는 러일전쟁을 전후로 한 시기에 국문을 자주독립의 상징이자 고유의 민족문화로 인식하는 국수주의적 인식을 본격화하였다. 주시경은 이 시기 『대한국어문법(大韓國語文法)』(1906), 『국어문전음학(國語文典音學)』(1908), 『국어문법(國語文法)』(1910) 등 그 동안의 연구 성과를 책으로 출판했다.

①, ③, ④ 우리말큰사전의 편찬을 주도하고, 한글맞춤법 통일안을 발표한 단체는 조선어학회(1931)이다. 주시경은 1914년에 사망하였으므로, 조선어연구회(1921) 및 조선어학회(1931)에 참여할 수 없었다. 주시경은 조선어연구회의 전신인 국문연구소(1907)에서 활동하였으며, 조선어연구회 및 조선어학회는 그의 제자들인 이윤재, 최현배 등이 주도하였다.

16 다음은 1910년에 초판이 발행된 『국어문법(國語文法)』이다. 이 저서를 쓴 인물에 대한 설명으로 옳은 것은? [2023 계리직 9급]

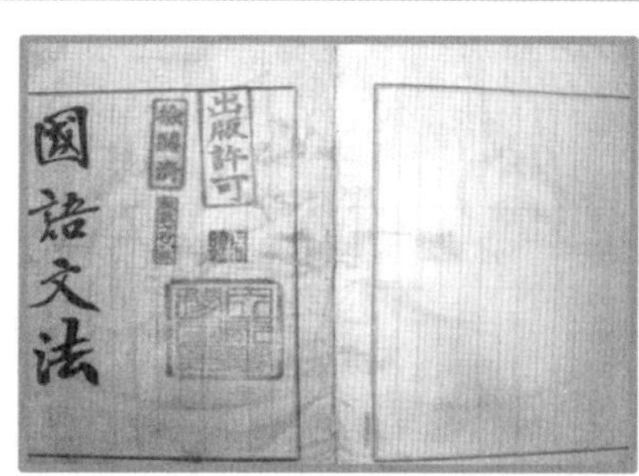

① 가갸날을 제정하였다.
② 국문연구소에서 활동하였다.
③ 조선어학회 사건으로 구속되었다.
④ 한글맞춤법통일안의 원안 작성에 참여하였다.

해설 정답 ②

『국어문법(國語文法)』을 간행한 인물은 주시경(1876~1914)이다. 주시경은 국문연구소에서 활동하였다.
① 가갸날을 제정한 단체는 조선어연구회이며, 주시경의 제자들이 조직하였다.
③ 조선어학회 사건으로 구속된 인물은 이극로, 이윤재, 최현배 등이다.
④ 한글맞춤법통일안은 조선어학회가 발표하였으며, 이윤재, 최현배, 김윤경 등이 주도하였다.

CHAPTER

02 민족의 수난과 항일 민족 운동(일제 강점기)

01 일제 강점기 개요

01 일본이 대한제국의 정부 기관에 자신들이 추천하는 고문을 두게 하여 대한제국의 내정에 간섭함으로써 실질적으로 주권을 침해하는 결과를 가져왔던 조약은? [2016 서울시 9급]

① 1904년 2월 한·일 의정서

② 1904년 8월 제1차 한·일 협약(한·일 협정서)

③ 1905년 제2차 한·일 협약(을사늑약)

④ 1907년 한·일 신협약(정미7조약)

해설

정답 ②

이 문제의 핵심어는 '고문'이다. 일본은 1904년 8월 한국의 재정과 외교를 장악하기 위해 제1차 한·일 협약을 맺었다. 이에 따라 재정 고문으로 메가타가, 외교 고문으로 스티븐스가 들어와 이른바 '고문 정치'가 시작되었다. 메가타는 1) 전환국을 폐지하고, 화폐 정리 사업을 추진하였으며, 2) '재정 정리'라는 이름으로 대한제국의 재정권을 박탈하고, 3) 근대화 사업을 위해 축적하였던 황실 재산을 해체시켰다.

02 다음은 19세기 말~20세기 초 일본의 조선 침략과 우리의 대응을 서술한 내용이다. 이와 관련하여 가장 적절하지 않은 것은? [2013 경찰]

㉠ 1894년 동학농민운동은 폐정개혁안을 기치로 내걸고 일어난 반봉건, 반외세운동이었다. 이를 계기로 청·일 전쟁이 일어났고, 조선에는 김홍집 내각이 수립되어 갑오개혁을 추진했다.

㉡ 1895년 일본은 청·일 전쟁에서 승리했지만, 러시아가 주도한 삼국간섭으로 한 발짝 뒤로 물러나야 했다. 이틈에 조선 조정은 배일친러정책을 표방했다.

㉢ 1895년 을미사변과 단발령을 계기로 의병운동이 일어났고, 1896년 고종은 러시아 공사관으로 피신했다.

㉣ 1897년 고종은 환궁해 대한제국을 선포하고, 광무개혁을 단행했다.

㉤ 1904년 러·일 전쟁이 일어났고, 1905년 일본이 승리했다. 1905년 일본의 강제로 을사조약이 체결되어 대한제국은 외교권을 빼앗겼다. 이에 전국적으로 의병운동이 일어났다.

① 청이 조선에 파병하자 일본도 톈진조약을 내세워 즉각 대규모의 병력을 조선에 파견함으로써, 청과 일본 사이에 전쟁의 기운이 감돌았다.

② 청·일 전쟁은 조선의 지배권을 둘러싸고 청·일 간에 일어난 전쟁이었다. 또한 을미사변은 일본이 조선의 친러 세력을 차단하기 위해 일으킨 테러행위였다.

③ 미국은 일본과 가쓰라·태프트 밀약을 체결해 미국의 필리핀 지배를 확인받고 일본의 조선 지배를 승인했다.

④ 러·일 전쟁은 만주와 조선의 지배권을 둘러싸고 러·일 간에 일어난 전쟁이었다. 러·일 전쟁에서 영국과 미국은 러시아를 지지했다.

해설 정답 ④

러·일 전쟁이 만주와 조선의 지배권을 둘러싼 러시아-일본 간의 전쟁인 것은 맞다. 그러나 러·일 전쟁에서 영국과 미국이 러시아를 지지했다고 볼 수는 없다. 당시 미국은 러시아 세력의 확장과 침투를 막기 위해 차라리 일본이 한국을 지배하는 것이 낫다고 판단하였으며, 미국의 필리핀에 대한 지배를 승인하는 대가로 일본의 한국 지배를 인정할 필요를 느끼고 있었다. 제1차 영일동맹(1902)으로 러시아를 공동의 적으로 규정한 영국과 일본은 1905년 영일동맹을 개정하여(제2차 영일동맹을 맺어) 일본의 한국에 대한 '보호 조치'를 취하는 것을 승인하였다.

03 다음 조약의 체결 결과 나타난 상황에 대한 설명으로 가장 옳지 않은 것은? [2018 경찰 특공대]

> 제3조 일본국 정부는 그 대표자로 한국 황제 폐하 밑에 1명의 통감을 두되 통감은 오로지 외교에 관한 사항을 관리하기 위하여 경성에 주재하고 친히 한국 황제 폐하를 만날 수 있는 권리를 가진다.

① 나철, 오기호가 5적 암살단을 조직하였다.

② 차관정치가 시작되고 고문제도가 폐지되었다.

③ 장지연이 항일 논설 「시일야방성대곡」을 기고하였다.

④ 이상설이 조약의 폐기를 주장하는 상소를 올렸다.

해설 정답 ②

한국 황제 폐하 밑에 1명의 '통감'을 두고, 그가 외교에 관한 사항을 관리하기 위해 한국 황제를 만날 수 있는 권리를 가지도록 하는 조약은 을사조약(1905)이다.

② 차관정치가 시작되어 통감의 권한을 확대하고, 차관이라는 실무자가 들어오면서 고문 제도가 폐지된 계기는 한일신협약(정미 7조약, 1907) 체결이다.

① 을사조약에 항거하여 나철과 오기호는 자신회라는 오적 암살단을 조직하였다.

③ 을사조약에 항거하여 장지연은 황성신문에 「시일야방성대곡」을 기고하였다.

④ 을사조약에 항거하여 이상설은 조약의 폐기를 주장하는 상소를 올렸다.

명호샘의 한마디!!

을사조약의 키워드는 1) 한국 황제 아래에 1명의 통감을 둔다, 2) 한국 정부의 외교권을 박탈한다(일본 정부가 대신한다)이다. 을사조약은 다음의 5개 조항으로 이루어져 있는데, 이 중 주로 출제되는 제1조~제3조의 내용을 숙지하여야 한다.

1. 일본국 정부는 재동경 외무성을 경유하여 금후 한국의 외국에 대한 관계 및 사무를 감리(監理), 지휘하며, 일본국의 외교 대표자 및 영사는 외국에 재류하는 한국의 신민(臣民) 및 이익을 보호한다. ➲ 2017 기상직 9급, 2017 국가직 9급 하반기, 2011 국가직 7급
2. 일본국 정부는 한국과 타국 사이에 현존하는 조약의 실행을 완수할 임무가 있으며, 한국 정부는 금후 일본국 정부의 중개를 거치지 않고는 국제적 성질을 가진 어떤 조약이나 약속도 하지 않기로 상약한다. ➲ 2021 지방직 9급, 2017 기상직 9급, 2017 경찰, 2015 해양경찰, 2011 국가직 7급
3. 일본국 정부는 그 대표자로 하여금 한국 황제 폐하의 궐하에 1명의 통감(統監)을 두게 하며, 통감은 오로지 외교에 관한 사항을 관리하기 위하여 경성(서울)에 주재하고 한국 황제 폐하를 친히 내알(內謁)할 권리를 가진다. ➲ 2021 지방직 9급, 2018 경찰 특공대, 2017 해경간부, 2016 경찰 일본국 정부는 또한 한국의 각 개항장 및 일본국 정부가 필요하다고 인정하는 지역에 이사관(理事官)을 둘 권리를 가지며, 이사관은 통감의 지휘하에 종래 재한국 일본 영사에게 속하던 일체의 직권을 집행하고 아울러 본 협약의 조관을 완전히 실행하는 데 필요한 일체의 사무를 장리(掌理)한다.
4. 일본국과 한국 사이에 현존하는 조약 및 약속은 본 협약에 저촉되지 않는 한 모두 그 효력이 계속되는 것으로 한다.
5. 일본국 정부는 한국 황실의 안녕과 존엄의 유지를 보증한다.

명호샘의 한마디!!

을사조약과 관련된 기출문장을 정리한다.

1) 을사조약이 체결되자 신돌석 등 평민 출신 의병장이 활약하였다. ➲ 2020 국가직 7급, 2017 국가직 9급, 2010 기상직 9급
2) 국한문 혼용체를 사용한 황성신문은 장지연의 '시일야방성대곡'을 실어 을사조약을 비판하고 민족의식을 고취하였다. ➲ 2016 경찰
3) 황성신문은 1898년 남궁억 등이 창간하였으며, 을사늑약의 체결과정을 설명한 '오건조약청체전말'이라는 기사를 실었다. ➲ 2015 기상직 7급
4) 고종은 을사늑약의 불법성을 폭로하는 친서를 양기탁과 영국인 베델의 대한매일신보를 통하여 발표하였다. ➲ 2016 서울시 9급, 2015 기상직 7급, 2011 국가직 9급
5) 을사늑약 이후 민족운동가들에 의한 사립학교 설립이 활발해졌다. ➲ 2015 기상직 7급
6) 고종은 을사조약의 무효를 선언하고 헤이그에 특사를 파견하였다. ➲ 2020 서울시 지방직 9급
7) 을사조약이 체결되자 이에 저항하여 민영환이 자결하였다. ➲ 2013 국가직 7급
8) 나철, 오기호가 5적 암살단을 조직하였다. ➲ 2018 경찰특공대
9) 이상설은 을사조약이 체결되자 조약의 무효를 주장하는 상소를 올렸다. ➲ 2019 소방

04 밑줄 친 '이 조약'의 내용으로 옳지 않은 것은? [2017 기상직 9급]

> 이 조약이 성립하지 않음은 상상컨대 이토가 스스로 알 수 있을 바이거늘, 오호라 개, 돼지만도 못한 소위 우리 정부 대신이라는 작자들이 영리에 어둡고 위협에 떨어서 이를 따르고 굽신거려 나라를 팔아먹는 도적이 되기를 서슴지 않았으니 4천년 강토와 5백년 종사를 남에게 바치고 2천만 국민을 남의 노예로 만들었으니 저들 개, 돼지만도 못한 외부대신 박제순 및 각 대신은 족히 책망할 것도 없으려니와 ……

① 고종이 도장을 찍거나 서명을 하지 않았다.
② 조약문에 통감부가 관리하는 행정용 어새를 찍었다.
③ 대한매일신보는 이 조약이 무효임을 선언하는 고종의 친서를 게재하였다.
④ 일제에 의해 강제로 체결된 조약이다.

해설 정답 ②

제시된 자료는 일제에 의해 강제로 체결된 을사조약을 비판하는 장지연의 논설 「시일야방성대곡」이다. 이 논설은 1905년 11월 20일 황성신문에 게재되었다. 을사조약에서는 다음과 같이 외교권 박탈을 규정하고 있다. 을사조약의 조약문에는 고종이 도장을 찍거나 서명을 하지 않았다. 이 사실을 알리는 고종의 친서가 대한매일신보에 게재되었다.
② '통감부'는 을사조약의 결과 1906년에 설치되었다.

05 다음 진술에 나타난 사실과 관련된 탐구 활동으로 가장 적절한 것은? [2009 수능]

> 문 : 그를 왜 죽였나?
> 답 : 한국이 국가와 민족의 유익을 위하여 고문으로 고빙하였는데 한국의 국록을 먹고 그 직임을 이용하여 한국의 원수 일본에 협조하여 한국을 모해하니, 그 증거는 샌프란시스코 크로니클 신문의 기사를 보아서 알 것이다. 이 같은 배신자를 용납하면 갈수록 우리나라를 모해하여 망하게 할 것이므로, 마음에 분기가 발하여 내 몸을 희생하여서 국가의 적을 없애 배신자를 징계하기로 결심하고 그의 행동을 살피다가 기차역에서 총을 발사하였다.

① 의열단의 활약상을 찾아본다.
② 안중근의 동양 평화론을 분석한다.
③ 헐버트의 미국 파견 목적을 조사한다.
④ 제 1 차 한·일 협약의 내용을 알아본다.
⑤ 대한국민의회의 성립 과정을 파악한다.

해설

정답 ④

'그'는 '고문'으로 한국에 들어와서, '일본에 협조'하였다. 그 증거인 '샌프란시스코 크로니클 신문의 기사'의 주요 내용은 다음과 같다.

> 1. 일본이 한국을 '보호'한 후로 한국에 유익한 일이 많으며, 근래 한일 양국 간에 교제가 점점 친밀해졌다.
> 2. 일본이 한국 백성을 다스리는 법이 미국이 필리핀을 다스리는 것과 같다.
> 3. 한국에 신정부가 조직된 후로 정계에 참여하지 못한 자가 일본을 반대하고 있지만, 농민들은 일본 사람을 환영한다.

자료에서 '그'는 제1차 한일협약(1904)에 따라 대한제국의 외교 고문으로 들어왔던 '스티븐스'이다. 1908년 미국에 잠시 돌아가 일본의 한국 침략을 옹호하는 발언을 하다가 장인환·전명운 의사에 의해 오클랜드 부두 페리(Ferry) 정거장에서 저격당하였다. 미국에서는 이 사건을 계기로 대한인국민회(1909)가 성립되었다.

06 다음은 일제에 의한 국권강탈 과정이다. [보기]를 순서대로 옳게 배열한 것은? [2006 서울시 9급]

> [보기]
> ㉠ 일본이 대한제국의 외교권을 대행하게 하였다.
> ㉡ 재정분야에 고문을 두었다.
> ㉢ 일본군이 전략상 필요한 지역을 마음대로 사용할 수 있게 하였다.
> ㉣ 한국 고등 관리의 임명과 해임은 통감의 동의를 얻게 하였다.

① ㉢ - ㉡ - ㉠ - ㉣
② ㉢ - ㉠ - ㉣ - ㉡
③ ㉠ - ㉢ - ㉡ - ㉣
④ ㉡ - ㉢ - ㉠ - ㉣
⑤ ㉢ - ㉠ - ㉡ - ㉣

해설

정답 ①

㉢ 일본이 러·일 전쟁을 위해 한국의 영토를 군용지로 자유롭게 쓸 수 있도록 규정한 조약은 한일의정서(1904. 2)이다. 이 의정서의 체결로 대한제국의 국외 중립국 선언도 파기되고 말았다.

㉡ 제1차 한일협약(1904. 8)에 따라 재정 분야 및 외교 분야에 고문을 두었다. 이 협약은 '재정 및 외교 고문 용빙에 관한 한·일 각서'라고도 한다.

㉠ '일본국 정부는 재동경 외무성을 경유하여 금후 한국의 외국에 대한 관계 및 사무를 감리, 지휘한다'고 규정하여 대한제국의 외교권을 박탈한 것은 을사조약(1905. 10)이다.

㉣ '한국 고등 관리의 임명과 해임은 통감의 동의를 얻게' 한 것은 통감의 권한을 확대시킨다는 의미이다. 통감은 을사조약으로 들어왔고, 한일신협약(1907, 정미7조약)으로 그 권한이 확대되었다.

07 다음은 대한제국과 일본이 체결한 각 조약의 내용을 일부 발췌한 것이다. 이를 시기 순으로 바르게 나열한 것은? [2016 경찰]

> ㉠ 한국 황제 밑에 1명의 통감을 두되 통감은 오로지 외교에 관한 사항을 관리하기 위해 경성에 주재하고 친히 한국 황제폐하를 만날 수 있는 권리를 가진다.
> ㉡ 대한제국 정부는 대일본제국 정부가 추천하는 일본인 1명을 재정 고문으로 삼아 재무에 관한 사항은 모두 그의 의견을 따른다.
> ㉢ 한국 고등 관리의 임면은 통감의 동의로써 이를 행할 것
> ㉣ 한일 양국 간에 오래도록 변하지 않는 친교를 유지하고 동양 평화를 확립하기 위하여, 대한제국 정부는 대일본제국 정부를 확신하여 시정 개선에 관한 충고를 받아들인다.

① ㉡ - ㉣ - ㉠ - ㉢
② ㉡ - ㉣ - ㉢ - ㉠
③ ㉣ - ㉠ - ㉢ - ㉡
④ ㉣ - ㉡ - ㉠ - ㉢

해설 정답 ④

㉣ 1904년 2월에 맺어진 한일의정서의 내용이다.

> 제1조 한·일 양제국은 항구불역(恒久不易)의 친교를 보지(保持)하고 동양의 평화를 확립하기 위하여, 대한제국 정부는 대일본제국 정부를 확신하고 시정(施政)의 개선에 한한 충고를 들을 것
> 제2조 대일본제국 정부는 대한제국의 황실을 확실한 친의로써 안전·강녕하게 할 것
> 제3조 대일본제국 정부는 대한제국의 독립과 영토보전을 확실히 보증할 것
> 제4조 제3국의 침해나 내란으로 인하여 대한제국의 황실 안녕과 영토 보전에 위협이 있을 경우에는 대일본제국 정부는 속히 임기응변의 필요한 조치를 행할 것이며, 대한제국 정부는 대일본제국 정부의 행동이 용이하도록 충분히 편의를 제공할 것. 대일본제국 정부는 전항의 목적을 성취하기 위하여 군략상 필요한 지점을 임기수용할 수 있다.
> 제5조 대한제국 정부와 대일본제국 정부는 상호의 승인을 경유하지 아니하고 훗날 본협정의 취지에 위반할 협약은 제3국간에 정립(訂立)할 수 없다.
> 제6조 본협약에 관련되는 미비한 세부 내용은 대한제국 외부대신과 대일본제국 대표자 사이에 임기 협정한다.

㉡ 1904년 8월에 맺어진 제1차 한일협약의 내용이다.

> 1. 한국정부는 일본정부가 추천하는 일본인 1명을 재정고문으로 하여 한국정부에 용빙하고, 재무에 관한 사항은 일체 그 의견을 물어 시행할 것
> 2. 한국정부는 일본정부가 추천하는 외국인 1명을 외교고문으로 하여 외부에 용빙하고 외교에 관한 요무(要務)는 일체 그 의견을 물어 시행할 것
> 3. 한국정부는 외국과의 조약체결, 기타 중요한 외교안건, 즉 외국인에 대한 특권양여와 계약 등의 처리에 관하여는 미리 일본정부와 협의할 것

㉠ 1905년 11월에 맺어진 제2차 한일협약(을사조약)의 내용이다.
㉢ 1907년 7월에 맺어진 한일신협약(정미7조약)의 내용이다.

> 1. 한국 정부는 시정 개선에 관하여 통감의 지도를 받는다.
> 2. 한국 정부의 법령 제정 및 중요한 행정상의 처분은 미리 통감의 승인을 거친다.
> 3. 한국 고등 관리의 임명은 통감의 동의로써 행한다.
> 4. 한국 정부는 통감이 추천한 일본인을 한국 관리로 임명한다.
> 5. 한국 정부는 통감의 동의 없이 외국인을 용빙(傭聘)하지 아니한다.

08 밑줄 친 '회의'에 대한 설명으로 가장 적절한 것은? [2016 법원직 9급]

> 러시아는 회의 초청장을 대일 견제와 설욕의 감정이 고조된 시기에 한국 측에 발송하였다. 회의에 대한 제국을 초청한 까닭은 주창국인 러시아가 패전에도 불구하고 한국의 '독립'을 명분삼아 그들의 기득권을 최대한 유지하기 위함이었다. 다시 말해 회의의 초청은 러시아가 일본의 '한국' 보호에 타격을 주기 위해 다수의 열강이 한국의 독립을 보장하도록 할 목적으로 특사 파견을 '의도적으로 유도하기' 위한 것이었다.

① 미국 대통령 윌슨이 민족 자결주의를 제창하였다.
② 일제가 고종을 강제로 퇴위 시키는 빌미가 되었다.
③ 회의 결과 대한민국 임시 정부가 큰 타격을 입게 되었다.
④ 3국의 외무장관이 모스크바에 모여 한국의 독립 시기를 의논하였다.

해 설

정답 ②

1905년 11월 을사늑약(을사조약)이 강제적으로 체결되자, 고종은 을사조약의 무효를 선언하고 헤이그에 특사를 파견하였다. ➲ 2020 서울시 9급 1906년 러시아 황제 니콜라스 2세가 비밀리에 고종에게 '제2회 만국평화회의'의 초청장을 보내오자, 고종은 정사 이상설, 부사 이준·이위종을 파견하였고, 이들은 1907년 6월 헤이그에 도착하였다. 그러나 을사조약을 맺은 대한제국은 자주적인 외교권을 행사할 수 없다는 이유로 회의 참석과 발언권을 거부당하였다. 이에 신문기자단의 국제협회에 참석하여 이위종이 '한국의 호소(A plea for Korea)'를 발표하는 데 그쳐야 했다.

헤이그 특사 파견의 소식이 전해지자 당시 통감이었던 이토 히로부미는 고종에게 특사 파견의 책임을 물어 강제로 퇴위시켰다(1907. 7. 18). 순종이 즉위한 후(7. 20), 한일신협약(정미7조약)을 체결하고(7. 24), 신문지법을 공포하였으며(7. 29), 군대를 해산시켰다(7. 31).

① 파리강화회의(파리평화회의, 1919~1920)
③ 국민대표회의(1923)
④ '3국의 외무장관이 모스크바에 모인' 회의는 모스크바 3국 외상회의(1945. 12)이다. 그러나 여기에서 한국의 독립 시기를 의논하지는 않았다. 이미 독립은 이루어진 상태 아닌가.

명호샘의 한마디!!

시험에서 '해아밀사'라는 말이 나올 수 있다. 당시에 신문, 잡지에 쓰던 표현이다. 해아(海牙)는 '헤이그'를 한문으로 쓴 것이고, 밀사(密使)는 비밀리에 보내는 특사를 말한다. 즉 '해아밀사'는 헤이그특사(1907)이다. 이 한자 표현이 나왔을 때, 이상설·이준·이위종을 떠올리기를.

09 ㉠ 이후에 일어난 사건으로 가장 옳은 것은? [2023 법원직 9급]

> 대한제국 대황제는 대프랑스 대통령에게 글을 보냅니다. 일본은 우리나라에 ㉠ 불의한 일을 자행하였습니다. 다음은 그에 대한 증거입니다. 첫째, 우리 정무대신이 조인하였다고 운운하는 것은 정당하지 않으며 위협을 받아 강제로 이루어진 것입니다. 둘째, 저는 조인을 허가한 적이 없습니다. 셋째, 정부회의 운운하나 국법에 의거하지 않고 회의를 한 것이며 일본인들이 강제로 가둔 채 회의한 것입니다. 상황이 그런즉 이른바 조약이 성립되었다고 일컫는 것은 공법을 위배한 것이므로 의당 무효입니다. 당당한 독립국이 이러한 일로 국체가 손상당하였으므로 원컨대 대통령께서는 즉시 공사관을 이전처럼 우리나라에 다시 설치해주시기를 바랍니다.

① 포츠머스 조약이 체결되었다.
② 이사청에 관리가 파견되었다.
③ 러시아가 용암포를 점령하고 조차를 요구하였다.
④ 제1차 한 · 일협약(한일 외국인 고문 용빙에 관한 협정서)이 조인되었다.

해설 정답 ②

'대한제국'은 1907년부터 1910년까지 존속하였다. 일본이 우리의 외교권을 박탈하자, 각국의 '공사관'은 철수하였다. 제시된 자료는 프랑스에 공사관 재설치를 요구하는 서신이다. '불의한 일'이란 1905년의 을사조약(을사늑약)을 말한다.

② 을사조약이 체결되자, 일본인 통감이 우리나라에 입국하였다. 서울에는 통감부가 설치되고, 지방에는 통감부의 지방기관인 이사청(理事廳)이 설치되었다. 이사청에는 이사관 1명, 부이사관 1~2명 등이 파견되었는데, '이사청에 관리가 파견되었다'는 말은 이사관이나 부이사관이 파견되었다는 말이다.
① 을사조약은 1905년 11월(음력 10월)에 체결되었고, 포츠머스 조약은 1905년 10월(음력 9월)에 체결되었다. 가쓰라-태프트 밀약, 제2차 영일동맹, 포츠머스 조약은 모두 을사조약 직전에 체결된 조약들이다.
③ 러시아가 용암포를 점령하고 조차를 요구한 때는 1903년이다. 을사조약 이전이다.
④ 제1차 한 · 일협약이 조인된 때는 1904년이다. 을사조약 이전이다.

10 다음 상황 이후에 전개된 사실로 옳지 않은 것은? [2023 계리직 9급]

> 제1조 일본국 정부는 재동경 외무성을 경유하여 금후 한국의 외국에 대한 관계 및 서무를 감리 지휘할 것이며, 일본국의 외교 대표자 및 영사는 외국에 재류하는 한국의 신민 및 이익을 보호할 것이다.
>
> … (중략) …
>
> 제5조 일본국 정부는 한국 황실의 안녕과 존엄을 유지하기를 보증한다.

① 일본은 청과 간도 협약을 맺었다.
② 민종식, 최익현, 신돌석 등이 각각 의병부대를 조직하였다.
③ 한국 정부는 일본의 은행과 1천만 엔의 차관 도입을 계약하였다.
④ 일본 제일은행권을 본위 화폐로 삼는 화폐 정리 사업이 시작되었다.

해설

정답 ④

'일본국 정부는 재동경 외무성을 경유'하여 '한국의 외국에 대한 관계 및 서류를 감리 지휘'한다는 것은 대한제국의 외교권을 일본이 대신 담당한다는 의미로, 대한제국 입장에서는 '외교권 박탈'을 의미한다. 제시된 자료는 을사조약이다(1905).

① 1909년 일본은 청과 간도 협약을 체결하여 남만주의 안동 – 봉천간 철도 부설권을 얻는 대가로 간도를 청의 영토로 인정하였다.

② 1905년 을사조약 체결 이후, 민종식(홍주성), 최익현(태인), 신돌석(울진, 평해, 영해) 등이 각각 의병부대를 조직하였다.

③ 1905년에 을사조약이 체결되어 이토 히로부미가 통감으로 부임한 후, 일본 은행과 1천만 엔의 차관 도입을 계약하였다.

④ 1904년 일본은 전환국을 폐지하였다. 이어서 1905년에는 백동화를 정리하고, 일본의 제일은행권을 본위 화폐로 삼았다. 1904년 11월에 전환국이 폐지되고, 1905년 초부터 화폐정리를 시작했으므로, 이것은 을사조약 이전에 발생한 사건이다.

11 국권이 침탈되기까지의 과정을 시기 순으로 바르게 나열한 것은? [2017 국가직 9급]

㉠ 헤이그 특사 파견을 문제 삼아 고종 황제를 강제로 퇴위시켰다.
㉡ 일본인 메가타를 재정 고문으로, 미국인 스티븐스를 외교 고문으로 임명하도록 하였다.
㉢ 대한제국의 사법권을 빼앗고 감옥 사무를 장악하였다.
㉣ 통감이 추천한 일본인을 대한제국의 관리로 임명하도록 하였다.

① ㉠ → ㉡ → ㉢ → ㉣
② ㉡ → ㉠ → ㉣ → ㉢
③ ㉡ → ㉢ → ㉠ → ㉣
④ ㉣ → ㉡ → ㉠ → ㉢

해설

정답 ②

㉡ "일본인 메가타를 재정 고문으로, 미국인 스티븐스를 외교 고문으로 임명하도록 하였다."는 것은 제1차 한일협약의 체결(1904)을 의미한다.

㉠ 헤이그 특사 파견을 문제 삼아 고종 황제를 강제로 퇴위 시킨 때는 1907년 7월 20일이다.

㉣ "통감이 추천한 일본인을 대한제국의 관리로 임명하도록 하였다."는 것은 통감의 권한이 확대되었다는 뜻으로 정미 7조약(한일 신협약, 1907)의 체결을 의미한다. ➲ 2018 지방직 9급 정미 7조약은 고종을 퇴위시킨 일제가 대한제국의 국권을 완전히 장악하기 위해 순종 즉위 4일째 되는 날(1907년 7월 24일)에 강제적으로 체결한 조약이다.

㉢ "대한제국의 사법권을 빼앗고 감옥 사무를 장악하였다."는 것은 기유각서의 체결(1909)을 의미한다.

12 다음의 협약 이후 일어난 일로 옳지 않은 것은? [2019, 2017 서울시 9급]

• 한국 정부는 시정 개선에 관하여 통감의 지도를 받을 것
• 한국 정부의 법령 제정 및 중요한 행정상의 처분은 미리 통감의 승인을 거칠 것
• 한국 고등 관리의 임면은 통감의 동의로써 이를 행할 것
• 한국 정부는 통감이 추천하는 일본인을 한국 관리에 임명할 것

① 13도 창의군의 서울진공작전
② 고종의 헤이그 특사 파견
③ 대한제국 군대 해산
④ 대한제국 경찰권 박탈

해설 정답 ②

제시된 자료는 한일 신협약(정미 7조약, 1907)이므로, '다음의 협약 이후 일어난 일'이란 1907년 7월 체결된 한일 신협약 체결 이후를 말한다. '헤이그 특사(6. 25 도착, 7. 9 신문기자단의 국제협회에 참석 및 발언, 7. 14 이준 순국) → 고종퇴위(7. 20 순종즉위) → 한일신협약(1907. 7. 24) → 군대해산(1907. 7. 31) → 박승환 자결(1907. 8. 1)' 순으로 발생하였다.

② '고종의 헤이그 특사'가 헤이그에 모두 도착한 때는 1907년 6월이다. 이 사건을 계기로 고종이 강제 퇴위되었고, 순종이 즉위하면서 즉시 한일신협약이 체결되었으며, 이후 군대가 해산되었다.

① '13도 창의군의 서울진공작전'은 1908년에 전개되었다.

③ 대한제국의 '군대 해산' 명령은 순종이 즉위하여 내렸다.

④ 대한제국의 '경찰권'은 1910년에 박탈되었다.

13 (가)~(다)에 대한 설명으로 가장 옳지 않은 것은? [2024 법원직 9급]

(가) 대한 정부는 일본 정부가 추천한 일본인 1명을 재정 고문으로 삼아 대한 정부에 용빙하여 재무에 관한 사항은 일체 그의 의견을 물어서 시행해야 한다.

(나) 한국 정부는 금후 일본국 정부의 중개를 거치지 않고서는 국제적 성질을 가진 어떠한 조약이나 약속을 하지 않을 것을 약속한다.

(다) 러시아는 일본이 한국에서 정치상 군사상 및 경제상의 특수한 이익을 갖는다는 것을 승인하고 일본 정부가 한국에서 필요하다고 인정하는 지도, 보호 및 감리의 조치에 대해 방해하거나 간섭하지 않을 것을 약속한다.

① (가) 조약 체결로 메가타는 화폐 정리 사업을 실시하였다.

② (나) 조약 체결로 청과 일본간의 간도협약이 체결되었다.

③ (다) 조약 이후 일본은 독도를 불법 점령하였다.

④ (가) – (다) – (나) 순서로 조약이 체결되었다.

해설 정답 ③

(가) '일본인 1명을 재정 고문'으로 용빙하고, 외국인 1명을 외교 고문으로 용빙한다는 제1차 한일협약(1904. 8)이다.

(나) 한국 정부는 '일본국 정부의 중개를 거치지 않고서는 국제적 성질을 가진 어떠한 조약이나 약속도 하지 않는다'(외교권 박탈)는 제2차 한일협약(을사조약, 1905. 10)이다.

(다) '러시아'는 '일본'이 한국에서 독점권을 가지는 것을 인정한다는 포츠머스 강화조약(1905. 9)이다.

① 제1차 한일협약의 체결로 재정 고문 메가타는 화폐 정리 사업을 실시하였다.

② 을사조약 체결로 한국 정부는 외교권을 박탈당하였고, 청과 일본간에 간도협약이 체결되었다(1909).

④ 제1차 한일협약(1904. 8), 포츠머스 강화조약(1905. 9), 을사조약(1905. 10)의 순서로 체결되었다.

③ 일제는 러일 전쟁 도발 후에 군사적으로 한국을 점령하고, 시마네 현의 고시 제40호에 따라 독도를 일방적으로 일본 영토로 편입하였다(1905. 2). (다)와 일본의 독도 불법 점령은 모두 1905년에 발생한 사건이지만, 시마네 현 고시 제40호가 먼저이다.

14 [보기]의 사건을 시간순으로 바르게 나열한 것은? [2018 서울시 9급]

[보기]

㉠ 일본군이 인천항에 정박한 러시아군함 2척을 공격
㉡ 대한제국정부의 국외중립 선언
㉢ 일본군이 러시아에 선전포고
㉣ 한일의정서 체결

① ㉠ – ㉣ – ㉡ – ㉢
② ㉡ – ㉠ – ㉢ – ㉣
③ ㉠ – ㉢ – ㉣ – ㉡
④ ㉡ – ㉣ – ㉢ – ㉠

해설

정답 ②

㉡ 대한제국정부의 국외중립 선언은 러일전쟁 직전인 1904년 1월 21일에 이루어졌다. 1904년 러일 전쟁의 전운이 감돌자 대한제국의 내장원경이자 탁지부대신서리인 이용익은 중립화 추진 세력들과 연계하여 국외 중립화 선언을 준비하였다. 이들은 벨기에 고문과 영국, 미국, 프랑스, 독일어학교 등의 외국어 교사들과 연합하여 국외중립을 선언하였다. 고종 황제는 중립선언으로 한국이 전쟁의 위험에서 탈피할 것으로 판단하였다. 또한 중립 선언에 대해 영국, 프랑스, 독일 등의 공사들이 접수를 통보하자 이제 독립 불가침을 승인받은 것으로 판단했다. 그러나 서울에 주재한 영국공사 조던(J. N. Jordan)은 일본과 러시아 간에 전쟁이 일어날 경우 한국 정부는 서울을 먼저 점령하는 측의 지배 아래 들어가게 될 것이며, 그 지시에 따라 움직일 것이 분명하므로 한국의 중립 선언이란 의미가 없다고 보았다. 이러한 예견대로 일본이 먼저 서울을 점령하여 이로써 대한제국은 일본의 지배 아래 들어가게 되었다.

㉠ 일본군이 인천항에 정박한 러시아군함 2척을 공격한 때는 1904년 2월 8일이다. 그 과정은 이렇다. 일본 연합함대는 1904년 2월 6일 사세보항을 출발, 러시아 함대가 머물고 있는 인천과, 황해에서 러시아 해군의 거점인 요동반도의 여순으로 향했다. 인천으로 향한 제4전대는 육군 운송선 3척을 호송, 이들을 한반도에 상륙시키는 임무를 띠고 있었다. 일본 함대는 2월 8일 인천에 정박 중인 러시아 순양함 2척을 공격, 침몰시키고 수송선은 상륙작전을 완료했다. 러일전쟁은 이같이 인천 앞바다에서 시작되었다. 여순으로 향한 연합함대는 2월 9일 심야에 러시아 함대를 기습하여 전함 2척, 순양함 1척을 좌초시켰다.

㉢ 일본군이 러시아에 선전포고를 한 때는 1904년 2월 10일이다. (먼저 공격하고, 나중에 선전포고를 했다.) 러시아도 같은 날 일본에 전쟁을 선언했다.

㉣ 한일의정서는 1904년 2월 23일에 체결되었다. 한일의정서는 러일 전쟁을 일으킨 직후 일본이 한국을 자신들의 세력권으로 삼으려고 공수동맹(攻守同盟)을 전제로 하여 체결한 외교문서이다.

15 (가), (나)에 대한 설명으로 옳은 것은? [2021 국회직 9급]

> 일본은 미국과 영국의 지원을 받고 (가)(을/를) 일으켰다. 이 전쟁이 일어날 위험이 닥치자 대한제국은 국외중립을 선언하였다. 그러나 일본은 개전하자마자 서울에 군대를 주둔시키고 (나)의 체결을 강요하였다.

① (가) – 그 결과 일본은 청에게 랴오둥 반도와 타이완을 할양받았다.
(나) – 통감부를 설치하고 한국의 독자적인 외교권을 박탈하였다.

② (가) – 일본이 랴오둥 반도의 뤼순항을 기습 공격하였다.
(나) – 일본이 전략상 필요한 곳을 제공받게 되었다.

③ (가) – 조선에 대한 청의 종주권을 빼기 위한 목적이 컸다.
(나) – 그 결과 청 · 미국 · 영국 등의 주한공사들이 철수하였다.

④ (가) – 포츠머츠 강화조약을 체결하고 전쟁을 종결하였다.
(나) – 대한제국의 군대를 해산하는 조항을 담았다.

⑤ (가) – 시모노세키 조약을 체결하고 전쟁을 종결하였다.
(나) – 일본인 고문관을 각 부처에서 의무적으로 고용하게 되었다.

해설 정답 ②

일본이 미국과 영국의 지원을 받고 일으켰으며, 대한제국이 국외중립을 선언하게 된 '이 전쟁'은 러일전쟁(1904~1905)이다. 일본은 1904년 2월에 제물포와 뤼순항을 기습공격하여 전쟁을 일으켰다. 전쟁이 일어나자마자 서울로 진입한 일본은 곧 한일의정서의 체결을 강요하였다. 한일의정서는 한국의 안전을 지킨다는 명목으로 일본이 한국의 영토를 '군용지(전략상 필요한 곳)'로 자유롭게 쓸 수 있도록 하였다.

① (가) 일본은 청일전쟁의 결과 시모노세키 조약을 맺어 청으로부터 랴오둥 반도와 타이완을 할양받기로 하였다(1895). (나) 을사조약으로 우리나라의 외교권이 박탈되었으며(1905), 통감부는 그 다음 해에 설치되었다(1906).

③ (가) 조선에 대한 청의 종주권을 빼기 위한 목적의 전쟁은 청일전쟁이다(1894). (나) 을사조약에 따라 대한제국의 외부는 폐지되고, 한국 주재 각국 공사관도 철수하였다.

④ (가) 러일전쟁의 결과 포츠머스 강화조약이 맺어졌다(1905). (나) 일본은 한일신협약(정미 7조약)을 맺어 통감의 권한을 확대하고, 그 부속 밀약을 맺어 한국 군대를 해산하였다(1907).

⑤ (가) 청일전쟁의 결과 시모노세키 조약이 맺어졌다(1895). (나) 일본은 제1차 한일협약을 맺어 재정 고문과 외교 고문을 한국에 보내기로 하였다(1904).

명호샘의 **한마디!!**

러일전쟁(1904~1905)은 그 전개 과정과 결과가 출제된다. 다음의 순서를 외우기 바란다.

1) 러시아의 용암포 조차 요구(1903)
2) 고종의 전시 국외 중립국 선언(1904. 1. 21)
3) 일본의 제물포 공격(1904. 2. 8), 뤼순항 공격(1904. 2. 9)
4) 일본군의 선전 포고(1904. 2. 10)
5) 한일의정서 체결(1904. 2. 23)
6) 봉천 전투(1905. 3)
7) 포츠머스 강화조약(1905. 9)
8) 을사조약(1905. 10)

02 1910년대의 무단통치와 민족 독립운동

01 다음의 시와 관련된 역사적 사건에 대한 설명으로 가장 옳은 것은? [2016 서울시 7급]

> 새 짐승도 슬피 울고 산악 해수 다 찡기는 듯
> 무궁화 삼천리가 이미 영락되다니
> 가을 밤 등불 아래 책을 덮고서 옛일 곰곰이 생각해 보니
> 이승에서 지식인 노릇하기 정히 어렵구나.

① 일본은 영일동맹, 태프트-가쓰라 각서와 포츠머스 조약을 통하여 각각 영국, 미국, 러시아로부터 대한제국에 대한 지배를 인정받았다.
② 일본은 군대를 거느리고 들어가 고종 황제와 대신들을 협박하면서 조약에 서명할 것을 강요하였으나, 황제는 끝까지 서명을 거부하였다.
③ 일본은 국가의 법령 제정, 중요 행정처분, 고등 관리의 임명에 대해 통감의 사전 승인을 받도록 하였고 통감이 추천한 일본인을 관리로 임명하도록 하였다.
④ 육군 대신 데라우치는 2천여 명의 헌병을 데리고 들어와 경찰 업무를 담당하게 하였고, 순종에게 양위의 조서를 내리도록 강요하였다.

해설 정답 ④

제시된 자료는 매천 황현이 한일강제병합(경술국치)에 분개하여 자결하면서 쓴 '절명시(絕命詩)'의 일부이다. 즉 '다음의 시와 관련된 역사적 사건'이란 한일강제병합(1910)이다. 이토 히로부미가 죽고 새로운 통감이 된 일본 육군 대신 데라우치 마사타케는 1910년 8월 순종에게 양위 조서를 내리도록 강요하면서 한일강제병합조약(경술국치조약)을 맺게 하였다. 이 조약의 서문에 '일본국 황제폐하는 통감 자작 데라우치 마사타케를, 한국 황제폐하는 내각총리대신 이완용을 각각 전권위원으로 임명함'이라고 기록되어 있다.

> 난리 통에 어느새 머리만 희어졌구나.
> 몇 번 목숨을 버리려 하였건만 그러질 못하였네.
> 하지만 오늘만은 진정 어쩔 수가 없으니
> 바람에 흔들리는 촛불만이 아득한 하늘을 비추는구나.
> 요사한 기운 뒤덮어 천제성도 자리를 옮기니
> 구중궁궐 침침해라 낮 누수 소리만 길고나.
> 상감 조서(詔書) 이제부턴 다시 없을 테지.
> 아름다운 한 장 글에 눈물만 하염없구나.
> 새와 짐승도 슬피 울고 강산도 찡그리니 [鳥獸哀鳴海岳嚬]
> 무궁화 온 세상이 이젠 망해 버렸어라. [槿花世界已沈淪]
> 가을 등불 아래 책 덮고 지난 날 생각하니 [秋燈掩卷懷千古]
> 이승에서 지식인 노릇하기 어렵기도 하구나. [難作人間識字人]
> 일찍이 조정을 버틸만한 하찮은 공도 없었으니
> 그저 내 마음 차마 말 수 없어 죽을 뿐 충성하려는 건 아니라
> 기껏 겨우 윤곡을 뒤따름에 그칠 뿐
> 당시 진동(陳東)의 뒤를 밟지 못함이 부끄러워라.

①, ② 일제는 '(제2차) 영일동맹, 태프트-가쓰라 각서와 포츠머스 조약'을 맺은 후 이어 '을사조약'을 체결하였다. 이때 일본은 군대를 거느리고 들어가 고종 황제와 대신들을 협박하면서 조약에 서명할 것을 강요하였으나, 황제는 끝까지 서명을 거부하였다.

③ 국가의 법령 제정, 중요 행정처분, 고등 관리의 임명에 대해 통감의 사전 승인을 받도록 하였고 통감이 추천한 일본인을 관리로 임명하도록 하는 '한일 신협약(정미 7조약)'을 체결하였다.

02 다음 자료에 나타난 사업에 대한 설명으로 옳지 않은 것은? [2012 경찰간부 변형]

> 제4조 토지 소유자는 조선 총독이 정하는 기간 내에 주소·씨명, 명칭 및 소유지의 소재, 지목, 자번호(字番號), 사표, 등급, 지적, 결수(結數)를 토지 조사 국장에게 신고해야 한다. 단, 국유지는 보관 관청이 토지 조사 국장에게 통지해야 한다.
>
> 제6조 토지의 조사 및 측량을 할 때, 조사 및 측량 지역 내의 2인 이상의 지주로 총대를 선정하고 조사 및 측량에 관한 사무에 종사하게 할 수 있다.
>
> 제17조 임시토지조사국은 토지대장 및 지도를 작성하고 토지의 조사 및 측량에 대해 사정(査定)으로 확정한 사항 또는 재결을 거친 사항을 이에 등록한다.

① 토지의 소유권과 가격, 지형, 지목 등을 조선총독이 정한 기간에 신고하도록 규정하였다.
② 토지의 매매와 저당을 자유롭게 함으로써 일본인이 쉽게 토지에 투자할 수 있게 하였다.
③ 명의상 주인을 내세우기 어려운 동중, 문중 토지의 상당수는 조선총독부의 소유가 되었다.
④ 농민들의 입회권을 허용하여 토지에 대한 농민들의 권리가 종전에 비하여 크게 강화되었다.

해설 정답 ④

제시된 자료는 일제가 토지조사사업을 추진하기 위해 공포한 '토지조사령'이다. 합법을 가장한 한국 토지의 강탈 작업이었던 토지조사사업을 위해 '일제는 1910년 토지조사국을 설치하고 1912년 토지조사령을 공포하였다.' ➲ 2011 사회복지직 9급 그러므로 토지조사사업의 기간은 '1910년~1918년'이라고 할 수도 있고, '1912년~1918년'이라고 할 수도 있으나, 어떻게 말하더라도 역시 '1910년대'이다.

④ '농민들의 입회권'이란 '공유지에 대한 농민의 입회권'으로, 공유지에서 땔감용 잡목이나 여물, 두엄 등을 거둘 수 있는 권리를 말한다. 일제는 공유지에 대한 농민의 입회권을 부정하였다. ➲ 2008 국가직 9급 이뿐만 아니라 경작권 등 소작농민의 권리도 부정되었다. ➲ 2008 국가직 9급

① 토지 소유자는 조선 총독이 정하는 기간 내에 주소·씨명, 명칭 및 소유지의 소재, 지목, 자번호, 사표, 등급, 지적, 결수를 토지조사 국장에게 신고해야 한다. 단, 국유지는 보관 관청이 토지조사 국장에게 통지해야 한다.(토지조사령 제4조) 즉 일제의 토지조사사업은 '신고주의'였다.

② 조선총독부는 강탈한 토지를 동양척식주식회사나 일본인에게 헐값으로 불하하였는데, 일본인들은 이것을 투자(투기)의 기회로 삼았다. 또한 토지조사사업과 병행하여 일본인 농업이민과 일본인 지주들이 증가했다. ➲ 2011 사회복지직 9급

③ 토지조사사업의 결과 종래 공전이었던 역둔토(驛屯土)와 궁장토(宮庄土) 및 산림·초원·황무지, 그리고 동중·문중의 공유지는 물론 신고를 하지 않은 모든 토지가 총독부의 소유가 되었다.

> • 명의상의 주인을 내세우기 어려운 동중·문중 토지의 상당부분이 국유지에 편입되었다. ➲ 2011 국가직 7급
> • 궁방전, 역둔토 등과 동중 혹은 문중의 신고하지 않은 토지는 일제 총독부에 넘어가는 경우가 많았다. ➲ 2006 국가직 7급

03 다음 법령에 대한 설명으로 옳은 것은? [2016 국가직 9급]

> 제17관 임시토지조사국은 토지대장 및 지도를 작성하고, 토지의 조사 및 측량한 것을 사정하여 확정한 사항 또는 재결을 거친 사항을 이에 등록한다.

① 토지와 임야를 함께 조사하도록 하였다.
② 토지 등급은 물론 지적, 결수, 지목 등을 신고하도록 하였다.
③ 지역별 지가와 그것의 1.3%를 지세로 하는 과세 표준을 명시하였다.
④ 본 법령에 따라 토지 소유를 증명하는 토지가옥증명규칙과 시행세칙이 공포되었다.

해설

정답 ②

제시된 자료는 1910년 일제의 무단통치 기간에 공포된 토지조사령(1912)의 일부이다.
① 토지조사령에서는 '토지 조사'와 관련된 내용만 다룬다. 임야조사령은 1918년에 별도로 공포되었다.
③ 일제는 1912년부터 실시한 토지조사사업을 바탕으로 1914년 지세령을 공포하였다. '지역별 지가와 그것의 1.3%를 지세로 하는 과세 표준을 명시'한 것은 개정 지세령(1918)이다.
④ 토지가옥증명규칙은 대한제국이 1906년 칙령 및 법부령으로 외국인의 부동산 소유 확대를 허용한 법령이다.

04 다음 자료와 관련된 사업에 대한 설명으로 가장 옳지 않은 것은? [2016 서울시 9급]

> 만약 지주가 정해진 기한 내에 조사국 혹은 조사국 출장소원에게 신고 제출을 게을리 하거나 신고를 제출하지 아니하는 때는 당국에서 이 토지에 대해 지주의 소유권 유무 등을 심사하여 만약 소유자로 인정하지 못할 경우에는 이 토지를 지주가 없는 것으로 간주하여 당연히 국유지로 편입하는 수단을 집행할 것이니, 일반 토지 소유자는 고시에 의한 신고 제출을 게을리 하지 말도록 하였더라.
>
> 「매일신보」

① 소유권 분쟁을 인정하지 않아 분쟁은 발생하지 않았다.
② 명의상의 주인을 내세우기 어려운 동중·문중 토지의 상당 부분이 조선 총독부의 소유가 되었다.
③ 한·일 병합 조약이 체결된 직후 신속하게 사업이 시작되었다.
④ 사업의 결과 조선 총독부의 재정 수입이 크게 증가하였다.

해설

정답 ①

'정해진 기한 내'에 토지를 '신고'하여야 자신의 토지로 인정받을 수 있었으며, 일제 강점기의 신문인 '매일신보'에 게재될 수 있었던 '사업'은 일제의 토지조사사업이다. 신고 과정에서 소유권 분쟁이 발생하였으며, 이를 위하여 일제는 사정을 실시하였다.
② 문중의 토지 등 소유자가 불분명한 토지, 신고를 하지 않은 토지, 대한제국 황실의 토지, 역둔토, 황무지 등 온갖 토지를 탈취하였다.
③ 한·일 병합 조약이 체결된 직후인 1910년 토지조사국이 설치되었고, 1912년에 토지조사령이 반포되었다.
④ 사업의 결과 조선 총독부의 재정 수입이 크게 증가하였으며, 조선총독부는 국내의 최대 지주가 되었다.

05 (가), (나) 사업의 공통점으로 가장 옳지 않은 것은? [2013 법원직 9급]

> (가) 지계 업무를 소관 지방으로 가서 실시하되 전답·산림·천택·가옥을 모두 조사 측량하여 결부와 사표의 분명함과 칸수 및 척량의 정확함과 시주 및 구권의 증거를 반드시 확인한 후 발급할 것
>
> (나) 토지 소유자는 조선 총독이 정하는 기간 내에 주소·씨명, 명칭 및 소유지의 소재, 지목, 자번호, 사료, 등급, 지적, 결수를 임시 토지 조사 국장에게 신고해야 한다.

① 재정의 확보에 기여하였다.

② 근대적 토지 소유권을 확립하였다.

③ 토지 매매가 보다 쉽게 이루어질 수 있었다.

④ 경자유전의 원칙을 실현하기 위한 방안이었다.

해설 정답 ④

(가)는 광무개혁의 지계발급이고, (나)는 일제의 토지조사사업이다.

구 분	지계발급	토지조사사업
기 간	1898~1904	1912~1918
목 적	1) 근대적 토지 소유권의 확립 2) 재정 수입 확보 3) 민생 안정 4) 전정 개혁	〈표면적 목적〉 1) 근대적 토지 소유권의 확립 2) 전국의 토지를 측량하여 소유권 및 지적(地籍)을 확정한다는 명분 ➲ 2011 사회복지직 9급, 2009 지방직 7급
		〈실제 목적〉 1) 한국인의 토지 강탈 2) 식민지 지배를 위한 재정기반 구축 3) 지세 부과 대상자의 확인

③ 토지 실물 거래보다는, 토지에 대한 권리가 문서로 확인되어 있을 때 토지의 매매가 수월해진다. 지계발급과 토지조사사업은 모두 토지에 대한 권리를 문서로 확인하는 공통점이 있다.

④ 경자유전(耕者有田)의 원칙이란 '농사짓는 사람이 밭을 가진다'는 원칙으로 소작농에게 '토지가 지급(또는 분배)'되었을 때 이 원칙을 실현시키는 것이 가능해진다. 지계발급은 토지 소유권을 확인하는 것일 뿐, 토지 분배가 이루어지지 않고 기존의 지주전호제를 그대로 인정하는 개념이다. 토지조사사업은 지주의 권리만 인정하고 소작농의 권리는 부정하거나 축소시키는 '식민지주제'만 강화시킬 뿐 '경자유전'에는 도움이 되지 않는 사업이었다.

명호샘의 한마디!!

일제의 토지조사사업(1912~1918) 문제는 '오답'을 골라내기 어려운 대표적인 문제이다. 토지조사사업의 구체적인 내용을 왜곡한 문장뿐만 아니라, 맞는 것 같은 문장인데도 잘 보면 대한제국의 지계발급이나 이승만 정부의 농지개혁과 관련된 문장인 경우가 많기 때문이다. 토지조사사업의 '오답'을 미리 체크하여 앞으로 출제될 문제에 대비하자.

어려운 오답들	1) 토지조사령에서 황무지의 국유지 편입을 규정하였다. (×) → 토지조사사업으로 황무지를 약탈하기는 하였으나, 토지조사령에 '국유지 편입'을 규정하지는 않았다. 토지조사령 제4조에서는 단순히 '국유지는 보관 관청이 토지 조사 국장에게 통지해야 한다'고 규정하고 있다. 일제는 '황무지 개간에 관한 규정'(1906) 및 '국유 미간지 이용법'(1907)을 시행하고, 1908년에는 동양척식주식회사를 설립하여 강제병합 이전부터 황무지와 국유 미간지 수탈을 본격화하였다. 토지조사사업 단계에서 실제로 전국의 역둔토와 궁장토, 소유관계가 불분명한 토지 등은 국유화시켰는데, 그 이유는 대한제국의 국유지가 되면 이것을 무상(無償)으로 조선총독부가 소유할 수 있었기 때문이다. ➲ 2016 지방직 7급

어려운 오답들	2) 역둔토나 궁장토 등의 소유권은 조선왕실에게 귀속되었다. (×) → 역둔토나 궁장토는 조선총독부의 소유가 되었다. ➲ 2011 사회복지직 9급
	3) 지주계층의 사전 강매에 따른 혼란과 유상분배에 따른 빈농의 어려움이 나타났다. (×) → 이 문장은 토지조사사업이 아니라, 이승만 정부의 농지개혁과 관련된 문장이다. 이승만 정부의 농지 개혁은 3정보 이상의 토지를 유상몰수·유상분배하는 방식이었으므로, 지주계층이 소작농에게 미리 자기 토지를 강매하는 문제가 생겼다. 또한 유상분배 문제로 인하여 극빈층에 속하는 농민들의 경우에는 농산물로 상환하는 것마저 어려움이 있었다. ➲ 2011 국가직 7급
	4) 신고주의 원칙에 상관없이 조선인 지주와 수조권자의 경우 소유권 취득에 실패했다. (×) → 토지조사사업은 신고주의와 증거주의로 진행되었다. 신고를 하지 않은 지주들은 소유권을 잃게 되었다. 이 사업과 수조권자의 소유권 취득은 관련이 없다. ➲ 2011 국가직 7급
	5) 토지조사사업의 결과 조선인 지주 계급이 몰락하였다. (×) → 토지조사사업으로 토지를 강탈당하여 몰락한 지주 계급은 '중소지주'였다. '대지주'였던 '친일지주'들은 그 지위가 오히려 강화되었다. 그러므로 조선인 지주 계급 '전체'가 몰락한 것처럼 일률적으로 표현해서는 안 된다. ➲ 2008 국가직 9급
	6) 대한제국 시기에 시행된 토지조사의 결과를 바탕으로 경작권 등 토지에 대한 권리를 법으로 보호하였다. (×) → 일제의 토지조사사업은 대한제국 시기의 양전사업(토지조사)의 결과를 바탕으로 하지 않았다. 일제의 토지조사사업은 정부가 토지조사를 통하여 토지의 소유권을 확인하는 것이 아니라, 토지 소유자가 스스로 '신고'하여야 소유권이 확인되는 방식이었다. 토지조사사업에서 소작농의 경작권은 부정되었다. ➲ 2011 국가직 7급, 2006 국가직 7급
	7) 보안회를 결성하고 황무지 개간에 반대하는 구국 민중 운동을 전개하여 일제의 요구를 철회하게 하였다. (×) → 일제가 황무지 개간권을 요구하자, 보안회가 민중운동을 전개하여 그 요구를 철회시켰다. 이것은 1904년의 일이다. ➲ 2006 국가직 7급
	8) 농민운동이 단순한 소작쟁의를 넘어 적색농민 조합을 조직하고 투쟁하는 계기가 되었다. (×) → 소작쟁의는 1920년대에 사회주의가 유입된 이후 증가하기 시작하였다. 이것이 격렬해져 '적색농민 조합'과 같은 비합법적 조직으로 농민운동을 주도한 시기는 1930년대이다. ➲ 2006 국가직 7급

06 다음 자료와 관련된 사업이 시행되었던 시기에 발생한 사건을 모두 고르면?

[2009 법원직 9급, 2005 지방직 9급]

> 제4조 토지 소유자는 조선 총독이 정하는 기간 내에 주소·씨명, 명칭 및 소유지의 소재, 지목, 자번호(字番號), 사표(四標), 등급, 지적, 결수(結數)를 임시 토지 조사국장에게 신고하여야 한다. 단, 국유지는 보관 관청이 임시 토지 조사국장에게 통지해야 한다.
>
> 제6조 토지의 조사 및 측량을 할 때, 조사 및 측량 지역 내의 2인 이상의 지주로 총대를 선정하고, 조사 및 측량에 관한 사무에 종사하게 할 수 있다.

㉠ 창씨개명의 강요	㉡ 산미증식계획 실시
㉢ 의병장 채응언의 활약	㉣ 헌병경찰제도 실시
㉤ 조선 태형령 시행	㉥ 회사의 허가제 시행

① ㉠, ㉡, ㉢, ㉣　　② ㉡, ㉢, ㉣, ㉥

③ ㉡, ㉣, ㉤, ㉥　　④ ㉢, ㉣, ㉤, ㉥

해설 정답 ④

토지조사사업(1912~1918)은 '1910년대'의 대표적인 경제 침탈이다.

㉠ 1939년 조선 민사령의 개정으로 창씨개명 제도가 신설되었으며, 1940년부터 창씨개명 접수를 받았다.

㉡ 산미증식계획은 1차(1920~1925), 2차(1926~1934), 3차(1940)에 걸쳐 이루어졌다. 즉 1920년대 이후에만 시행되었다.

㉢ 채응언은 1907년부터 의병활동을 시작하였으며, 국권 피탈 후 1910년대 초에 일본 헌병을 상대로 무력 투쟁을 진행하다가 1915년에 순국하였다. 즉 '1910년대 의병'이다.

㉣ 헌병경찰제도는 1910년대에 시행되었다. 1920년에는 보통경찰제도로 바뀌었다.

㉤ 1912년에 탄압·침탈을 위한 세 규정이 공포되었다. 1) 조선 태형령, 2) 경찰범 처벌 규칙, 3) 토지 조사령.

㉥ 1910년 회사령이 시행되면서, 회사를 설립하기 위해서는 조선총독부의 허가를 받아야 했다.

07 다음 법령에 따라 추진된 사업이 실시되었던 시기의 모습으로 가장 옳은 것은?

[2023 법원직 9급]

> 궁금해요 한국사!
>
> 1. 토지의 조사 및 측량은 이 영에 의한다.
>
> …(중략)…
>
> 4. 토지의 소유자는 조선 총독이 정하는 기간 내에 그 주소, 성명 · 명칭 및 소유지의 소재, 지목, 자번호, 사방의 경계표, 등급, 지적, 결수를 임시 토지 조사국장에게 신고하여야 한다. 다만, 국유지는 보관 관청에서 임시 토지 조사 국장에게 통지하여야 한다.
>
> ……

① 국민부가 조선 혁명당을 결성하는 모습

② 러시아에 대한 광복군 정부가 조직되는 모습

③ '신여성', '삼천리' 등의 잡지가 발행되는 모습

④ 연해주의 한국인이 중앙 아시아로 강제 이주 되는 모습

해설 정답 ②

'토지의 소유자'가 '조선 총독이 정하는 기간 내'에 '임시 토지 조사국장에게 신고'해야 한다는 규정은 토지조사령이다(1912). '다음 법령에 따라 추진된 사업이 실시되었던 시기'란 토지 조사령에 의해 토지 조사 사업이 실시되었던 1912년부터 1918년까지를 말한다.

② (토지 조사 사업이 한창이던) 1914년에 러시아 연해주에서 (대한) 광복군 정부가 조직되었다. 이 정부의 정통령은 이상설이었고, 부통령은 이동휘였다.

① 참의부, 정의부, 신민부라는 3부가 통합 운동을 벌여 조직된 것이 혁신의회(1928)와 국민부(1929)이다. 국민부는 조선혁명당을 결성하였고(1929), 혁신의회는 한국독립당을 결성하였다(1930).

③ '신여성'은 1923년 개벽사에서 창간한 여성잡지이다. '삼천리'는 1929년에 창간된 대중잡지이다.

④ 1937년에 스탈린은 연해주의 한국인을 중앙 아시아로 강제 이주시켰다.

08 (가) 기구가 존속한 시기의 사람들이 볼 수 있었던 사실로 적절한 것은? [2018 국가직 9급]

> 지주는 조선 총독이 정하는 기간 내에 (가) 혹은 그것의 출장소 직원에게 신고해야 한다. 만약 제출을 태만히 하거나 신고서를 제출하지 않을 시에는 당국에서 해당 토지에 대해 소유권의 유무 등을 조사하다가 소유자를 알지 못하는 경우에 지주가 없는 것으로 간주하여 국유지로 편입할 수 있다.

① 조선청년연합회에 출입하는 일본인 고문
② 신문에 연재 중인 소설 무정을 읽는 학생
③ 연초 전매 제도에 따라 조합에 수매되는 담배
④ 의열단에 가입하는 신흥 무관 학교 출신 청년

해설 정답 ②

(가)에 들어갈 기구는 '임시토지조사국'이다. 일본은 을사조약이 맺어지고 통감부가 설치되었을 때부터 조선의 토지 제도 재편을 구상해 왔다. 이 작업은 1910년 3월 통감부에 토지조사국을 설치하면서 본격화되었다. 강제 병합 후에는 토지조사국 사무를 조선 총독부로 이관하여 조선 총독부 안의 임시토지조사국에서 전담하였다. 토지조사사업은 1918년 이완용의 토지조사 종료식 축사를 끝으로 막을 내렸으므로, '임시토지조사국'의 존속 시기는 '1910년~1918년'으로 보면 된다.

> 제4조 토지 소유자는 조선 총독이 정하는 기간 내에 주소·씨명, 명칭 및 소유지의 소재, 지목, 자번호(字番號), 사표, 등급, 지적, 결수(結數)를 토지 조사 국장에게 신고해야 한다. 단, 국유지는 보관 관청이 토지 조사 국장에게 통지해야 한다.
> 제6조 토지의 조사 및 측량을 할 때, 조사 및 측량 지역 내의 2인 이상의 지주로 총대를 선정하고 조사 및 측량에 관한 사무에 종사하게 할 수 있다.
> 제17조 임시토지조사국은 토지대장 및 지도를 작성하고 토지의 조사 및 측량에 대해 사정(査定)으로 확정한 사항 또는 재결을 거친 사항을 이에 등록한다.

② 이광수가 소설 '무정'을 발표한 때는 1917년이다.
① 조선청년연합회는 1920년에 설립되었다가 1924년에 해체되었다.
③ 강제 병합 이후 1910년에 공포된 회사령에 의해 연초업 부문에서 조선인 자본가들은 배제되어 갔고, 일본인 자본가가 연초 제조업을 장악해 나갔다. 또한 1910년대에 연초세를 조세 항목으로 설정하고 연초세의 세율도 올려 갔다. 그러다가 조선총독부는 1921년 7월에는 '연초 전매제'까지 실시하여 연초 재배업·제조업·판매업의 모든 부문을 통제함으로써 조선의 경작 농민·제조업자·판매업자를 몰락시켰고, 소비자에게 비싼 전매 연초를 소비하게 함으로써 수탈을 행하여 조선총독부의 재정 세입을 늘려 나갔다.
④ 의열단과 신흥무관학교는 모두 1919년에 창설되었으므로, 1918년 이후의 사건이다.

09 일제의 경제 침탈과 관련된 내용을 설명한 것으로 옳지 않은 것은? [2011 서울시 9급 변형]

① 일제에 의한 토지조사사업의 목적은 우리나라를 식민지화하면서 그에 필요한 제반 경비를 마련하기 위한 안정적인 재정 수입원을 확보하는 것이다.

② 1910년에 시작된 토지조사사업은 토지에 대한 지주의 권리만 일방적으로 인정하여 농민이 오랫동안 누려왔던 관습적인 경작권을 부정하였다.

③ 식민지 수탈정책의 경제구조는 일제의 상품과 자본을 수출하고, 한국의 식량과 원료를 수탈할 수 있도록 바꾸는 것이었다.

④ 토지조사사업과 산미증식계획 등의 결과 지주의 수는 감소하고 자작농의 수는 증가하였다.

⑤ 일제에 의해 시행된 회사령의 철폐는 일본 자본의 우리나라 진출을 용이하게 하였다.

해설 정답 ④

토지조사사업과 산미증식계획으로 농민들은 토지를 잃게 되어, 자작농의 수는 '감소'하였다. 그러나 '친일 지주', '대지주', '식민성 대지주'의 토지 소유권은 인정되고, 소작농에 대한 이들의 권한은 더욱 강화되었다. 그러므로 (모든) '지주'가 감소했다고 말할 수는 없다. 중소지주는 감소하였지만, 대지주는 (수적으로는 크게 증가하지 않았지만) 한 지주가 더 큰 땅을 갖게 되었기 때문이다.

10 다음 법령이 시행되던 시기에 볼 수 있는 모습으로 옳은 것은? [2016 지방직 9급]

> 제1조 3개월 이하의 징역 또는 구류에 처하여야 할 자는 그 정상에 따라 태형에 처할 수 있다.
> 제6조 태형은 태로써 볼기를 치는 방법으로 집행한다.
> 제13조 본령은 조선인에 한하여 적용한다.

① 회사령 공포를 듣고 있는 상인

② 경의선 철도 개통식을 보는 학생

③ 동양척식주식회사의 설립식에 참석한 기자

④ 대한광복군정부의 군사 훈련에 참여한 청년

해설 정답 ④

제시된 자료는 1910년대 일제의 무단통치 기간에 실시된 조선 태형령(1912)의 내용이다.
대한 광복군 정부는 1914년에 연해주 블라디보스토크에 수립된 최초의 임시 정부이다.
① 회사령은 1910년에 실시되었다. 조선 태형령이 실시되기 이전의 일이다.
② 경의선 철도는 대한제국 시기인 1906년에 개통되었다.
③ 동양 척식 주식회사는 1908년에 설립되었다.

11 다음 법령이 시행된 시기에 있었던 사실로 옳은 것은? [2023 국가직 9급]

> 제1조 회사의 설립은 조선 총독의 허가를 받아야 한다.
> 제5조 회사가 본령이나 본령에 따라 나오는 명령과 허가 조건을 위반하거나 공공질서와 선량한 풍속에 반하는 행위를 할 때 조선 총독은 사업의 정지, 지점의 폐쇄, 또는 회사의 해산을 명할 수 있다.

① 산미 증식 계획이 폐지되었다.
② 「국가 총동원법」이 제정되었다.
③ 원료 확보를 위한 남면북양 정책이 추진되었다.
④ 보통학교 수업 연한을 4년으로 정한 「조선교육령」이 공포되었다.

해설 정답 ④

'회사의 설립'을 위해서는 '조선 총독의 허가'를 받아야 한다는 규정은 회사령이다(1910). 회사령은 1920년에 폐지되었으므로, '다음 법령이 시행된 시기'란 1910년부터 1920년까지를 말한다.

④ '보통학교 수업 연한을 4년으로 정한 「조선교육령」'은 제1차 조선교육령이다(1911). 제1차 조선교육령은 회사령이 실시되던 기간 중에 공포되었다.

① 산미 증식 계획은 1920년에서 시작되어 1934년까지 실시되었다. 그리고 1940년에 재개되었다. 그러므로 '산미 증식 계획 폐지'는 1930년대 또는 1940년대로 보아야 한다.

② 「국가 총동원법」이 제정된 시기는 1938년이다.

③ 남면북양 정책은 1930년대에 일제가 자국의 공업원료로 이용하기 위해 한반도의 남쪽에서는 목화재배를, 북쪽에서는 양의 사육을 강요한 식민 정책이다.

12 밑줄 친 '그'의 활동으로 옳지 않은 것은? [2012 국가직 9급]

> 그는 함경도 단천 출신으로 한성으로 올라와 무관학교에 입학하였고, 졸업 후 시위대 장교로 군인생활을 시작하였다. 강화도 진위대 대장시절에는 공금을 횡령한 강화부윤이 자신을 모함하자, 군직을 사임하기도 하였다. 그는 군인이면서도 계몽운동을 중요하게 생각하여 강화읍에 보창학교를 세워 근대적 교육을 시작하였다. 그러나 고종황제의 강제퇴위와 군대해산을 전후하여 무력항쟁과 친일파 대신 암살 등을 계획하였으며, 강화 진위대가 군대 해산에 항의하여 봉기하자 이에 연루되어 체포되기도 하였다.

① 비밀결사조직인 신민회에 참여하였다.
② 하바로프스크에서 한인사회당을 결성하기도 하였다.
③ 대동보국단을 조직하고 진단이라는 잡지를 발간하기도 하였다.
④ 블라디보스토크에 대한광복군 정부라는 임시 정부를 수립하였다.

해설 정답 ③

밑줄 친 '그'는 이동휘(1873~1935)이다. 함경남도 '단천 출신'의 독립운동가인 이동휘는 '군관학교(무관학교)'를 졸업한 후 현재의 소령급에 해당하는 육군 '참령'을 지냈다. 한일신협약(1907)이 맺어지고, 대한제국의 군대가 강제해산될 때까지 참령으로서 '강화진위대'를 이끌었다. 안창호, 이동녕 등과 함께 신민회(1907)에 참여하였고, 105인 사건(1911)으로 투옥되었다가 무혐의로 석방되었다. 민족 계몽을 위하여 오상규, 유진호 등 함경도 출신 청년들을 중심으로 한북흥학회(1906)를 조직하였고, 서우학회와 합하여 서북학회(1908)로 발전시켰다. 이후 연해주 블라디보스토크에 이상설과 함께 '대한광복군 정부(1914)'라는 최초의 망명정부를 수립하였다. 러시아혁명(1917)이 일어났던 다음 해, 러시아 하바로프스크에 최초의 한인사회주의 정당인 '한인사회당'을 조직하였다. 상하이에 대한민국 임시 정부(1919)가 수립되자, 최초의 국무총리가 되었다.

③ 1915년 대동보국단을 조직하고 '진단'이라는 잡지를 발간한 인물은 박은식과 신규식이다.

13 다음과 관련있는 단체에 대한 설명으로 옳은 것은? [2017 기상직 7급]

> 오인은 대한 독립 광복을 위하여 오인의 생명을 희생에 이바지 함은 물론 오인이 일생의 목적을 달성치 못할 시는 자자손손이 계승하여 수적(讐敵) 일본을 온전 구축하고 국권을 광복하기까지 절대 불변하고 일심육력(一心戮力) 할 것을 천지 신명에게 맹서해 고함

① 서일을 단장으로 만주에서 조직된 항일 무장단체이다.

② 하와이에서 조직된 대조선 국민군단의 국내 조직이었다.

③ 임병찬이 고종의 밀지를 받고 의병장과 유생을 모아 조직한 단체이다.

④ 의병 계열과 애국 계몽 운동 계열의 인사들이 통합하여 만든 단체이다.

해설 정답 ④

제시된 자료는 대한광복회(1915) 선언문이며, 사진은 박상진(1884~1921)이다. 대한광복회는 1915년 대구에서 한말 의병 계열과 계몽운동 계열이 연합하여 결성한 단체로, 1913년 경상북도 풍기에서 조직된 풍기광복단과 1915년 대구에서 조직된 조선국권회복단이 중심이 되어 창립되었다. ➲ 2018 경찰 대한 광복회 조직은 본부에 총사령 박상진, 지휘장 우재룡·권영만을 두었고, 그 아래에 재무부·선전부를 설치하였다.

① 서일이 단장(총재)였던 북간도 지역의 항일 무장단체는 중광단(1911)이다.

② 박용만이 하와이에서 조직한 대조선 국민군단(1914)의 국내지부 성격을 가진 단체는 평양 조선국민회(1915)이다.

③ 임병찬이 고종의 밀지를 받고 조직한 단체는 대한독립의군부(1912)이다.

14 다음 중 같은 지역에서 결성된 민족운동 단체로 바르게 묶인 것은? [2011 서울시 9급]

(가) 신한청년단　　(나) 신한혁명당
(다) 권업회　　(라) 한인사회당
(마) 동제사

① (나), (다), (라)
② (가), (나), (마)
③ (가), (다), (라)
④ (다), (라), (마)
⑤ (가), (나), (다)

해설

정답 ②

제시된 단체들은 모두 1910년대에 해외에서 결성된 독립운동단체이다. (가), (나), (마)는 상하이에서, (다)는 연해주에서, (라)는 하바로프스크에서 결성되었다.

지역	구분	내용	
서간도 (삼원보)	단 체	경학사(1911) → 부민단(1914) → 한족회(1919)	
	군 대	서로군정서(1919)	
	학 교	신흥강습소(1911) → 신흥무관학교(1919)	
북간도	단 체	중광단(1911)↓	대한 국민회(1911)↓
	군 대	북로 군정서(1919)	대한 독립군(1919)
	학 교	서전서숙(1906) → 명동학교(1908)	
연해주 블라디보스토크 (신한촌)	단 체	13도 의군(1910) → 성명회(1910) → 권업회(1911)	
	망명정부	대한광복군정부(1914), 대한국민의회(1919)	
	학 교	한민학교(1911)	
중국 관내	단 체	동제사(1912), 신한혁명당(1915), 대동보국단(1915), 신한청년당(1918)	
미주 지역	단 체	대한인국민회(1909), 흥사단(1913), 대조선국민군단(1914)	

15 다음에 제시된 사항들과 모두 관련된 인물은? [2008 선관위 9급]

• 서전서숙　　• 헤이그 특사
• 권업회 · 대한광복군 정부　　• 신한혁명단

① 이준
② 이상설
③ 김원봉
④ 이동휘

해설

정답 ②

1904년 국내에서 일제의 황무지 개간권 요구에 항거하는 보안회 활동을 하였다. 1906년 봄에 북간도 용정으로 망명하여 그 해 여름 '서전서숙'이라는 학교를 세우고 교장(숙장)이 되었고, 1907년 여름에는 이준 · 이위종과 함께 네덜란드 '헤이그 에 특사'로 파견되어 제2회 만국평화회의에서 대한제국의 국권 회복 문제를 제기하려고 노력하였으나 큰 성과는 이루지 못하였다. 1910년에는 연해주로 이동하여 13도 의군에 참여하였으나, 곧 강제병합이 이루어지고 13도 의군도 해산되자, 연해주의 한인들을 규합하여 성명회를 조직하였다. 일제와 교섭한 러시아가 탄압을 하여 잠시 러시아 니콜리스크로 추방되었다가 블라디보스토크로 다시 돌아와 1911년에 '권업회'를 조직하고 회장이 되었다. 1914년 권업회를 중심으로 '대한광복군 정부'가 수립되자 이 망명정부의 정통령이 되었다. 대한광복군 정부가 일제와 협력한 러시아 정부의 탄압으로 해산되자, 상하이로 이동하여 '신한혁명단(신한혁명당)'에 참여하였다. 이상설(1870~1917)에 대한 설명이다.

16 밑줄 친 '이곳'에서 전개된 민족운동으로 옳은 것은? [2017 국가직 9급]

> 1903년에 우리나라 공식 이민단이 이곳에 도착하였다. 이주 노동자들은 사탕수수 농장, 개간 사업장, 철도 공사장 등에서 일하며 한인 사회를 형성하여 갔다. 노동 이민과 함께 사진 결혼에 의한 부녀자들의 이민도 이루어졌다. 또한 한인합성협회 등과 같은 한인 단체가 결성되었다.

① 독립운동 기지인 한흥동이 건설되었다.

② 독립운동 단체인 권업회가 조직되었다.

③ 자치 기관인 경학사와 부민단이 만들어졌다.

④ 군사 양성 기관인 대조선 국민군단이 창설되었다.

해설 정답 ④

1903년에 공식적인 이민이 시작된 지역은 '미주 지역'이다. 미주 지역 이민 초기에는 '하와이' 사탕 수수 농장에 노동자로 갔다. 한인합성협회(韓人合成協會)는 1907년에 '하와이'에서 결성된 항일단체이다. 바로 '이곳' 하와이에서 박용만 등이 중심이 되어 독립군 사관을 양성하는 대조선 국민군단을 창설하였다(1914).

① 한흥동은 러시아와 중국의 접경 지대인 '밀산부'에 건설한 독립운동 기지였다.

② 권업회(1911)가 조직된 지역은 '연해주'이다.

③ 경학사(1911)와 부민단(1912)이 조직된 지역은 '서간도'이다.

17 밑줄 친 '이곳'에서 일어난 사실로 옳은 것을 [보기]에서 모두 고른 것은? [2017 국가직 7급]

> 이곳에서는 한인 집단 거주지인 신한촌이 형성되어 자치 기구와 학교가 만들어졌으며, 다양한 독립운동이 일어났다. 이곳에서 이상설 등은 성명회를 조직하여 독립운동을 벌였고, 이후 임시 정부의 성격을 가진 대한국민의회가 전로한족회중앙총회로부터 개편 조직되었다.

[보기]

㉠ 권업회라는 독립운동 단체가 조직되었다.

㉡ 독립군 양성을 위한 신흥강습소가 설치되었다.

㉢ 대한광복군 정부가 수립되어 독립운동을 벌였다.

㉣ 신규식, 박은식 등의 주도로 동제사가 조직되었다.

① ㉠, ㉡ ② ㉠, ㉢

③ ㉡, ㉣ ④ ㉢, ㉣

해설

정답 ②

'한인 집단 거주지인 신한촌'이 형성된 곳은 연해주 블라디보스토크이다. '이곳'에서는 한・일 병합 직전에 유인석, 이범윤, 이상설, 홍범도 등을 중심으로 13도 의군(1910)이 조직되었으나 큰 성과 없이 해체되었고, 성명회(1910), 권업회 등의 단체가 이어 조직되었다. 권업회(1911)는 한민 학교(1911)를 세우고, 정통령을 이상설, 부통령을 이동휘로 하는 대한 광복군 정부(1914)를 수립하였다. 그리고 3・1 운동 이후에는 임시 정부 성격의 단체인 대통령을 손병희로 하는 대한국민의회(1919)가 세워졌다. 그러므로 ㉠과 ㉢이 옳다.

㉡ 양기탁, 이회영, 이상룡 등 신민회 간부들은 서간도 삼원보 주변의 토지를 매입하여 독립운동 기지를 건설하고, 이곳에 경학사를 설립하였다. 경학사(1911)의 주된 활동은 농업 개발과 군사 교육이었으며, 그 부설기관으로 독립군 양성을 위한 신흥강습소(1911)를 설립하였다. 모두가 '서간도'에서 일어난 일이다.

㉣ 신규식, 박은식 등의 주도로 동제사(1912)가 조직된 지역은 '상하이'이다.

18 1910년대에 있었던 사실로 옳은 것은? [2023 지방직 9급]

① 중국 화북 지방에서 조선 독립 동맹이 결성되었다.

② 만주에서 참의부, 정의부, 신민부 등 3부가 조직되었다.

③ 임병찬이 주도한 독립 의군부는 항일 운동을 전개하였다.

④ 조선 혁명군이 양세봉의 지휘 아래 영릉가에서 일본군을 격파하였다.

해설

정답 ③

독립의군부는 1910년대 국내에서 조직된 의병 운동 계열의 항일 단체이다. 1912년 9월 고종의 밀지가 처음 내려졌을 때 임병찬은 고사하였지만, 1913년 초에 다시 밀지를 받고는 단체를 조직하였다. 조선 총독인 데라우치 마사타케에게 보낸 투서가 문제가 되어 1914년 수원군 대표 김창식이 발각되었고, 이후 임병찬을 비롯한 관련 인사들이 연이어 체포되면서 조직이 와해되었다.

① 중국 화북 지방에서 조선 독립 동맹이 결성된 때는 1942년이다.

② 참의부는 1923년, 정의부는 1924년, 신민부는 1925년이 조직되었다. 즉 '3부'가 완성된 때는 1925년이다.

④ 조선 혁명군이 양세봉의 지휘 아래 영릉가에서 일본군을 격파한 때는 1932년이다.

19 다음 법령이 시행되던 시기의 모습으로 가장 옳은 것은? [2024 법원직 9급]

> 제1조 회사의 설립은 조선 총독의 허가를 받아야 한다.
> 제2조 조선 밖에서 설립된 회사가 한국에 본점 또는 지점을 설치하고자 하는 경우, 조선 총독의 허가를 받아야 한다.
> 제3조 조선 밖에서 설립되어 조선에서 사업을 운영하는 것을 목적으로 하는 회사가 그 사업을 경영하는 경우, 조선에 본점 또는 지점을 설립하여야 한다.

① 국민학교에 등교하는 학생의 모습

② 대한 광복회를 체포하려는 헌병 경찰의 모습

③ 치안유지법에 의해 구금되는 독립운동가의 모습

④ 농촌 진흥 운동을 홍보하는 조선 총독부 직원의 모습

해설 정답 ②

회사를 설립하려면 조선 총독의 허가를 받아야 한다는 제시된 법령은 회사령(1910)이다. 회사령은 1920년에 폐지되었으므로, 이 법령이 시행된 시기란 1910~1920년을 말한다.

② 대한 광복회는 1915년에 조직된 결사이다(1918년에 세력이 크게 약화되고, 이후의 활동사항은 미미하다). 일제는 1910년에 헌병 경찰로 우리 민족을 폭압적으로 통치하였다.

① 국민학교는 1941년 국민학교령에 의해 그 명칭을 쓰기 시작하여 1996년 초등학교로 명칭이 바뀔 때까지 사용되었다.

③ 치안유지법은 1925년에 시행되기 시작하여 1945년까지 시행되었다.

④ 농촌 진흥 운동은 1932년에 시작하여 1940년까지 진행된 조선총독부 중심의 관제 농민운동이다.

03 1920년대의 문화통치와 민족 독립운동

01 3·1 운동과 문화통치

01 밑줄 친 '새로운 정책'에 대한 설명으로 옳지 않은 것은? [2017 지방직 교행]

> 신임 총독은 전임 총독이 시행한 정책에 대신해 새로운 정책을 실시하였다고 말한다. …(중략)… 신임 총독의 정책 중에서 그나마 주목할 만한 것이 있다면 지방 제도를 개정해 일정 금액 이상의 세금을 내는 조선인들에게 선거권을 주고 부 협의회 선거를 처음으로 실시한 것 정도이다. 하지만 그것도 자문 기구에 불과하다.

① 조선인의 협력을 부르짖는 국민총력운동을 전개하였다.

② 민족운동을 탄압하고자 치안유지법을 조선에도 적용하였다.

③ 조선인 계통의 신문인 조선일보, 동아일보의 발행을 허가하였다.

④ 고등 경찰 제도를 실시하였다.

해설 정답 ①

1920년대 일제는 지방행정기관인 도·부·면에 협의회를 설치하여 친일세력을 포섭하였다. ➲ 2005 국가직 9급 이 시기에는 겉으로는 한국인의 정치·사회 활동 등을 허용하는 듯 보였지만, 일제는 실제로 더욱 교묘한 방식으로 우리 민족을 탄압하였고, 친일파 양성에 힘을 쏟았다. 즉 '문화통치'라고 부르지만, 실제로는 '기만적 유화통치'였다.

① 1938년 국가총동원령이 내려졌던 그 해에, '국민정신총동원 조선연맹'이 조직되어 '국민정신총동원 운동'을 전개하였다. 국민정신총동원 조선연맹의 후신으로 1940년에 '국민총력조선연맹'이 조직되었고, 이 단체가 주도하여 전개한 운동이 '국민총력운동'이다. 즉 국민총력운동은 '1940년대'이다.

② 치안유지법은 일본 내 사회주의자를 탄압하기 위해서 만들어진 법이지만, 1925년에는 한국(조선)에도 적용하였다.

③ 동아일보, 조선일보의 발행을 허용하여 ➲ 2017 지방직 교행 두 신문이 1920년에 창간되었다.

④ 1920년대에 보통 경찰 제도로 전환함과 동시에, 정치 범죄 등을 감시·단속하는 고등 경찰 제도를 실시하여 감시와 탄압을 강화하였다.

02 다음은 박은식이 저술한 「한국독립운동지혈사」의 일부분이다. 여기에서 언급된 사건과 관련된 설명으로 옳지 않은 것은? [2014 국가직 9급]

> 만세시위가 확산되자, 일제는 헌병 경찰은 물론이고 군인까지 긴급 출동시켜 시위 군중을 무차별 살상하였다. 정주, 사천, 맹산, 수안, 남원, 합천 등지에서는 일본 군경의 총격으로 수십 명의 사상자를 냈으며, 화성 제암리에서는 전 주민을 교회에 집합, 감금하고 불을 질러 학살하였다.

① 일제는 무단통치를 이른바 '문화통치'로 바꾸었다.
② 독립운동의 중요한 분기점이 된 대규모의 만세운동이었다.
③ 세계 약소 민족의 독립운동에도 커다란 자극을 주었다.
④ 파리강화회의에 신규식을 대표로 파견하여 이 사건의 진상을 널리 알렸다.

해설 정답 ④

'헌병 경찰'이 키워드인 1910년대의 '만세 시위'라면 3·1 운동이다. 1919년 4월 15일에 일어난 '화성 제암리' 학살 사건은 3·1 운동의 연장선상에 일어난 사건이다. 3·1 운동은 일제의 통치 방식을 바꿔 놓은 대규모의 만세운동으로, 중국의 5·4 운동 등 약소 민족의 독립운동에도 영향을 주었다.
④ 파리강화회의에 파견된 인물은 신규식이 아니라 '김규식'이다.

03 다음 주장을 내세운 민족 운동은? [2024 지방직 9급]

> 1. 오늘날 우리의 이 행동은 정의와 인도 그리고 생존과 존엄함을 지키기 위한 민족적 요구에서 나온 것이니, 오직 자유로운 정신을 발휘할 것이며 결코 배타적 감정으로 치닫지 말라.
> 1. 마지막 한 사람까지 마지막 한순간까지 민족의 정당한 의사를 마음껏 발표하라.
> 1. 일체의 행동은 무엇보다 질서를 존중하며, 우리의 주장과 태도를 어디까지나 떳떳하고 정당하게 하라.

① 3.1운동 ② 6.10 만세 운동
③ 물산 장려 운동 ④ 민립 대학 설립 운동

해설 정답 ①

제시된 자료는 기미 독립선언서 뒤에 붙어 있는 '공약 3장'이다. 이 글과 관련된 민족운동은 3.1 운동이다.

04 1919년 3 · 1 운동 전후의 국내외 정세에 대한 설명으로 옳지 않은 것은? [2009 국가직 9급]

① 일본은 시베리아에 출병하여 러시아 영토의 일부를 점령하고 있었다.
② 러시아에서 볼셰비키가 권력을 장악하여 사회주의 정권을 수립하였다.
③ 미국의 윌슨 대통령이 민족자결주의를 내세워 전후 질서를 세우려 하였다.
④ 산둥성의 구 독일 이권에 대한 일본의 계승 요구는 5·4 운동으로 인해 파리평화회의에서 승인받지 못하였다.

해설 정답 ④

독일이 산둥성에 가지고 있었던 이권(利權)에 대한 일본의 계승 요구가 파리강화회의에서 승인되었다. 이에 격분해서 베이징 학생들이 천안문 광장에서 반대 집회를 열었다. 이것이 1919년의 5·4 운동이다. 반제국주의·반봉건주의 혁명 운동인 5·4 운동은 러시아 혁명과 3·1 운동의 영향을 받은 운동이었다.
① 일본은 1918년에 체코군 포로 구원을 명목으로 7만 3천 병력을 출병하여 동부 시베리아 요지를 점령하고 있는 상태였다.
② 1917년 레닌이 볼셰비키당을 지휘하며 11월 혁명을 일으켜 소비에트 정권을 수립하였다.
③ 1918년 윌슨은 파리강화회의에서 민족자결주의를 제창하였다.

명호샘의 **한마디!!**

'3·1 운동의 배경' 또는 '3·1 운동 전후의 국내외 정세'라는 타이틀로 3·1 운동 직전의 상황들을 묻는 문제들이 많다. 3·1 운동의 배경과 관련된 주요 기출 문장을 모아본다.

1) 고종 황제가 독살되었다는 소문이 퍼졌다. ➲ 2019 서울시 9급(보훈청)
2) 해외 독립운동가들이 파리강화회의에서 독립외교를 펼쳤다. ➲ 2019 서울시 9급(보훈청)
3) 윌슨은 파리강화회의에서 민족자결주의를 제창하였다. ➲ 2009 국가직 9급
4) 레닌은 약소민족에 대한 민족자결의 원칙을 내세웠다. ➲ 2012 경찰
5) 1차 세계대전이 끝나면서 민족자결주의 시대가 온다는 믿음이 확산되었다. ➲ 2019 서울시 9급(보훈청)

05 다음 역사적 사건의 영향에 대한 설명으로 옳지 않은 것은? [2013 법원직 9급]

> … 오늘은 한국의 위대한 날이다. … 오후 2시, 중학교를 비롯한 각급 학교들이 일본의 한국 지배에 항거하는 시위를 벌였고, 거리로 나가 양손을 위로 올리고 모자를 흔들며 '대한 독립 만세'를 외치며 행진을 하기 시작했다. 거리의 사람들 역시 이 대열에 합류했고, 도시 전역에 기쁨의 외침 소리들이 울려 퍼졌다. … 최근 일본정부는 소위 '역도들'을 제압할 수 있는 더 '근본적인 대책'을 마련했다고 한다. 우리는 맨손으로 단순히 '독립 만세'를 외치는 사람들에게 … 보병대 2사단, 포병대 11사단, 기병대 2사단이 일본으로부터 파병되고 난 후 … 마을들이 불타고 있다는 소문이 무성하다는 것이다. ➲ 노블일지

① 일제가 교활한 '문화통치'를 표방하게 되었다.
② 이를 계기로 대한민국 임시 정부가 수립되었다.
③ 국내외에서 민족 유일당 운동이 촉발되는 계기가 되었다.
④ 해외의 무장 독립 투쟁이 더욱 치열하게 전개되었다.

해설 정답 ③

「노블일지」는 구한말에서 일제 강점기까지 42년간 한국에서 선교활동을 했던 미국인 여선교사 매티 윌콕스 노블 여사의 일지를 옮긴 것이다. 자료를 보면, 맨손으로 '독립 만세'를 외치는 사람들을 무력으로 탄압하기 위하여, 일제는 헌병과 경찰뿐만이 아니라 육・해군까지도 동원하였다. '비폭력'을 견지하였던 3・1 운동 초기와 관련된 자료이다.

③ 민족 유일당 운동을 촉발시킨 사건은 6・10 만세운동(1926)이다. 사회주의자와 학생이 계획하고, 민족주의 세력이 함께 참여한 6・10 만세운동을 계기로 민족 유일당 운동이 일어나 1927년 신간회가 결성되었다. 이것은 '3・1 운동의 영향'의 대표적인 오답이다. 즉 '3・1 운동'이 제시되었을 때, 그 영향으로 '사회주의 세력과 민족주의 세력이 연합 전선을 구축하였다'가 나오면 틀린 말이다.

①, ②, ④ 3・1 운동은 많은 것들의 '계기'가 되었다. 1) 임시 정부 수립의 계기가 되었고, 2) 무장독립운동을 본격적으로 유발하는 계기가 되었고, 3) 일제의 통치방식을 문화통치로 바꾸는 계기가 되었고, 4) 노동자・농민・여성 운동이 활성화되는 계기가 되었다.

06 다음 방침과 관련된 일제 강점기의 모습으로 가장 적절한 것은? [2016 경찰]

- 친일 분자를 귀족・양반・유생・부호・실업가・교육가・종교가 등에 침투시켜 그 계급과 사정에 따라 각종 친일 단체를 조직케 할 것
- 종교적 사회 운동을 이용하기 위해 사찰령을 개정하여 불교 각 종파의 총 본산을 경성에 두고, 이를 관장하거나 원조하는 기관의 회장에 친일 분자를 앉히는 한편 기독교에 대해서도 상당한 편의와 원조를 제공할 것
- 친일적인 민간 유지자(有志者)에게 편의와 원조를 제공하고, 수재 교육의 이름 아래 조선 청년을 친일 분자의 인재로 양성할 것
- 조선인 부호・자본가에 대해 일・선(日・鮮) 자본가의 연계를 추진할 것

① 조선 어업령을 공포하여 모든 어민의 기득권을 부인하고 새로이 면허・허가를 받아 조업하도록 하였다.

② 조선 광업령을 공포하여 광업권에 대한 허가제를 실시하였다.

③ 치안유지법을 통해 언론・집회・결사를 탄압하였다.

④ 회사령을 공포하여 회사를 설립할 경우 총독부의 허가를 받도록 하였다.

해설 정답 ③

'친일 단체', '친일 분자', '친일적 민간 유지자'를 본격적으로 양성한 시기는 1920년대이다. 이때 치안유지법(1925)이 공포되었다.

① 조선 어업령(1911), ② 조선 광업령(1915), ④ 회사령(1910)

02 1920년대 일제의 경제적 수탈

07 표 (가), (나)를 통하여 추론할 수 있는 역사적 사실에 대한 옳은 설명을 [보기]에서 모두 고른 것은? [2014 서울시 9급]

(가) 쌀 생산량과 수출량 (단위 : 만석)

연 도	생산량	수출량	국내 1인당 소비량
1912 ~ 1916 평균	1,230	106	1,126(0.72석)
1917 ~ 1921 평균	1,410	220	1,190(0.69석)
1922 ~ 1926 평균	1,450	434	1,016(0.59석)
1927 ~ 1931 평균	1,580	661	919(0.50석)
1932 ~ 1936 평균	1,700	876	824(0.40석)

(나) 농가 경영별 농민 계급 구성 비율 (단위 : %)

연 도	지 주	자작농	자작 겸 소작농	소작농
1916	2.5	20.1	40.6	36.8
1922	3.7	19.7	35.8	40.8
1925	3.8	19.9	33.2	42.2
1928	3.7	18.3	32.0	44.9
1932	3.6	16.3	25.3	52.8

[보기]

㉠ 물산 장려 운동이 확산되었을 것이다.
㉡ 1920년대 이후 소작쟁의가 격화되었을 것이다.
㉢ 미곡 공출제와 식량 배급제를 실시하였을 것이다.
㉣ 만주산 조, 콩 등 잡곡의 수입이 증대되었을 것이다.

① ㉠, ㉡
② ㉠, ㉢
③ ㉡, ㉢
④ ㉡, ㉣
⑤ ㉢, ㉣

해 설 정답 ④

(가)를 보면 쌀 생산량이 늘어났지만 수출량(일본으로의 수탈량)이 급격하게 늘어나면서 국내 1인당 소비량은 오히려 줄어들고 있다. (나)를 보면 자작농은 줄어들고 소작농은 늘어나고 있다. (가)와 (나)는 1920년부터 실시한 산미증식계획의 결과를 보여주고 있다.

㉡ 쌀 생산이 늘어났어도 1) 생산량 증가율보다 수탈량 증가율이 더 높았고, 2) 높은 소작료와 지세, 공과금뿐만이 아니라 비료 대금, 수리 조합비, 토지개량비 등 쌀 증산비용을 부담하여야 했으므로 농민들의 삶은 더욱 피폐해졌다. 무리한 산미증식계획은 1920년대에 소작쟁의를 증가시켰다. 아래와 같이 쌀 생산이 늘어도 농민들이 더 가난해지는 이유는 '수리조합비, 비료 대금 부담의 증가로 농민들의 가계 사정이 악화되었기 때문'이다.

> 갑 : 문화정치를 표방하고 있는 조선총독부가 요즘 쌀 증산을 위한 사업에 주력하고 있는데, 그 결과 과연 쌀이 많이 생산된다고 합니다.
> 을 : 쌀이 많이 생산되어도 농민들은 더 가난해지고 있습니다. 쌀밥은 커녕 만주 좁쌀밥도 없어서 못 먹게 되니 딱하지 않습니까?

㉣ 산미증식계획의 목표대로 생산량이 늘지는 않았지만, 쌀의 반출은 계획대로 진행되었으므로 국내의 식량 사정은 더욱 나빠졌다. 국내의 부족한 식량은 만주로부터 잡곡을 수입하여 보충하였다.

㉠ 물산장려운동은 1920년대에 일어나긴 했지만, 산미증식계획과는 직접적인 관련이 없다.

㉢ 일제는 중일전쟁 이후 미곡의 시장 유통을 금지하고, 식량 배급제도와 미곡 공출 제도를 시행하였다. 특히 식량 배급제는 '식량배급요강'에 따라 실시되었다(1939). 이후 전국의 도시 지역에 식량배급이 이루어졌다. 즉 '배급'이라는 표현은 1939년부터 쓸 수 있는 표현이다.

> 말을 막 배우는 아이의 첫마디와 죽어 가는 노인의 마지막 말, 그것이 '하이규[배급]'라는 말을 우리는 조선인에게서 수없이 들었다. 배급표로 지급되는 쌀, 정확히 말해서 대체물[옥수수 · 수수]은 아무리 길어도 2주일을 넘기지 못하였다. 생선 · 달걀, 그밖의 다른 식료품은 일본인에게만 집급되었다. …(중략)… 서울에서 대부분의 가게와 수리점이 문을 닫았다. 배급소 근처에는 헤아릴 수 없을 만큼 많은 사람들이 줄 서 있었다. 사람들은 굶주림뿐만 아니라 추위에도 고통을 당하였다. ➲ 2021 국회직 9급

명호샘의 한마디!!

산미증식계획 문제의 기출문장을 정리한다.

1) 문화통치 시기에 쌀 생산을 늘리기 위해 산미증식계획을 실시했다. ➲ 2018 경찰
   = 1920년대에 조선총독부는 미곡 증산을 표방한 산미 증식 계획을 수립하였다.
   ➲ 2018 해경간부, 2018 국회직 9급
2) 공업화로 인한 일본의 식량 문제를 해결하고자 실시하였다. ➲ 2015 지방직 9급
3) 조선농업의 생산구조를 미곡 단작형으로 정착시키는 결정적 계기가 되었다. ➲ 2005 충북 9급
4) 개간과 간척 사업이 추진되어 농지가 확장되었다. ➲ 2014 수능
5) 일본의 신품종이 거의 모든 논에 식부되고 비료투입량도 급격히 늘어났다. ➲ 2005 충북 9급
6) 지주가 수리조합비 등을 전가하면서 농민의 처지는 더욱 악화되었다. ➲ 2016 수능
   = 소작 농민들은 고율의 소작료 외에도 수리조합비를 비롯한 여러 비용을 부담해야 했다. ➲ 2018 서울시 7급
7) 조선 쌀의 생산량 증가 비율보다 일본에 대한 수출 비율이 크게 증가하였다. ➲ 2005 충북 9급
   = 지주들은 일본으로의 쌀 수출을 통해 이익을 증대시켰다. ➲ 2018 서울시 7급
8) (국내에서 소비할 쌀이 부족해서) 만주로부터 잡곡 수입이 증가하였다. ➲ 2016 수능, 2014 수능
   = 식민지 조선 내에서 부족해진 식량은 만주에서 조, 수수, 콩 등의 잡곡을 수입해서 메꾸었다.
   ➲ 2018 서울시 7급
9) 조선인의 1인당 쌀 소비량이 감소하였다. ➲ 2022 지방직 간호 8급

03 1920년대 국내 항일 운동

08 제1차 세계대전 이후의 항일 민족 운동에 대한 설명으로 옳지 않은 것은? [2011 국가직 9급]

① 일부 민족주의 진영에서는 교육을 통해 실력을 양성하자는 문화운동을 전개하였다.

② 연해주의 신한촌에서는 의병과 계몽 운동가들이 힘을 모아 권업회를 조직하였다.

③ 일제는 친일파를 육성하고 민족주의 세력을 회유하여 민족운동을 분열시켰다.

④ 비타협적 민족주의와 사회주의 세력이 연합하여 신간회를 조직하였다.

해설

정답 ②

'제1차 세계대전 이후'란 1918년 이후이다. 권업회는 제1차 세계대전 '이전'인 1911년에 조직되었다.

① 1920년대에 민족주의 진영에서는 '교육'과 '산업' 분야에서 민족 실력 양성 운동을 전개하였다.

교육 분야 실력 양성 운동	산업 분야 실력 양성 운동
1) 민립대학 설립 운동 2) 문맹 퇴치 운동	1) 민족 기업 육성 운동 2) 물산 장려 운동

③ '친일파 육성', '민족운동 분열'은 기만적 유화통치 기간인 1920년대에 어울리는 말이다. 도・부・면에 협의회를 설치하고 친일 인사를 위원으로 임명하여 친일파를 육성하였으며, 이광수・최린 등이 자치운동을 모색하자 조선총독부는 이를 은밀하게 부추겨 민족 운동 진영을 분열시키고자 하였다.

④ 1927년 일제와 타협하지 말자고 주장하는 언론계, 불교계, 천도교계, 기독교계 등의 민족주의 진영과 사회주의 진영의 대표들이 손을 잡고 신간회를 창립하였다.

09 일제 강점기 농민 운동에 대한 서술로 옳은 것을 모두 고른 것은? [2010 지방직 9급]

㉠ 초기 소작쟁의의 요구 사항은 주로 소작권 이동 반대, 소작료 인하 등이었다.
㉡ 일본인 농장・지주회사를 상대로 한 소작쟁의는 규모도 크고 격렬해지는 경우가 많았다.
㉢ 1920년대 농민들은 자위책으로 소작인 조합 등의 농민 단체를 결성하였다.
㉣ 소작인 조합은 1940년대 이후 자작농까지 포괄하는 농민조합으로 바뀌어갔다.

① ㉠
② ㉠, ㉡
③ ㉠, ㉡, ㉢
④ ㉠, ㉡, ㉢, ㉣

해설

정답 ③

㉠ 1920년대의 농민운동, 즉 '초기의 소작쟁의'는 '생존권 투쟁(경제적 투쟁)'의 성격을 가진다. 1920년대의 대표적인 농민운동은 암태도 소작쟁의(1923)이다. ➲ 2009 지방직 9급 1920년대 농민운동의 주된 주장은 다음과 같다.

> 1) "소작권 이동을 반대한다!" (올해 소작을 지었으면 내년에도 당연히 그 땅을 소작 지을 수 있어야 한다.)
> 2) "소작료를 인하하라!"
> 3) "지세(地稅)를 소작농에게 전가하지 말라!"

㉢ 1920년대에 농민들의 소작쟁의가 활발해 지면서, 소작인조합 · 농민조합 · 농우회 등의 소작인 단체가 조직되면서 심화되었다. 1920년대 소작쟁의는 주로 소작인 조합을 중심으로 전개되었다. ➲ 2009 지방직 9급

㉣ 1920년대 전반의 농민운동은 소작농들만 모인 '소작인 조합'이 중심이었지만, (1940년대 이후가 아니라) 1920년대 후반에는 자작농까지 포함한 '농민 종합' 중심으로 농민운동이 전개되었다.

㉡ 1930년대의 농민운동은 '항일 민족 운동(정치적 투쟁)'의 성격으로 변화해간다. 이 시기에는 일본인 농장과 지주회사를 상대로 한 소작쟁의가 규모가 커지고 격렬해지는 경우가 많았다.

10 자료에 나타난 운동에 대한 설명으로 가장 옳은 것은? [2022 법원직 9급]

> 진주성 내 동포들이 궐기하여 형평사라는 단체를 조직하여 계급 타파 운동을 개시할 것이라고 한다. …… 어떤 자는 고기를 먹으면서 존귀한 대우를 받고, 어떤 자는 고기를 제공하면서 비천한 대우를 받는다. 이는 공정한 천리(天理)에 따를 수 없는 일이다.

① 백정에 대한 차별 철폐를 요구하였다.

② 공사 노비 제도가 폐지되는 결과를 가져왔다.

③ 향 · 부곡 · 소를 일반 군현으로 승격할 것을 주장하였다.

④ 평안도 지역에 대한 차별과 지배층의 수탈에 항거하였다.

해설

정답 ①

'진주'에서 시작되었고, '형평사(1923)'라는 단체를 조직하여 '계급 타파 운동'을 개시한 이 '운동'은 형평 운동이다. 형평운동은 '고기를 제공하면서 비천한 대우'를 받는 백정에 대한 차별 철폐를 요구하였던 운동이다.

② 공사 노비 제도가 폐지되는 결과를 가져온 사건은 제1차 갑오개혁이다(1894).

③ 향 · 부곡 · 소가 고려 중기 이후 일반 군현으로 승격된 것은 사실이나, 이것을 '주장'한 사건을 특정짓기는 어렵다.

④ 평안도 지역에 대한 차별과 지배층의 수탈에 항거한 반란은 홍경래의 난이다(1811).

11 백정(白丁)과 관련된 역사적 사실에 대한 설명으로 옳지 않은 것은? [2011 지방직 7급]

① 동학농민군은 폐정개혁안에서 백정이 쓰는 평량갓을 없애자고 주장하였다.

② 갑오개혁 때 신분제도가 폐지됨에 따라 백정도 평등한 지위를 얻었다.

③ 대한제국 시기에 백정들은 형평사를 창립하고 형평 운동을 펼쳐 나갔다.

④ 총독부는 백정 출신을 호적에 '도한'으로 써 넣거나 붉은 점을 찍어 차별하였다.

⑤ 조선 시대에는 도살업을 전문으로 하는 천민집단이었다.

해설 정답 ③

형평운동(衡平運動)은 '백정에 대한 차별 철폐'를 목적으로 일어났다. ➲ 2011 수능 형평운동은 1920년대 경남 진주를 중심으로 백정들이 일으킨 신분차별을 타파하기 위한 사회 운동이다. ➲ 2003 국가직 7급 즉 대한제국 시기가 아니라, 일제 강점기이다.

> 공평은 사회의 근본이고 사랑은 인간의 본성이다. 고로 우리는 계급을 타파하고 모욕적인 칭호를 폐지하며 교육을 장려하여 우리도 참다운 인간으로 되고자 함이 본사의 주지이다. …(중략)… 이에 지위와 조건 문제 등을 제기할 여가도 없이 목전의 압박을 절규하는 것이 우리의 실정이다. 따라서 이 문제를 해결하는 것이 우리들의 급선무라고 설정함은 당연한 것이다. ➲ 형평사 창립 취지문 ➲ 2011 수능
>
> 
>

①, ② 동학농민군은 폐정개혁안에서 '7종의 천인 차별을 개선하고 백정이 쓰는 평량갓은 없앤다'라고 주장하였다. 이 주장은 갑오개혁에 반영되었고, 신분제 철폐와 함께 백정도 평등한 지위를 얻게 되었다. 즉 갑오개혁 때 백정에 대한 법적인 차별은 철폐되었지만, 일제 강점기까지 관습적인 차별이 존재하였다.

④ 조선 총독부는 백정을 호적에 도한(屠漢)으로 써 넣거나, 붉은 점을 찍어 표시하는 등 백정 출신을 차별하였다. 이를 통해 조선의 봉건적인 지배 관계를 유지시키려고 하였다.

⑤ 고려 시대의 백정(白丁)은 일반적인 농민을 말한다. 그러나 조선 시대의 백정은 도살업・육류판매업을 주로 하던 천민층이었다.

12 밑줄 친 ( ) 운동에 대한 설명으로 옳은 것은? [2023 계리직 9급]

> 다음은 대한제국 황제의 장례일에 일어난 ( ) 운동 당시 등장한 격문들의 내용이다.
> - 대한 독립 만세!
> - 일체 납세를 거부하자.
> - 언론 · 출판 · 집회의 자유를!
> - 교육 용어는 조선어로!
> - 우리의 철천의 원수는 자본 · 제국주의 일본이다.

① 임시정부 수립 운동을 촉발하였다.

② 신간회가 현장에 진상조사단을 파견하였다.

③ 관세 철폐에 직면하여 자구책으로 시작하였다.

④ 사회주의자들과 민족주의자들이 함께 준비하였다.

해설

정답 ④

'대한제국 황제의 장례일'에 일어난 만세 운동은 3 · 1 운동(1919)과 6 · 10 만세운동(1926)이다. '납세 거부', '교육 용어는 조선어로', '우리의 원수는 일본' 등의 주장을 볼 때 해당 자료는 6 · 10 만세운동이다. 6 · 10 만세운동은 순종의 인산일(장례일)을 계기로 일어난 만세 시위이다. 사회주의자들과 민족주의자들이 함께 준비하여, 민족 유일당 운동의 계기가 되었다.

① 3 · 1 운동은 임시정부 수립 운동을 촉발하였다.

② 신간회가 광주 학생 항일 운동의 현장에 진상조사단을 파견하였다.

③ 관세 철폐에 직면하여 자구책으로 시작한 운동은 물산장려운동이다.

13 밑줄 친 '이 단체'에 대한 설명으로 옳은 것은? [2021 지방직 9급]

> 1920년대 국내에서는 일본과 타협해 실익을 찾자는 자치 운동이 대두하였다. 비타협적인 민족주의자들은 이를 경계하면서 사회주의 세력과 연대하고자 하였다. 사회주의 세력도 정우회 선언을 발표해 비타협적 민족주의 세력과 제휴를 주장하였다. 그 결과 비타협적 민족주의 세력과 사회주의 세력은 1927년 2월에 <u>이 단체</u>를 창립하고 이상재를 회장으로 추대하였다.

① 조선물산장려회를 조직해 물산장려운동을 펼쳤다.

② 고등 교육 기관을 설립하기 위해 민립대학설립운동을 시작하였다.

③ 문맹 퇴치와 미신 타파를 목적으로 브나로드 운동을 전개하였다.

④ 광주학생항일운동의 진상을 조사하고 이를 알리는 대회를 개최하고자 하였다.

해설

정답 ④

'1920년대 자치 운동'에 대항하여 일어났으며 '비타협적 민족주의 세력과 사회주의 세력이 연합'하여 '이상재'를 초대 회장으로 추대한 단체는 신간회(1927~1931)이다. 신간회는 진상조사단을 파견하고, 민중대회 개최를 계획하는 방식으로 광주학생항일운동(1929)을 지원하였다.

① 물산장려운동을 펼친 단체는 조만식 중심의 조선물산장려회이다(1920년 평양, 1923년 서울). 이 단체는 신간회 창설 이전에 설립되었다.

② 민립대학설립운동을 시작한 단체는 조선교육회의 민립대학기성회이다.

③ 브나로드 운동을 전개한 단체는 동아일보이다.

명호샘의 한마디!!

11월 3일 광주에서 일어난 고등보통학교 학생과 일본인 학생의 충돌 사건에 대하여, <u>신간회 본부</u>는 중앙 상무 집행위원회를 열고 광주 지회에 긴급 조사를 실시하라고 지시하였다. 또 중요 간부들이 긴급 상의하여 사건 내용을 철저히 조사하는 동시에 구금된 학생들의 석방도 교섭하기로 하고, 중앙 집행위원장 허헌, 서기장 황상규, 회계 김병로를 광주에 급파하기로 하였다. ⊙ 2017 지방직 교행

> 1) 검거자를 즉시 우리들이 탈환하자.
> 2) 조선인 본위의 교육 제도를 확립시켜라.
> 3) 식민지 노예 교육 제도를 철폐하라.
> 4) 민족 문화와 사회과학 연구의 자유를 획득하자.
> 5) 전국 학생 대표 회의를 개최하라.

14 다음 창립 취지문을 발표한 단체에 대한 설명으로 옳은 것은? [2024 지방직 9급]

> 우리 사회에서도 여성운동이 제기된 것은 또한 이미 오래되었다. 그러나 회고하여 보면 여성운동은 거의 분산되어 있었다. 그것에는 통일된 조직이 없었고 통일된 목표와 정신도 없었다. …(중략)… 우리가 실제로 우리 자체를 위해, 우리 사회를 위해 분투하려면 우선 조선 자매 전체의 역량을 공고히 단결하여 운동을 전반적으로 전개하지 않으면 아니 된다.

① 호주제 폐지 운동을 전개하였다.

② 여학교 설립을 주장하는 「여권통문」을 발표하였다.

③ 어린이날을 제정하고 잡지 『어린이』를 창간하였다.

④ 봉건적 인습 타파, 여성 노동자의 임금 차별 철폐 등을 주장했다.

해설 정답 ④

'여성운동' 단체이며, '공고히 단결'을 역설하는 이 단체는 근우회(1927～1931)이다. 신간회와 함께 출범한 근우회는 김활란이 중심이 되어 여성계의 민족 유일당으로 조직되었다. 여성 노동자의 권익 옹호(여성 노동자의 임금 차별 철폐), 새생활 개선(봉건적 인습 타파) 등을 주장하였다.

① 근우회는 오히려 '호주제 법제화 반대 투쟁'을 주도하였다.

② 북촌에 사는 양반 부인들을 중심으로 여학교 설립을 주장하는 「여권통문」을 발표한 것을 계기로 우리나라 최초의 여성운동 단체인 찬양회가 조직되었다. 이후 찬양회는 순성 여학교를 설립하였다.

③ 어린이날을 제정하고 잡지 『어린이』를 창간한 단체는 천도교 소년회이다.

15 다음의 자료와 관련된 이해로 가장 옳지 않은 것은? [2011 서울시 9급]

> "우리에게 먹을 것이 없고 의지하여 살 것이 없으면 우리의 생활은 파괴가 될 것이다. 우리는 이와 같은 견지에 서서 우리 조선 사람의 물산을 장려하기 위하여 조선 사람은 조선 사람이 지은 것을 쓰고, 둘째 조선 사람은 단결하여 그 쓰는 물건을 스스로 제작하여 공급하기를 목적하노라."
>
> ➲ 산업계

① 실력양성운동의 일환으로 추진된 것이다.

② 이 운동은 주로 1910년대부터 시작되어 해방이 될 때까지 계속되었다.

③ 물산장려운동은 조선물산장려회를 중심으로 전개되었다.

④ 이 운동에는 주로 지식인, 청년, 학생, 부녀자들이 동참하였다.

⑤ 이 운동은 토산의 장려를 내걸면서 소생산자 중심의 자급을 주장했다.

해설

정답 ②

제시된 자료에서 '조선 사람의 물산을 장려하기 위하여' 추진된 운동은 말 그대로 '물산장려운동'이다. 이 운동은 1920년 '내 살림 내 것으로'라는 구호를 내걸며 평양에서 조만식이 시작하였다. 금연・금주 캠페인과 아울러 국산품 장려를 주창하였으며 1923년에 이르러서는 순회 강연회 활동을 벌이는 등 그 규모가 전국적으로 확대되었다. 이 운동의 지도부는 산업 장려를 주요한 활동 방침으로 표방하는 한편 대대적인 대중 계몽 활동을 이어나갔다. 이 운동은 '산업 분야의 실력양성운동'이며, '소생산자 중심의 자급'을 주장하였다.

② 물산장려운동은 조선물산장려회가 결성되어 해체된 때를 그 전개된 기간으로 이해하면 된다. 물산장려회는 1920년에 결성되어, 1940년에 강제 해산되었다. 그러나 1920년대 중반 이후에는 침체 상태에 빠져 있었으므로, '실제적'으로 보면 물산장려운동은 '1920년대'의 운동이다.

〈조선 물산 장려회 궐기문〉

보아라! 우리의 먹고 입고 쓰는 것이 거의 다 우리의 손으로 만든 것이 아니었다. 이것이 세상에 제일 무섭고 위태한 일인 줄을 오늘에야 우리는 깨달았다. 피가 있고 눈물이 있는 형제 자매들아, 우리가 서로 붙잡고 서로 의지하여 살고서 볼 일이다.

입어라! 조선 사람이 짠 것을
먹어라! 조선 사람이 만든 것을
써라! 조선 사람이 지은 것을
조선 사람, 조선 것

〈조선 물산 장려가〉 (윤석중 작사, 김영환 작곡)

1. 산에서 금이 나고 바다에 고기 / 들에서 쌀이 나고 목화도 난다.
   먹고 남고 입고 남고 쓰고도 남을 물건을 나어 주는 삼천리강산
   물건을 나어 주는 삼천리강산
2. 조선의 동모들아 이천만민아 / 두발 벗고 두팔 것고 나아오너라.
   우리 것 우리 우리 힘 우리 재조로 우리가 만드러서 우리가 쓰자.
   우리가 만드러서 우리가 쓰자.
3. 조선의 동모들아 이천만민아
   자작자급 정신을 잇지를 말고 네 힘것 버러라. 이천만민아 거긔에 조선이 빗나리로다.
   거긔에 조선이 빗나리로다.

동아일보, 1926. 9. 1.

명호샘의 한마디!!

「산업계(産業界)」는 1923년 말 창간된 조선물산장려회의 기관지이다. 그러므로 위 문제와 같이 「산업계」가 출처인 자료가 나오면 물산장려운동일 가능성이 높다.

16 **다음 글에서 비판하고 있는 이 운동에 대한 설명으로 옳은 것을 [보기]에서 고른 것은?**

[2013 법원직 9급]

> 이 운동의 사상적 도화수가 된 것은 누구인가? 저들의 사회적 지위로 보나 계급적 의식으로 보나 결국 중산 계급임을 벗어나지 못하였으며, 적어도 중산 계급의 이익에 충실한 대변인인 지식 계급 아닌가. … 실상을 말하면 노동자에게는 … 말할 필요가 없는 것이다. … 그네는 자본가 중산 계급이 양복이나 비단 옷을 입는 대신 무명과 베옷을 입었고, 저들 자본가가 위스키나 브랜디나 정종을 마시는 대신 소주나 막걸리를 먹지 않았는가? … 이리하여 저들은 민족적, 애국적 하는 감상적 미사로써 눈물을 흘리면서 저들과 이해가 전연 상반한 노동 계급의 후원을 갈구하는 것이다.
>
> ➲ 이성태, 〈동아일보〉

> [보기]
>
> ㉠ 평양에서 시작하여 전국으로 확산되었다.
> ㉡ 사회주의 운동이 크게 확산되는 계기가 되었다.
> ㉢ 황성신문, 대한매일신보 등의 적극적인 지원을 받았다.
> ㉣ 일본 상품에 대한 관세 철폐 움직임에 대응하여 시작되었다.

① ㉠, ㉡　　② ㉠, ㉢

③ ㉠, ㉣　　④ ㉡, ㉢

해설　　정답 ③

물산장려운동은 세 가지의 문제점을 가지고 있었다. 1) 농민의 생활이 어려워지면서 구매력이 저하되었고, 2) 국산품만 사용하다보니 상품 가격만 올려 놓아서 자본가에게 이익이 집중되었고(자본가와 상인의 이익만을 추구한다는 비판을 받았다. ➲ 2019 소방간부 자본가의 이익을 위한 운동이라고 비판받기도 하였다. ➲ 2018 지방직 교행 일부 사회주의자는 자본가 계급을 위한 운동이라고 비판하였다. ➲ 2022 지방직 9급), 3) 친일세력의 참여로 비타협적 민족주의자들이 이탈하였다. 위 자료에서 '중산 계급의 이익에 충실한 대변인'이나 '실상 노동자에게는 말할 필요가 없는 것' 등의 표현으로 보아 자본가에게 이익이 집중되었던 물산장려운동의 문제점을 지적하는 글임을 알 수 있다.

㉠ 물산장려운동은 '1920년 평양 → 1923년 서울 → 전국'으로 확대되었다.

㉣ 물산장려운동의 '배경'은 다음과 같다.

> 1) 회사령 철폐(1920)로 일본 자본의 한국 내 투자가 급증하였다.
> 2) 관세철폐령(1923)으로 일본 수입품에 대한 관세가 철폐되었다.

㉡ 물산장려운동은 민족주의 세력이 전개한 실력양성운동의 일환이므로, 사회주의 운동과는 거리가 멀다.

㉢ 황성신문과 대한매일신보는 1910년에 폐간되었다.

17 **일제강점 시기 (가)와 (나)의 주장을 한 단체에 대한 설명으로 옳은 것은?** [2013 지방직 9급]

> (가) 우리가 우리의 손에 산업의 권리 생활의 제일 조건을 장악하지 아니하면 우리는 도저히 우리의 생명·인격·사회의 발전을 기대하지 못할지니 …(중략)… 우리 조선 사람의 물산을 장려하기 위하여 조선 사람은 조선 사람이 지은 것을 사서 쓰자.
>
> (나) 유감스러운 것은 우리에게 아직도 대학이 없는 일이라. 물론 관립대학도 조만간 개교될 터지만 …(중략)… 우리 학문의 장래는 결코 일개 대학으로 만족할 수 없다. 그처럼 중대한 사업을 우리 민중이 직접 영위하는 것은 오히려 우리의 의무이다.

① (가) – 사회주의 성향의 운동 세력이 주도하였다.

② (가) – 조선과 일본 간의 관세철폐 정책에 대항하였다.

③ (나) – 민족 연합 전선 단체인 신간회의 후원을 받았다.

④ (나) – 조선학생과학연구회와 연계한 6·10 만세운동을 전개하고 격문을 작성하였다.

해설

정답 ②

(가)는 물산장려운동, (나)는 민립대학 설립운동이다.

② 물산장려운동은 관세철폐로 일본상품의 수입이 증가하면서 일어났다.

① 물산장려운동은 민족주의 계열이 주도하였다. 사회주의자들은 이 운동을 자본가와 상인의 이익만을 추구하는 이기적인 운동이라고 비난하였다.

③ 민립대학 설립운동은 신교육령(1922, 제2차 조선교육령)이 공포된 때부터 경성제국 대학이 설립된 때(1924)까지 전개된 것으로 보면 된다. 1927년에 결성된 신간회의 후원을 받을 수 없었다.

④ 조선학생과학연구회는 1925년에 결성된 사회주의 계열의 학생단체이다. 이 단체와 함께 6·10 만세운동을 주도한 이들은 사회주의 세력이었다.

18 **다음과 같은 주장을 한 단체가 결성된 해에 전개된 사건은?** [2012 국가직 7급]

> 민족주의 세력에 대하여는 그 부르주아 민주주의적 성질을 분명히 인식함과 동시에 과정상의 동맹자적 성질도 충분하게 승인하여, 그것이 타락되지 않는 한 적극적으로 제휴하여 대중의 개량적 이익을 위해서도 종래의 소극적인 태도를 버리고 싸워야 할 것이다.

① 근우회 발족

② 6·10 만세운동

③ 광주학생 항일운동

④ 홍커우 폭탄 투척

해설

정답 ②

제시된 자료는 '정우회 선언(1926)'이다. 두 차례에 걸친 조선공산당 사건으로 위기에 빠진 사회주의 세력은 정우회를 만들고, 합법적인 공간을 확보하기 위해 비타협적 민족주의 세력과 적극 제휴하겠다는 정우회 선언을 발표하였다. 1926년의 '정우회 선언'과 '6·10 만세운동'은 신간회 결성에 영향을 주었다.

① 1927년, ③ 1929년, ④ 1932년

19 다음 강령을 발표한 단체에 대한 설명으로 옳은 것은? [2021 소방]

> 1. 우리는 정치 · 경제적 각성을 촉구한다.
> 2. 우리는 단결을 공고히 한다.
> 3. 우리는 기회주의를 일체 부인한다.

① 민족 협동 전선의 성격을 표방하였다.

② 고등 교육 기관인 대학을 설립하고자 하였다.

③ 백정에 대한 차별을 철폐하는 운동을 전개하였다.

④ 어린이날을 제정하고, 잡지 『어린이』를 발간하였다.

해 설 정답 ①

제시된 자료는 신간회(1927~1931)의 3대 활동 강령으로서, 신간회 문제에 가장 많이 출제되는 사료이다. 반드시 기억해야 한다!

① 신간회는 비타협적 민족주의 세력과 사회주의 세력이 합작하여 만든 민족 협동전선이다. 신간회는 1) 민족주의 계열과 사회주의 계열이 공동전선을 추진한 단체이다. 2) 이념보다 민족을 우선한 단체이다. ➲ 2004 서울시 9급

② 고등 교육 기관인 대학을 설립하고자 한 단체는 조선교육회의 민립대학기성회이다.

③ 백정에 대한 차별을 철폐하는 운동을 전개한 단체는 조선형평사이다.

④ 어린이날을 제정하고, 잡지 『어린이』를 발간한 단체는 천도교소년회이다.

명호샘의 한마디!!

신간회(1927~1931)의 기출문장을 정리한다.

1) 국내에서는 1920년대 후반 비타협적 민족주의세력과 사회주의세력이 통일전선을 구축하여 '신간회'를 설립하였다. ➲ 2019 서울시 9급, 2018 계리직 9급, 2015 지방직 7급
2) '우리는 정치 · 경제적 각성을 촉구한다, 우리는 단결을 공고히 한다, 우리는 기회주의를 일체 부인한다'를 강령으로 내세운 단체는 전국에 140여 개소의 지회와 약 4만 명의 회원을 확보하였다. ➲ 2019 서울시 9급
3) '우리는 정치 · 경제적 각성을 촉구한다, 우리는 단결을 공고히 한다, 우리는 기회주의를 일체 부인한다'를 강령으로 내세운 단체는 민족 협동 전선의 성격을 표방하였다. ➲ 2021 소방직
4) '우리는 정치 · 경제적 각성을 촉구한다, 우리는 단결을 공고히 한다, 우리는 기회주의를 일체 부인한다'를 강령으로 내세운 단체는 여성의 법률 및 사회적 차별을 없애고자 하였다. ➲ 2020 경찰간부
5) 6 · 10 만세 운동은 국내외에서 민족 유일당 운동이 촉발되는 계기가 되었다. ➲ 2013 법원직 9급
6) 제1차 세계대전 이후, 비타협적 민족주의와 사회주의 세력이 연합하여 신간회를 조직하였다. ➲ 2011 국가직 9급
7) '민족주의 세력에 대하여 그 부르주아 민주주의적 성질을 분명히 인식함과 동시에 과정상의 동맹자적 성질도 충분하게 승인'하여야 한다는 선언은 신간회 결성에 영향을 주었다. ➲ 2012 국가직 7급
8) 신간회는 광주학생항일운동의 진상을 조사하고 이를 알리는 대회(민중대회)를 개최하고자 하였다. ➲ 2021 지방직 9급, 2019 서울시 9급, 2018 계리직 9급, 2015 수능
9) 광주학생항일운동이 일어나자 신간회가 그 진상을 규명하고자 조사단을 현지에 파견하였다. ➲ 2019 지방직 7급
10) 신간회는 일제강점기 국내에서 조직된 최대의 민족 운동 단체였다. ➲ 2018 계리직 9급
11) 사회주의 진영과 비타협적 민족주의 진영은 1926년 (정우회) 선언을 계기로, 1927년 1월 (신간회)를 발기하였다. 이어서 서울청년회계 사회주의자와 물산장려운동계열이 연합한 (조선민흥회)와도 합동할 것을 결의, 마침내 2월 15일 YMCA 회관에서 (신간회) 창립대회를 가졌다. ➲ 2017 사회복지직

20 **다음과 같은 강령을 발표한 단체의 활동으로 옳은 것은?** [2023 지방직 9급]

> 一. 우리는 정치적, 경제적 각성을 촉진함
> 一. 우리는 단결을 공고히 함
> 一. 우리는 기회주의를 일체 부인함

① 조선 민립 대학 기성회를 창립하였다.
② 파리 강화 회의에 대표를 파견하였다.
③ 6·10 만세 운동을 사전에 계획하였다.
④ 광주 학생 항일 운동이 일어나자 조사단을 파견하였다.

해설

정답 ④

제시된 자료는 신간회의 3대 강령이다. 신간회는 1929년에 광주 학생 항일 운동을 지원하기 위해 진상조사단을 파견하였으며, 원산 노동자 총파업을 지원하기도 하였다.

① 조선 민립 대학 기성회를 창립한 단체는 조선 교육회이다.
② 파리 강화 회의에 대표를 파견한 단체는 신한청년당이다.
③ 6·10 만세 운동을 사전에 계획한 단체는 조선 학생 연구회 등이다.

21 **다음 강령을 채택한 단체의 활동으로 옳지 않은 것은?** [2014 국가직 7급]

> • 우리는 조선 민족의 정치적 경제적 해방의 실현을 도모한다.
> • 우리는 전 민족의 총역량을 집중하여 민족적 대표 기관이 되기를 기한다.
> • 우리는 일체의 개량주의 운동을 배척하여 전 민족의 현실적인 공동 이익을 위하여 투쟁한다.

① 동양척식주식회사를 폐지하자고 하였다.
② 의무 교육제와 고등교육기관 설립을 주장하였다.
③ 노동운동과 연계하여 최저 임금제를 요구하였다.
④ 여성의 법률상 및 사회적 차별을 없애자고 하였다.

해설

정답 ②

제시된 자료는 신간회 동경지회 강령(1927)의 일부이다.

② 신간회가 교육에 관하여 1) 일체 학교 교육의 조선인 본위, 2) 일체 학교 교육 용어의 조선어 사용, 3) 학생 생도의 연구자유 및 자치권의 확립 등을 주장하기는 하였지만, '의무교육제'나 '고등교육기관 설립'을 주장하지는 않았다.
① 신간회는 식민 착취 기관을 폐지할 것을 주장하였다. 그 중에서도 특히 동척(東拓), 즉 동양척식주식회사의 폐지를 주장하였다.
③ 신간회는 최저임금·최저봉급제의 실시를 요구하였다.
④ 여성의 법률상 및 사회적 차별을 철폐하고, 여자 인신매매를 금지하고, 여자의 교육·직업의 제한을 철폐할 것을 주장하였다.

명호샘의 한마디!!

신간회는 조선교육회의 중심인물이었던 '이상재'가 민족주의 세력의 대표로서 참여한 단체이다. 그러다보니 신간회의 활동 사항에는 '교육'과 관련된 내용이 많다. 또한 사회주의 세력과 연합한 단체이므로, 사회주의적 민족운동인 1) 노동 운동, 2) 농민 운동, 3) 여성 운동, 4) 청년 운동(소년 운동), 5) 형평 운동과 관련된 사항도 포함되어 있다. 신간회 동경지회 강령(1927. 12)의 내용으로 '신간회가 무엇을 주장하였는지'를 파악하기 바란다.

1. 언론・집회・출판・결사의 자유
2. 조선민족을 억압하는 일체 법령의 철폐
3. 고문제 폐지 및 재판의 절대 공개
4. 일본인 이민 반대
5. 부당 납세 반대
6. 산업정책의 조선인 본위
7. <u>동척(東拓) 폐지</u>
8. 단결권・파업권・단체계약권의 확립
9. 경작권의 확립
10. 최고소작료의 공정(公定)
11. 소작인의 노예적 부역폐지
12. 소년 및 부인의 야업(夜業) 노동 및 위험작업의 금지
13. 8시간 노동 실시
14. <u>최저임금・최저봉급제의 실시</u>
15. 공장법・광업법・해원법(海員法)의 개정
16. 민간 교육기관에 대한 허가제 폐지
17. <u>일체 학교교육의 조선인 본위</u>
18. <u>일체 학교교육 용어의 조선어 사용</u>
19. <u>학생 생도의 연구자유 및 자치권의 확립</u>
20. <u>여자의 법률상 및 사회상의 차별 철폐</u>
21. 여자 인신매매의 금지
22. 여자교육 및 직업의 일체 제한의 철폐
23. 형평사원(衡平社員) 및 취업에 대한 일체 차별 반대
24. 형무소에 있어서의 대우 개선, 독서통신의 자유

22 다음은 일제시기 어느 단체를 설명한 것이다. 이 단체의 활동으로 가장 적절하지 않은 것은?

[2013 경찰]

> 조선사정연구회, 정우회와 같은 좌우협력운동의 단체로 결성되었다. 이 단체에는 조선일보 계열의 민족주의자, 천도교 구파, 불교인, 사회주의자들이 참여했으며, 전국에 약 140여 개의 지회가 있었고, 약 4만여 명의 회원이 가입하였다.

① 고등교육기관으로서 대학을 설립하려는 운동을 펼쳤다.
② 일본인의 조선이민을 반대하였다.
③ 조선인 본위의 교육제도를 실시할 것을 주장하였다.
④ 광주학생의거의 진상을 보고하기 위한 민중대회를 열 것을 계획하였다.

해설

정답 ①

일제의 민족분열정책과 자치운동론의 등장에 대응하여, 민족해방운동의 단결과 통일적 대응을 모색하던 사회주의 진영과 비타협적 민족주의 진영은 1926년 정우회 선언을 계기로, 1927년 1월 신간회를 발기하였다. 이어서 서울청년회계 사회주의자와 물산장려운동계열이 연합한 조선민흥회와도 합동할 것을 결의, 마침내 2월 15일 YMCA 회관에서 신간회 창립대회를 가졌다. ➲ 2017 사회복지직

조선사정연구회는 조선민흥회와 함께 '비타협적 민족주의 세력'이며, 정우회는 '사회주의 세력'이다. 이들의 좌우협력단체는 신간회이다. 신간회는 1927년에 결성되었고, 회원 수는 4만 명을 헤아렸다. 신간회는 각 지방을 다니면서 강연회를 열었는데, 그 요지는 1) 조선인에 대한 착취기관 철폐, 2) 일본인의 조선이민 반대, 3) 타협적 정치운동 배격(기회주의 배격), 4) 조선인 본위의 교육제도 실시, 5) 사상연구의 자유 등이 주된 주장이었다. 또한 신간회는 노동쟁의, 소작쟁의, 동맹휴학 등을 지도했는데, 원산노동자 총파업과 단천의 농민운동, 그리고 광주학생항일운동을 지원하기도 하였다.

① 민립대학 설립운동은 민족주의 세력이 1922~1924년에 펼친 실력양성 운동이다. 신간회가 결성되기 이전의 일이다.

23 밑줄 친 '이 단체'에 대한 설명으로 옳은 것은? [2011 서울시 9급]

> 이 단체가 조직되었다. 각 당파가 망라된 통일조직인 이 단체는 전국 각지에 150여 개의 지회를 두고 활발한 활동을 전개하였다. 부녀자들의 통일단체인 근우회 역시 이 무렵 창설되었다. 이 무렵에는 국내뿐만 아니라 해외에도 수많은 역명단체들이 조직되었다. 동북의 책진회, 상해의 대독립당촉성회와 같은 단체는 국내에서 활발한 활동을 전개하고 있던 단체와 깊은 연계를 맺고 있던 통일조직이었다.
>
> ➲ 「조선 민족해방운동 30년사」 〈구망일보〉

① 일제의 황무지 개간권 요구를 철회시켰다.
② '기회주의 일체부인'을 강령으로 제시하였다.
③ 단군신앙을 중심으로 한 종교운동을 전개하였다.
④ 비밀결사로 조직되어 실력양성운동을 전개하였다.
⑤ 민중 혁명에 의한 민중적 조선의 건설을 지향하였다.

해설 정답 ②

신간회는 전국 각지에 '140여 개의 지회(또는, 150여 개의 지회)'가 있었다. ➲ 2011 수능 신간회는 자매단체로서 '근우회'가 있는 '통일조직'이었으며, 자치론자 · 참정론자 등의 타협적 민족주의 세력을 배제하였으므로 '기회주의 일체 부인'을 강령으로 제시하였다.

① 보안회, ③ 대종교, ④ 신민회(와 가장 가까움), ⑤ 의열단

24 다음 글과 관련이 있는 단체에 대한 설명으로 옳은 것을 [보기]에서 모두 고르면? [2012 계리직]

> 단결은 힘이다. 약자의 힘은 단결이다. 모든 역량을 집중하여 단결을 공고히 하자. (중략) 조선인의 대중적 운동의 목표는 정면의 일정한 세력을 향하여 집중되어야 할 것이니 이에서 민족운동과 계급운동은 동지적 협동으로 병립 병진하여야 할 것이요, (중략) 해소는 확대 강화의 전경만 바라보고 실로 분산 와해의 허전한 광야에 헤매게만 한 것이다. (중략) 계급 진영의 강고한 수립은 필요할 것이다. 그러나 계급 철폐의 민족 단일당의 과오나 마찬가지로 계급 단일의 민족진영 철폐도 중대한 과오이다.

[보기]

㉠ 정우회 선언이 단체의 창립에 영향을 끼쳤다.
㉡ 단체가 아닌 개인만이 회원으로 가입할 수 있었다.
㉢ 비합법단체로서 노동쟁의와 소작쟁의를 지원하였다.
㉣ 광주학생운동에 자극받아 서울에서 민중대회를 개최하였다.

① ㉠, ㉡　　② ㉡, ㉢
③ ㉢, ㉣　　④ ㉠, ㉣

해설 정답 ①

민족운동과 (사회주의적) 계급운동이 협동하여야 하며, 모든 역량을 집중하여 공고히 단결하자는 '민족 단일당' 신간회에 관련된 글이다. 신간회는 '합법단체'로서 4만여 명의 회원을 확보하고 있었다. 1929년 광주학생운동이 일어나자 신간회는 '민중대회'를 열어 항일(抗日) 열기를 확산시키려고 하였다. ➲ 2012 경찰

> 피고 허헌은 조선 민족의 단결 등을 강령으로 내세운 '신간회'의 중앙 집행 위원장으로 친히 광주에 가서 정황을 조사하고 …(중략)… 자신의 사무실에서 송진우, 안재홍 등과 회합하여 광주 학생 사건에 대해 관헌이 취한 조치를 비난하고, 이를 규탄하기 위한 연설회를 개최한다는 격문을 살포하고 청중을 모아 시위를 감행할 것을 모의하였다. ➲ 2011 수능

㉠ 정우회 선언은 1) 민족주의적 세력에 대하여 동맹자적 성질을 승인하자고 하였으며, 2) 비타협적 민족주의자와의 일시적인 공동전선이 필요하다고 하여, 신간회 결성에 영향을 끼쳤다.

㉡ 신간회는 단체가 아닌 개인 가입제로 운영되었다. 이로 인해 각 개인이 입회 원서를 직접 써야 했기 때문에 가입에 일정한 제한이 있었다.

㉢ 신간회는 원산 노동자 총파업(1929)을 지원하는 등 노동쟁의와 소작쟁의를 지원하였지만, 비합법단체는 아니었다.

㉣ 신간회는 광주 학생 항일 운동(1929)이 일어나자 진상조사단을 파견하였다. 서울에서 민중대회도 개최하려고 하였으나 계획에 머물렀다.

25 다음 주장에서 강조하고 있는 내용으로 가장 적절한 것은? [2012 국가직 9급]

> 그러면 지금의 조선 민족에게는 왜 정치적 생활이 없는가? 일본이 조선을 병합한 이래로 조선에게는 모든 정치활동을 금지한 것이 첫째 원인이다. … 지금까지 해 온 정치적 운동은 모두 일본을 적대시하는 운동뿐이었다. 이런 종류의 정치 운동은 해외에서나 할 수 있는 일이고, 조선 내에서는 허용되는 범위 내에서 일대 정치적 결사를 조직해야 한다는 것이 우리의 주장이다.

① 무장 투쟁을 통해 독립을 이루어야 한다.

② 농민, 노동자를 단결시켜 일제를 타도해야 한다.

③ 일제의 식민 지배를 인정하고 그 밑에서 정치적 실력 양성을 해야 한다.

④ 국제적인 외교를 통해서 일제의 만행을 알리고 우리나라의 독립을 알려야 한다.

해설 정답 ③

'조선 내에서는 허용되는 범위 내에서 일대 정치적 결사를 조직해야 한다'는 주장을 자치론·참정론이라 한다. 제시된 자료는 자치론·참정론의 대표적 논설인 이광수의 「민족적 경륜」이다. 이광수·최린 등은 일제의 식민 지배를 인정하고, 일제가 허용하는 범위 내에서만 정치활동을 해야 한다고 주장했다. 더 나아가 우리 민족의 좋지 않은 민족성을 개조하여 산업사회에 적응할 수 있는 시민정신을 길러야 한다고 주장하고, 총독부의 지방 행정에 적극 참여해야 한다고 주장하였다.

명호샘의 한마디!!

이광수의 '민족적 경륜'이 출제되면 포인트는 세 가지이다. 1) 자치론·참정론의 대표적 논설이다. 2) 민족주의 세력을 타협과 비타협으로 분화시켰다. 3) '신간회'가 이 글에 반발하였다. 특히 세 번째 포인트와 관련된 기출문장을 확인하기 바란다.

1. 동아일보는 자치 운동을 모색하던 이광수의 '민족적 경륜'을 실어 비판받기도 했다. ➲ 2020 국가직 9급
2. 이광수의 '민족적 경륜'을 배격하면서 신간회가 조직되었다. ➲ 2008 법원직 9급
3. 이광수의 '민족적 경륜'에 나타난 내용에 반발하여 신간회가 조직되었다. ➲ 2006 소방직

26 다음 취지문을 발표하고 활동한 단체로 옳은 것은? [2012 경찰]

> 우리가 운동상(運動上) 실천으로부터 배운 것이 있으니 우리가 실지로 우리 자체를 위하여 우리 사회를 위하여 분투하려면 우리 조선 자매 전체의 역량을 공고히 단결하여 운동을 전반적으로 전개하지 아니하면 아니된다. 일어나라! 오너라! 단결하자! 분투하자! 조선의 자매들아! 미래는 우리의 것이다.
>
> 「한국 근대 민족 해방 운동사」

① 근우회 ② 진단 학회

③ 일진회 ④ 조선 광문회

해설

정답 ①

'조선 자매 전체의 역량을 공고히 단결'하자는 것은 민족주의 여성단체와 사회주의 여성단체가 합작하여 만든 단체라는 의미이다. 신간회와 함께 출범한 자매단체로, 김활란이 중심이 되어 여성계의 민족 유일당이 된 단체는 근우회(1927)이다. 근우회는 '호주제 법제화 반대 투쟁'을 주도하였다. 근우회 문제의 또 다른 자료로 제시될 수 있는 '근우회 행동 강령'과 '근우회 선언서'도 확인하기 바란다.

> 〈근우회 행동 강령〉
> 1. 여성에 대한 사회·경제적 일체 차별 철폐
> 2. 일체의 봉건적 미신과 인습 타파
> 3. 조혼 폐지 및 결혼의 자유
> 4. 인신 매매 및 공창 폐지
> 5. 농촌 여성의 경제적 이익 옹호
> 6. 여성 노동의 임금 차별 철폐 및 산전 사후 임금 지불
> 7. 여성 및 소년공의 위험 및 야업 금지

> 〈근우회 선언서〉
> 역사 있는 후로부터 지금까지 인류 사회에는 다종다양의 모순과 대립의 관계가 성립되었다. 유동무상하는 인간관계는 시대에 따라서 혹은 이 부류에 유리하게, 혹은 저 부류에 유리하게, 혹은 저 부류에 불리하게 되었나니, 불리한 처지에 서게 된 민중은 그 시대시대의 사회적 서러움을 한껏 받았다. 우리 여성은 각 시대를 통하여 가장 불리한 지위에 서 있어왔다. …… 그러나 일반만을 고조하여 특수를 지각하여서는 아니된다. 고로 우리는 조선운동을 전개함에 있어서 조선의 모든 특수점을 고려하여 여성 따로의 전체적 기관을 가지게 되었나니 여사한 조직으로서만 능히 현재의 조선 여성 운동을 세계 사정 및 조선 사정에 의하여, 또 조선 여성의 성숙 정도에 의하여 바야흐로 중대한 계단으로 진전하였다. 부분적으로 분류되어 있던 전선적 협동전선으로 조직된다. …… 이 단계에 있어서 모든 분열정신을 극복하고 우리의 협동정신으로 하여금 더욱더욱 공고하게 하는 것이 조선 여성의 의무이다. …… 근우회는 이러한 견지에서 사업을 전개하려 하는 것을 선언하나니 우리의 앞길이 여하히 험악할지라도 우리는 일천만 자매의 힘으로써 우리의 역사적 임무를 수행하려 한다. 여자는 벌써 약자가 아니다. 여성 스스로 해방하는 날 세계가 해방할 것이다. 조선자매들아, 단결하자!

04 임시 정부

27 1919년에 수립된 대한민국 임시 정부를 설명한 것이다. 다음 중 옳지 않은 것은?

[2012 서울시 9급]

① 삼권분립에 기초한 민주공화국이다.
② 초대 대통령은 이승만, 국무총리는 김구였다.
③ 본국과의 연락을 위해 연통제를 실시했다.
④ 사료편찬부에서 박은식의 「한국독립운동지혈사」를 간행하였다.
⑤ 기관지로 '독립신문'을 발행하였다.

해설 정답 ②

1919년 9월에 수립된 대한민국 임시 정부의 초대 대통령은 이승만, 국무총리는 '이동휘'였다.

> 3·1 운동 이후 정부를 수립하려는 움직임은 활발해졌다. 국내에서는 13도 대표로 조직된 국민대회를 개최하고 (한성정부) 수립을 선포하였다. 중국 상해에서도 각 지역의 독립지사들이 모여서 임시 정부의 수립을 선포하였다. 연해주에서는 손병희를 대통령으로 하는 (대한국민의회)를 조직하여 임시 정부의 수립을 발표하였다. 임시 정부가 여러 곳에서 만들어지자 통합된 민족운동의 추진이 어려웠다. 이에 각 정부의 지도자들은 서로의 통합을 모색하여 마침내 1919년 9월에 상해에 통합정부를 두고 (이승만)을 대통령으로 하는 민주공화제 정부를 수립하였다.
>
> ➲ 2011 지방직 7급

다만 1919년 4월의 대한민국 임시정부(상하이 정부) 단계에서는 이승만은 국무총리, 이동휘는 군무총장이었다. 대한민국 임시정부가 대한국민의회, 한성정부와 통합되기 전의 내각 구성과 통합된 이후의 내각 구성은 구분해야 한다.

대한민국 임시정부 (1919.4.)	대한국민의회 (1919.3.)	한성정부 (1919.4.)
국무총리 : 이승만 내무총장 : 안창호 군무총장 : 이동휘	대통령 : 손병희 부통령 : 박영효 국무총리 : 이승만	집정관 총재 : 이승만 국무총리 총재 : 이동휘

➲ 2021 국회직 9급

① 임시 정부는 우리 역사상 최초로 삼권 분립에 기초한 민주 공화제를 채택하였다. 삼권 분립을 위해 임시 의정원(입법), 국무원(행정), 법원(사법)을 구성하였다.

> 대한민국 임시헌장(1919.4)
> 제1조 대한민국은 민주 공화제로 한다.
> 제2조 대한민국은 임시 정부가 임시 의정원의 결의에 의하여 이를 통치한다.
> 제3조 대한민국의 인민은 남녀 귀천 및 빈부의 계급이 없고 일체 평등하다.
> 제4조 대한민국의 인민은 종교, 언론, 저작, 출판, 결사, 집회, 통신, 주소 이전, 신체 및 소유의 자유를 향유한다.
> 제5조 대한민국의 인민으로 공민 자격이 있는 자는 선거권 및 피선거권을 가진다.

③ 임시 정부는 독립운동 자금을 모으고 국내 항일 세력들과 연락하기 위하여 연통제와 교통국을 조직하였다. 연통제는 국내의 도·군·면에 설치된 비밀 행정 조직으로, 정부 문서와 명령 전달, 군자금 조달, 정보 보고 등의 업무를 맡았다. 교통국은 통신 기관으로 정보의 수집과 분석, 연락 업무를 담당하였다.

④, ⑤ 1921년 박은식은 사료편찬소(사료편찬부)를 설치하고, 「한국독립운동지혈사」 및 「한·일 관계 사료집」을 간행하였다. 또한 박은식은 임시 정부 기관지로 '독립신문'을 발행하였다.

28 **다음과 같은 선포문을 발표하면서 성립한 정부의 정책으로 옳지 않은 것은?** [2023 국가직 9급]

> 제1조 대한민국은 민주공화제로 함
>
> … (중략) …
>
> 민국 원년 3월 1일 우리 대한민족이 독립을 선언한 뒤 … (중략) … 이제 본 정부가 전 국민의 위임을 받아 조직되었으니 전 국민과 더불어 전심(專心)으로 힘을 모아 국토 광복의 대사명을 이룰 것을 선서한다.

① 독립 공채를 발행하였다.
② 기관지로 『독립신문』을 발간하였다.
③ 비밀 행정 조직인 연통부를 설치하였다.
④ 재정 확보를 위하여 전환국을 설립하였다.

해설

정답 ④

'제1조 대한민국은 민주공화제로 함'으로 시작된 해당 자료는 대한민국 임시헌장이다(1919. 4). 그러므로 이 '선포문을 발표'한 정부는 대한민국 임시정부이다.
① 대한민국 임시정부는 독립 공채를 발행하여 해외 각지에서 독립 자금을 마련하였다. ➲ 2019 서울시 9급 보훈청
② 대한민국 임시정부는 기관지로 『독립신문』을 간행하여 주로 독립 운동에 관한 사실을 보도하였다. ➲ 2017 지방직 7급
③ 대한민국 임시정부는 국내에 지방마다 연통제에 입각한 비밀 행정 체계를 만들었다. ➲ 2019 서울시 9급 보훈청

29 **다음과 같은 주장을 채택하고 활동하던 기관에 대한 설명으로 옳지 않은 것은?**
[2011 기상직 9급]

> 이른바 보통선거 제도를 실시하여 정권(政權)을 균히 하고 국유 제도를 채용하여 이권(利權)을 균등하게 하고 공비교육으로써 학권(學權)을 균히 하며, 국내외에 대하여 민족자결의 권리를 보장하여서 민족과 국가의 불평등을 고쳐버릴 것이니…

① 조선의용대를 편성하여 2차 세계대전에 가담하고 국내진공작전을 준비하였다.
② 연통제, 교통국 등을 통해 독립 자금 모금과 정보 수집 활동 등을 하였다.
③ 이 기관을 활성화시키기 위한 방안으로 김구는 한인애국단을 조직하였다.
④ 독립신문을 간행하고 한일 관계 사료집을 편찬하였다.

해설 정답 ①

'정권을 균히 한다'는 것은 정치의 평등, '이권을 균등하게 한다'는 것은 경제의 평등, '학권을 균히 한다'는 것은 교육의 평등을 말한다. 각 평등을 이루어내기 위한 실천 방안은 각각 보통선거, 토지와 대기업의 국유화, 의무교육(공비교육)이다. 이것은 조소앙이 제창한 삼균주의(三均主義)의 내용이다. 임시 정부는 1941년 대한민국 건국 강령을 발표하면서 삼균주의를 채택하였다. 그러므로 삼균주의가 출제되면 1) 대한민국 임시 정부 문제이거나, 2) 조소앙 인물 문제이다.

개인 간의 균등	정치균등(보통선거), 경제균등(토지와 대기업의 국유화), 교육균등(의무교육)
민족 간의 균등	민족자결
국가 간의 균등	식민정책・자본제국주의 부정, 침략전쟁 행위 금지

① 임시 정부는 '한국광복군'을 결성하여 2차 대전에 가담하고 국내진공작전을 준비하였다. 조선의용대는 1938년 조선민족혁명당이 우한(한커우)에서 결성한 군대이다.

30 (가)에 들어갈 인물로 옳은 것은? [2022 소방]

> (가) 의 약력
> - 1917년 대동단결 선언 발표 참여
> - 1919년 대한민국 임시 정부 국무위원
> - 1930년 상하이에서 이동녕 등과 한국독립당 결성
> - 1941년 대한민국 임시 정부의 건국 강령에서 삼균주의 제창
> - 1945년 대한민국 임시 정부 외무부장
> - 1950년 제2대 국회의원 최다 득표로 당선

① 김규식 ② 여운형

③ 안재홍 ④ 조소앙

해설 정답 ④

임시정부가 수립되었을 때 국무위원으로 활동했으며, 삼균주의를 제창하였고, 임시정부의 외무부장을 역임한 인물은 조소앙(1887~1958)이다. 조소앙은 광복 후, 제1대 국회의원 선거에는 참여하지 않았으나, 제2대 국회의원 선거에 출마하여 최다 득표로 당선되었다.

31 **다음과 같은 강령을 발표한 조직의 활동으로 옳은 것은?** [2019 지방직 9급]

> 건국 시기의 헌법상 경제체계는 국민 각개의 균등생활 확보 및 민족 전체의 발전 그리고 국가를 건립 보위함과 연환(連環)관계를 가진다. 그러므로 다음에 나오는 기본 원칙에 따라서 경제 정책을 집행하고자 한다.
>
> 가. 규모가 큰 생산기관의 공구와 수단 …(중략)… 은행 · 전신 · 교통 등과 대규모 농 · 공 · 상 기업 및 성시(城市)공업 구역의 주요한 공용 방산(房産)은 국유로 한다.
>
> 나. 적이 침략하여 점령 혹은 시설한 일체 사유자본과 부역자의 일체 소유자본 및 부동산은 몰수하여 국유로 한다.

① 이승만을 대통령, 이시영을 부통령으로 선출하였다.
② 자유시 참변을 겪고 러시아 적군에 무장해제를 당하였다.
③ 좌우합작위원회를 구성하고 좌우합작 7원칙을 발표하였다.
④ 미군전략정보국(OSS) 지원 아래 국내 진공작전을 준비하였다.

해설 정답 ④

'규모가 큰 생산기관(대생산기관, 대기업)'을 국유(國有)로 하는 것은 경제 분야의 균등을 말하며, 이것은 조소앙이 제창한 삼균주의에 포함되어 있는 내용이다. 삼균주의를 표방하는 '강령'으로, '건국' 시점의 체계를 논하는 강령은 대한민국 임시 정부의 『대한민국 건국강령』(1941)이다.

> 六. 건국시기의 헌법상 경제체계는 국민 각개의 균등생활을 확보함과 민족 전체의 발전과 및 국가를 건립 보위함에 깊은 관계를 가지게 하되 아래의 기본 원칙에 의지하여 경제 정책을 시행함
>
> 가. 대생산기관의 공구와 수단을 국유로 하고 토지 · 광산 · 어업 · 농림 · 수리 · 소택과 수상 · 유기상 · 공중의 운내수사업과 은행 · 전신 · 교통 등과 대규모의 농 · 공 · 상 기업과 성시 공업구역의 공용적 주요 방산은 국유로 하고 소규모 혹 중등기업은 사영으로 함
>
> 나. 적의 침점 혹 시설한 관 · 공 · 사유 토지와 어업 · 광산 · 농림 · 은행 · 회사 · 공장 · 철도 · 학교 · 교회 · 사찰 · 병원 · 공원 등의 방산과 기지와 기타 경제 · 정치 · 군사 · 문화 · 교육 · 종교 · 위생에 관한 일체 사유자본과 부적자(附敵者)의 일체 소유 자본과 부동산을 몰수하여 국유로 함
>
> 다. 몰수한 재산은 빈공(貧工) 빈농(貧農)과 일체 무산자의 이익을 위한 국영(國營) 혹 공영(公營)의 집단 생산기관에 제공함을 원칙으로 함
>
> 라. 토지의 상속(相續) 매매(賣買) 저압(抵押) 전양(典讓) 유증(遺贈) 전조차(轉租借)의 금지와 고리대금업과 사인의 고용농업의 금지를 원칙으로 하고 두레농장 · 국영공장 · 생산소비와 무역의 합작기구를 조직 확대하여 농공 대중의 물질과 정신상 생활 정도와 문화수준을 제고함
>
> 마. 국제무역 · 전기 · 자래수와 대규모의 인쇄 · 출판 · 전영 · 극장 등을 국유 국영으로 함
>
> 바. 노공(老工) 유공(幼工) 여공(女工)의 야간 노동과 연령 · 지대 · 시간의 불합리한 노동을 금지함
>
> 사. 공인과 농인의 무료 의료를 널리 시행하야 질병 소멸과 건강 보장에 힘씀
>
> 아. 토지는 자력자경인(自力自耕人)에게 분급함을 원칙으로 하되 원래의 고용농 · 소작농 · 자작농 · 소지주농 · 중지주농 등 농인 지위를 보아 저급(低級)에서부터 우선권을 줌
>
> 『대한민국 건국강령』 제3장 건국, 제6조

④ 태평양 전쟁이 일어나자 임시 정부는 즉각 대일 선전 포고를 하였으며, 한국 광복군을 연합군의 일원으로 참전시켰다. 그래서 영국군과 공동 작전으로 미얀마, 인도 전선에까지 공작대를 파견하기도 하였다. 또한 광복군은 미국군과 연합하여 항공기나 잠수함을 이용해서 국내에 투입, 일본군을 몰아낼 계획을 세웠다. 이에 따라 미국 전략 정보국(OSS)과 합작하여 특수부대를 편성하고 훈련을 실시하였다. 그러나 이들이 훈련을 마치고 국내로 출발하기 직전 일본이 항복함으로써 실전 투입은 무산되었다.

① 이승만을 대통령, 이시영을 부통령으로 선출한 조직(국가)은 '대한민국'이다(1948).
② 자유시 참변을 겪고 러시아 적군에 무장해제를 당한 조직은 '대한독립군단'이다(1920).
③ 좌우합작 7원칙을 발표한 조직이 '좌우합작위원회'이다(1946).

32 **다음 사건 이후 전개된 대한민국 임시 정부의 활동으로 옳은 것은?** [2014 서울시 9급]

> 대한민국 임시 정부는 충칭에서 광복군을 창립하였다. 총사령에는 지청천, 참모장에는 이범석이 임명되었다.

① 건국강령을 공포하였다.
② 국무령 중심의 내각책임제를 채택하였다.
③ 구미위원부를 설치하였다.
④ 국민대표회의를 소집하였다.
⑤ 기관지로 독립신문을 창간하였다.

해설 정답 ①

건국강령은 '충칭' 임시 정부 단계에서 공포되었다.

상하이 임시 정부	충칭 임시 정부
1919~1932	1940~1945
③ 구미위원부를 설치하였다(1919). ⑤ 기관지로 독립신문을 창간하였다(1919). ④ 국민대표회의를 소집하였다(1923). ② 국무령 중심의 내각책임제를 채택하였다.(1925)	① 건국강령을 공포하였다(1941).
연통제・교통국을 두었다(1919).	• 한국독립당을 창당하여 임시 정부의 기반을 확대하였다(1940). • 국무위원제를 주석제로 바꾸었다(1940). • 한국광복군을 창설하였다(1940). • 일본과 독일에 선전포고를 하였다(1941). • 조선민족혁명당이 합류하였다(1942). • 국내 정진군을 통한 국내 진입 작전이 추진되었다(1945). ➲ 2015 법원직 9급

33 **충칭 시기 대한민국 임시정부와 광복군에 대한 설명으로 옳지 않은 것은?** [2021 국회직 9급]

① 대한민국 임시정부는 정부, 당(한국독립당), 군(광복군)의 삼위일체 체제를 확립하였다.
② 복국과 건국의 구상을 담은 대한민국건국강령을 발표하였다.
③ 중국군사위원회는 '한국광복군 행동 9개 준승'을 통해 광복군의 활동을 통제하고자 했다.
④ 1942년 광복군에 합류한 조선의용대는 광복군 제3지대로 편성되었다.
⑤ 광복군은 미국 전략정보국(OSS)과 합작하여 국내 진입을 준비하였다.

해설

정답 ④

조선의용대는 1938년 중국의 한커우에서 결성되었다. 1942년 조선의용대의 일부가 광복군에 합류하여 광복군 제1지대로 편성되었고, 김원봉은 광복군 제1대장과 광복군 부사령관을 겸하였다.

① 충칭 임시정부는 1940년 한국독립당이 창당되고, 같은 해에 한국광복군이 창설되면서, 정부 · 당 · 군을 모두 갖추게 되었다.

② 충칭 임시정부는 1941년 조소앙의 삼균주의를 바탕으로 한 대한민국 건국강령을 발표하였다.

③ 한국광복군은 초기에 중국 군사위원회의 지휘와 간섭을 받았다. ➲ 2015 서울시 9급 당시 한국광복군은 중국의 재정 원조에 크게 의존하고 있었는데, 중국군사위원회는 재정 지원의 대가로 '한국광복군 행동 9개 준승'을 통해 한국광복군의 활동을 통제하고자 하였다.

⑤ 한국광복군은 지청천, 이범석 등을 중심으로 국내정진군을 만들어, 중국에 주둔하고 있던 미국 전략정보국(OSS, Office of Strategic Service)과 연합하여 비행 편대를 편성하고 국내에 침투할 특수 요원을 훈련시켰다.

34 대한민국 임시 정부가 국무위원 중심의 집단지도체제로 운영될 때 일어났던 일은?

[2004 서울시 7급]

① 봉오동에서 일본군에게 통쾌한 승리를 거두었다.

② 6 · 10 만세운동이 일어났다.

③ 윤봉길 의사가 상하이 홍커우 공원에서 폭탄을 던졌다.

④ 조선의용대가 한국광복군에 합류하였다.

⑤ 일본에 대일 선전 성명서를 발표했다.

해설

정답 ③

'국무위원 중심의 집단 지도체제'는 임시 정부가 가장 오랜 기간 유지한 체제였다. 1927년부터 1940년까지이므로, 1930년대는 모두 국무위원 중심의 집단체제라고 할 수 있다. 이 기간 동안에 윤봉길 의사의 상하이 홍커우 공원 의거(1932)가 있었다. 브나로드 운동(1931~1934)도 답이 될 수 있다.

제1차(1919)	대통령제(이승만)
제2차(1925)	국무령 중심의 내각 책임제(이동녕, 이상룡)
제3차(1927)	국무위원 집단 지도 체제
제4차(1940)	주석제(김구)
제5차(1944)	주석 · 부주석제(김구, 김규식)

➲ 2019 경찰, 2017 경찰

① 홍범도가 이끌었던 대한독립군의 활약이다(1920). → 대통령제

② 사회주의 세력과 학생이 주도하였다(1926). → 내각책임제

④ 조선의용대가 합류하여 한국광복군의 전력이 증강하였다(1942). → 주석제

⑤ 태평양 전쟁이 일어나자 임시 정부는 대일선전포고를 발표하였다(1941). → 주석제

35 밑줄 친 '이 회의'에 대한 옳은 설명을 [보기]에서 고른 것은? [2017 국가직 9급 변형]

> 베이징 방면의 인사는 분열을 통탄하며 통일을 촉진하는 단체를 출현시키고 상하이 일대의 인사는 이를 고려하여 개혁을 제창하고 있다. 임시 의정원은 국민을 대표하여 정부를 감독하는 기관이지만, 현재 그 자체의 실권을 행사하여 정부의 득실을 교정하고 시국의 문제를 해결하기 어려운 처지에 있다. …(중략)… 근본적 대개혁으로서 통일적 재조(再造)를 꾀하여 독립운동의 신국면을 타개하려고 함에는 다만 민의뿐이므로 우리 국민은 노력 분투하지 않으면 안 된다. 이에 이 회의의 소집을 제창한다.

[보기]

㉠ 국내외 독립 운동 단체의 대표들이 참가하였다.
㉡ 각지에 수립된 임시 정부를 통합하려는 시도였다.
㉢ 독립 운동의 방략을 둘러싸고 논쟁이 전개되었다.
㉣ 삼균주의를 바탕으로 한 건국 강령을 채택하였다.

① ㉠, ㉡
② ㉠, ㉢
③ ㉡, ㉢
④ ㉡, ㉣
⑤ ㉢, ㉣

해설 정답 ②

제시된 자료에서 '임시 의정원'은 대한민국 임시 정부의 입법 기관이다. '이 회의'는 '독립운동의 방략을 둘러싸고 논쟁이 전개되었던' 국민대표회의(1923)로서, 이 회의에는 국내외 독립 운동 단체의 대표들이 '국민의 대표로서' 참가하였다. 1923년 초 상하이에서 개최된 이 회의는 국내외 독립운동가 130여 명이 참여하여 약 4개월 정도 계속되었다.

> 본 국민대표회의는 2천만 민중의 공의를 체(體)한 국민적 대 회합으로 최고의 권위를 지녀 국민의 완전한 통일을 견고하게 하며 광복 대업의 근본 방침을 수립하여 이로써 우리 민족의 자유를 만회하며 독립을 완성하기를 기도하고 이에 선언하노라.
>
> 국민대표회의 선언서, 1923. 2. 20.

제시된 자료는 1921년 김창숙, 박은식, 원세훈 등 임시 의정원 내의 의원들이 국민대표회의 소집을 촉구하며 발표한 「우리 동포에게 고함」이라는 성명서이다. 이 성명서(격문)의 앞부분은 이렇다.

> 우리들이 국민대표회의를 소집할 것을 제창함은 … 전국민의 의사에 의하여 통일적 강고한 정부 조직을 기도하는 데 있고, 둘째는 군책(群策)과 군력(群力)을 종합하여 독립 운동의 최량(最良, 가장 좋은) 방침을 수립하려고 하는 데 있다. 이는 광복 대업의 근본적 요구이다. … 최초 임시 정부를 조직할 당시, 소수인의 천행(擅行, 멋대로 행동함)으로 각 방면의 군의(群議)를 구하지 않고, 신시대 신건설에 적합하지 않은 복잡한 계급과 용만(冗漫, 쓸데없이 어지러움)한 제도를 설정하였으므로 인물을 수용할 수 없었고 …
>
> 우리 동포에게 고함

㉡ 한성정부, 대한국민의회, 상하이정부를 통합하려는 시도는 이미 1919년 임시 정부 수립 단계에 있었다.
㉣ 삼균주의를 바탕으로 한 건국 강령은 1941년 충칭 임시 정부에서 발표되었다.

36 다음은 국민 대표 회의를 둘러싼 여러 정치 세력의 주장이다. (가) ~ (다)에 대한 설명으로 가장 옳은 것은? [2012 법원직 9급 변형]

정치 세력	주 장
(가)	• 대한민국 임시 정부 개조 • 민족주의 실력 양성
(나)	• 새로운 대한민국 임시 정부 건설 • 무장 투쟁 강조
(다)	• 임시 정부 유지 • 국민대표회의 불참

① (가) – 국민대표회의의 개최를 처음 요구하였다.
② (나) – 이승만의 독립 청원서 제출을 비판하였다.
③ (다) – 연해주 지역에서 활동하던 인물들을 중심으로 구성되었다.
④ (가), (나) – 국무령 중심의 내각책임제를 제기하였다.

해설 정답 ②

(가)는 개조파, (나)는 창조파, (다)는 현상유지파이다. 신채호, 박용만 등의 창조파는 외교 중심의 임시 정부 활동에 비판적이었으며, 특히 이승만의 국제연맹 위임 통치 청원을 비난하며 임시 정부의 해산을 요구하였다.

<u>국민대표회의에서 주장한 독립운동 방안</u>
- 안창호 : 임시 정부를 개선하여 독립운동 단체의 중심 역할을 하도록 만들어야 하며, 독립 전쟁을 수행하기 위해서는 먼저 <u>교육과 산업</u> 등 민족의 실력을 양성해야 한다.
- 이동휘 : 임시 정부를 개조하고, 많은 한인들이 살고 있는 연해주 지방을 중심으로 항일 <u>무장 투쟁</u>을 적극적으로 수행해야 한다.
- 신채호 : 미국 정부에게 국제연맹이 우리나라를 위임 통치해 줄 것을 요구한 이승만은 대통령으로서의 자격이 없다. <u>임시 정부를 대체할 새로운 조직</u>을 만들어야 한다.

① 김창숙, 박은식, 원세훈 등이 발표한 「우리 동포에게 고함」이라는 성명서(1921)에서 국민대표회의 개최를 처음으로 주장하였다. 일반적으로 '국민대표회의 개최 주장'은 '신채호'가 하였다고 출제되지만, '처음 주장'이라고 나오면 이와 구분하여야 한다.
③ 연해주 지역에서 활동하였던 인물들은 대체적으로 (나)의 창조파가 되었다.
④ 국민대표회의가 결렬된 후 (다)의 현상유지파가 선택하여 1925년부터 1927년까지 적용하였던 정부 체제이다.

37 1919년 9월에 통합된 대한민국 임시 정부에 대한 설명으로 옳지 않은 것은 모두 몇 개인가?

[2016 경찰]

> ㉠ 초대 대통령으로 김구가 선출되었고, 입법・사법・행정의 3권이 분립된 근대적 헌법을 제정・공포하였다.
> ㉡ 대한민국 임시 정부는 국내외를 연결하는 비밀 행정 조직으로 연통제를 실시하였으나, 일제에게 그 조직이 발각되어 와해되었다.
> ㉢ 일본이 중일전쟁을 일으킨 이후 임시 정부는 광복군을 결성하고 대일 전선에 참가하여 인도, 미얀마 전선까지 진출하였다.
> ㉣ 임시 정부가 충칭으로 이동한 이후 국무령 중심의 내각책임제로 정부 형태가 개편되었다.
> ㉤ 대한민국 헌법 전문에는 우리 국가의 정통성이 대한민국 임시 정부에 있음을 밝히고 있다.

① 2개 ② 3개 ③ 4개 ④ 5개

해설 정답 ①

옳지 않은 것은 ㉠, ㉣이다.

㉠ 초대 대통령으로 '이승만'이 선출되었고, 입법・사법・행정의 3권이 분립된 근대적 헌법을 제정・공포하였다. 김구는 임시 정부 초대 경무국장(警務局長)으로 재직하였다. ➲ 2019 경찰특공대

㉣ 임시 정부가 충칭으로 이동한 이후에는 '주석제'를 채택하였다. 국무령 중심의 내각책임제는 1925년에 채택하였다.

38 다음 사건들이 일어난 시기를 [보기]에서 고르면? [2016 사회복지직]

> 대한민국 임시 정부의 노선과 활동을 재평가하고 분열된 독립운동 전선을 통일하기 위해 상하이에서 국민대표회의가 소집되었다. 그러나 이 모임에서 임시 정부의 조직만 개조하자는 개조파와 완전히 해체한 후 새 정부를 구성하자는 창조파 등이 팽팽하게 맞섰다. 그 후 헌법을 개정하여 국무령 중심의 의원내각제로 바꾸고, 박은식을 제2대 대통령으로, 이상룡을 국무령으로 추대하였다.

[보기]

1910년		1919년		1931년		1937년		1945년
	(가)		(나)		(다)		(라)	
한일강제병합		3.1운동		만주사변		중일전쟁		광복

① (가) ② (나) ③ (다) ④ (라)

해설 정답 ②

'국민대표회의가 소집'된 때는 1923년, '국무령 중심의 의원내각제로 바꾸고, 박은식을 제2대 대통령으로 세우고, 이상룡을 국무령으로 추대'한 때는 1925년이다. (나)에 들어간다.

39 밑줄 친 '우리 부대'에 대한 설명으로 옳은 것은? [2013 지방직 9급]

> 이번 연합군과의 작전에 모든 운명을 거는 듯하였다. 주석(主席)과 우리 부대의 총사령관이 계속 의논하는 것을 옆에서 들었기 때문에 더욱 일의 중대성을 절감하였다. 드디어 시기가 온 것이다! 독립 투쟁 수십 년에 조국을 탈환하는 결정적 시기가 온 것이다. 이때의 긴장감은 내가 일본 군대를 탈출할 때와는 다른 긴장감이었다. 목적은 같으나 그때는 막연한 미지의 세계에 뛰어드는 것이었지만 이번에는 분명히 조국으로 가는 것이 아닌가? ➲ 장정

① 중국 공산군과 함께 화북에서 항일전을 벌였다.
② 만주에서 중국 의용군과 연합 작전을 수행하였다.
③ 중국 관내에서 조직된 최초의 한국인 군사 조직이었다.
④ 인도, 미얀마 전선에서 영국군과 공동 작전을 펼쳤다.

해설 정답 ④

'주석'이 있는 단체의 부대로서, '연합군과의 작전'을 수행하였던 부대는 임시 정부의 '한국광복군'이다.

1940년	임시 정부가 충칭에 정착한 직후, 임시 정부는 중국 국민당 정부와 교섭하여 한국광복군을 창설하였다. 총사령에 이청천, 참모장에 이범석을 선임하였다. ➲ 2014 국가직 9급
1941년	태평양 전쟁이 일어나자 대일선전포고를 하고 연합군과 합동 작전을 전개하였다.
1942년	김원봉이 이끄는 조선의용대가 한국광복군에 합류하여 군사력이 증강되었다. ➲ 2015 해경간부
1943년	영국군의 요청으로 일부 병력을 인도와 버마(미얀마) 전선에 참전시켰다. ➲ 2014 국가직 9급
1944년	부주석 체제를 신설하였다.
1945년	미국 전략정보국(OSS) 지원 아래 국내 진공작전을 준비하였다. ➲ 2019 지방직 9급 = 미국 전략정보처(OSS)와 협력하면서 국내 진공을 준비하였다. ➲ 2014 국가직 9급

① 김두봉은 조선의용대에서 분리되어 화북 지역(옌안 지역)에서 조선의용대 화북지대를 결성하였다. 조선의용대 화북지대는 조선독립동맹으로 변천하였고, 조선독립동맹은 산하부대로서 '조선의용군'을 결성하였다. '중국 공산군과 함께 화북에서 항일전'을 벌인 부대는 조선의용군이다.
② '만주에서 중국 의용군과 연합 작전'을 수행한 부대는 양세봉이 주도한 '조선혁명군'이다.
③ 중국 관내에서 한국인이 군사 조직을 만들기 위해서는 중국 정부의 협조가 있어야 했다. 1938년 조선민족혁명당은 중국 정부의 협조를 얻어 중국 우한(한커우)에서 조선의용대를 결성하였다.

40 대한민국 임시 정부에 대한 설명으로 옳지 않은 것은? [2017 서울시 9급]

① 국내 항일 세력들과 연락하기 위해 연통제를 운영하였다.
② 국외 거주 동포에게 독립 공채를 발행하였다.
③ 만주 지역의 무장 투쟁 세력들도 참여하였다.
④ 임시 정부 수립 직후 임시 의정원을 구성하였다.

해설 정답 ④

임시의정원은 대한민국 임시 정부의 입법기관으로, 대한민국 임시 정부 수립을 위한 사전 조직으로 1919년 4월 조직되었다. 이를 기반으로 대한민국 임시 정부가 탄생하였다.

① 임시 정부는 국내 항일 세력들과 연락하기 위해(국내 독립운동의 지도와 군자금 모집을 위해) 연통제와 교통국을 조직・운영하였다.

② 임시 정부는 군자금을 조달하기 위해 독립공채(애국공채)를 발행하였다. 독립공채는 국내에 거주하는 국민들뿐만이 아니라, 해외 동포나 외국인에게도 발행되었다.

③ 1919년 서간도의 서로군정서와 북간도의 북로군정서 등 '만주 지역의 무장 투쟁 세력들'도 임시 정부 직속을 표방하며, 독립운동에 함께 참여하였다.

41 다음 대한민국 임시 정부에 대한 설명을 시기순으로 바르게 나열한 것은? [2017 국가직 7급]

㉠ 중국 국민당 정부를 따라 충칭으로 이동하였다.
㉡ 부주석제를 신설하여 김규식을 부주석으로 하였다.
㉢ 김원봉이 이끄는 조선의용대를 한국광복군에 편입하였다.
㉣ 조소앙의 삼균주의를 기초로 하는 대한민국 건국강령을 발표하였다.

① ㉠ → ㉣ → ㉢ → ㉡
② ㉡ → ㉠ → ㉣ → ㉢
③ ㉢ → ㉡ → ㉠ → ㉣
④ ㉣ → ㉢ → ㉡ → ㉠

해설 정답 ①

㉠ 중국 국민당 정부를 따라 충칭으로 이동하였다. 1940년 임시 정부가 충칭에 정착하면서 국무위원제를 주석제로 바꾸고 행정부의 기능을 강화하는 헌법 개정을 단행하였다. 나머지 사건들은 모두 그 이후에 발생한 소위 '충칭 임시 정부'의 사건들이다.

㉣ 1941년에, 임시 정부는 조소앙의 삼균주의를 기초로 하는 대한민국 건국강령을 발표하였다.

㉢ 1942년에, 김원봉이 이끄는 조선의용대를 한국광복군에 편입하였다.

㉡ 1944년에, 부주석제를 신설하여 김규식을 부주석으로 하였다.

명호샘의 한마디!!

대한민국 임시 정부 문제 기출문장을 정리한다.

1. 교통국을 두고 연통제를 실시하였다. ➲ 2012 경찰
   = 국내와의 연락을 위해 교통국을 두었다. ➲ 2021 서울시 9급
   = 연통제를 통해 국내외를 연결하였다. ➲ 2011 서울시 9급
2. 기관지로 독립신문을 간행하여 배포하였다. ➲ 2011 서울시 9급, 2012 경찰
3. 미국에 구미위원부를 두어 외교 활동을 전개하였다. ➲ 2011 서울시 9급
4. 파리강화회의에 대표를 파견해 독립을 주장하게 되었다. ➲ 2011 서울시 9급
5. 미국전략정보국(OSS) 지원 아래 국내 진공작전을 준비하였다. ➲ 2021 국회직 9급, 2019 지방직 9급
6. 복국과 건국의 구상을 담은 대한민국 건국강령을 발표하였다. ➲ 2021 국회직 9급
7. 중국군사위원회는 '한국광복군 행동 9개 준승'을 통해 광복군의 활동을 통제하고자 하였다. ➲ 2021 국회직 9급

05 의열 투쟁

42 다음 글을 쓴 인물에 대한 설명으로 옳은 것은? [2019 기상직 9급]

> 대개 국교(國敎) · 국학 · 국어 · 국문 · 국사는 혼(魂)에 속하는 것이요, 전곡 · 군대 · 성지(城地) · 함선 · 기계 등은 백에 속하는 것으로 혼의 됨됨은 백(魄)에 따라 죽고 사는 것이 아니다. 그러므로 국교와 국사가 망하지 않으면 그 나라도 망하지 않는 것이다. 오호라 한국의 백은 이미 죽었으나, 이른바 혼은 살아있는가, 없는가.

① 대한국민노인동맹단을 조직하여 활동하였다.
② 진단학회에 참여하여 『진단학보』 발간에 기여하였다.
③ 「동국고대선교고」, 「꿈하늘」, 『조선사론』 등을 저술하였다.
④ 『조선사회경제사』에서 식민주의 사학의 정체성 이론을 반박하였다.

해설 정답 ①

국혼(國魂)을 강조한 인물은 태백광노(太白狂奴) 또는 무치생(無恥生)이라는 별호를 쓰기도 한 박은식이다. 박은식은 '혼'과 '백' 중 '혼'을 잃지 않으면 나라를 되찾을 수 있다고 주장하였다. ➲ 2019 서울시 7급

한편 박은식은 1919년 대한국민노인동맹단 결성에 주도적인 역할을 하였다. 노인동맹단은 3대 총독 사이토를 제거하기 위해 강우규를 파견하기도 하였다. 노인동맹단과 관련하여 1) 박은식, 2) 강우규, 두 인물을 꼭 알아두자.

② 이병도, 손진태, ③ 신채호, ④ 백남운

43 다음 선언을 지침으로 활동한 단체에 대한 설명으로 옳지 않은 것은? [2022 지방직 간호 8급]

> 민중은 우리 혁명의 대본영이다. 폭력은 우리 혁명의 유일한 무기이다. 우리는 민중 속으로 가서 민중과 손을 맞잡아 끊임없는 폭력－암살, 파괴, 폭동으로써 강도 일본의 통치를 타도하고, 우리 생활에 불합리한 일체의 제도를 개조하여, 인류로써 인류를 압박하지 못하며, 사회로써 사회를 박탈하지 못하는 이상적 조선을 건설할지니라.

① 만주에서 김원봉이 주도하여 결성하였다.
② 경성역에서 사이토 총독에게 폭탄을 던졌다.
③ 김상옥을 보내서 종로 경찰서를 폭파하고자 하였다.
④ 일제 요인 암살과 식민 통치기관 파괴에 주력하였다.

해설 정답 ②

'민중은 우리 혁명의 대본영이다'로 시작하는 이 글은 김원봉이 부탁하여 신채호가 작성한 '조선혁명선언'이다. 이 글은 '폭력'을 강조하고 있고, 일본을 '강도'로 표현하고 있다. 이 선언을 지침으로 활동한 단체는 의열단이다.

① 의열단은 1919년 만주에서 김원봉이 윤세주 등과 함께 결성한 단체이다.
③ 의열단은 김상옥을 보내서 독립운동가 탄압의 상징적인 경찰서였던 '종로 경찰서'를 폭파하고자 하였다.
④ 의열단은 일제 요인 암살과 식민 통치기관 파괴에 주력하였다. '암살과 파괴', 이것이 곧 의열 투쟁이다.
② 경성역에서 사이토 총독에게 폭탄을 던진 인물은 노인동맹단의 강우규이다.

 명호샘의 한마디!!

의열단 문제는 '신채호의 조선혁명선언' 또는 '의열단 공약'을 제시하며 출제된다. 여러 문제에서 조선혁명선언을 확인하고, 아래의 의열단 공약도 확인하기 바란다.

1. 의열단 조직
   ① 김원봉, 윤세주 등이 반일사상을 높이고 폭력투쟁을 벌여 일제를 타도할 목적으로 만주 지린성에서 조직하였다. ➲ 2012 경찰간부
   = 1919년 지린(길림)에서 조직되었다. ➲ 2017 국회직 9급
   = 3 · 1 운동 이후 만주 길림에서 김원봉, 윤세주 등이 조직하였다. ➲ 2017 경찰, 2016 경찰
   = 만주에서 김원봉이 주도하여 결성하였다. ➲ 2022 지방직 간호 8급
   ② 일제 요인 암살과 식민 통치기관 파괴에 주력하였다. ➲ 2022 지방직 간호 8급
   = 개인 폭력 투쟁을 통해 민중 직접 혁명을 달성하려 하였다. ➲ 2013 법원직 9급
   ③ 신채호가 쓴 '조선 혁명 선언'을 지침으로 삼아 활발한 투쟁을 벌였다. ➲ 2017 국회직 9급
   = 신채호는 김원봉의 요청을 받아들여 '조선 혁명 선언'을 작성하였다. ➲ 2020 지방직 9급
2. 의열단의 활동
   ① 나석주, 김상옥, 김익상, 박재혁 등이 활동하였다. ➲ 2013 법원직 9급
   ② 일제 식민 지배의 중심기관인 조선총독부에 폭탄을 던졌다. ➲ 2022 서울시 9급
   = 김익상이 조선총독부 건물에 폭탄을 던졌다. ➲ 2021 지역인재 9급
   ③ 1920년 9월 박재혁은 부산 경찰서에 폭탄을 던지고 체포된 후 단식으로 자결하였다. ➲ 2015 지역인재 9급
   = 1920년 박재혁이 부산 경찰서 투탄 의거를 일으켰다. ➲ 2016 정보통신 경찰, 2015 국가직 7급
   ④ 김상옥이 종로 경찰서에 폭탄을 투척하였다. ➲ 2022 지방직 간호 8급, 2015 국가직 7급
   = 1923년 1월 김상옥은 종로 경찰서에 폭탄을 던지고 일본 경찰과 대치한 후 자결하였다. ➲ 2015 지역인재 9급
   = 독립지사들에게 잔인한 고문을 일삼던 종로경찰서에 폭탄을 던져 큰 피해를 주었다. ➲ 2022 서울시 9급
   ⑤ 일본 제국의회와 황궁을 공격할 계획을 세웠다. ➲ 2016 국가직 9급
   = 김지섭은 의열단에서 활동하였다. ➲ 2018 계리직
   ⑥ 단원인 나석주는 1926년 서울에 잠입하여 동양척식주식회사에 폭탄을 투척하였다. ➲ 2017 사회복지직
   = 나석주가 동양척식주식회사와 조선식산은행을 공격하였다. ➲ 2015 국가직 7급
   = 동양척식주식회사에 들어가 그 간부를 사살하고 경찰과 시가전을 벌이기도 하였다. ➲ 2022 서울시 9급
3. 의열단의 변천
   ① 1920년대 후반 무장 투쟁 노선으로 전환하였다. ➲ 2013 법원직 9급
   ② 단원들이 황포군관학교에 입학하여 군사 교육 및 간부 훈련을 받았다. ➲ 2022 지방직 9급, 2017 국회직 9급, 2016 경찰, 2016 정보통신 경찰
   ③ 혁명 투사 · 독립 운동 지도자를 양성하기 위한 조선 혁명 간부 학교를 설립 · 운영하였다. ➲ 2016 경찰, 2016 정보통신 경찰
   ④ 김원봉의 주도로 의열단, 한국독립당, 조선혁명당 등의 대표들이 난징에 모여 한국 대일 전선 통일 동맹을 출범시켰다. ➲ 2020 경찰
   ⑤ 의열단은 한국독립당, 조선혁명당 등과 함께 민족혁명당을 결성하였다. ➲ 2019 지방직 9급, 2019 소방, 2016 국가직 9급
   ⑥ 1930년대 후반 이 단체의 주요 인사들은 조선의용대를 조직하였다. ➲ 2017 국회직 9급

조선혁명간부학교 ➲ 2015 수능

1. 천하의 정의의 사(事)를 맹렬(猛烈)히 실행하기로 함
2. 조선의 독립과 세계의 평등을 위하여 신명(身命)을 희생하기로 함
3. 충의의 기백과 희생의 정신이 확고한 자라야 단원이 된다.

… (중략) …

9. 일(一)이 구(九)를 위하여 구가 일을 위하여 헌신함
10. 단의를 배반한 자는 척살한다.

➲ 의열단 공약

44 [보기]의 선언문을 지침으로 삼은 단체의 활동에 대한 설명으로 가장 옳은 것은?

[2018 서울시 지방직 9급]

[보기]

강도 일본이 우리의 국호를 없이 하며, 우리의 정권을 빼앗으며, 우리의 생존적 필요조건을 다 박탈하였다. (중략) 혁명의 길은 파괴부터 개척할지니라. 그러나 파괴만 하려고 파괴하는 것이 아니라 건설하려고 파괴하는 것이니, 만일 건설할 줄을 모르면 파괴할 줄도 모를지며, 파괴할 줄을 모르면 건설할 줄도 모를지니라. 건설과 파괴가 다만 형식상에서 보아 구별될 뿐이요 정신상에서는 파괴가 곧 건설이니, 이를테면 우리가 일본세력을 파괴하려는 것이, (하략)

① 오성륜, 김익상, 이종암이 상해 황포탄에서 일본 육군대장 다나카 기이치를 저격하였다.
② 이봉창이 동경에서 일왕 히로히토에게 폭탄을 던졌다.
③ 백정기, 이강훈, 원심창이 상해 육삼정에서 일본공사 아리요시를 암살하려고 시도하였다.
④ 윤봉길이 상해 홍구공원에서 열린 일본의 천장절 행사에 폭탄을 던졌다.

해설

정답 ①

제시된 자료는 신채호가 1923년 1월 의열단(義烈團)의 독립운동 이념과 전략을 이론화해 발표한 '조선 혁명 선언'이다. '의열단 선언'이라고도 한다.

① 1922년 3월 28일, 의열단원 김익상, 오성륜, 이종암이 상하이 황포탄(黃浦灘)에서 일본 육군대장 다나카 기이치를 저격하였으나, 실패하고 체포되었다. 4월 1일에 오성륜은 탈옥하였다.

②, ④ 1932년 이봉창은 일왕 히로히토에게 폭탄을 던졌으며, 윤봉길은 훙커우 공원에서 열린 천장절 행사에 폭탄을 던졌다. 이봉창과 윤봉길은 모두 한인애국단 소속이다.

③ 1933년 3월 백정기, 이강훈, 원심창이 상해 육삼정에서 일본공사 아리요시를 암살하려고 시도하였다. 이를 '상해 육삼정 의거'라고 한다. 백정기 등은 남화한인청년연맹(흑색공포단) 소속으로 알려져 있다.

45 다음 선언을 발표한 단체에서 활약한 사람을 [보기]에서 모두 고른 것은?

[2017 사회복지직, 2012 계리직]

이제 폭력의 목적물을 대략 열거하건대, 조선 총독 및 각 관공리, 일본 천황 및 각 관공리, 정탐노 · 매국적, 적의 일체 시설물, 이 밖에 각 지방의 신사나 부호가 비록 현저히 혁명 운동을 방해한 죄가 없을지라도 언어 혹 행동으로 우리의 운동을 완화하고 중상하는 자는 폭력으로써 대응할지니라.

[보기]

㉠ 김두봉　㉡ 김상옥　㉢ 나석주　㉣ 이봉창

① ㉠, ㉡　② ㉡, ㉢
③ ㉢, ㉣　④ ㉠, ㉣

해설 정답 ②

의열단의 김상옥은 종로 경찰서에 폭탄을 투척하였다(1923). 나석주는 식민지 대표 착취 기관인 식산 은행과 동양 척식 주식회사에 들어가 폭탄을 던지고 권총으로 관리들을 저격하였다(1926).

㉠ 김두봉은 중국 옌안(연안) 지역에서 조선의용대 화북지대를 조선독립동맹으로 개편하고, 조선의용군을 결성하였다. 광복 후 북한으로 들어가 조선신민당을 결성하고, 김일성과 함께 연합정권을 만들어 활동하였으나 6・25 전쟁 후 김일성에 의해 숙청당하였다.

㉣ 이봉창은 한인애국단 소속으로 1932년 도쿄에서 일본 국왕 히로히토 폭살을 기도하였으나, 일본 궁내부 대신의 마차를 일본 국왕의 마차로 착각하고 폭탄을 던져 히로히토를 죽이는 것은 실패하였다.

46 다음의 독립투쟁을 일으킨 인물과 당시 소속단체가 일치하지 않는 것은? [2012 국가직 7급]

> ㉠ 조선총독부에 폭탄을 던진 다음 수십 겹의 포위망을 뚫고 중국으로 탈출하여, 이듬해 중국 상하이에서 일본 육군대장을 저격하였다.
> ㉡ 조선총독의 마차를 겨냥하고 영국제 수류탄을 던져 총독부 요인과 관리들에게 큰 부상을 입혔다.
> ㉢ 동양척식주식회사에 들어가 폭탄을 투척하였으나, 터지지 않자 권총으로 일본 간부를 사살하고 경찰과 시가전을 벌였다.
> ㉣ 도쿄에서 황궁으로 들어가는 이중교에 폭탄을 던져 일제에게 두려움을 안겨 주었다.

① ㉠ : 김익상 – 의열단
② ㉡ : 강우규 – 노인(동맹)단
③ ㉢ : 나석주 – 의열단
④ ㉣ : 이봉창 – 한인애국단

해설 정답 ④

1923년 관동대참변이 일어났다. 의분을 느낀 의열단의 김지섭은 일본으로 건너가 도쿄에서 황궁으로 들어가는 '이중교'라는 다리에 폭탄을 투척하였다.

47 다음 글은 (가)의 부탁을 받고 (나)가 지은 것이다. (가)와 (나)에 대한 설명으로 옳은 것은? [2022 지방직 9급]

> 우리는 '외교', '준비' 등의 미련한 꿈을 버리고 민중 직접 혁명의 수단을 취함을 선언하노라. 조선 민족의 생존을 유지하자면 강도 일본을 쫓아내야 하고, 강도 일본을 쫓아내려면 오직 혁명으로써만 가능하니, 혁명이 아니고는 강도 일본을 쫓아낼 방법이 없는 바이다.

① (가)는 조선 의용대를 결성하였고, (나)는 '국혼'을 강조하였다.
② (가)는 신흥 무관 학교를 세웠고, (나)는 형평사를 창립하였다.
③ (가)는 조선 건국 동맹을 조직하였고, (나)는 식민 사학의 한국사 정체성론을 반박하였다.
④ (가)는 황포 군관 학교에서 훈련받았고, (나)는 민족주의 역사 서술의 기본 틀을 제시하였다.

해설 정답 ④

제시된 자료는 조선혁명선언(의열단 선언)으로 (가) 김원봉의 부탁을 받고, (나) 신채호가 지은 것이다.

④ (가) 김원봉은 의열단의 개별 투쟁에 한계를 인식하고 단원들과 함께 황포 군관 학교에 입학하여 훈련을 받았다. (나) 신채호는 「조선상고사」, 「조선사연구초」 등을 저술하여 민족주의 역사 서술의 기본 틀을 제시하였다.

① (가) 의열단이 포함된 조선민족혁명당이 조선 의용대를 결성하였다. 그러므로 '조선의용대 결성'은 김원봉의 활동에 포함된다. (나) '국혼'을 강조한 인물은 박은식이다. 신채호의 오답에 박은식이 꼭 등장한다.

② (가) 신흥 무관 학교는 신민회 소속 인사들이 세웠다. 김원봉과는 관련이 없다. (나) 백정들이 형평사를 창립하였다. 신채호와는 관련이 없다.

③ (가) 여운형이 조선 건국 동맹을 조직하였다. (나) 백남운이 식민 사학의 한국사 정체성론을 반박하였다.

48 밑줄 친 '이 단체'에 대한 설명으로 옳은 것은? [2018 국가직 7급]

> 1930년대 일제의 중국 침략이 본격화되자, 중국 본토에서 활동하던 독립운동 단체들은 좌우의 대립을 지양하고 민족 연합전선을 형성하기 위해 상하이에서 '한국대일전선통일동맹'을 결성하고 민족 유일당 건설을 제창하였다. 이에 여러 단체의 인사들이 난징에서 회의를 열고 이 단체를 창건하였다. 이는 단순한 여러 단체의 동맹이 아니라 단일 정당을 형성한 것이다.

① 창설 당시 김구는 참여하지 않았다.

② 동북항일연군을 산하의 군사조직으로 두었다.

③ 지청천, 조소앙의 독주로 김원봉이 탈퇴하였다.

④ 한국독립당, 한국국민당, 조선혁명당 3당의 통합으로 만들어졌다.

해설 정답 ①

일제가 본격적으로 중국을 침략하자, 중국에서 활동하고 있던 독립운동 단체들은 대일 항전을 적극적으로 추진하기 위하여 민족 유일당 건설을 결의하였다. 이에 의열단, 한국독립당, 조선혁명당, 신한독립당, 대한독립당은 연합전선을 형성하여 한국대일전선통일동맹(韓國對日戰線統一同盟)을 맺었다(1932). 이것은 가맹단체의 협의기관이었고, 이후 하나의 단체로 연합하여 중국 난징에서 민족혁명당을 결성하였다(1935). ➔ 2019 지방직 9급

① 민족혁명당이 결성되자, 김구는 이에 대응하여 한국국민당을 창당하였다(1935).

② 만주에서 활동하던 한인 사회주의자들은 중국 공산당이 조직한 동북 인민 혁명군에 소속되어 항일 무장 투쟁을 전개하였다. 동북 인민 혁명군은 1936년에 동북 항일연군으로 개편되었다.

③ 민족혁명당의 최초 창당의 취지는 항일 투쟁의 통일 연합 전선을 구축하기 위하여 좌우 합작의 민족 유일당을 건설하는 것이었으나, 김원봉파의 독단으로 인하여 조소앙 세력과 지청천 세력이 탈퇴하면서 민족혁명당의 세력은 약화되었고, 곧 조선민족혁명당으로 개편하였다(1937).

④ 1940년 조소앙의 한국독립당, 김구의 한국국민당, 지청천의 조선혁명당의 3당이 통합하여 만들어진 조직은 한국독립당이다.

49 밑줄 친 '그'가 일으킨 사건의 영향에 대한 설명으로 옳은 것은? [2012 지방직 9급]

> 일제는 1월 28일 일본승려사건을 계기로 전쟁을 도발하였다. 일본은 이때 시라카와 대장을 사령관으로 삼아 중국과의 전쟁을 승리로 이끌었다. 그는 이해 봄 야채상으로 가장하여 일본군의 정보를 탐지한 뒤 4월 29일 이른바 천장절 겸 전승축하기념식에 폭탄을 투척하기로 하였다. 식장에 참석하여 수류탄을 투척함으로써 파견군사령관 시라카와, 일본거류민단장 가와바다 등은 즉사하였다.

① 이를 계기로 신간회가 결성되었다. ② 한국광복군 형성의 기초가 되었다.
③ 민족 유일당 운동의 계기가 되었다. ④ 미쓰야 협정이 체결되는 계기가 되었다.

해설 정답 ②

'그'는 한국애국단의 윤봉길이다. 윤봉길은 1932년 4월 29일 상하이의 홍커우 공원에서 열린 '천장절(일왕의 생일) 겸 상하이 사변 승전 기념식'에서 일본인들을 향해 폭탄을 던졌다. 이로 인해 상하이에 파견되어 있었던 일본군 총사령관 시라카와와 육군 대장 등 고관들이 죽거나 중상을 입었다. 이 일을 두고 중국의 장제스는 "중국의 100만 대군도 해내지 못한 일을 한국 용사가 단행하였다."라고 높이 평가하였다. 윤봉길의 의거로 (만보산 사건으로 고조되어 있었던) 중국인의 반한 감정이 크게 완화되었고, 중국의 국민당 정부는 대한민국 임시 정부를 인정하고 후원하게 되었다. 이는 이후 임시 정부가 한국광복군을 조직하는 데 큰 도움이 되었다.

명호샘의 한마디!!

위 문제는 '윤봉길 의거 → 한국 광복군 형성'의 관계를 묻는 문제이다. 2011년 국가직 9급에서는 다음과 같이 '한국 광복군 형성' 자료를 주고 '어떤 사건'에 영향을 받았는지를 물었다. 물론 답은 '윤봉길 의거'였다.

> 한국의 독립 운동에 냉담하던 중국인이 한국 독립 운동을 주목하게 되었고, 이후 중국 정부는 대한민국 임시 정부에 대한 지원을 강화하였다. 이 사건을 계기로 중국 정부가 중국 영토 내에서 우리 민족을 무장 독립 활동을 승인함으로써 한국 광복군이 탄생할 수 있었다. ➲ 2011 국가직 9급

50 밑줄 친 '이 의거'를 일으킨 단체에 대한 설명으로 옳은 것은? [2024 지방직 9급]

> 김구는 상하이 각 신문사에 편지를 보내 자신이 이 의거의 주모자임을 스스로 밝혔다. 이 편지에서 김구는 윤봉길이 휴대한 폭탄 두 개는 자신이 특수 제작하여 직접 건넨 것이며, 일본 민간인을 포함하여 다른 나라 사람이 무고한 피해를 입지 않도록 신중을 기하라고 당부하였음을 강조하였다.

① 이봉창이 단원으로 활동하였다.
② 고종의 밀명을 받아 결성되었다.
③ '조선 혁명 선언'을 활동 지침으로 삼았다.
④ 일제가 날조한 105인 사건으로 와해되었다.

해설 정답 ①

'김구'가 조직하였으며 '윤봉길'이 의거를 한 단체는 한인애국단이다. 한국애국단의 대표적인 단원은 윤봉길과 이봉창이다.
② 고종의 밀명을 받아 결성된 단체는 대한독립의군부이다.
③ '조선 혁명 선언'을 활동 지침으로 삼은 단체는 의열단이다.
④ 105인 사건으로 와해된 단체는 신민회이다.

51 밑줄 친 '나'의 활동으로 옳은 것은? [2012 법원직 9급]

> 아침 일찍 프랑스 공무국에서 비밀리에 통지가 왔다. 과거 10년간 프랑스 관헌이 <u>나</u>를 보호하였으나, 이번에 <u>나</u>의 부하가 일왕에게 폭탄을 던진 것에 대해서는 일본의 체포 및 인도 요구를 거절할 수 없다는 것이다. 중국 국민당 기관지 〈국민일보〉는 "한국인이 일왕을 저격했으나 불행히도 맞지 않았다."고 썼다.

① 유교 구신론을 저술하였다.
② 한인애국단을 결성하였다.
③ 조선 혁명 선언을 집필하였다.
④ 신한촌에서 대한 광복군 정부를 수립하였다.

해설 정답 ②

'부하가 일왕에게 폭탄을 던진 것'에서 '부하'는 이봉창이며, '일왕'은 히로히토이다. '국민일보'의 기사 등에 영향을 받아 상하이사변(1932)이 일어났다. 당시 '한인애국단'을 결성하고 이봉창을 '나의 부하'라고 말할 수 있는 인물은 '김구'이다.
① 박은식, ③ 신채호, ④ 이상설

명호샘의 한마디!!

김구(1876~1949)에 대해서는 다음의 10가지 사항을 숙지하여야 한다.

1) 동학 접주로서 농민 전쟁에 참여하였다(1894). ➲ 2020 경찰간부
2) 대한민국 임시정부 초대 경무국장을 역임했다(1919). ➲ 2020 경찰간부
3) 대한민국 임시정부 국무위원으로서 한인애국단을 결성하였다(1931). ➲ 2021 경찰
   = 의열 투쟁을 목적으로 한인애국단을 창단하였다. ➲ 2012 지방직 7급
4) 민족혁명당의 임시정부 해체 주장에 반대하며 한국국민당을 창당하였다(1935). ➲ 2013 경찰간부
5) 3당 통합으로 한국독립당을 창당하였다(1940).
   = 1940년 5월 대한민국 임시정부는 기초 정당을 한국국민당에서 한국독립당으로 확대 · 개편하였다. ➲ 2015 기상직 7급
6) 충칭 임시정부에서 「광복군 선언문」을 발표하였다(1940). ➲ 2019 해경간부
7) 신탁통치 반대 국민총동원 중앙위원회를 조직하였다(1945. 12). ➲ 2018 국가직 9급
   = 모스크바 3국 외상 회의 결정사항이 알려지자 신탁통치 반대 운동을 펼쳤다. ➲ 2022 국가직 9급
8) 남한만의 단독 정부 수립에 반대하여 '3천만 동포에게 읍고함'을 발표하였다(1948. 2). ➲ 2021 해경간부, 2020 경찰간부, 2014 경찰
9) 김규식과 함께 평양에서 열린 남북협상에 참여하였다(1948. 4). ➲ 2018 지방직 9급
   = 평양에서 열린 '전조선 정당 사회단체 대표자 연석회의'에 참석하였다. ➲ 2020 경찰간부
10) 경교장에서 육군 소위 안두희에게 피살당하였다(1949. 6). ➲ 2018 서울시 지방직 7급

'김구' 인물 문제의 사료를 기억해 두자.

한국이 있어야 한국 사람이 있고, 한국 사람이 있고야 민주주의도 공산주의도 또 무슨 단체도 있을 수 있는 것이다. 그러면 우리의 자주 독립적 통일정부를 수립하여야 하는 이때에 있어서 어찌 개인이나 자기 집단의 사리사욕에 탐하여 국가 민족의 백년대계를 그르칠 자가 있으랴? …… 마음속의 38도선이 무너지고야 땅 위의 38도선도 철폐될 수 있다. …… 현실에 있어서 나의 유일한 염원은 3천만 동포와 손을 잡고 통일된 조국의 달성을 위하여 공동 분투하는 것뿐이다. …… 나는 통일된 조국을 건설하려다 38도선을 베고 쓰러질지언정 일신에 구차한 안일을 취하여 단독 정부를 세우는 데는 협력하지 아니하겠다. ➲ 2021 해경간부

그는 신민회 회원으로 활동하면서 해서교육총회에 가담해 교육 사업에 힘을 기울였으며, 안악사건에 연루되어 일제 경찰에 체포되었다. 1923년에 열린 국민대표회의에서 창조파와 개조파가 대립했을 때, 그는 국민대표회의의 해산을 명하는 내무부령을 공포하였다. 그 뒤 그는 한국국민당을 조직하는 등 독립운동 정당을 만들기 위해 노력하였다. ➲ 2018 지방직 9급

네 소원이 무엇이냐 하고 하느님이 내게 물으시면, 나는 서슴지 않고 "내 소원은 대한 독립이오." 하고 대답할 것이다. 그 다음 소원은 무엇이냐 하면, 나는 또 "우리나라의 독립이오." 할 것이요, 또 그 다음 소원이 무엇이냐 하는 세 번째 물음에도, 나는 더욱 소리를 높여서 "나의 소원은 우리나라 대한의 완전한 자주 독립이오." 하고 대답할 것이다. ➲ 2017 국가직 7급

52 **다음은 어느 인물에 대한 설명이다. '그'와 관련이 있는 활동으로 가장 적절한 것은?** [2013 경찰]

> 그는 경상도 밀양 출생으로 1919년 만주 길림에서 다른 12명의 동지와 함께 의열단을 결성하였다. 곧 의열단은 국내에 대규모로 폭탄을 들여와 일본 관공서를 폭파하려고 하였으며, 침략에 앞장선 일본 군인들에 대한 저격에 나섰다. 해방 후 남한 단독정부 수립에 반대하여 월북한 후 요직을 맡았다가 연안파로 몰려 숙청을 당하였다.

① 북만주의 쌍성보 전투 등에서 일본군을 격퇴하였다.
② 한인애국단을 조직하여 적극적인 의열 투쟁을 전개하였다.
③ 조선민족혁명당이 이끄는 조선의용대의 일부가 한국광복군에 합류하였다.
④ 삼균주의 이론을 주창, 대한민국 임시 정부의 기본이념과 정책노선으로 채택되었다.

해설 정답 ③

'그'는 김원봉이다. 김원봉이 조선의용대의 일부를 이끌고 한국광복군에 합류하였다.

> 1919년 만주 지린성에서 윤세주 등과 조선의열단 조직
> 1926년 황포 군관 학교에 입학
> 1932년 난징으로 이동, 이후 조선 혁명 간부 학교 창립
> 1935년 민족혁명당 조직
> 1938년 조선 민족 전선 연맹 결성, 조선의용대 창설
> 1942년 한국광복군에 합류
> 1958년 북한에서 숙청됨 ➲ 김원봉 연보 ➲ 2008 법원직 9급

① 지청천, ② 김구, ④ 조소앙

06 무장 독립전쟁

53 (가)~(라)를 일어난 순서대로 바르게 나열한 것은? [2021 법원직 9급]

(가) 서일을 총재로 조직된 대한 독립군단은 일본군을 피해 러시아 영토인 자유시로 집결하였다.
(나) 김좌진이 이끄는 북로 군정서군이 백운평 전투와 천수평, 어랑촌 전투에서 대승을 거두었다.
(다) 일본군이 청산리 대첩 패전에 대한 보복으로 간도 동포를 무차별로 학살하였다.
(라) 참의부, 정의부, 신민부의 3부가 혁신의회와 국민부로 재편되었다.

① (가) - (나) - (다) - (라)
② (나) - (다) - (가) - (라)
③ (나) - (라) - (가) - (다)
④ (라) - (다) - (나) - (가)

해설 정답 ②

(나) 청산리 대첩(1920.10) → (다) 간도 참변(1920.10) → (가) 자유시 집결(1921) → (라) 3부 통합 운동(1928~1929)

54 다음 전투를 이끈 한국인 부대에 대한 설명으로 옳은 것은? [2019 국가직 9급]

아군은 사도하자에 주둔 병력을 증강시키면서 훈련에 여념이 없었다. 새벽에 적군은 황가둔에서 이도하 방면을 거쳐 사도하로 진격하여 왔다. 그런데 적군은 아군이 세운 작전대로 함정에 들어왔고, 이에 일제히 포문을 열어 급습함으로써 적군은 응전할 사이도 없이 격파되었다.

① 양세봉이 총사령관이었다.
② 미쓰야 협정이 체결되기 직전까지 활약하였다.
③ 한국독립당의 산하부대로 동경성 전투도 수행하였다.
④ 조선민족전선연맹이 중국 국민당의 지원을 받아 창설하였다.

해설 정답 ③

제시된 자료는 한 · 중 연합작전의 전투 중 하나인 사도하자 전투(1933)에 관한 것이다. 이 전투를 이끌었던 한국인 부대는 한국독립군이다. 한국독립군은 지청천이 이끌었으며, 중국 호로군과 연합하여, 대전자령 전투 · 동경성 전투 · 쌍성보 전투 · 사도하자 전투 등에서 일본군을 격파하였다.
① 양세봉이 총사령관이었던 군사 조직은 '조선혁명군'이다.
② 미쓰야 협정은 1925년에 체결되었다. 한국독립군은 주로 1932~1933년에 활동하였다.
④ 조선민족전선연맹이 중국 국민당의 지원을 받아 창설한 군사 조직은 '조선의용대'이다.

55 다음은 일제 강점기 국외 독립운동에 관한 사실들이다. 이를 시기 순으로 바르게 나열한 것은?

[2014 지방직 9급]

㉠ 대한민국 임시 정부가 지청천을 총사령으로 하는 한국광복군을 창설하였다.
㉡ 블라디보스토크에서 이상설, 이동휘 등이 중심이 된 대한 광복군 정부가 수립되었다.
㉢ 홍범도가 이끄는 대한 독립군을 비롯한 연합 부대는 봉오동 전투에서 대승을 거두었다.
㉣ 양세봉이 이끄는 조선 혁명군은 중국 의용군과 연합하여 영릉가 전투에서 일본군을 무찔렀다.

① ㉠ → ㉣ → ㉡ → ㉢　② ㉡ → ㉢ → ㉣ → ㉠
③ ㉢ → ㉡ → ㉣ → ㉠　④ ㉣ → ㉢ → ㉠ → ㉡

해설 정답 ②

㉡ 블라디보스토크에서 이상설을 정통령으로, 이동휘를 부통령으로 하여 대한 광복군 정부가 수립된 것은 1914년이다. 이것이 일제 강점기 최초의 망명정부이다.
㉢ 홍범도의 대한 독립군, 최진동의 군무 도독 부군, 안무의 국민회군 등이 봉오동에서 일본군을 크게 무찌른 것은 1920년이다.
㉣ 조선 혁명군이 중국 의용군과 연합하였다는 것은 '한중연합 작전'을 말한다. 이것은 만주사변(1931), 만주국 수립(1932) 등으로 중국의 반일 감정이 고조되었을 때 가능했던 일이다. 문제에서 제시된 영릉가 전투는 1932년에 있었다.
㉠ 한국광복군이 창설된 해는 1940년이다. 창설 당시 총사령관은 지청천(이청천), 참모장은 이범석이었다.

56 일제 강점기 만주 연해주 등지에서 행해진 무장 독립운동에 대한 설명으로 옳지 않은 것은?

[2011 지방직 9급]

① 홍범도의 대한독립군은 봉오동 전투에서, 김좌진의 북로군정서군은 청산리 전투에서 크게 승리하였다.
② 연해주의 자유시로 이동한 독립군은 적색군에 의해 무장해제를 당하였다.
③ 독립군의 통합운동으로 참의부, 정의부, 신민부가 조직되어 각각 입법부, 사법부, 행정부의 역할을 담당하였다.
④ 1930년대 초 만주에서의 독립 전쟁은 한국독립군과 조선혁명군이 중심이 되어 추진되었다.

해설

정답 ③

자유시 참변 후 만주의 독립군은 참의부, 정의부, 신민부의 3부로 재편성되었다. 남만주에는 임시 정부 직속의 육군 주만 참의부(1923)가, 길림 지역에는 정의부(1924)가, 북만주에는 소련에서 탈출한 독립군 중심으로 신민부(1925)가 결성되었는데, 이들은 제각기 독립하여 행정과 군사 기능 등을 고루 갖추고 있었던 조직이다.

> 1920년에는 홍범도가 이끈 대한독립군과 김좌진의 북로군정서군 등이 만주 봉오동과 청산리에서 벌어진 일본군과의 전투에서 대승을 거두었다. 일본군은 이에 대한 보복으로 간도참변을 일으켜 우리 동포를 무차별 학살하고 방화를 자행해 독립군을 토벌하려 하였다. 이에 독립군 부대는 연해주의 자유시로 이동하였으나 레닌의 적색군에 의해 무장해제를 당하여 타격을 입었다. 이후 독립군은 다시 만주로 탈출하여 조직을 재정비하면서 역량을 강화한 다음, 각 단체의 통합 운동을 추진하여 참의부, 정의부, 신민부의 3부를 조직하였다. 이 중 참의부는 임시 정부가 직할하였다.
>
> 2009 서울시 9급

① 홍범도와 김좌진의 공통점은 1) 청산리 전투에서 일본군을 크게 물리쳤고, 2) 대한독립군단의 부총재였다는 점이다. 청산리 대첩에서 백운평, 천수평, 맹개골, 만기구 전투는 김좌진의 북로 군정서가 단독으로 수행하여 승리하였고, 어랑촌, 천보산 전투는 홍범도 부대와 연합하여 수행하였다.

구 분	홍범도(1868~1943)	김좌진(1889~1930)
출 신	가난한 농민의 아들, 포수	홍성 지주의 아들
1907년 전후	의병 항쟁에 가담	애국 계몽 운동 (교육 운동) 전개
1910년대	연해주와 만주에서 활동	국내 비밀 결사에 가입하여 활동
3·1 운동 이후	대한 독립군 조직	북로 군정서 조직
1920년	청산리 전투에서 일본군을 크게 물리침	
1921년 이후	연해주에서 후진 양성	만주에서 독립군 활동, 신민부 간부

57 **다음은 일제 강점기 독립운동 단체에 대한 설명이다. (가) ~ (다)에 각각 들어갈 가장 알맞은 단어를 순서대로 바르게 나열한 것은?** [2017 서울시 7급]

> 1920년대 자유시 참변 이후 만주 독립군의 활동은 3부를 중심으로 전개되었다. 3부 중 대체로 (가)는 북만주 지역 조선인 사회의 자치를 담당하였다. 1920년대 말 3부는 통합 운동을 벌인 결과 남북 만주에서 양대 세력으로 재편되었는데, 남만주에서는 (나)가 수립되고, 정당의 성격을 띤 조선혁명당과 군사 성격을 띤 조선혁명군이 결성되었다. 일제가 만주를 점령한 다음 중국 내의 독립운동 단체들 사이에서는 통합 운동이 제기되었다. 1937년 중일 전쟁이 일어나자 민족혁명당은 통합에 찬성하는 단체들과 연합하여 (다)을 결성하였다.

① 신민부 - 국민부 - 조선민족전선연맹

② 신민부 - 혁신의회 - 조선독립동맹

③ 정의부 - 국민부 - 조선민족전선연맹

④ 정의부 - 혁신의회 - 조선독립동맹

해설 정답 ①

(가) 신민부 : 1920년대 후반, 참의부(參議府)・정의부(正義府)・신민부(新民府)의 3부(三府)는 각기 세력권을 이루면서 한인 사회의 자치와 독립운동을 전개하고 있었다. 압록강 연안은 참의부, 남만주의 길림성과 봉천성 일대는 정의부, '북만주' 중동선(中東線) 일대는 신민부의 관할 지역이었다.

(나) 국민부 : 1926년 7월부터 중국 관내에서 전개되기 시작한 민족 유일당 운동에 영향을 받아 만주 3부의 통합도 논의되기 시작하였다. 1928년 5월에 정의부를 비롯하여 18개 단체 대표들이 모여서 재만 민족 유일당 결성 문제를 논의하였지만, 그 건설 방법에 있어 기존 단체를 중심으로 조직하자는 입장과 기존 단체를 모두 해체하고 재조직하자는 입장이 대립하였다. 3부에서는 이를 둘러싸고 각각 내부 갈등에 휘말렸다. 1928년 9월, 정의부 주관으로 3부 통합 회의가 개최되었다. 그러나 통합에 대한 입장 차이가 해결되지 못하면서 회의는 결국 결렬되었다. 이후 민족유일당촉성회를 통해 기존 단체를 해산하고 재조직하자고 주장하던 신민부 군정파, 참의부 주류파, 정의부 탈퇴파가 1928년 12월에 '혁신의회'를 조직하였다. 그러자 신민부 민정파, 참의부 잔존파, 정의부 다수파는 1929년 1월 민족유일당조직동맹을 결성하였다. 그리고 1929년 3월 새로운 군정부를 조직하기 위한 회의를 개최하였다. 회의 결과 이들은 통합에 합의하고, 1929년 4월 1일 '국민부'를 출범시켰다. 국민부는 남만주 지역의 한인 사회를 담당하는 자치 기관의 기능만을 담당하기로 결정하면서, 1929년 12월 조선 혁명당을 결성하였고 군사 조직으로 조선 혁명군을 창설하였다.

(다) 조선민족전선연맹 : 1937년 7월 일제의 중국 침략으로 중일 전쟁이 일어났다. 중국 내 한국 독립운동 세력들은 이를 한국 독립을 위한 적극적 투쟁의 기회로 인식하였고, 이에 따라 각 독립운동 세력의 연합과 행동 통일이 일어나게 되었다. 한국 국민당을 중심으로 우파 계열의 독립운동 단체들은 연합하여 한국 광복 운동 단체 연합회를 결성하였고, 조선 민족 혁명당을 중심으로 한 좌파 계열의 독립운동 단체들은 1937년 11월 조선 민족 전선 연맹을 결성하여 연합하였다. 김원봉은 조선 민족 전선 연맹의 대표로서 무장부대 창설을 적극 추진하였고, 중국 국민정부 군사위원회의 지원을 이끌어내, 1938년 10월 무장 독립 부대인 조선의용대를 결성하였다.

58 (가)와 (나) 사이의 시기에 만주에서 전개된 무장 항일 운동에 대한 설명으로 옳은 것은?

[2013 국가직 9급]

> (가) 경신년에 왜군이 내습하여 31명이 살고 있는 촌락을 방화하고 총격을 가하였다. 나도 가옥 9칸과 교회당, 학교가 잿더미로 변한 것을 보고 그것이 사실임을 알았다. 11월 1일에는 왜군 17명, 왜경 2명, 한인 경찰 1명이 와서 남자들을 모조리 끌어내어 죽인 뒤 …(중략)… 남은 주민들을 모아 일장 연설을 하였다.
>
> (나) 상해의 한국 독립투사 조직에 속해 있는 한국의 한 젊은이는 비밀리에 도쿄로 건너갔다. 그는 마침 군대를 사열하기 위해 마차에 타고 있던 일본 천황에게 수류탄을 던졌다. 그는 영웅적인 행동 후에 무자비하게 살해되었다. 이 사건은 전일본에 충격을 주었다. 이 사건은 일본 군국주의자들에게 한국인들은 결코 그들에게 지배될 수 없다는 것을 당당히 보여준 것이다.

① 남만주에 조선혁명군이 창설되었다.

② 한국광복군이 국내 진공 작전을 준비하였다.

③ 독립군이 봉오동・청산리 전투에서 일본군을 크게 무찔렀다.

④ 동북 항일 연군을 중심으로 치열한 항일 유격전이 전개되었다.

해설

정답 ①

(가)는 간도참변(1920)이다. '무장 독립운동 비사'라는 글에서 발췌한 내용이다. (나)는 이봉창 의거(1932)이다. 이 문제는 1920년과 1932년 사이의 사건을 묻는 문제이다.

① 참의부 · 정의부 · 신민부 3부가 통합하여 혁신의회와 국민부가 되었다. 이 중 혁신의회는 한국독립당으로, 국민부는 조선혁명당으로 개편되었다. 조선혁명군은 조선혁명당의 군대로서 '1929년'에 창설되었다.

② 한국광복군의 국내 진공 작전 준비는 1945년이다. 9월에 진공 작전을 실행하려고 하였지만, 8월에 일본이 '무조건 항복'을 하여 진공 작전을 실행에 옮기지는 못하였다.

③ 1920년에는 '봉오동 전투 → 훈춘 사건 → 청산리 대첩 → 간도 참변'의 순서로 사건이 발생하였다. 봉오동 · 청산리 전투는 (가)의 간도 참변 이전의 사건이다.

④ 동북 항일 연군의 항일 유격전은 1936~1937년에 전개되었다. 김일성이 이끈 보천보 전투는 1937년 6월에 있었다.

59 다음에 주어진 사건을 시대 순으로 바르게 나열한 것은?

[2016 경찰]

> ㉠ 국민대표회의를 개최하여 대한민국 임시 정부의 새로운 진로를 모색하는 과정에서 창조파와 개조파가 대립하였다.
> ㉡ 조선어 연구회가 창립됨으로써 국어 연구가 본격화되었다.
> ㉢ 홍범도의 대한 독립군과 김좌진의 북로 군정서군 등이 봉오동과 청산리에서 일본군과 전투를 벌여 큰 승리를 거두었다.
> ㉣ 국내 최대 좌우합작 단체인 신간회가 해소되었다.

① ㉡ → ㉠ → ㉢ → ㉣
② ㉡ → ㉢ → ㉠ → ㉣
③ ㉢ → ㉠ → ㉣ → ㉡
④ ㉢ → ㉡ → ㉠ → ㉣

해설

정답 ④

㉢ 봉오동 전투, 청산리 대첩(1920)
㉡ 조선어 연구회 창립(1921)
㉠ 국민대표 회의 개최(1923)
㉣ 신간회 해소(1931)

60 [보기]는 일제가 제정한 법령의 일부이다. 이 법령에 의해 처벌된 사건이 아닌 것은?

[2018 서울시 지방직 9급]

> [보기]
>
> 국체를 변혁하는 것을 목적으로 결사를 조직하는 자 또는 결사의 임원, 그의 지도자로서의 임무에 종사하는 자는 사형, 무기 또는 5년 이상의 징역 또는 금고에 처한다. (중략) 사유재산제도를 부인하는 것을 목적으로 결사를 조직하는 자, 결사에 가입하는 자, 또는 목적 수행을 위한 행위를 돕는 자는 10년 이하의 징역 또는 금고에 처한다.

① 김상옥의 종로경찰서 폭탄투척 사건　② 조선공산당 사건
③ 수양동우회 사건　④ 조선어학회 사건

해설　정답 ①

이 사료는 1925년 4월 법률 제46호로 공포된「치안유지법」이다.「치안유지법」은 국체를 변혁하거나 사유 재산 제도를 부인하는 것을 목적으로 결사를 조직하거나 또는 사정을 알고 이에 가입한 자는 10년 이하의 징역 또는 금고에 처하고 그 미수죄도 처벌하도록 규정하였다. 이는 '천황제'에 근거한 일본의 '국체'와 '사유 재산제도'를 위협하는 존재, 공산주의에 대한 위기의식을 드러내고 있다. 일본 본국에서는 이 법을 통해 주로 공산주의 운동과 그 영향 하에 있던 노동 운동, 사회 운동을 처벌하였다. 식민지였던 조선에서는 이와 더불어 독립운동을 탄압하는 법률로도 기능하였다.

이 법령에 따라 처벌된 사건은 ② 조선공산당 사건(1925년, 1926년), ③ 수양동우회 사건(1937년), ④ 조선어학회 사건(1942년) 등이다. 그러나 ① 김상옥의 종로경찰서 투탄 사건은「치안유지법」(1925년)이 공포되기 전인 1923년에 발생하였다.

> 치안유지법(법률 제46호)
>
> 제1조 국체를 변혁하거나 사유 재산제도를 부인하는 것을 목적으로 결사를 조직하거나 또는 사정을 알고 이에 가입한 자는 10년 이하의 징역 또는 금고에 처한다.
> 전항의 미수죄는 벌한다.
>
> 제2조 전조 제1항의 목적으로 그 목적이 되는 사항의 실행에 관하여 협의를 한 자는 7년 이하의 징역 또는 금고에 처한다.
>
> 제3조 제1조 제1항의 목적으로 그 목적이 되는 사항의 실행을 선동한 자는 7년 이하의 징역 또는 금고에 처한다.
>
> 제4조 제1조 제1항의 목적으로 소요·폭행, 기타 생명·신체 또는 재산에 해를 가할 수 있는 범죄를 선동한 자는 10년 이하의 징역 또는 금고에 처한다.
>
> 제5조 제1조 제1항 및 전 3개조의 죄를 범하게 할 것을 목적으로 하여 금품 기타의 재산상의 이익을 공여(供與)하거나 그 신청 또는 약속을 한 자는 5년 이하의 징역 또는 금고에 처한다. 사정을 알고 공여를 받거나 그 요구 또는 약속을 한 자도 같다.
>
> 제6조 전 5개조의 죄를 범한 자가 자수한 때에는 그 형을 감경 또는 면제한다.
>
> 제7조 이 법은 누구를 막론하고 이 법의 시행 구역 외에서 죄를 범한 자에게도 적용한다.
>
> 부 칙 1923년 칙령 제403호는 폐지한다.

04 1930년대 이후의 민족말살 통치와 민족 독립운동

01 (가) 시기에 볼 수 있었던 모습으로 옳지 않은 것은? [2023 국가직 9급]

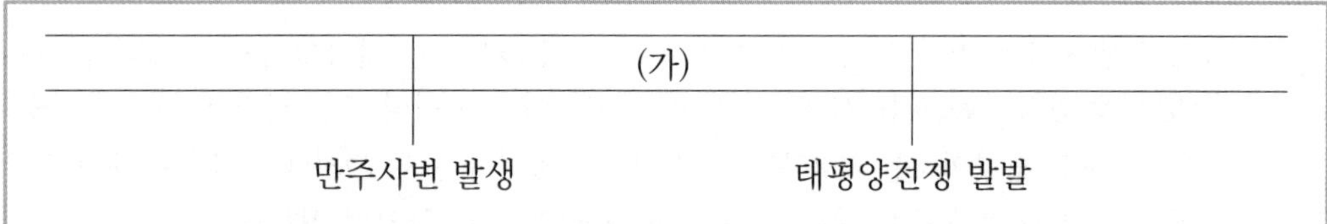

① 소학교에 등교하는 조선인 학생
② 황국 신민 서사를 암송하는 청년
③ 『제국신문』 기사를 작성하는 기자
④ 쌍성보에서 항전하는 한국독립당 군인

해설 정답 ③

만주사변은 1931년에 발생하였고, 태평양 전쟁은 1941년에 발발하였다. (가)는 1931년~1941년의 사건이다.
① 소학교에 등교하는 조선인 학생은 제3차 조선교육령이 발표된 1938년 이후에 볼 수 있다.
② 황국 신민 서사를 암송하는 청년은 1937년부터 볼 수 있다.
④ 쌍성보에서 항전하는 한국독립당 군인은 1932년에 볼 수 있다.
③ 『제국신문』 기사를 작성하는 기자는 1898년부터 1910년까지 볼 수 있다.

02 다음 내용을 제정된 시기 순으로 옳게 나열한 것은? [2021 국회직 9급]

(가) 치안유지법	(나) 국가총동원법
(다) 경찰범처벌규칙	(라) 조선사상범보호관찰령
(마) 조선사상범예방구금령	

① (가) – (다) – (나) – (라) – (마)
② (가) – (다) – (마) – (라) – (나)
③ (다) – (가) – (나) – (마) – (라)
④ (다) – (가) – (라) – (나) – (마)
⑤ (다) – (가) – (라) – (마) – (나)

해설

정답 ④

(가)~(마)의 법령은 모두 그 제정 시기가 시험에서 중요하게 다루어진다. 각 법령이 제정되었던 연도와 출제되었던 방식을 체크해야 한다.

(다) 경찰범처벌규칙(1912) : 회사령이 실시되던 기간(1910~1920) 중에 경찰범 처벌규칙이 제정되었다.
➲ 2019 국가직 7급

(가) 치안유지법(1925) : 조선총독부는 문화 통치 기간(1920년대)에 치안유지법을 제정하여 사상을 통제하고 사회운동을 탄압하였다.
➲ 2018 지방직 7급

(라) 조선사상범보호관찰령(1936) : 치안유지법(1925) 위반자 중 집행유예나 형 집행 종료 또는 가출옥한 자들을 보호관찰할 수 있도록 하였다.
➲ 2021 경찰간부

(나) 국가총동원법(1938) : 중일 전쟁 발발(1937)과 한국광복군 창설(1940) 사이에 국가총동원법이 제정되었다.
➲ 2020 지방직 7급

(마) 조선사상범예방구금령(1941) : 국가총동원법(1938)이 제정된 이후에 조선사상범예방구금령이 제정 · 공포되었다.
➲ 2021 법원직 9급

03 일제의 식민지 정책을 시기 순으로 바르게 나열한 것은?

[2011 국가직 9급]

㉠ 농촌경제의 안정화를 명분으로 농촌진흥운동을 전개하였다.
㉡ 학도지원병 제도를 강행하여 학생들을 전쟁터로 내몰았다.
㉢ 회사령을 철폐하여 일본 자본이 조선에 자유롭게 유입될 수 있게 하였다.
㉣ 토지의 소유권과 가격에 대한 대대적인 조사를 진행하였다.

① ㉢ → ㉣ → ㉠ → ㉡
② ㉢ → ㉣ → ㉡ → ㉠
③ ㉣ → ㉢ → ㉠ → ㉡
④ ㉣ → ㉢ → ㉡ → ㉠

해설

정답 ③

㉣ 토지조사사업(1912~1918) → ㉢ 회사령 철폐(1920) → ㉠ 농촌진흥운동(1932~1940) → ㉡ 학도지원병 제도(1943)

04 다음 법령이 실시된 기간에 있었던 사실로 옳은 것은?

[2020 국가직 9급]

제1조 국체를 변혁 또는 사유재산제를 부인할 목적으로 결사를 조직하거나 그 정을 알고 이에 가입하는 자는 10년 이하의 징역 또는 금고에 처함
제2조 전조의 제1항의 목적으로 그 목적한 사항의 실행에 관하여 협의한 자는 7년 이하의 징역 또는 금고에 처함

① 「조선 태형령」이 공포되었다.
② 경성 제국 대학이 설립되었다.
③ 물산 장려 운동이 시작되었다.
④ 학도 지원병 제도가 실시되었다.

해설

정답 ④

제시된 사료는 치안유지법이다. 2018 서울시 지방직 9급 기출문제와는 달리 이 문제는 치안유지법이 '실시된 기간'의 사실을 묻고 있다. 치안유지법은 1925년 4월부터 1945년 10월까지 실시되었던 법이다. 학도지원병 제도 실시(1943)는 이 기간에 있었던 사실이다.

④ '지원병' 제도는 「육군 특별 지원병령」에 따라 1938년 4월부터 실시되었다. 조선총독부는 지원병의 조건을 엄격히 제한했다. 만 17세 이상의 남자이어야 하고, 민족주의와 공산주의 운동에 가담한 적이 없어야 하고, 6년제 소학교를 졸업해야 하는 등의 조건에 따라 심사가 이루어졌다. 1943년부터는 「해군 특별 지원병령」에 따라 지원병 제도가 해군으로까지 확대되었다. 한편 일제는 1943년부터는 「소화18년도(1943년도) 육군 특별 지원병 임시 채용 규칙」을 공포하고 '학도 지원병'을 모집하였다. 그리고 이런 지원병 제도의 운영 경험을 기반으로 1944년에는 조선에서도 '징병제'를 시행하였다.

지원병/징병제	시행연도
지원병(육군)	1938년
지원병(해군)	1943년
학도지원병	1943년
징병	1944년

① 1912년에 「조선 태형령」이 공포되었다.

② 1924년에 경성 제국 대학이 설립되었다.

③ 1920년에 물산 장려 운동이 시작되었다.

05 다음은 일제의 식민 통치에 대한 서술이다. 시대 순으로 바르게 나열된 것은? [2007 국가직 9급]

> ㉠ 재판 없이 태형을 가할 수 있는 즉결 처분권을 헌병 경찰에게 부여하였다.
> ㉡ 한반도를 대륙 침략을 위한 병참기지로 삼았다.
> ㉢ 국가총동원령을 발표하여 인적・물적 자원의 수탈을 강화하였다.
> ㉣ 사상 통제와 탄압을 위하여 고등경찰제도를 실시하였다.

① ㉠ - ㉡ - ㉢ - ㉣　② ㉠ - ㉣ - ㉡ - ㉢

③ ㉣ - ㉠ - ㉡ - ㉢　④ ㉣ - ㉠ - ㉢ - ㉡

해설

정답 ②

㉠ 1910년대: 조선태형령(1912)이 시행되면서 '조선인에 한하여 5대 이상의 태형에 처할 수 있도록' 하였다.

㉣ 1920년대: 3・1 운동 이후 일제는 헌병경찰제를 폐지하고, 보통경찰제를 실시하는 방침으로 바꾸었다. 그러나 실상은 정치경찰 제도인 '고등경찰제도'를 실시하여 정당, 사회단체, 비밀결사, 정치집회 등을 감시하고 단속하였다.

㉡ 1930년대: 일제는 1931년 만주사변, 1937년 중일전쟁을 일으키면서, 대륙 침략을 위한 군수물자의 공급기지로 한반도를 이용하려 하였다. 이것을 '병참기지화'라고 한다.

㉢ 1940년대(1938년 이후): 일제는 중일전쟁이 일어나자 국가총동원령(1938)을 내리고 전쟁 수행에 필요한 많은 인적・물적 자원을 수탈하였으며, 태평양 전쟁(1941) 이후에는 군국주의를 더욱 강화하면서 전쟁 수행을 위하여 우리 민족을 가혹하게 수탈하였다.

06 다음의 내용과 가장 관련이 깊은 일제의 정책은?
[2012 지방직 7급]

> 조선총독부는 옷감을 절약하고 노동력을 쉽게 동원하기 위하여 여성들에게 '몸뻬'라는 이름의 바지를 입게 하였다. 이 옷은 일본의 농촌 여성들이 주로 입던 작업복으로, 긴 윗옷을 집어넣을 수 있도록 허리와 허벅지까지 통이 넓고 바지 아랫단은 좁았다.

① 산미증식을 위하여 보국대를 동원하였다.
② 헌병 경찰과 보조원을 전국에 배치하였다.
③ 문화통치를 표방하고 한글 신문을 발간하였다.
④ 호남선 철도를 개통하여 농산물 반출을 확대하였다.

해설 정답 ①

제시된 자료는 2010년 수능에서도 동일하게 출제되었던 자료이다. 자료에 묘사된 것은 1938년 국가총동원법에 따른 '인력 강제 동원'이다. 이 시기에는 1) 성과 이름을 일본식으로 강제로 바꾸도록 하였고 ➲ 2012 경찰간부, 2) 황국 신민화 정책을 추진하여 신사 참배를 강요하였으며 ➲ 2010 수능 3) 산미증식을 위하여 보국대를 동원하였다.

중일전쟁이 발발하자 일제는 군량미 수탈을 위해 국가총동원령으로 산미증식계획을 재실시하였다(1940). 산미증식계획이 나오면 이것이 1920년대에 시작된 산미증식계획인지, 1940년에 재개한 산미증식계획인지 구분하여야 한다.

다음은 어떤 친일파의 글이다. '대륙전선을 지탱'(대륙 침략)을 옹호하는 이 글에 나오는 '조선산 쌀'이란 1940년에 재개한 산미증식계획의 '쌀'이다.

> 경제적으로 보더라도 일본의 경제학자가 강조하고 있는 것처럼 조선산 쌀은 제국의 국책 수행상 더없이 중요한 의의를 갖는 것이며 금일의 대륙 전선을 지탱하는 중요한 힘이라는 점입니다. ➲ 2009 수능

② '헌병 경찰'은 1910년대이다. 헌병보조원은 강제병합 전에 설치되었지만, 헌병경찰 제도가 실시되면서, 그에 대한 보조 기능을 수행하였다.
③ '문화통치'는 1920년대이다. '한글 신문'은 1920년에 창간되었다.
④ '호남선 철도'는 1914년에 개통되었다.

명호샘의 한마디!!

'보국대' 또는 '근로보국대'는 국가총동원법 및 관련 법령의 통제 대상인 '상시요원'에 포함되지 않는 '임시요원'들 즉, 학생・여성・농촌 노동력을 강제 동원하는 조직이었다. 그러므로 '(근로)보국대'라는 말은 1938년 이후에만 나올 수 있다.

07 다음의 법률에 근거하여 실시된 식민지 정책으로 옳지 않은 것은? [2018 국가직 9급]

> 제4조 정부는 전시에 국가총동원상 필요하다고 인정될 때에는 칙령이 정하는 바에 따라서 제국 신민을 징용하여 총동원 업무에 종사하도록 할 수 있다.
>
> 제7조 정부는 칙령이 정하는 바에 따라 노동 쟁의의 예방 혹은 해결에 관한 명령, 작업소 폐쇄, 작업 혹은 노무의 중지 … (중략) … 등을 명할 수 있다.

① 물자통제령을 공포하여 배급제를 확대하였다.

② 육군특별지원병령을 제정하여 지원병을 선발하였다.

③ 금속류회수령을 제정하여 주요 군수 물자를 공출하였다.

④ 국민징용령을 공포하여 강제적인 노무 동원을 실시하였다.

해설 정답 ②

제시된 자료는 1938년 4월 1일에 공포되고 5월 5일부터 시행되었던 「국가총동원법」(1938)이다. 일제는 1937년 7월 중일 전쟁을 도발하고 국가를 전시 총동원 체제로 바꾸기 위해 총력을 기울였다. 이를 법제적으로 뒷받침한 것이 바로 「국가총동원법」이었다. 이 법은 칙령 제316호로, 같은 날 일제의 식민지였던 조선, 대만, 사할린에서도 시행되었다.

①, ③ 「국가총동원법」은 구체적인 통제 방법은 명시되지 않아 그 후 「공장・사업장관리령」(1938), 「국민 징용령」(1939)을 비롯한 「가격 통제령」(1939), 「식량 관리령」, 「농지 관리령」, 「국민근로보국협력령」(1941), 「신문지 등 게재 제한령」(1941), 「물자 통제령」(1941), 「금속 회수령」(1941) 등 각종 후속 법령이 잇따르며 계속 필요에 따라 인원과 물자를 통제할 수 있는 법령을 만들어 내는 근거가 되었다.

④ 「국가총동원법」의 제4조는 "한국 정부는 전시에 국가총동원상 필요한 경우에는 칙령이 정하는 바에 따라 제국 신민(帝國臣民)을 징용하여 총동원 업무에 종사시킬 수 있다. 단 병역법의 적용을 방해하지 않도록 한다"라고 하여 인력 수탈, 즉 조선인 강제 동원의 근거가 되었다. 이 조항에 근거해 공포된 「국민 징용령」이 1939년 7월에 공포되었다.

② 1937년 7월 중일 전쟁이 발발하기 한 달 전인 6월, 조선군사령부는 일본 육군의 지시를 받아 조선인에 대한 병력 동원 계획을 수립했다. 지원병 제도는 장기적으로는 징병제를 조선에도 시행한다는 목표 아래 '과도적인 형태로 실시'되었다. 이는 한국인을 군대에 수용하여 일본 정신을 철저히 함양시켜 제대 후에는 황국 신민화(皇國臣民化)를 이끌어갈 인물로서 키우려는 의도가 있었다. 그러나 일제는 한국인의 일본어 보급률이 저조하고, 한국인에게 군사 기술과 무기를 제공하는 것에 위험을 느꼈다. 그렇지만 1937년 7월 중일 전쟁이 발발하고, 전장이 중국 전체로 확대되면서 안정적인 병력 보급이 절실히 요청되자, 우선 소규모 차원에서 지원병제를 실시하게 되었다. 그리하여 1938년 2월 22일 「육군 특별 지원병령」이 공포되고 4월부터 실시되었다. 시행 시기를 기준으로 본다면 「육군 특별 지원병령」은 1938년 4월이고, 「국가총동원법」은 1938년 5월이므로, 「육군 특별 지원병령」은 「국가총동원법」에 근거하여 실시한 식민정책으로 보기 어렵다. 지원병 제도는 중일 전쟁 후 '강제성'이 강화된 국가총동원이 이루어지기 전의 과도기적인 정책이었다는 점에 유의하여야 한다.

> 제1조 국가 총동원이란 전시에 국방 목적을 달성하기 위하여 국가의 전력을 가장 유효하게 발휘하도록 인적 및 물적 자원을 운영하는 것이다.
>
> 제4조 정부는 전시에 국가 총동원상 필요한 때에는 칙령이 정하는 바에 따라 제국 신민을 징용하여 총동원 업무에 종사할 수 있게 할 수 있다. 단 병역법의 적용을 방해하지 않도록 한다.
>
> 제7조 정부는 전시에 국가 총동원상 필요한 때에는 칙령이 정하는 바에 따라 노동쟁의의 예방 혹은 해결에 관하여 필요한 명령을 내리거나 작업소의 폐쇄, 작업 혹은 노무의 중지, 기타의 노동쟁의에 관한 행위의 제한 혹은 금지를 행할 수 있다.
>
> 제14조 정부는 전시에 국가 총동원상 필요한 때에는 칙령이 정하는 바에 따라 물자의 생산・수리・배급・양도 기타의 처분, 사용・소비・소지 및 이동에 관하여 필요한 명령을 내릴 수 있다.
>
> 제20조 정부는 전시에 국가 총동원상 필요한 때에는 칙령이 정하는 바에 따라 신문지, 기타 출판물의 게재에 대하여 제한 또는 금지를 행할 수 있다.

08 일제 강점기 생활 모습을 묘사한 것으로 옳은 것은? [2015 사회복지직]

① 대한천일은행 앞에서 회사원이 제국신문을 읽었다.
② 빈민이 토막촌을 형성하였고 걸인처럼 생활하였다.
③ 육영 공원에 입학한 청년이 선교사로부터 영어를 배웠다.
④ 서울의 학생이 미국인이 운영하는 전차를 타고 등교하였다.

해설 정답 ②

일제 강점기에 식민주의적 자본주의가 유입되면서 한쪽에서는 근대식 주택이 지어지는 반면, 또 다른 쪽에서는 자본주의 유입의 어두운 그늘 아래에서 도시 빈민촌이 발생하였는데, 이것을 '토막촌(土幕村)'이라고 불렀다.

① 대한천일은행은 1899년에 설립된 민족 은행으로 대한제국의 지원을 받았다. 제국신문은 1898년에 창립된 신문이다.
③ 육영 공원은 1886년에 설립되었으며, 상류층 자제들이 헐버트 등의 선교사로부터 영어를 배웠다.
④ 전차는 1899년에 처음 개통되었다. 처음에는 미국인이 운영하였으나, 일제 강점기 직전에 일본으로 운영권이 넘어갔다. 그러므로 일제 강점기에는 '미국인이 운영하는' 전차를 타지는 못하였다.

09 일제 강점기 조선인의 생활 모습으로 옳지 않은 것은? [2018 국가직 9급]

① 도시 외곽의 토막촌에는 빈민이 살았다.
② 번화가에서 최신 유행의 모던걸과 모던보이가 활동하였다.
③ 몸뻬를 입은 여성들이 근로보국대에서 강제 노동을 하였다.
④ 상류층이 한식 주택을 2층으로 개량한 영단 주택에 모여 살았다.

해설 정답 ④

① 일제 강점기에 식민주의적 자본주의가 유입되면서 한쪽에서는 근대식 주택이 지어지는 반면, 또 다른 쪽에서는 자본주의 유입의 어두운 그늘 아래에서 도시 빈민촌이 발생하였는데, 이것을 토막촌(土幕村)이라고 불렀다. 서울 변두리에는 빈민이 토막집을 짓고 살았다. 토막살이를 하는 사람은 1937년 서울(경성부) 총인구 70만여 명 중에서 15,000여 명에 달하였다.
② 모던걸(Modern Girl)과 모던보이(Modern Boy)는 1920년대부터 식민지 조선에서 자본주의 문화와 생활 양식이 확산되고, 서울의 도시화가 진행되면서 등장한 새로운 형태의 인간상을 가리키는 표현이었다. 2017년 서울시 7급에서 『별건곤』 잡지에 실린 모던걸, 모던보이의 내용을 통해 일제 강점기의 사회 모습을 묻는 문제가 출제된 적이 있었다.
③ 조선총독부는 옷감을 절약하고 노동력을 쉽게 동원하기 위하여 여성들에게 '몸뻬'라는 이름의 바지를 입게 하였다. 몸뻬를 입은 여성들은 근로보국대에서 강제 노동을 하였다. 2012년 지방직 7급에서 출제되었던 내용이다.
④ 일제 강점기에는 도시에 사람이 몰리면서 이전에 볼 수 없던 주택이 나타났다. 1920년대 이후에 상류층의 문화 주택, 중류층의 개량 한옥, '중·하류층'의 영단 주택이 그것이다. 1920년대에 지어진 개량 한옥은 사랑채가 생략되고, 대청마루에 유리문을 달고 문간에 중문이 달리고 문간방이 생기며 장식적 요소들이 가미된 도시형의 상품 주택이었다. 1930년대에 나타난 문화 주택은 2층 양옥으로, 전에 없던 복도와 응접실, 침실, 아이들 방 등 개인의 독립된 공간이 생겨났다. 영단(營團) 주택은 1940년대 들어 도시민, 특히 서민의 주택난을 해결하려고 지은 일종의 국민 연립 주택이었다. 영단주택은 1941년 조선주택영단령이 제정·공포되고, 같은 해 설립된 조선주택영단에 의해 건설된 주택이다.

10 다음의 성명이 발표된 이후 시작된 일본의 식민지 지배 정책만을 [보기]에서 고르면?

[2008 국가직 9급]

> 우리들은 3천만 한인 정부를 대표하여 삼가 중국, 영국, 미국, 소련, 캐나다, 호주 및 기타 제국의 대일 선전을 축하한다. 일본을 쳐서 무찌르고 동아시아를 재건하게 하는 가장 유효한 수단인 까닭이다. 이에 우리는 다음과 같이 성명한다.
>
> 1. 한국 전 인민은 이미 반침략 전선에 참가하여 한 개의 전투 단위로서 추축국(樞軸國)에 대하여 전쟁을 선포한다. … 이하 생략
>
> ➲ 대한민국 임시 정부 대일 선전 포고

[보기]

㉠ 징병　　㉡ 신사참배
㉢ 농촌진흥운동　　㉣ 조선여자정신대 동원

① ㉠, ㉡　　② ㉡, ㉢
③ ㉢, ㉣　　④ ㉠, ㉣

해설　　정답 ④

'3천만 한인 정부를 대표하여' 대한민국 임시 정부는 대일선전포고를 발표하였다(1941). 독일, 이탈리아, 일본을 의미하는 '추축국(樞軸國)'이라는 단어를 통해 이 자료가 세계 제2차 대전 때의 것임을 알 수 있다. 이 시기에 일제는 학도병제, 지원병제, 징병제, 징용 등의 방법으로 많은 한국인들을 강제로 동원하여 중국, 만주, 태평양 등의 전쟁터에 투입하거나 노역에 종사하게 하였으며, 많은 한국 여성들을 일본군 위안부(성노예)로 동원하였다.

㉡ 신사참배는 중일전쟁이 시작된 1937년에 시작되었다.

㉢ 농촌진흥운동은 1932년에 시작되었다.

11 다음 글이 쓰인 시기에 추진된 정책으로 옳은 것은?　[2012 수능]

> 슬프다. 나 유건영은 천 년의 고족(古族)이다. 일찍이 나라가 망할 때 죽지 못하고 치욕을 당하던 30년 동안 저들의 패륜을 귀로써 듣지 못하고 눈으로써 보지 못하겠더니, 이제 혈족의 성(姓)마저 빼앗으려 하는구나. 이것은 금수의 도를 5천 년 문화 민족에게 강요하는 것이니, 나는 금수가 되어 살기보다는 차라리 깨끗한 죽음을 택하노라.

① 인적・물적 수탈을 위한 국가총동원법이 실시되고 있었다.
② 백동화를 정리하기 위한 화폐 정리 사업이 시행되고 있었다.
③ 재정 수입을 늘리기 위한 토지 조사 사업이 진행되고 있었다.
④ 회사 설립을 허가제에서 신고제로 바꾼다는 규정이 발표되었다.
⑤ 일본인의 이민을 장려하기 위해 동양 척식 주식회사가 설립되었다.

해설

정답 ①

'혈족의 성(姓)마저 빼앗으려 하는' 조치는 창씨개명이다. 초기에는 행정 기관, 경찰, 학교를 총동원하여 이를 장려하는 형식을 취하였지만, 사실상 강제로 이루어졌다. "창씨하지 않은 사람은 공・사를 불문하고 총독부 관계기관에 일체 채용하지 않고, 현직자도 점차 파면 조치한다." ➲ 2005 인천시 9급

이 시기에는 이미 국가총동원법(1938~)이 실시되고 있었다. 창씨개명과 1) 국가총동원령, 2) 황국신민서사, 3) 남산의 조선 신궁에서 참배, 4) 강제 징용, 5) 조선의용대원의 활동, 6) 공출제 시행 등이 같은 시기의 문제로 출제된다.

② 1905년, ③ 1912~1918년, ④ 1920년, ⑤ 1908년

명호샘의 한마디!!

창씨개명 강요를 거부하고, 일본식으로 성명을 고치지 않은 사람에게는 다음과 같은 조치가 취해졌다.

1) 자제를 각급 학교에 입학시킬 수 없다.
2) 일본인 교사는 아동을 이유 없이 구타해 아동이 부모에게 애원하게 한다.
3) 총독부 관계 기관에 일절 채용하지 않고 현직자도 파면한다.
4) 행정 기관에서 행하는 모든 사무를 취급하지 않는다.
5) 사찰・미행 등을 철저히 하고 식량 및 기타 물자의 보급 대상에서 제외한다.
6) (철도국, 운송청 등에서) 일본식 성명으로 고치지 않은 사람의 이름이 쓰인 수하물은 취급하지 않는다.

12 다음 자서전의 내용이 전개되던 시기에 일제가 시행한 정책으로 가장 적절한 것은?

[2013 지방직 9급]

> 7월 20일, 학생들과 체조를 하고 있었는데 면사무소 직원이 징병영장을 가져왔다. 흰 종이에는 '징병영장' 그리고 '8월 1일까지 함경북도에 주둔한 일본군 나남 222부대에 입대하라'고 적혀 있었다. 7월 30일, 앞면에는 '무운장구(武運長久)' 뒷면에는 '축 입영'이라고 적힌 붉은 천의 어깨 띠를 두르고 신사를 참배한 후 순사와 함께 나룻배를 타고 고향을 떠났다. 용산역에서 기차를 탈 때까지 순사는 매섭게 나를 감시하였다.

① 일진회를 앞세워 한일 합방을 청원하게 하였다.
② 공출제도를 강화하여 놋그릇, 농기구까지 수탈하였다.
③ 우가키 총독이 농촌개발을 명분으로 농촌진흥운동을 주장하였다.
④ 헌병경찰이 칼을 차고 민간의 치안 및 행정업무를 처리하도록 하였다.

해설

정답 ②

'징병영장'을 받았다는 1944년이나 1945년이 되었다는 말이다. 1938년부터 일제 패망시까지 지원병제, 학도지원병제, 징병제가 실시되었다. 같은 시기에 물자 수탈도 강화되어 무기를 만들 수 있는 금속 제품이라면 놋그릇, 농기구, 불상까지도 모두 빼앗아 갔는데 이것을 공출(供出)이라 한다.

① 일진회는 '1904~1910년'에 활동한 친일단체이다.
③ 농촌진흥운동은 '1932~1940년'에 전개된 운동이다.
④ 헌병경찰제는 '1910년대'의 무단 통치 방식이다.

명호샘의 한마디!!

2011년 수능에서도 거의 같은 자료가 출제되었다. 자료에서 '무운장구(武運長久)'란 무인으로서(군인으로서) 그 운이 길고 오래가기를 바란다는 의미이다. 즉 '전쟁에 나가서 죽지 말라'는 말인데, 징병 당하는 입장에서 감사하게 받을 수 없는 말이다. '무운장구'라는 말을 일제 강점기에만 쓸 수 있는 것은 아니지만, 징병 때 주로 썼던 표현이어서 다른 시기에는 이 표현을 잘 쓰지 않는다. 그러므로 '무운장구'라는 표현이 나오면 징병과 관련된 글일 가능성이 높다.

> 4월 중순 나는 충북 지역 조선인을 대상으로 한 징병 신체 검사를 받았다. 7월 20일에 면사무소 직원으로부터 소집 영장을 받았는데, 8월 1일까지 함경북도에 주둔한 일본군 제19사단에 입대하라는 내용이었다. 7월 30일 '무운장구(武運長久)'라고 쓰인 어깨띠를 두르고 신사에 참배한 후, 수백 명의 환송객과 학생들이 부르는 노래를 뒤로 하고 순사와 함께 배를 타고 고향을 떠났다.
>
> ➲ 2011 수능

13 밑줄 친 ㉠, ㉡에 대한 설명으로 옳은 것은? [2019 지방직 9급]

> 신고산이 우르르 함흥차 가는 소리에
> ㉠ 지원병 보낸 어머니 가슴만 쥐어뜯고요
> …(중략)…
> 신고산이 우르르 함흥차 가는 소리에
> ㉡ 정신대 보낸 어머니 딸이 가엾어 울고요

① ㉠ – 학생들도 모집 대상이었다.

② ㉠ – 처음에는 징병제에 따라 동원되기 시작하였다.

③ ㉡ – 국민징용령에 근거한 조직이었다.

④ ㉡ – 물자 공출 장려를 목표로 결성하였다.

해설 정답 ①

①, ② 지원병 제도란 일제가 침략 전쟁 수행을 위해 「육군 특별 지원병령」과 「해군 특별 지원병령」 등을 공포하여 한국인을 전쟁에 반강제적으로 동원한 제도를 말한다. 1937년 7월 중일 전쟁이 발발하고, 전장이 중국 전체로 확대되면서 안정적인 병력 보급이 절실히 요청되자, 우선 소규모 차원에서 지원병제를 실시하게 되었다. 1938년 2월 22일 「육군 특별 지원병령」이 공포되고 4월부터 실시되었다. 한편 일제는 징집을 연기하고 있던 학생들에 대해서도 '학도 지원병'이라는 이름으로 재학 기간을 단축하고 징집 연기를 폐지해 일본군으로 동원했다. 일제는 이런 지원병 제도 운영의 경험을 기반으로 태평양 전쟁 이후 전쟁 상황이 악화하여 병력 부족이 심각해지자, 1944년 조선에서도 징병제를 시행하였다.

③, ④ 정신대(挺身隊)는 '일본 국가(천황)를 위해 몸을 바치는 부대'란 뜻으로 1940년경부터 남녀 구별 없이 사용되었으나, 1944년 여성을 군수공장에 동원하기 위해 제정한 '여자정신근로령(女子挺身勤勞令)'이 공포된 이후 특히 여자 근로정신대를 가리키는 말로 사용되었다.

> 신고산이 우루루 화물차 가는 소리에 / 지원병 보낸 어머니 가슴만 쥐어 뜯고요
> 어랑어랑 어허야 / 양곡 배급 적어서 콩깻묵만 먹고 사누나
> 신고산이 우루루 화물차 가는 소리에 / 정신대 보낸 어머니 딸이 가엾어 울고요
> 어랑어랑 어허야 / 풀만 씹는 어미 소 배가 고파서 우누나
> 신고산이 우루루 화물차 가는 소리에 / 금붙이 쇠붙이 밥그릇마저 모조리 긁어 갔고요
> 어랑어랑 어허야 / 이름 석 자 잃고서 족보만 들고 우누나
>
> ➲ 2013 서울시 7급

14 다음 자료를 집필한 인물과 관련이 있는 것은? [2008 서울시 9급]

> 독립군아 일제히 봉기하라!
> 독립군은 천지를 휩쓸라!
> 한 번 죽음은 인간이 면할 수 없는 바이니 개, 돼지와 같은 일생을 누가 구차히 도모하겠는가? 살신성인하면 2천만 동포는 마음과 몸을 부활하니 어찌 일신을 아끼며, 집을 기울여 나라에 갚으면 3천리 옥토는 자가의 소유이니 어찌 일가를 아끼랴. 우리 같은 마음, 같은 덕망의 2천만 형제자매여! 국민의 본령을 자각한 독립임을 기억하고 동양의 평화를 보장하고 인류의 평등을 실시하기 위한 자립임을 명심하여 황천의 명명을 받들고 일체의 못된 굴레에서 해탈하는 건국임을 확신하여 육탄혈전으로 독립을 완성하자.

① 의열단 ② 청산리 전투
③ 혁신의회 ④ 대한민국 건국강령
⑤ 윤봉길 의거

해설 정답 ④

제시된 자료는 1919년 제1차 세계대전 종전에 맞추어 간도 지역에서 만주·러시아 지역의 독립운동 지도자들이 발표한 '대한독립선언서(무오독립선언서)'로, 1918년 '조소앙'이 작성하였다. 충칭 임시 정부에서 발표된 '대한민국 건국강령'(1941)에는 조소앙의 '삼균주의'가 반영되었다.

15 다음 자료에 나타난 사상을 정립한 인물에 대한 설명으로 옳지 않은 것은? [2017 지방직 9급]

> 우리나라의 건국정신은 삼균제도(三均制度)의 역사적 근거를 두었으니 선조들이 분명히 명한 바 「수미균평위(首尾均平位)하야 흥방보태평(興邦保泰平)하리라」 하였다. 이는 사회 각층 각급의 지력과 권력과 부력의 향유를 균평하게 하야 국가를 진흥하며 태평을 보유(保維)하려 함이니 홍익인간(弘益人間)과 이화세계(理化世界)하자는 우리 민족의 지킬 바 최고 공리(公理)임

① 한국독립당을 창당하였다.
② 임시 정부의 국무위원이었다.
③ 제헌 국회의원에 당선되었다.
④ 정치·경제·교육의 균등을 주장하였다.

해설 정답 ③

제시된 자료는 1941년 11월 25일에 발표된 '대한민국 건국강령'의 '제1장 강령'의 일부분이다.

> 제1장 강령
> 1. 우리나라는 우리 민족이 반만년 이래로 공통한 말과 국토와 주권과 경제와 문화를 가지고 공통한 민족정기를 길러온 우리끼리로서 형성하고 단결한 고정적 집단의 최고조직임
> 2. 우리나라의 건국정신은 삼균제도(三均制度)의 역사적 근거를 두었으니 선조들이 분명히 명한 바 「수미균평위(首尾均平位)하야 흥방보태평(興邦保泰平)하리라」 하였다. 이는 사회 각층 각급의 지력과 권력과 부력의 향유를 균평하게 하야 국가를 진흥하며 태평을 보유(保維)하려 함이니 홍익인간(弘益人間)과 이화세계(理化世界)하자는 우리 민족의 지킬 바 최고 공리(公理)임
> 3. (이하 생략)

'다음 자료에 나타난 사상'이란 삼균주의이며, 이 사상을 정립한 인물은 조소앙(1887~1958)이다. 조소앙은 제헌국회의원은 아니었고, 이후 1950년에 실시된 5·30 총선거에 당선되어 국회에 진출하였다.

① 1940년에 한국국민당, 한국독립당, 조선혁명당이 합당하여 한국독립당을 창당하였다. 이때의 주도 인물은 김구, 조소앙, 지청천이었으며, 최종적인 당명인 '한국독립당'은 조소앙의 당명을 채용한 것이었다.

② 조소앙은 임시 정부에 참여하여, 국무위원에 선임되었고 이후 외교면에서 큰 활약을 하여 이후 임시 정부 외무부장을 역임하기도 하였다.

④ 조소앙은 개인 간에 정치 균등, 경제 균등, 교육 균등이 이루어져야 한다고 주장하였다. 정치 균등이란 보통선거를, 경제 균등이란 국유 제도를, 교육 균등이란 의무교육(공비교육)을 의미한다.

16 **1942년 중국 화북 지방에서 결성된 조선독립동맹에 대한 설명으로 옳은 것은?** [2009 지방직 9급]

① 조선의용군을 거느리고 중공군과 연합하여 항일전쟁에 참가하였다.

② 조국광복회를 결성하고 보천보 전투를 수행하였다.

③ 중국 국민당군과 합세하여 중국 각 지역에서 항일 투쟁을 전개하였다.

④ 시베리아 지방으로 이동하여 소련군과 합세하여 정탐활동을 전개하였다.

해설 정답 ①

화북 지방으로 이동한 조선의용대는 '조선의용대 화북지대'로 조직을 개편하였다. 조선의용대 화북지대에 중국 공산당에서 활동해 온 한인 사회주의자들이 연합하여 '조선독립동맹'(1942)을 결성하였고, 그 산하에 '조선의용군'을 두었다. 이후 조선의용군은 중국 공산당의 팔로군과 연합 전선을 형성하여 대일 항전을 전개하였다.

②, ④ 조국광복회는 '동북항일연군' 내의 한인사회주자들의 조직이다. '동북항일연군'은 1937년 함경남도 갑산군의 행정관청을 습격하고 보천보 일대를 점령하였는데 이를 보천보 전투라 한다. 보천보 전투 이후 '김일성 부대'는 일본군의 가혹한 토벌로 타격을 받고 결국 1940년 시베리아 지방으로 이동하여 소련군과 합세하였다.

> 보천보 전투
> 1937년 6월, 동북항일연군 대원에 의해 발생하였으며, 국내 조직의 도움을 받아 일제의 행정관청을 태우고 압록강을 건너다 추격하는 일본군에 상당한 피해를 주었다. 이 사건으로 일제는 조국광복회의 국내 조직 색출과 만주 지역의 독립군에 공세를 펼쳤다. ➲ 2007 경기도 9급

③ 중국 국민당의 지원을 받으며 연합 관계를 지속한 군사조직은 한국광복군(1940)이다.

17 밑줄 친 '이 부대'에 대한 설명으로 옳은 것은? [2012 법원직 9급]

> 중국 한커우[漢口]에서 이 부대가 조직되었다. 부대는 1개 총대, 3개 분대로 편성되었는데 100여 명의 대원은 대부분 조선민족혁명당원이다. 총대장은 황포 군관 학교 제4기 출신인 진국빈이며, 부대는 대일 선전 공작과 대일 유격전을 수행함을 목적으로 하였다.

① 자유시 참변으로 피해를 입었다.
② 일부 대원이 한국광복군에 편입되었다.
③ 3부 통합으로 성립된 국민부 산하의 군대였다.
④ 쌍성보, 대전자령 등에서 일본군을 격파하였다.

해설 정답 ②

'한커우'에서 조직되었고, 대부분이 '조선민족혁명당'의 당원이며, 총대장이 '황포 군관 학교' 출신이었던 부대는 조선의용대(1938)이다. 화북 지대로 이동하지 않은 병력은 김원봉의 지휘 아래 한국광복군에 합류하였다(1942).
① 대한독립군단, ③ 조선혁명군, ④ 한국독립군

18 다음의 설명과 인물로 맞게 짝지어진 것은? [2004 선관위 9급 변형]

> ㉠ 임시 정부 초대 법무총장을 지냈으며, 1948년 정부가 수립되자 초대 부통령에 당선되었다.
> ㉡ 대한광복군 정부의 부통령이었으며, 하바로프스크에 한인사회당을 조직하였다.
> ㉢ 육군주만참의부 소대장과 제3중대장을 역임하다가 조선혁명군 총사령관에 취임하였으며, 조선혁명군을 이끌고 한중 연합 작전을 수행하였다.
> ㉣ 한국독립당을 창당하고, 한국광복진선 결성에 한국독립당 대표로 참가하였으며, 1945년 8·15 광복으로 귀국하여 국민의회를 조직하였다.

	㉠	㉡	㉢	㉣
①	이시영	김원봉	김좌진	김구
②	이시영	이동휘	양세봉	조소앙
③	김좌진	이시영	양세봉	함석헌
④	양세봉	이동휘	김구	김좌진

해설

정답 ②

각 인물별로 암기해야 할 내용을 정리한다.

이시영	• 삼원보에 경학사 설립(1911) • 대한민국 임시 정부 초대 법무총장 • 한국민주당 결성 • 대한민국 정부 초대 부통령(1948~1951)
이동휘	• 안창호, 양기탁, 이동녕 등과 신민회 조직(1907) • 대한광복군 정부 부통령(1914, 블라디보스토크) • 최초의 사회주의 정당인 한인사회당 조직(1918, 하바로프스크) • 대한민국 임시 정부 군무총장, 국무총리
양세봉	• 천마산대 가입(1922) • 육군주만참의부 소대장(1923), 제3중대장(1924) • 조선혁명군 지휘 : 영릉가 전투(1932), 흥경성 전투(1933) 승리
조소앙	• 대한독립선언서(무오독립선언서) 작성(1918) • 대한민국 임시 정부 외무 부장 • 한국독립당의 당수 • 삼균주의 정립

05 국외 이주 동포의 활동과 시련

01 19세기 말 이후 전개된 해외 이주에 대한 설명으로 옳지 않은 것은? [2012 국가직 7급]

① 통감부는 교민의 통제와 영토의 편입을 위해 북변도 관리를 설치하였다.

② 시베리아의 연해주로 이주한 한인들은 '해조신문'을 발행하였다.

③ 만주로 이주한 한인들은 1918년 '대한독립선언서'를 발표하였다.

④ 미국으로 이주한 한인들은 신민회, 공립협회, 대한인국민회 등을 조직하였다.

해설

정답 ①

'북변도 관리'는 간도 지역의 교민 보호와 영토 편입을 위해 간도 지역에 '대한제국' 정부가 설치한 관청이다(1903). 대한제국 정부는 북변도 관리에 이범윤을 간도관리사로 임명·파견하고, 이 사실을 한국 주재 청국 공사에게 통고하여 간도의 소유권을 주장하였으며, 간도를 함경도 관할의 행정구역으로 편입하였다(1902~1903).

② 연해주에는 이미 1905년에 한국인 자치기관인 한민회가 설치되어 있었고, 1908년에는 해조신문을 발행하는 등 언론활동도 이루어졌다.

③ 만주로 이주한 독립운동가들은 1918년에 39명의 대표가 모여 '대한독립선언서'를 발표하였고, 이를 통해 무력항쟁의 강한 의지를 보여 주었다. (대한독립선언서는 음력으로 1918년 말에 발표되었으므로, 이것을 양력으로 환산하여 1919년 초에 독립선언서가 발표되었다고 말하기도 한다. 출제 당시 논란이 되었던 부분)

④ 미국으로 이주하였던 한인들을 중심으로 호놀룰루에서 신민회(1903)가 만들어졌다. 1907년 국내에서도 같은 이름의 '신민회'라는 조직이 결성되었다. 미주의 한인들은 공립협회(1905), 한인합성협회(1907) 등을 결성하였으며, 장인환·전명운의 스티븐스 저격 사건(1908)을 계기로 샌프란시스코에서 대한인국민회(1909)가 조직되었다.

02 다음과 같은 의병 활동이 전개된 지역에서 발생한 국외 이주 동포들의 시련으로 옳은 것은?

[2006 소방직]

• 성명회 조직	• 13도 창의군의 결성
• 대한광복군정부 결성	• 대한국민의회의 수립

① 간도 참변
② 미쓰야 협정
③ 중일 전쟁
④ 관동대지진
⑤ 중앙아시아로의 강제 이주

해설

정답 ⑤

19세기 후반, 러시아가 변방 개척을 위해 이주를 허용하고 토지를 제공하면서 한국인들의 연해주 이주가 시작되었다. 이주민들은 13도의군, 성명회, 권업회 등을 조직하고, 최초의 망명정부인 대한광복군정부까지 조직하고, 1919년에는 대한민국 임시 정부에 통합된 대한국민의회를 조직하기도 하였다. 그러나 1937년 '스탈린'에 의해 중앙아시아로 강제 이주되는 시련을 겪었다.

06 민족 문화 수호 운동

01 일제가 다음과 같은 취지의 조선교육령을 공포한 것에 대한 설명으로 옳은 것은?

[2010 지방직 9급]

• 보통학교의 수업연한을 4년에서 6년으로, 고등보통학교는 4년에서 5년으로 연장한다.
• 조선인과 일본인의 공학을 원칙으로 한다.

① 헌병경찰 중심의 통치체제 하에서 낮은 수준의 실용 교육만 실시하고자 하였다.
② 태평양 전쟁을 일으키고 황국 신민화 교육을 더욱 강화하고자 하였다.
③ 만주 침략을 감행하고 한국인을 동화시켜 침략 전쟁의 협조자로 만들고자 하였다.
④ 3・1 운동 이후 격화된 한국인의 반일감정을 무마하고자 하였다.

해설

정답 ④

3・1 운동 이후 일제는 '한국인의 반일감정을 무마'하기 위해 문화통치 방식으로 전환하는 한편, 신교육령(제2차 조선 교육령, 1922)을 공포하여 한국인에 대한 교육기회 확대를 표방하였다. 주요 내용은 이렇다. 1) 보통학교 및 고등보통학교 수업연한 연장, 2) 한국인(조선인)과 일본인의 공학 원칙, 3) 대학 설립 허가

① 제1차 조선 교육령(1911) 관련

②, ③ 제3차 조선 교육령(1938) 및 제4차 조선 교육령(1943) 관련

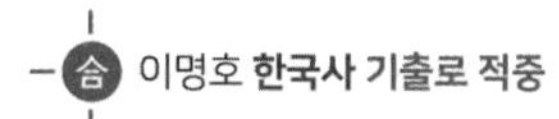

02 (가) 시기에 있었던 사실로 옳은 것은? [2024 국가직 9급]

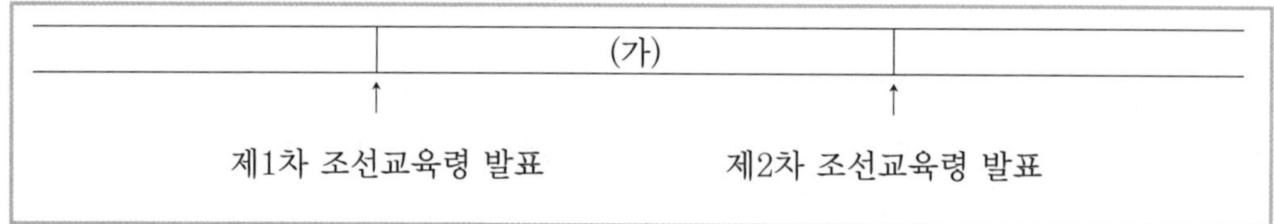

① 경성제국대학이 설립되었다.
② 근대 교육기관인 육영공원이 설립되었다.
③ 일본에서 2·8 독립선언서가 발표되었다.
④ 보안회의 주도로 일본의 황무지 개간권 반대 운동이 일어났다.

해설 정답 ③

제1차 조선교육령은 1911년에 발표되었고, 제2차 조선교육령은 1922년에 발표되었다.
③ 1919년, 일본에서 2·8 독립선언서가 발표되었다. 이것은 제1차 조선교육령과 제2차 조선교육령 사이에 있었던 사실이다.
① 1924년, 경성제국대학이 설립되었다.
② 1886년, 육영공원이 설립되었다.
④ 1904년, 보안회의 주도로 일본의 황무지 개간권 반대 운동이 일어났다.

03 다음 법령의 시행기에 있었던 사실로 옳지 않은 것은? [2012 법원직 9급]

> 제2조 국어를 상용하는 자의 보통 교육은 소학교령, 중학교령 및 고등여학교령에 의함
> 제3조 국어를 상용치 아니하는 자에 보통 교육을 하는 학교는 보통학교, 고등보통학교 및 여자고등보통학교로 함
> 제5조 보통학교의 수업 연한은 6년으로 함. 보통학교에 입학하는 자는 연령 6년 이상의 자로 함
> 제7조 고등보통학교의 수업 연한은 5년으로 함. 고등보통학교에 입학하는 자는 수업 연한 6년의 보통학교를 졸업한 자 또는 조선 총독이 정하는 바에 의하여 이와 동등 이상의 학력이 있다고 인정된 자로 함

① 치안유지법이 제정되었다.
② 경성 제국 대학이 설립되었다.
③ 조선어학회 사건이 발생하였다.
④ 브나로드 운동과 문자 보급 운동이 전개되었다.

해설 정답 ③

신교육령(제2차 조선 교육령, 1922)의 특징은 교육을 받아야 하는 사람들을 '국어를 상용하는 자'와 '국어를 상용하지 않는 자'로 구분하였다는 점이다. 여기에서의 '국어'는 일본어를 말하는데, 국어를 상용(일상적으로 사용)하는 자는 결국 일본인이겠지만, 교묘하게 한국인(조선인)과 일본인이라는 표현을 피하여 쓰고 있다. 이 법령이 시행된 시기는 제3차 조선 교육령이 공포되기 전까지이므로 '1922~1938년'이다. 1920년대 뿐만이 아니라, 1930년대 전반까지도 이 법령이 적용되었다는 것에 유의하여야 한다. 2012 수능에서는 이 기간 동안 '브나로드 운동에 참여하여 귀향하는 전문 학교 학생'의 모습을 볼 수 있다는 것을 정답으로 출제하였다.

③ 조선어 연구회가 조선어학회로 이름을 바꾼 것은 1931년이다. 일제는 조선어학회를 민족 운동 단체로 규정하고 회원들을 탄압하였고, 1942년에는 결국 조선어학회를 강제로 해산시켰다. 이것을 '조선어학회 사건'이라 한다.

① 1925년

② 1924년

④ 동아일보의 브나로드 운동(1931~1934), 조선일보의 문자보급 운동(1929~1934)

04 다음과 같은 조선교육령이 실시되던 시기의 사실로 옳은 것은? [2008 서울시 9급]

> 제1조 소학교는 국민 도덕의 함양과 국민생활의 필수적인 보통의 지능을 갖게 함으로써 충량한 황국 신민을 육성하는 데 있다.
>
> 제13조 심상 소학교 교과목은 수신, 국어(일어), 산술, 국사(일본사), 지리, 이과, 직업, 도화, 수공, 창가, 체조이다. 조선어는 수의(隨意) 과목으로 한다.
>
> • 3대 교육방침 - 국체명칭(천황 중심의 국가 체제를 분명히 하는 일), 내선일체, 인고단련
>
> • 교육제도에는 교명을 일본과 동일하게 조정한다.

① 황국 신민의 서사 암송을 강요하였다.

② 헌병경찰통치를 실시하였다.

③ 학도지원병 제도의 실시로 학생들이 강제 징집되었다.

④ 회사령을 폐지하고 신고제로 전환하였다.

⑤ 정신대 근로령을 공포하였다.

해설 정답 ①

제시된 자료는 1938년에 공포된 '제3차 조선 교육령'이다. 교명(학교명)을 일본과 동일하게 조정한다는 것은 '보통학교를 소학교로', '고등보통학교를 중학교로' 바꾼다는 의미이다. 이 교육령에 의해 한국어(조선어) 교육은 수의 과목(선택 과목)이 되었다. 제4차 조선교육령이 시작된 해가 1943년이므로, 제3차 조선교육령이 실시되던 시기란 '1938년~1943년'을 말한다. 황국 신민 서사 암송은 1937년 말부터 강요되었다.

② 헌병경찰통치는 1910년대에 실시하였다.

③ 일제는 1943년 10월 '조선인학도육군특별지원병제도'를 공포하여 학도지원병을 강요하였다. 제4차 조선교육령이 1943년 3월에 공포되었으므로, 학도지원병은 제4차 조선교육령 이후에 실시된 제도이다.

④ 회사령을 폐지하고 신고제로 전환한 때는 1920년이다.

⑤ 일제는 1944년 8월 '여자정신 근로령'을 공포하였다. 이 또한 제3차 조선교육령 이후에 실시되었다.

명호샘의 한마디!!

'소학교'라는 말이 나오면 을미개혁(1895) 문제이거나, 제3차 조선교육령(1938) 문제이다.

05 (가)에 대한 설명으로 옳은 것은? [2020 국가직 9급]

> 문화통치의 일환으로 한글 신문의 발행이 허용되었다. 이에 따라 __(가)__ 이/가 창간되었다. __(가)__ 은/는 자치운동을 모색하던 이광수의 『민족적 경륜』을 실어 비판받기도 하였으나, '일장기 말소사건'으로 일제로부터 정간 처분을 받기도 하였다.

① 한글 보급 운동에 앞장서 『한글원본』을 만들었다.
② 브나로드 운동이라는 농촌 계몽 운동을 전개하였다.
③ 『개벽』, 『신여성』, 『어린이』 등의 잡지를 발행하였다.
④ 신간회가 결성되자 신간회 본부와 같은 역할을 하게 되었다.

해설 정답 ②

이광수의 『민족적 경륜』을 게재하였고(1924), 일장기 말소사건으로 정간 처분을 받았던(1936), 한글신문은 동아일보이다. 1931년 7월부터 동아일보가 주도하여 '언론사 중심의 문맹퇴치 운동이 전개'되었다. ➲ 2004 국가직 9급 이것을 '브나로드 운동'이라고 한다. 브나로드(vnarod)란 '민중 속으로 가자'는 뜻의 러시아어로 '계몽 운동'을 상징한다.

동아일보는 학생계몽대를 조직하여 지방으로 보냈다. 각 지방마다 야학을 개설하여 한글을 가르치고, '위생 사상 보급, 미신 타파, 구습 제거, 근검절약' 등을 위한 계몽 활동을 전개하였다. 브나로드 운동은 1931년부터 매년 전국적인 규모로 4회에 걸쳐 진행되었는데, 1935년의 문맹퇴치 운동은 총독부가 강제로 중지시켜서 진행할 수가 없었다.

> 1931년 7월부터 방학을 이용하여 농민계몽을 목표로 브나로드 운동을 전개하였다. 브나로드 운동이란 다만 문자・숫자 보급에만 한정할 것이 아니요, 장래에 있어서는 그 내용과 범위를 넓혀서 산업지도・조합지도・생활 개선 등 무릇 조선인의 생활을 문화와 부(富)로 이끌기에 필요한 일을 점차로 가(加)할 터이다. ➲ 2004 국가직 9급

> 제군의 고향에는 글자를 모르고 문맹에 머무르는 자가 많으며 그들은 비위생적, 비보건적 상태에 처해있다. 학생 제군이 방학을 이용하여 일주일만 노력하면 문맹이 소멸될 것이요, 위생 사상도 보급될 것이다. …… 본 신문사는 문자의 보급, 위생선전 강연을 통해 민중을 계몽하는 운동에 지금부터 착수하려 한다. 모름지기 여름 휴가에 따라 귀향하는 학생은 봉공(奉公)의 정신으로 참여하라! ➲ <동아일보 1931년 7월 16일자 사설>

① 『한글원본』은 1930년 조선일보가 발행한 교재이다. 조선일보는 『한글원본』을, 동아일보는 『한글공부』를 발행하였다.
③ 『개벽』(1920~1926), 『신여성』(1923~1934), 『어린이』(1923~1934) 등의 잡지를 발행한 단체는 천도교이다.
④ 신간회(1927~1931)의 초대 회장은 조선일보 사장이었던 이상재(1850~1927)였다. 그래서 조선일보는 초기에 신간회 본부와 같은 역할을 하였다.

06 일제침략기 국어 연구와 한글의 보급운동에 적극적으로 활동한 조선어학회에 대한 설명으로 옳지 않은 것은? [2009 경찰]

① 「우리말 큰 사전」의 편찬을 시도하였다.
② 한글 맞춤법 통일안과 표준어를 제정하였다.
③ 한글 기념일인 '가갸날'을 제정하여 우리말 쓰기를 권장하였다.
④ 일제는 조선어학회를 독립운동단체로 간주하여 강제로 해산시켰다.

해설 정답 ③

국문연구소(1907) → 조선어연구회(1921) → 조선어학회(1931) → 조선어학회 사건(1942) → 한글학회(광복 후) 이 순서와 연도를 외우도록 한다.

③ '조선어연구회'는 '가갸날(한글날)'을 제정하고, 조선어 강습회를 개최하였으며, 1927년에는 잡지 '한글'을 창간하였다.

①, ② '조선어학회'는 한글 맞춤법 통일안과 표준어를 제정하고, 「우리말 큰 사전」의 편찬을 시도하였다.

④ 1942년 일제는 조선어학회를 강제로 해산시켰다(조선어학회 사건). 이 사건으로 '이윤재와 한징이 옥사(獄死)'하였다.

명호샘의 **한마디!!**

문맹퇴치운동(문자보급 운동과 브나로드 운동)과 조선어학회의 활동 시기가 겹치므로, 같은 문제에서 출제될 수 있다. 다음의 문장을 외우도록 한다.

조선어학회는 한글 강습 교재를 제작하여 문맹퇴치 운동에 참여하였다(협력하였다).

07 (가) 단체에 대한 설명으로 옳은 것을 [보기]에서 모두 고른 것은? [2023 법원직 9급]

최현배, 이극로 등이 중심이 된 (가) 은/는 '표준어 및 외래어 표기법 통일안'을 제정하는 등 한글 표준화에 기여하였다. 이에 일제는 1942년 (가) 을/를 독립운동 단체로 간주하여 회원들을 대거 검거하였다. 일제는 이들을 고문하여 자백을 강요하였고 이윤재, 한징이 옥사하였다.

[보기]

ㄱ. 국문 연구소를 설립하였다.
ㄴ. 한글 맞춤법 통일안을 만들었다.
ㄷ. 『우리말 큰사전』 편찬을 준비하였다.
ㄹ. 『개벽』, 『어린이』 등의 잡지를 발행하였다.

① ㄱ, ㄴ　　② ㄱ, ㄷ
③ ㄴ, ㄷ　　④ ㄴ, ㄹ

해설 정답 ③

'최현배, 이극로'가 중심이 되었으며, '표준어 및 외래어 표기법 통일안'을 제정하였고, 1942년에 회원들이 대거 검거되어 '이윤재, 한징이 옥사'한 단체는 조선어학회이다.

ㄴ. 조선어학회는 1933년에 한글 맞춤법 통일안을 만들었다.
ㄷ. 조선어학회는 『우리말 큰사전』 편찬을 준비하였다. 그러나 완성하지는 못하였다.
ㄱ. 주시경, 지석영 등은 1907년에 국문연구소를 설립하였다. 국문연구소는 1921년에 조선어연구회로, 1931년에 조선어학회로 계승되었다.
ㄹ. 『개벽』(1920), 『어린이』(1923) 등의 잡지를 발행한 종교는 천도교이다.

08 일제 시기 밑줄 친 '이것'을 이론적으로 반박한 사학자의 활동은? [2008 법원직 9급 변형]

> 이것은 한국이 여러 정치적 사회적 변화를 겪으면서도 능동적으로 발전하지 못하였으며, 개항 당시 조선 사회가 10세기 말 고대 일본의 수준과 비슷하다는 주장이다. 특히 근대 사회로 이행하는 데 필수적인 봉건 사회가 형성되지 못하여 사회·경제적으로 낙후한 상태를 벗어나지 못하고 있다는 것이다. 이러한 주장은 우리나라의 근대화를 위해서는 일본의 역할이 필요하다는 침략 미화론으로 이어졌다.

① 사적 유물론에 입각하여 한국사를 세계사적 보편성 위에 체계화하였다.
② 개별적 사실을 객관적으로 밝히려는 실증주의 역사 연구 방법론을 따랐다.
③ '얼' 사상을 강조하고 양명학과 실학사상을 주로 연구하였다.
④ 민족의 고유한 문화 전통과 정신을 강조하여 민족 독립의 정신적 기반을 마련하였다.

해설

정답 ①

'조선 사회가 10세기 말 고대 일본의 수준과 비슷하다'는 주장은 '정체성론'이라는 식민사관이다. 정체성론을 이론적으로 반박한 사학자는 '백남운'이다.

백남운은	1) 사적유물론에 입각하여 2) 유물사관에 입각하여 3) 사회경제사학을 토대로 4) 「조선사회경제사」에서	+	1) 한국사를 세계사적 보편성 위에 체계화하였다. 2) 한국사가 세계사적 발전 법칙에 입각하여 발전하여 왔음을 강조하였다. 3) 한국 역사의 정체성에 대한 반론을 주장하였다. 4) 연합성 신민주주의를 주창하였다. ➲ 2015 서울시 9급

> 고대사를 다룬 〈조선사회경제사〉에서 마르크스주의적 역사방법론을 제시하여, 기존 왕조 중심 사관과 식민주의 사관 등을 비판하였다. 마르크스의 이론에 따라 세계사적 역사법칙에서 우리 역사를 이해하여 고조선을 원시공산제 사회, 삼국 시대를 노예제 사회, 신라 통일기 이후에서 조선 말기까지를 동양적 봉건사회, 일제 시대를 이식자본주의 사회로 간주하였다. 이를 통해 동양 사회가 원시 사회에서 봉건제 사회로 직접 이행했다고 보는 통념을 부정하고, 우리 역사가 세계사적 법칙에 따라 정상적으로 발전했다는 것을 보여주고자 하였다. ➲ 2007 경남 9급

> 조선 민족의 발전사는 그 과정이 아시아적이라고 하더라도 사회 구성의 내면적 발전 법칙 그 자체는 오로지 세계사적인 것이며, 삼국 시대의 노예제 사회, 통일 신라기 이래의 동양적 봉건 사회, 이식 자본주의 사회는 오늘날에 이르기까지 조선 역사의 단계를 나타내는 보편사적인 특징이다. ➲ 2021 법원직 9급

> 나의 조선경제사의 기도(企圖)는 사회의 경제적 구성을 기축으로 대체로 다음과 같은 제 문제를 취급하려 하였다.
> 제1. 원시 씨족 공산체의 태양(態樣)
> 제2. 삼국의 정립 시대의 노예 경제
> 제3. 삼국 시대 말기 경부터 최근세에 이르기까지의 아시아적 봉건 사회의 특질
> 제4. 아시아적 봉건국가의 붕괴 과정과 자본주의의 맹아 형태
> 제5. 외래 자본주의 발전의 일정과 국제적 관계
> 제6. 이데올로기 발전의 총 과정 ➲ 2017 국가직 9급

② 이병도, 손진태 등은 문헌 고증을 중시하는 실증주의 사학을 발전시켜 어용학자들의 왜곡된 역사 연구에 대항하였다. 이들은 1934년 진단학회를 조직하고, 진단학보를 발간하였다.
③ 조선의 '얼'을 강조한 사학자는 정인보이다.
④ '민족의 고유한 문화 전통과 정신을 강조'한 사학을 민족주의 사학이라 한다. 박은식, 신채호 등이 여기에 해당한다. 민족주의 사학자들은 우리 민족의 고유한 문화 전통과 정신을 강조함으로써 민족 독립의 정신적 기반을 마련하고자 하였다.
➲ 2007 세무직 9급

09 다음 글을 쓴 이에 대한 설명으로 옳지 않은 것은? [2007 세무직 9급, 2005 선관위 9급 변형]

> 민중은 우리 혁명의 대본영(大本營)이다. 폭력은 우리 혁명의 유일 무기이다. 우리는 민중 속에 가서 민중과 손을 맞잡아 끊임없는 폭력 – 암살, 파괴, 폭동 – 으로써, 강도 일본의 통치를 타도하고, 우리 생활에 불합리한 일체 제도를 개조하여, 인류로써 인류를 압박치 못하며, 사회로써 사회를 수탈하지 못하는 이상적 조선을 건설할지니라.
>
> ➲ 조선혁명선언

① 신민회에 가입하여 국권 회복 운동을 전개하였다.

② 낭가사상을 강조하여 민족 독립의 정신적 기반을 만들고자 하였다.

③ 서북학회(西北學會)의 기관지에 많은 논설을 발표하였다.

④ 을지문덕, 이순신 등 애국 명장에 관한 전기를 써서 애국심을 고취하였다.

해설 정답 ③

제시된 자료는 의열단의 단장인 김원봉의 부탁에 따라 신채호가 의열단의 독립운동 이념과 방략에 관하여 쓴 『조선혁명선언』(의열단 선언, 1923)이다. 선언문에서는 '조선 혁명'의 목표로서 이족 통치, 특권 계급, 경제 약탈 제도, 사회적 불평균, 노예 문화를 파괴하고, 고유의 조선, 자유의 조선, 민중적 경제, 민중적 사회, 민중적 문화를 '민중 직접 혁명'의 방식으로 건설할 것을 주장하였다. 이 강령에 따라 활동한 단체는 '의열단'이고, 이 글을 쓴 인물은 '신채호'이다. 2019년 지방직 9급에서는 동일한 자료로 '의열단' 문제를 출제하였다.

① 신채호(1880~1936)는 독립협회 회원, 황성신문 기자, 대한매일신보 주필, 신민회 회원, 대한독립청년단 단장(북경), 상하이 임시 정부 임시 의정원 의원, 국민대표회의 창조파, 무정부주의자동방연맹 활동을 하였다.

② 신채호는 신라 화랑의 정신이 고려의 묘청으로 이어졌다는 낭가사상을 주장하였다.

④ 신채호는 최영, 이순신, 을지문덕 등 국난을 극복할 민족영웅에 관한 전기를 집필하였다.

③ 박은식에 대한 설명이다.

10 이 글을 쓴 인물에 대한 설명으로 알맞은 것은? [2014 서울시 7급]

> 강도 일본이 헌병정치, 경찰정치를 힘써 행하여 …… 언론, 출판, 결사, 집회의 모든 자유가 없어 고통과 울분과 원한이 있어도 벙어리의 가슴이나 만질 뿐이요 …… 이상의 사실에 근거하여 우리는 일본 강도정치 곧 이민족 정치가 우리 조선 민족 생존의 적임을 선언하는 동시에 우리는 혁명 수단으로 우리 생존의 적인 강도 일본을 멸망시키는 것이 곧 우리의 정당한 수단임을 선언하노라.
>
> ➲ 조선혁명선언

① 1909년 미국 네브라스카에 한인소년병학교를 설립하였으며, 1914년에는 대조선국민군단을 조직하여 독립전쟁을 대비하였다.

② 1918년 하바로프스크에서 한인사회당을 조직했으며 대한민국 임시 정부의 초대 국무총리를 맡았다. 1921년 한인사회당을 고려공산당으로 개칭하였다.

③ 1918년 모스크바에서 개최된 약소민족대회 및 1919년 파리강화회의 한국 대표로 참석하였다. 파리에 있을 때 대한민국 임시 정부가 수립되어 임시 정부의 대표가 되었다.

④ 서일이 이끄는 대한정의단에 가담해 정의단을 군정부(軍政府)로 개편한 다음 사령관이 되었다. 1919년 대한민국 임시 정부의 권고를 받아들여 북로군정서로 개칭하고 총사령관이 되었다.

⑤ 대한민국 임시 정부의 노선과 이승만의 위임통치청원에 반대하고 ≪신대한≫을 창간하여 주필이 되었으며 국민대표회의 개최를 주장하였다.

해설 정답 ⑤

제시된 자료는 신채호가 쓴 〈조선혁명선언〉(의열단 선언)이다. 신채호는 대한민국 임시 정부의 노선과 이승만의 위임 통치 청원에 반대하여, 독립운동 전선의 통일과 운동 방향의 전환을 위해 국민대표회의 개최를 주장하였다. ➲ 2004 선관위 9급
또한 1919년 주간신문인 《신대한》을 창간하여 주필이 되었다.

① 박용만, ② 이동휘, ③ 김규식, ④ 김좌진

명호샘의 한마디!!

신채호(1880~1936)의 기출 문장을 정리한다.

1. '대한매일신보'에 「독사신론」을 발표하여 민족주의 역사학의 연구방향을 제시하였다. ➲ 2021 소방
2. 역사를 '인류 사회의 아(我)와 비아(非我)의 투쟁'이라고 규정하고 민족주의 사학을 주장하였다. ➲ 2020 국회직 9급
3. 의열단을 위하여 「조선혁명선언」을 작성하였다. ➲ 2017 국회직 9급
4. 「조선상고사」, 「조선사연구초」를 저술하여 한국 고대 문화의 우수성을 밝혔다. ➲ 2020 해경간부
5. 「조선상고사」에서 민족주의 역사학의 이론적인 틀을 표방하였다. ➲ 2008 지방직 7급
   = 고대사 연구에 매진하여 「조선상고사」를 저술하였다. ➲ 2012 경찰
   = 신채호는 「조선상고문화사」를 저술하여 대종교와 연결되는 전통적 민간신앙에 관심을 보였다. ➲ 2011 국가직 9급
6. 민족주의 사학자 신채호는 묘청 세력의 자주적 성격을 높이 평가하였다. ➲ 2014 국회직 9급
7. 우리 고대 문화의 우수성과 독자성을 강조하여 식민주의 사관을 비판하였다. ➲ 2008 지방직 9급
8. 을지문덕, 최영, 이순신 등 애국명장의 전기를 써서 애국심을 고취하였다. ➲ 2017 지방직 9급
9. 「동국고대선교고」, 「꿈하늘」, 『조선사론』 등을 저술하였다. ➲ 2019 기상직 9급

11 아래의 〈조선사〉와 〈한국통사〉에 대한 설명으로 옳지 않은 것은? [2009 지방직 9급]

> 〈한국통사〉는 간행 직후 중국, 노령, 미주의 한국인 동포들은 물론이고, 국내에서도 비밀리에 대량 보급되어 민족적 자부심을 높여주고, 독립투쟁 정신을 크게 고취하였다. 일제는 이에 매우 당황하여 1916년 조선반도사 편찬위원회를 설치하고 〈조선사(朝鮮史)〉 37책을 편찬하였다.

① 〈조선사〉 편찬자들은 조선의 역사를 정체성·타율성으로 설명하려 하였다.
② 〈한국통사〉의 저자는 우리의 민족정신을 '혼(魂)'으로 파악하였다.
③ 〈조선사〉 편찬 목적은 식민통치를 효율적으로 실시하려는 것이었다.
④ 〈한국통사〉의 저자는 〈조선사연구초〉도 집필하여 민족 정기를 선양하였다.

해설 정답 ④

② 박은식은 1915년에는 국혼을 강조한 「한국통사」를, 1920년에는 전 세계 민중의 힘에 의한 일본의 패망을 예견한 「한국독립운동지혈사」를 지었다. ➲ 2014 서울시 9급

> 옛 사람이 말하기를 나라는 멸할 수 있으나 역사는 멸할 수 없다고 했으니, 이는 나라가 형체라면 역사는 정신이기 때문이다. 이제 우리나라의 형체는 없어져 버렸지만, 정신만은 살아남아야 할 것이다. 이것이 '통사(痛史)'를 쓴 이유이다. ➲ 한국통사 ➲ 2010 수능

> 대개 국교(國敎)·국학(國學)·국어(國語)·국문(國文)·국사(國史)는 혼(魂)에 속하는 것이요, 전곡(錢穀)·군대·성지(城地)·함선·기계는 백(魄)에 속하는 것으로 혼의 됨됨은 백에 따라 죽고 사는 것이 아니다. 그러므로 국교와 국사가 망하지 않으면 그 나라도 망하지 않는 것이다. 오호라, 한국의 백(魄)은 이미 죽었으나 이른바 혼(魂)은 살아 있는가 없는가. ➲ 한국통사 ➲ 2005 선관위 9급

①, ③ 일제는 「한국통사」에 '매우 당황하여' 다음 해인 1916년에 「조선사」를 편찬하기 위하여 '조선사 편수회'를 설치하였다. 또한 조선사 편수회와 경성 제국 대학의 교수들은 '청구 학회'를 결성하여 식민사관을 퍼뜨리는 데 앞장섰다.

> '한국통사'라고 하는 재외 조선인의 저서는 진실을 깊이 밝히지 않고 함부로 망령된 주장을 펴고 있다. 이 책이 인심을 현혹시키는 해독은 이루 말할 수 없다. 이같은 역사책을 절멸시킬 방책을 강구한다는 것이 도리어 그 전파를 격려하는 결과가 될지 모른다. 차라리 구사(舊史)의 금압 대신에 공명 정확한 역사책을 편찬하여 대처하는 것이 보다 첩경이고 효과 또한 더 현저할 것이다. 이것이 조선 반도사 편찬의 이유이다. ➲ 2010 수능

④ 「조선사연구초」는 신채호의 글이다.

12 다음 글을 쓴 인물에 대한 설명으로 옳은 것은? [2014 지방직 9급]

> 이른바 3대 문제는 무엇인가. 첫째는 유교계의 정신이 오로지 제왕측에 있고, 인민 사회에 보급할 정신이 부족함이오, 둘째는 여러 나라를 돌아다니면서 천하를 변혁하려 하는 정신을 강구하지 않고, 내가 동몽(童蒙)을 찾는 것이 아니라 동몽이 나를 찾는다는 생각을 간직함이오, 셋째는 우리 대한의 유가에서 쉽고 정확한 법문을 구하지 아니하고 질질 끌고 되어 가는 대로 내버려 두는 공부만을 숭상함이다.

① '조선심'의 개념을 중시하고 한글을 그 결정체로 보았다.

② '5천년간 조선의 얼'이라는 글을 써서 민족 정신을 고취하였다.

③ 실천적인 새로운 유교 정신을 강조하는 유교구신론을 주장하였다.

④ 3・1 운동 때 민족 대표 33인의 한 사람이며, 일제의 사찰령에 반대하였다.

해설 정답 ③

제시된 자료는 1909년 서북학회 월보에 게재되었던 박은식의 '유교구신론(儒敎求新論)'이다. 박은식은 당시 유교의 3대 문제로서, 1) 사회보급이 부족하다, 2) 대중 전파가 미흡하다, 3) 지리한만에 빠져있다, 이 세 가지를 지적하였다. 이 3대 문제를 해결하기 위해 지행합일을 강조하는 양명학을 받아들일 것을 주장한 것이 유교구신론의 핵심이다. 박은식은 이 글에서 '3대 문제에 대하여 개량(改良) 구신(求新)을 하지 않으면 우리 유교는 흥왕할 수 없을 것이다'라고 말하였다.

① '조선심(朝鮮心)'을 강조한 인물은 '문일평'이다. 문일평은 민족문화의 근본을 세종대왕에게 두고 있었으므로 한글을 그 결정체로 보았다.

② '5천년간 조선의 얼'이라는 글을 써서 민족 정신을 강조한 인물은 '정인보'이다. 문일평과 정인보는 모두 조선학 운동을 전개한 역사학자들이다.

④ 한용운은 '조선불교유신론'을 내세워 불교의 친일화를 비판하였다. 3・1 운동 때 민족대표 33인 중의 한 사람이었으며, 일제가 불교를 탄압하기 위해 공포한 '사찰령'을 폐지할 것을 요구하였다.

13 다음 주장을 한 인물에 대한 설명으로 옳은 것은? [2017 국가직 9급]

> 계급투쟁은 민족의 내부 분열을 초래할 것이며, 민족의 내쟁은 필연적으로 민족의 약화에 따르는 다른 민족으로부터의 수모를 초래할 것이다. 계급투쟁의 길은 우리가 반드시 취해야 할 필요는 없고, 민족 균등이 실현되는 날 그것은 자연 해소되는 문제다. …(중략)… 이 세계적 기운과 민족적 요청에서 민족사관은 출발하는 것이며, 민족사는 그 향로와 방법을 명백하게 과학적으로 지시하여야 할 것이다.
>
> 『조선민족사 개론』

① 『조선상고사』와 『조선사연구초』를 저술하였다.

② 대동사상을 수용한 유교 구신론을 주장하였다.

③ 『진단학보』를 발간한 진단학회의 발기인으로 활동하였다.

④ 『5천년간 조선의 얼』이라는 글을 동아일보에 연재하였다.

해설

정답 ③

출처인 『조선민족사 개론』은 손진태의 저서이다. 손진태는 '계급 투쟁'을 완전히 부정하지 않으면서, '민족사'를 강조하였다. 이것을 신민족주의라 한다. 신민족주의란 사회주의에서 강조하는 계급평등을 인정하지만, 계급평등보다는 민족단결을 더 중요시하는 사관이다. 신민족주의를 내세운 대표적인 인물은 손진태(일제 강점기)와 안재홍(광복 후)이다.

③ 손진태는 이병도와 함께 『진단학보』를 발간한 진단학회의 발기인으로 활동하였다.

① 『조선상고사』와 『조선사연구초』를 저술한 인물은 '신채호'이다.

② 대동사상을 수용한 유교 구신론을 주장한 인물은 '박은식'이다.

④ 『5천년간 조선의 얼』이라는 글을 동아일보에 연재한 인물은 '정인보'이다.

14 각 인물과 저서가 바르게 연결된 것은?

[2006 국가직 7급]

① 박은식 –「한국독립운동지혈사」 ② 문일평 –「조선사회경제사」

③ 백남운 –「조선사회사독본」 ④ 안재홍 –「조선문명사」

해설

정답 ①

일제 강점기의 역사학자의 주요 저서를 정리한다.

박은식	한국통사, 한국독립운동지혈사, 안중근전, 천개소문전
신채호	조선사연구초, 조선상고사, 조선상고문화사, 조선사론, 을지문덕전, 최영전, 이순신전, 이탈리아 건국삼걸전
문일평	한미50년사(대미관계50년사)
정인보	조선사연구
안재홍	조선상고사감
백남운	조선사회경제사, 조선봉건사회경제사
이청원	조선역사독본, 조선사회사독본

② 「조선사회경제사」는 백남운의 저서이다.

③ 「조선사회사독본」은 이청원의 저서이다.

④ 「조선문명사」는 안확의 저서이다.

15 [보기]는 일제 시대 우리 민족의 역사를 재조명하려는 사학자들의 글이다. [보기]의 글과 사학자를 옳게 연결한 것을 고르면? [2005 국가직 9급]

[보기]

㉠ 대개 국교(國敎)・국학・국어・국문・국사는 혼(魂)에 속하는 것이요, 전곡・군대・성지(城池)・함선・기계 등은 백(魄)에 속하는 것이므로 혼의 됨됨은 백에 따라 죽고 사는 것이 아니다. 그러므로 국교와 국사가 망하지 않으면 그 나라도 망하지 않는 것이다.

㉡ 누구나 어릿어릿하는 사람을 보면 '얼' 빠졌다고 하고, '멍'하니 앉은 사람을 보면 '얼'하나 없다고 한다. '얼'이란 이같이 쉬운 것이다. 그런데 '얼' 하나의 있고 없음으로써 그 광대・웅맹함이 혹 저렇기도 하고 그 잔루(孱陋)・구차함이 이렇기도 하니, '얼'에 대하여 명찰통조(明察通眺)함은 실로 거론하기 어렵다 할 수도 있다.

㉢ 나는 신민족주의 입지에서 이 글을 썼다. 왕장 1인만이 국가의 주권을 전유하였던 귀족 정치기에 있어서도 민족 사상이 없었던 것은 아니오, 자본주의 사회에서도 또한 민족주의란 것이 있다. 그러나 그러한 민족사상은 모두 진정한 의의의 민족주의는 아니었다.

㉣ 역사란 무엇인가. 인류사회의 아(我)와 비아(非我)의 투쟁이 시간부터 발전하며 공간부터 확대하는 정신적 활동 상태의 기록이니, 세계사라 하면 세계 인류의 그리되어 온 상태의 기록이며, 조선역사라 하면 조선 민족이 그리되어 온 상태의 기록인 것이다.

	㉠	㉡	㉢	㉣
①	신채호	정인보	안재홍	박은식
②	신채호	박은식	문일평	손진태
③	박은식	정인보	손진태	신채호
④	박은식	손진태	백남운	신채호

해설 정답 ③

일제 강점기 사학자의 키워드는 다음과 같다.

㉠ 역사를 국혼(國魂)과 국백(國魄)의 기록이라 주장한 인물은 박은식이다.
㉡ 민족의 '얼'을 강조한 인물은 정인보이다.
㉢ 일제 강점기에서 '신민족주의'를 주장한 인물은 손진태이다.
㉣ '아(我)와 비아(非我)의 투쟁'을 강조한 인물은 신채호이다.

명호샘의 한마디!!

신민족주의의 대표적인 인물은 손진태와 안재홍이다. 손진태는 일제 강점기에 신민족주의를 주장하였으며, 안재홍은 광복 후 '신민족주의와 신민주주의'라는 독창적인 이론을 제시하여 신민족주의를 내세웠다.
➲ 2015 서울시 9급

16 일제 강점기 우리나라 역사학자들의 역사연구 활동에 대한 설명으로 옳지 않은 것은?

[2011 국가직 9급]

① 안재홍은 우리나라 역사를 통사 형식으로 쓴 「조선사연구」를 편찬하였다.
② 백남운 등의 사회경제사학자들은 민족주의 사학자들의 정신사관을 비판하기도 하였다.
③ 신채호는 「조선상고문화사」를 저술하여 대종교와 연결되는 전통적 민간신앙에 관심을 보였다.
④ 정인보는 광개토왕릉 비문을 연구하여 일본 학자의 고대사 왜곡을 바로잡는 데 기여하였다.

해설 정답 ①

안재홍은 '민족정기'를 강조하고, 「조선상고사감」을 저술하였다. 「조선사연구」를 저술한 사람은 '정인보'이다.
② 백남운은 「조선사회경제사」를 저술하여 민족주의 사학의 정신주의와 식민 사관의 정체성론을 모두 비판하였다.
③ 「조선상고문화사」는 조선일보 사장이었던 안재홍의 주선에 의해 '조선일보'에 연재된 글이다. 대종교의 지원을 받으며 저술한 이 글은 만주와 한반도뿐만이 아니라 중국 대륙의 일부까지를 우리 역사로 수용하고 있으며, 단군을 강조하여 대종교의 역사 인식과 그 맥을 같이 하는 모습을 보인다.
④ 정인보는 광개토왕릉 비문의 '신묘년 기사'를 재해석하여 일본 학자들의 '임나일본부설'을 반박하였다.

17 ㉠을 비판한 사례로 가장 옳은 것은?

[2023 법원직 9급]

> 근세 조선사에서 유형원 · 이익 · 이수광 · 정약용 · 서유구 · 박지원 등 이른바 '현실학파(現實學派)'라고 불러야 할 우수한 학자가 배출되어, 우리의 경제학적 영역에 대한 선물로 남겨준 업적이 결코 적지 않다. …… ㉠ 후쿠다 도쿠조(福田德三)는 조선에서 봉건제도의 존재를 전면적으로 부정했다는 점에서 그에 승복할 수 없는 것이다.

① 백남운이 조선사회경제사를 저술하였다.
② 이병도, 손진태 등이 진단학보를 발간하였다.
③ 조선사 편수회 인사들이 청구학회를 결성하였다.
④ 신채호가 대한매일신보에 독사신론을 연재하였다.

해설 정답 ①

후쿠다 도쿠조는 일본의 경제학자이다. 그는 한국이 근대화에 늦은 원인은 한국에 봉건제가 결여되어 있었기 때문이며, 19세기 말에서 20세기 초 한국의 사회경제적 발전 단계는 일본의 봉건제가 성립한 가마쿠라 시대보다 뒤진 10세기 경의 후지와라시대에 해당한다고 하여, 한국 사회의 정체성론을 주장하였다.
① 식민사학의 정체성론을 비판한 대표적인 역사학자는 백남운이다. 백남운은 '조선사회경제사'를 저술하였다.
② 이병도, 손진태 등은 진단학회를 결성하고 진단학보를 발간하면서, 실증사학을 전개하였다.
③ 조선사 편수회 인사들이 청구학회를 결성한 것은 식민사학을 전파하고 한국사를 왜곡하기 위해서였다.
④ 신채호는 1908년 대한매일신보에 독사신론을 연재하였다. 이것은 만주를 중시하는 역사관으로서 민족주의 역사학이다.

18 다음 주장을 한 인물에 대한 설명으로 옳은 것은? [2023 지방직 9급]

> 우리 조선의 역사적 발전의 전 과정은 가령 지리적 조건, 인종학적 골상, 문화 형태의 외형적 특징 등 다소의 차이는 인정되더라도, 다른 문화 민족의 역사적 발전 법칙과 구별되어야 하는 독자적인 것이 아니다. 세계사적인 일원론적 역사 법칙에 의해 다른 민족과 거의 같은 궤도로 발전 과정을 거쳐왔다.

① 민족정신으로서 조선 국혼을 강조하였다.
② 민족주의 사학을 계승하여 조선의 얼을 강조하였다.
③ 마르크스 유물 사관을 바탕으로 한국사를 연구하였다.
④ 진단 학회를 조직하여 문헌 고증을 중시하는 실증주의 사학을 정립하였다.

해설 정답 ③

'조선의 역사적 발전의 전 과정'이 '세계사적인 일원론적 역사 법칙'과 거의 같은 궤도로 발전해왔다는 것은 한국 역사의 보편적 발전법칙을 밝힌 것으로써, 백남운의 주장이다.
③ 백남운은 마르크스 유물 사관(사회경제사학)을 바탕으로 한국사를 연구하였다.
① 민족정신으로서 조선 국혼을 강조한 인물은 박은식이다.
② 민족주의 사학을 계승하여 조선의 얼을 강조한 인물은 정인보이다.
④ 진단 학회를 조직하여 문헌 고증을 중시하는 실증주의 사학을 정립한 인물은 이병도와 손진태이다.

19 다음 ㉠의 인물에 대한 설명으로 옳은 것은? [2015 서울시 9급]

> ㉠ 은 조선 시대에 민중을 위해서 노력한 정치가들과 혁명가들을 드러내고, 세종과 실학자들의 민족지향, 민중지향, 실용지향을 높이 평가하는 사론을 발표하여 일반 국민의 역사의식을 계발하는 데 기여하였다. 또한 국제 관계에서 실리적 감각이 필요함을 절감하고, 이러한 시각에서 『대미관계 50년사』라는 저서를 내기도 하였다.

① 1930년대에 조선학운동을 주도하였다.
② 진단학회를 창립하여 한국사의 실증적 연구에 힘썼다.
③ 한국사가 세계사의 보편적 법칙에 입각하여 발전하였음을 강조하였다.
④ 우리의 민족 정신을 '혼'으로 파악하고, '혼'이 담겨 있는 민족사의 중요성을 강조하였다.

해설

정답 ①

문일평은 1930년대에 조선학 운동을 주도하였던 인물 중 하나로, '조선심(朝鮮心)'을 강조하고, 역사의 대중화를 위해 노력하였다. 조선 시대에 민중을 위해 노력한 정치가들과 혁명가들을 드러내고, 세종과 실학자들의 민족지향・민중지향・실용지향을 높이 평가하는 사론을 발표하여 일반국민의 역사의식을 계발하는 데 기여하였다. 또한 문일평은 국제관계에서 실리적 감각이 필요함을 절감하고 「한미 50년사(대미관계 50년사)」를 저술하였다.

다음의 '사안으로 본 조선'이라는 글은 문일평의 유고를 정리한 '호암전집'에 들어있는 글이다. 이 또한 문일평의 사료로 출제될 수 있다.

> 조선글은 조선심에서 생겨난 결정인 동시에 조선학을 길러주는 비료라 하려니와 조선글이 된 이래 9세기 동안에 조선의 사상계는 지는 듯 조는 듯 조선학 수립에 대하여 각별한 진전을 보지 못하였다. 그러나 오늘날은 차차 낡은 사상에서 벗어나 새 사상의 자극을 받게 된 조선인은 조선을 재인식할 때가 왔다. ➲ 사안(史眼)으로 본 조선

20 20세기 초 종교계의 민족운동에 대한 설명으로 옳지 않은 것은? [2011 국가직 9급]

① 한용운은 일본 불교계의 침투에 대항하면서 민족 불교의 자주성을 지키기 위해 노력하였다.

② 손병희는 일진회가 동학 조직을 흡수하려 하자, 천교도를 창설하고 정통성을 지키려 하였다.

③ 박은식은 「유교구신론」을 지어 유교가 민주적이고 평등한 종교로 거듭나야 한다고 주장했다.

④ 김택영은 전국의 유림들과 더불어 대동학회를 결성한 후 유교를 통한 애국계몽운동을 펼쳐나갔다.

해설

정답 ④

일제는 유림을 친일화하기 위해 1907년 친일 관료들을 동원하여 대동학회를 결성하였다. 대동학회는 친일 종교 단체 육성을 위한 조직으로 애국계몽운동과 거리가 멀다.

① 한용운은 '조선불교유신론'에서 불교의 친일화를 비판하였으며, 조선불교유신회(1920)를 조직하여 일제가 제정한 사찰령을 폐지하려는 운동을 전개하였다.

② 손병희는 친일 단체인 일진회와 시천교가 동학의 전통을 왜곡하고 동학 조직을 흡수하려 하자, 이들을 동학에서 몰아내고 천도교를 창설하여 그 정통성을 이어갔다.

③ 박은식은 1909년 서북학회 월보에 '유교구신론'을 게재하고, 유교가 민주적이고 평등한 종교로 거듭나야 하며, 새로운 시대에 실천적 학문인 양명학을 보급해야 한다고 주장하였다.

21 일제 강점기의 문예 활동과 관련하여 옳지 않은 것은? [2010 국가직 9급]

① 1920년대 중반에는 신경향파 문학이 대두하여 문학의 사회적 기능이 강조되었다.

② 정지용과 김영랑은 시문학 동인으로 순수 문학의 발전에 이바지하였다.

③ 미술에서는 안중식이 서양화를 대표하였다.

④ 영화에서는 나운규가 아리랑을 발표하여 한국 영화 발전에 기여하였다.

해설

정답 ③

일제 강점기에 안중식, 허백련 등은 전통 회화를 계승하여 창조적으로 발전시켰다. 서양화 분야에서는 최초의 서양화가인 고희동을 비롯하여 김관호, 나혜석 등이 활약을 하였고, 이중섭은 1940년대부터 자신의 불우한 삶을 독특한 서양화풍으로 담아내고 민족적 정서가 짙은 소 그림을 많이 그렸다.

① 1920년대 중반에는 사회주의 운동의 영향으로 식민지 현실의 계급 모순을 적극 비판하는 신경향파 문학이 등장하였다. 1920년대에는 박영희를 비롯하여 최서해, 김기진 등이 신경향파의 중심이었으나, 1930년부터는 임화, 김남천 등 소장파가 중심역할을 담당하였다. 그러나 일본 경찰의 탄압에 못 이겨 결국 1935년 해산계를 제출하였다.

② 1930년대 이후 정지용, 김영랑, 박용철은 「시문학」 동인으로 현실 도피적인 순수 문학을 발전시켰다.

④ 영화계는 1926년 나운규가 민족의 비애를 담은 영화 '아리랑'을 발표하면서 큰 변화를 맞았다. 이때까지의 영화는 기록 영화가 대부분이었지만, '아리랑'은 예술적 완성도가 매우 뛰어난 작품이었다.

22 **[보기]는 일제 강점기 당시 흥행에 성공하였던 영화의 줄거리이다. 이 영화가 상영되던 시기의 문화예술계에 대한 설명으로 가장 옳은 것은?** [2018 서울시 9급]

> [보기]
>
> 영진은 전문학교를 다닐 때 독립만세를 부르다가 왜경에게 고문을 당해 정신이상이 된 청년이었다. 한편 마을의 악덕 지주 천가의 머슴이며, 왜경의 앞잡이인 오기호는 빚 독촉을 하며 영진의 아버지를 괴롭혔다. 더욱이 딸 영희를 아내로 준다면 빚을 대신 갚아줄 수 있다고 회유하기까지 하였다. (중략) 오기호는 마을 축제의 어수선한 틈을 타 영희를 겁탈하려 하고 이를 지켜보던 영진은 갑자기 환상에 빠져 낫을 휘둘러 오기호를 죽인다. 영진은 살인혐의로 일본 순경에게 끌려가고, 주제곡이 흐른다.

① 역사학: 민족주의 역사가들 사이에서 이른바 조선학 운동이 시작되었다.

② 문학: 민중생활에 관심을 기울인 신경향파 문학이 대두하여 식민통치에 대한 저항문학으로 발전했다.

③ 음악: 일본 주류 대중음악의 영향을 받은 트로트 양식이 정립되었다.

④ 영화: 일제는 조선영화령을 공포하여 영화를 전시체제의 옹호와 선전의 수단으로 사용하였다.

해설

정답 ②

정신이상자 '영진'과 악덕 지주의 머슴 '오기호'가 등장하는 영화는 나운규가 감독하고 직접 출연도 했던 '아리랑'이다. 나운규는 '영진'을 연기했다. 문제의 자료의 마지막 문장에서 '주제곡이 흐른다'고 했는데, 그 주제곡이 '아리랑'이었다. 이 영화는 1926년부터 약 2년간 상영되면서 약 15만 명의 관객을 동원하였다.

② 1926년을 전후하여 유행하였던 문학은 신경향파 문학이었다. 신경향파 문학은 3·1 운동 이후 노동자, 농민들이 활발히 조직화되는 추세에서 문학의 사회적 기능이 강조되면서 등장하였다. 이들은 순수 예술을 표방하는 문인들의 각성을 촉구하면서 문학이 현실과 생활을 반영할 것을 강조하였다.

① 문일평, 정인보, 안재홍 등이 주도한 조선학 운동은 1930년대에 시작되었다.

③ 일본의 대중음악(엥카)의 영향을 받아 트로트 양식이 정립된 시기는 1930년대이다.

④ 일제가 우리나라의 영화 산업을 탄압하기 위해 조선 영화령을 공포한 때는 1940년이다.

23 다음 [보기]의 내용과 같은 분위기가 유행한 시대에 대한 설명으로 가장 옳지 않은 것은?

[2017 서울시 7급]

> [보기]
>
> 혈색 좋은 흰 피부가 드러날 만큼 반짝거리는 엷은 양말에, 금방 발목이나 삐지 않을까 보기에도 조마조마한 구두 뒤로 몸을 고이고, 스커트 자락이 비칠 듯 말 듯한 정강이를 지나는 외투에 단발 혹은 미미가쿠시(당시 유행하던 머리모양)에다가 모자를 푹 눌러 쓴 모양 … 분길 같은 손에 경복궁 기둥 같은 단장을 휘두르면서 두툼한 각테 안경, 펑퍼짐한 모자, 코 높은 구두를 신고 …
>
> 『별건곤』 모년 12월호

① 『신여성』, 『삼천리』 등의 잡지는 새로운 패션이나 화장법을 소개하여 유행을 이끌었다.

② 대한천일은행, 한성은행, 조선은행 등이 설립되어 경성 상인에게 자본을 빌려주어 유행을 뒷받침하였다.

③ 조선총독부는 기존의 우측통행 방침을 바꾸어 좌측통행을 일반화하였다.

④ 사회주의 운동의 영향으로 식민지 현실의 계급 모순을 비판하는 프로 문학이 등장하였다.

해설 정답 ②

『별건곤(別乾坤)』은 1920년대 대표적인 시사 잡지였던 『개벽』의 폐간 이후, 『개벽』을 발행했던 개벽사에서 취미와 오락을 대중에게 제대로 소개하기 위한 목적으로 1926년 11월 창간한 잡지였다. 『별건곤』에서 취미와 오락을 소개한 것은 단순히 대중적인 오락물을 제공하는 것이 아니라, 엘리트에게만 향유되던 근대적 교양과 문화를 일반 대중에게 널리 알리려는 목적이었다. 글의 구성은 취미와 오락을 표방한 종합지였기 때문에 시, 소설, 희곡 같은 문예 창작물부터 수필, 전기(傳記), 논설, 탐방기, 회견기 등 다양한 읽을거리로 이루어졌다. 특히 1920년 후반 마땅한 시사 잡지가 없는 상황에서 『별건곤』에 시사 기사가 자주 실리곤 하였다.

제시된 자료는 1920년대에 유행한 '모던 걸'과 '모던 보이'에 대해 묘사한 내용이다. '모던걸(Modern girl)'과 '모던보이(Modern boy)'는 1920년대부터 식민지 조선에서 자본주의 문화와 생활 양식이 확산되고, 서울의 도시화가 진행되면서 등장한 새로운 형태의 인간상을 가리키는 표현이었다. 당시 모던걸과 모던보이는 서양식 의복을 입고 전통적이지 않은 머리 스타일과 눈에 띄는 백구두나 뾰족구두를 신고 다니는 사람으로 묘사되었다. 모던걸과 모던보이가 보여 주는 새로운 패션과 스타일은 전통적 생활 양식에 머물러 있던 사람들에게 낯선 풍경이었다. 모던걸과 모던보이는 근대적 삶의 양식을 보여 주는 긍정적 인간상이 아니라 퇴폐적이고 불량한 의미의 '못된 보이'와 '못된 걸'로 불리기도 하였다.

문제에서 이런 '분위기가 유행한 시대'란 넓게 보면 '일제 강점기'이고, 좁게 보면 '1920년대'이다.

① 『신여성』은 1923년에 창간된 잡지이고, 『삼천리』는 1929년에 창간된 잡지로 당시의 유행을 이끌었다.

③ 조선총독부는 1921년에 도로 규칙을 제정하여 기존의(대한제국의) 우측통행 방침을 바꾸어 좌측통행을 일반화하였다.

④ 1920년대 중반에는 신경향파 문학이 대두하였다. 신경향파 문학은 3·1 운동 이후 노동자, 농민들이 활발히 조직화되는 추세에서 문학의 사회적 기능이 강조되면서 등장하였다. 이들은 순수 예술을 표방하는 문인들의 각성을 촉구하면서 문학이 현실과 생활을 반영할 것을 강조하였다. 그 후 '프로 문학'이 등장하여 극단적인 계급 노선을 추구하였기 때문에 대중과의 연대성이 약화되기도 하였다. 이에 민족주의 계열에서는 국민 문학 운동을 일으켜 계급주의에 반대하고, 문학을 통해 민족주의 이념을 선양하려 하였다. 그리하여 민족 의식과 민족애의 고취, 모국어 사랑, 전통 문화의 부흥 등을 주요 내용으로 하는 문학 운동을 전개하였다.

② 대한천일은행은 1899년에, 한성은행은 1897년에, 조선은행은 1896년에 설립되었다. 즉 일제 강점기 이전에 설립되었다.

24 다음 작품들의 공통점은? [2001 국가직 9급]

> 꿈 하늘, 삼대, 최도통전, 아리랑

① 민족의식을 고취하였다. ② 봉건의식 타파를 주장하였다.
③ 신경향파 문학에 속한다. ④ 문맹퇴치 운동에 크게 기여하였다.

 해설 정답 ①

신채호의 '꿈 하늘', '최도통전', 염상섭의 '삼대', 나운규의 '아리랑' 등은 일제 강점기의 계몽주의적 작품들로, 항일의식과 자주독립의 신념을 일깨워 민족의식을 고취하였다.

명호샘의 한마디!!

1. '꿈 하늘'은 신채호가 1916년에 쓴 단편소설이다. ⊙ 2019 기상직 9급 천관(天官)의 소리와 무궁화꽃의 소리와 을지문덕의 소리가 주인공 한 사람에게 모두 들어가서 '투쟁의식'을 고취시킨다는 내용의 소설이다. 역사를 '아(我)와 비아(非我)의 투쟁의 기록'으로 인식하는 신채호의 역사 인식이 이 소설에서 나타난다.
2. '최도통전'은 신채호가 1909년부터 1910년까지 대한매일신보에 연재한 미완의 작품으로, 고려 말 무신 최영에 관한 역사 전기 소설이다. 이렇게 신채호는 영웅 전기를 썼는데, 특히 「이순신전」, 「을지문덕전」, 「최도통전(최영전)」 등을 저술하였다. ⊙ 2021 경찰

CHAPTER

03 대한민국의 성립과 발전(현대)

이명호 **한국사** 기출로 적중

01 대한민국의 수립

01 광복과 국토의 분단

01 다음 5개 항을 주장한 인물에 대한 설명으로 옳은 것은? [2023 계리직 9급]

> 1항 전국적으로 정치범과 경제범을 즉시 석방할 것.
> 2항 3개월간의 식량을 확보해 줄 것.
> 3항 치안 유지와 건국 운동을 위한 정치 운동에 대하여 절대로 간섭하지 말 것.
> 4항 학생과 청년을 조직 · 훈련하는 데 대하여 간섭하지 말 것.
> 5항 노동자와 농민을 건국 사업에 동원하는 데 대하여 절대로 간섭하지 말 것.

① 좌우합작을 주도하다가 암살당하였다.
② 만민공생의 신민주주의를 표방하였다.
③ 한민당을 창당하고 훈정론을 주장하였다.
④ 그의 정치 노선은 '8월 테제'에 집약되어 있다.

해설 정답 ①

제시된 자료는 여운형이 조선총독부의 '치안권 수임 요청'을 수락하면서 내세운 5가지 선결 조건이다.
① 여운형은 좌우합작을 주도하다가 한지근에 의해 암살당하였다(1947).
② 안재홍은 신민족주의와 신민주주의를 주장하였다. ➲ 2015 서울시 7급
③ 한국민주당(한민당)은 송진우 등이 중심이 되어 결성하였으며, 인민공화국을 부정하고 대한민국 임시정부의 법통을 계승하려 하였다. ➲ 2014 국가직 9급 훈정론은 미군이 2년쯤 머물러야 한다는 송진우의 주장이다.
④ '8월 테제'는 광복 직후 박헌영에 의해 제시된 조선공산당의 정치노선이다.

명호샘의 **한마디!!**

여운형(1886~1947)에 대해서는 다음의 내용을 알아야 한다.
1) 국채보상 단연동맹지회를 설립하였다(1907). ➲ 2020 국회직 9급
2) 상하이에서 신한청년당을 조직하였다(1918). ➲ 2020 국회직 9급
3) 임시 정부의 임시의정원 의원과 외무부 차장을 역임하였다(1919).
4) 고려 공산당에 가입하였다(1921). ➲ 2020 국회직 9급
5) 모스크바에서 열린 극동피압박민족대회에 참석하였다(1922).
6) 1933년 조선중앙일보사 사장이 되었으나, 1936년 손기정 선수의 일장기 말소사건으로 해임되었다. ➲ 2021 소방간부
7) 조선건국동맹을 조직하고 위원장이 되었다(1944). ➲ 2021 소방간부, 2020 국회직 9급

8) 조선총독부로부터 치안권을 인수하였다(1945. 8). ➲ 2021 경찰간부
9) 안재홍과 함께 조선건국준비위원회를 주도적으로 조직하고, 위원장이 되었다(1945. 8). ➲ 2020 국회직 9급, 2018 지방직 9급
10) 1945년 9월 조선인민공화국의 부주석이 되었다. (조선인민공화국은 이승만을 주석으로 하였다.) ➲ 2021 경찰
11) 민족역량의 총집결을 강령으로 하는 조선인민당을 결성하고, 당수가 되었다(1945. 11). ➲ 2020 국가직 7급
12) 김규식과 함께 좌우익의 대표로서 10인의 좌우합작위원회를 구성하여 남북한 통일정부 수립운동을 벌였다(1946. 7). ➲ 2020 국회직 9급, 2016 서울시 7급
= 미군정의 지원을 받은 좌우합작위원회에 참여하였다. ➲ 2016 지방직 7급
13) 서울 혜화동 로터리에서 한지근에 의해 살해되었다(1947. 7). ➲ 2020 국회직 9급

여운형의 대표적인 기출 사료를 알아두자.

> (가) 은/는 중국으로 건너가 신한청년당, 고려공산당 등에서 활동하였으며, 1923년 국민대표 회의에 참석하여 임시 정부의 개조를 주장하였다. 손기정 선수의 일장기 말소 사건으로 조선중앙일보사가 폐간되면서 사장직에서 물러났다.
> ➲ 2021 소방간부

> 아침 8시, (가) 은/는 조선총독부 엔도 정무총감을 만나 다섯 가지 요구 사항을 제시하였다.
> 첫째, 전국에 구속되어 있는 정치·경제범을 즉시 석방하라.
> 둘째, 3개월간의 식량을 확보하여 달라.
> 셋째, 치안 유지와 건설 사업에 아무 간섭하지 말라.
> 넷째, 학생 훈련과 청년 조직에 대해 간섭하지 말라.
> 다섯째, 전국 사업장에 있는 노동자를 우리들의 건설 사업에 협력시키며 아무 괴로움을 주지 말라.
> ➲ 『매일신보』 ➲ 2020 국가직 7급

02 다음 내용을 주장한 단체에 대한 설명으로 옳지 않은 것은? [2006 국가직 9급 변형]

- 전국적으로 정치범을 즉시 석방할 것
- 서울에 3개월분의 식량을 확보할 것
- 노동자와 농민을 건국사업에 동원하는 데 절대 간섭하지 말 것

① 치안대를 조직하였다.
② 건국동맹을 모체로 창설되었다.
③ 여운형, 송진우 등이 주도하였다.
④ 인민위원회로 전환하는 경우도 많았다.

해설

정답 ③

제시된 자료는 광복 당일, 조건건국동맹의 여운형이 일제의 치안 수임 요청을 수용하며 내세운 '5항의 전제 조건' 중 일부이다.

② 치안 수임 요청을 수용한 직후 여운형은 안재홍 등과 함께 조선건국동맹을 기반으로 좌・우 연합의 '조선건국준비위원회(건준)'를 조직하였다.

① 건준은 '전국'에 145개의 지부를 조직하고 본격적인 건국 작업에 들어갔다. ➲ 2008 지방직 9급 그리고 국내 치안을 담당하기 위해 치안대를 조직하여 질서를 유지하였다. 초기의 중앙 조직은 좌우 연합적 성격이 강하였다. ➲ 2008 지방직 9급 즉 좌익과 우익 인사들이 함께 결성하였다. ➲ 2010 수능 그러나 좌파의 득세로 안재홍 등 우파 민족주의자들이 탈퇴하였고, 건준은 그 세력이 약해졌다.

④ 건준은 9월 초 미군이 한반도에 진주한다는 소식이 알려지자 건준의 중앙조직을 정부형태로 개편하고, 각 지부도 '인민위원회'로 바꾸어 1945년 9월 6일 전국인민대표자회의를 개최하였다. 그리고 마침내 '조선 인민 공화국' 수립을 선포하였다. 여기에 맞선 민족주의자들은 임시 정부를 지지하고, 국민 총의의 집결을 위한 '국민대회준비회'를 열었다.

③ 조선건국준비위원회를 주도한 인물은 여운형과 안재홍 등이다. 송진우는 일제의 치안권 수임 요청을 거절하였고, 건준과는 다른 방향을 모색하여 한국민주당의 중심 인물(수석 총무)이 되었다.

03 다음 단체에 대한 설명으로 옳지 않은 것은? [2019 국회직 9급]

> • 8 · 15 해방 직후 전국에 145개의 지부를 조직하였다.
> • 여운형이 중심이 되어 조직된 조선 건국 동맹이 모태가 되었다.

① 이승만을 주석으로, 여운형을 부주석으로 추대하였다.
② 중도 우파와 온건 좌파를 중심으로 구성되었다.
③ '조선 민주주의 인민 공화국'을 선포하였다.
④ 좌파의 적극적인 개입으로 탈퇴한 우파도 있었다.
⑤ 국내 치안을 담당하기 위해 치안대를 조직하였다.

해설 정답 ③

'전국에 145개의 지부를 조직'하였으며, '여운형이 중심'이 되었고, '조선 건국 동맹'을 모태로 한 단체는 조선건국준비위원회이다.

③ 조선건국준비위원회는 1945년 9월 '조선인민공화국'을 선포하였다.
① 조선인민공화국의 주석은 이승만, 부주석은 여운형이었다. 그러나 이렇게 '추대'하였을 뿐, 이승만은 취임하지 않았다.
② 조선건국준비위원회는 안재홍(중도 우파)과 여운형(온건 좌파)을 중심으로 구성되었다.
④ 조선건국준비위원회는 초기에는 좌우 연합적 성격을 가지고 있었으나, 좌파의 적극적인 개입으로 안재홍 등의 우파가 탈퇴하였다.
⑤ 조선건국준비위원회는 국내 치안을 담당하기 위해 치안대를 조직하였고, 식량문제를 해결하기 위해 식량대책위원회를 조직하였다.

04 밑줄 친 '이 사람'에 대한 설명으로 옳은 것은? [2016 지방직 7급]

> 해방 며칠 전, 엔도 정무총감은 어제까지도 자기 마음대로 모욕하던 <u>이 사람</u>을 초청하여 일본인의 생명 보호를 애걸하였다. 그러자 <u>이 사람</u>은 감옥에 있는 정치범의 즉시 석방, 청년 학생의 자치대 결성, 정치적 활동의 자유 보장, 3개월 간의 식량 확보 등 4개 조항을 조건으로 내걸고 응락하였다. 돌아오는 길에는 동지들로 하여금 자치대를 조직하게 하였다.

① 반탁을 주도하는 독립촉성중앙협의회를 조직하였다.
② 미군정의 지원을 받은 좌우합작위원회에 참가하였다.
③ 신민족주의를 내세운 국민당을 창당하였다.
④ 연합성 신민주주의를 표방한 신민당을 결성하였다.

해설

정답 ②

'정무총감'은 조선총독부의 제2인자 관리이다. 엔도 정무총감이 '일본인의 생명 보호를 애걸'하였다는 것은 조선총독부가 '이 사람'에게 치안권 수임을 요청하였다는 의미이다. 치안권 수임 요청을 '응락'한 '이 사람'은 여운형이다. 여운형이 치안권 수임요청을 수락하면서 내건 5개의 전제 조건은 다음과 같다. 이 문제의 출제자는 '4개 조항'이라 하였는데, 다음의 5개 전제 조건 중 3번과 5번을 '건국 작업에 간섭하지 말 것'이라는 하나의 주장으로 본 것 같다.

> 1. 전국적으로 정치범, 경제범을 즉시 석방할 것
> 2. 서울의 3개월간의 식량을 보장할 것
> 3. 치안 유지와 건국을 위한 정치 활동에 대하여 절대로 간섭하지 말 것
> 4. 청년과 학생을 조직·훈련하는 것에 대하여 절대로 간섭하지 말 것
> 5. 근로자와 농민을 건국 사업에 동원하는 것에 대하여 절대로 간섭하지 말 것

② 중도 좌파 여운형은 좌우합작운동을 주도하였다.

① 이승만은 1945년 10월 23일 독립촉성중앙협의회를 조직하였다. 이승만은 1946년 1월 이 조직을 해체하고, 신탁통치 반대를 위하여 2월에는 김구의 신탁통치반대 국민총동원중앙위원회와 통합하였다. 그 결과 대한독립촉성국민회가 결성되었다.

③ 신민족주의 및 신민주주의를 내세운 국민당을 창당한 인물은 안재홍이다.

④ 연합성 신민주주의는 마오쩌둥(모택동)이 주장한 신민주주의를 한국의 현실에 맞게 수용한 사상이다. 연합성 신민주주의는 김두봉, 백남운이 받아들였고, 이들이 중심이 되어 조선 신민당을 결성하였다.

명호샘의 한마디!!

신민당(新民黨)이라는 당명은 우리 역사에 여러 번 등장한다. 1946년에 창당한 조선신민당과 1960년, 1967년, 1994년에 창당한 신민당이 있다. 시험을 위해서는 이 중 '조선신민당'과 '1967년에 창당한 신민당'에 대해 알아야 한다.

1. 1946년 2월 조선독립동맹 계열을 주축으로 하여 조선신민당이 창당되었다. 북조선신민당은 김두봉이 중심이 되었고, 남조선신민당은 백남운이 중심이 되었다. 북조선신민당은 북조선공산당과 통합하여 북조선노동당이 되었고, 남조선신민당은 공산당 및 인민당과 합당하여 남조선노동당이 되었다. 이들은 마오쩌둥의 신민주주의(新民主主義)를 한반도의 현실에 맞게 원용하였는데, 이것을 연합성 신민주주의라 한다.
2. 1967년에 창당한 신민당은 제6대 대통령 후보로 윤보선을, 제7대 대통령 후보로 김대중을 내세웠으나 민주공화당의 박정희 후보에게 패하였다. 1974년에 김영삼을 새 대표로 추대하고 활동하던 중, 1979년 YH 무역사건과 관련하여 김영삼 신민당 총재가 의원직을 박탈당하였고 이로 인해 부마항쟁이 일어났다. 이 당은 1980년 제5공화정 헌법에 의해 자동해체되었다.

05 8 · 15 광복 직후에 결성된 정당의 중심인물과 주요 내용을 정리하였다. 이와 관련된 정당을 바르게 연결한 것은? [2014 국가직 9급]

> ㉠ 여운형 등이 중심이 되어 결성하였으며, 진보적 민주주의를 표방하면서 좌우 합작을 추진하였다.
> ㉡ 송진우 등이 중심이 되어 결성하였으며, 인민공화국을 부정하고 대한민국 임시 정부의 법통을 계승하려 하였다.
> ㉢ 안재홍 등이 중심이 되어 결성하였으며, 신민족주의를 내세워 평등사회를 건설하려 하였다.

	㉠	㉡	㉢
①	조선인민당	한국민주당	한국독립당
②	조선신민당	민족혁명당	한국독립당
③	조선신민당	한국민주당	국민당
④	조선인민당	한국민주당	국민당

해설 정답 ④

여운형의 정당은 '조선인민당'이다. 조선신민당은 김두봉의 당이다. 송진우 · 김성수 등이 중심이었던 당은 '한국민주당'으로, 이들은 조선인민공화국을 부정하고 빠져 나온 우익들이다. 안재홍이 중심이 되어 결성한 당은 '국민당'이다.

정 당	중심 인물	이 념
한국민주당	송진우, 김성수	우파
독립 촉성 중앙 협의회	이승만	우파
한국독립당	김구	우파
국민당	안재홍	중도 우파
조선인민당	여운형	중도 좌파
조선공산당	박헌영	좌파
조선신민당	김두봉, 백남운	좌파
조선민주당	조만식	우파

명호샘의 한마디!!

앞으로의 시험에서 언급될 수 있으니, 조선인민당과 국민당의 성격을 잘 알아두기 바란다.

1. 여운형은 1945년 11월 조선인민당을 창당하였다.
   1945년 9월 조선건국준비위원회가 중심이 되어 조선인민공화국을 선포하였으나, 거의 동시에 1) 미군정이 들어와서 조선인민공화국 부정을 선포하였고, 2) 사회주의자들은 '조선공산당'을 따로 결성하였고, 3) 우익들은 조선인민공화국을 탈퇴하여 '한국민주당'을 결성하자, 정치적 기반을 위협받은 여운형도 기존의 조선건국동맹 및 조선건국준비위원회 세력을 규합하여 조선인민당을 창당하였다.

2. 안재홍은 1945년 8월 국민당을 창당하였다.
   여운형과 함께 건국준비위원회에서 활동을 하였던 안재홍은 건준 조직이 점점 좌경화되어 가는 모습이 보이자, 건준에서 탈퇴하여 따로 국민당을 창당하였다. 국민당은 '신민족주의'와 '신민주주의' 정치 이념을 내세워 좌우이념을 통합하고자 하였다.

06 다음 조항이 발표되었을 당시의 사실로 옳은 것은? [2012 법원직 9급]

〈제1조〉 북위 38도선 이남의 조선 영토와 조선인민에 대한 통치의 모든 권한은 당분간 본관의 권한하에 시행한다.
〈제2조〉 정부 등 모든 공공 사업 기관에 종사하는 유급·무급 직원과 고용인, 그리고 기타 중요한 제반 사업에 종사하는 자는 별도의 명령이 있을 때까지 종래의 정상 기능과 업무를 수행할 것이며, 모든 기록 및 재산을 보호, 보존하여야 한다.
〈제5조〉 군정 기간 동안 영어를 모든 목적을 위해 사용하는 공용어로 한다.

① 신탁 통치 반대 운동이 일어났다.
② 서울에서 미·소 공동 위원회가 개최되었다.
③ 카이로 회담에서 한국의 독립을 약속하였다.
④ 조선건국준비위원회가 치안과 행정을 담당하였다.

해설

정답 ④

제시된 자료는 1945년 9월 9일 공포된 '미국태평양방면 육군 총사령부 맥아더 사령관 명의 포고령 1호'(미군정 포고문 1호, 맥아더 포고령 1호)이다. 1945년 9월 8일 인천에 상륙한 미군은 9월 9일 서울로 들어와 조선총독의 항복을 받았다. 미국은 곧바로 군정청을 설치하고 38도선 이남 지역의 유일한 합법 정부는 미 군정청이라고 선포한 뒤 직접 통치를 실시하였다. 이 당시에 조선건국준비위원회는 치안과 행정을 담당하고 있었으며, 한반도 통치의 주도권을 갖기 위해 조선인민공화국을 선포(1945. 9. 6)한 상태였다.

① 1945년 12월, 모스크바 3상회의에서 신탁통치가 결정되자 이 결정에 반대하여 즉각 반탁 운동이 전개되었다.
② 1946년 3월, 모스크바 3상회의의 결정에 따라 제1차 미·소 공동 위원회가 개최되었다.
③ 1943년 11월, 미·영·중 3국의 수뇌들은 적당한 절차를 거쳐 한국을 독립시킬 것을 결의하였다.

명호샘의 한마디!!

포고령 제1호가 1945년 9월이므로, 1945년 12월의 모스크바 3상회의에서 다뤄졌던 '신탁통치' 문제는 아직 포고령 제1호에 직접적인 언급이 없다는 것을 알아야 한다. 맥아더 포고령 제1호는 1945년 9월 당시의 상황을 묻는 '재료'로 다시 출제될 수 있으니 원문을 꼭 확인해두기 바란다.

조선인민에게 고함
태평양 방면 미국 육군부대 총사령관으로서 나는 이에 다음과 같이 포고함

일본국 정부의 연합국에 대한 무조건 항복은 우 제국(諸國) 군대 간에 오랫동안 속행되어온 무력투쟁을 끝냈다. 일본천황의 명령에 의하여 그를 대표하여 일본국 정부와 일본 대본영이 조인한 항복문서 내용에 의하여 나의 지휘하에 있는 승리에 빛나는 군대는 금일 북위 38도 이남의 조선영토를 점령한다.
조선인민의 오랫동안의 노예상태와 적당한 시기에 조선을 해방 독립시키라는 연합국의 결심을 명심하고 조선인민은 점령목적이 항복문서를 이행하고 자기들의 인간적 종교적 권리를 보호함에 있다는 것을 새로이 확신하여야 한다.
태평양방면 미국육군부대 총사령관인 나에게 부여된 권한에 의하여 나는 이에 북위 38도 이남의 조선과 조선주민에 대하여 군사적 관리를 하고자 다음과 같은 점령조건을 발표한다.
제1조 북위 38도 이남의 조선영토와 조선인민에 대한 통치의 전권한은 당분간 나의 권한하에서 시행한다.
제2조 정부의 전 공공(公共) 및 명예직원과 사용인 및 공공복지와 공공위생을 포함한 전 공공사업 기관의 유급(有給) 혹은 무급 직원 및 사용인과 중요한 사업에 종사하는 기타의 모든 사람은 새로운 명령이 있을 때까지 그의 정당한 기능과 의무를 실행하고 모든 기록과 재산을 보존 보호해야 한다.
제3조 모든 사람은 급속히 나의 모든 명령과 나의 권한하에 발한 명령에 복종하여야 한다. 점령부대에 대한 모든 반항행위 혹은 공공안녕을 문란케 하는 모든 행위에 대하여는 엄중한 처벌이 있을 것이다.

제4조 제군(諸君)의 재산소유 권리는 존중하겠다. 제군은 내가 명령할 때까지 제군의 정당한 직업에 종사하라.
제5조 군사적 관리를 하는 동안에는 모든 목적을 위하여서 영어가 공식언어이다. 영어 원문과 조선어 혹은 일본어 원문 간에 해석 혹은 정의에 관하여 어떤 애매한 점이 있거나 부동(不同)한 점이 있을 때에는 영어 원문이 적용된다.
제6조 새로운 포고, 포고규정 공고, 지령 및 법령은 나 혹은 나의 권한하에서 발출(發出)될 것으로 제군에 대하여 요구하는 바를 지정할 것이다. ➲ 태평양방면 미육군총사령관 맥아더 포고령 제1호(1945. 9. 9.)

02 대한민국 정부수립 과정

07 그림은 전후 한반도 문제 처리와 관련된 국제 회의를 나타낸 것이다. (가) ~ (라)에 대한 설명으로 옳은 것은? [2008 수능]

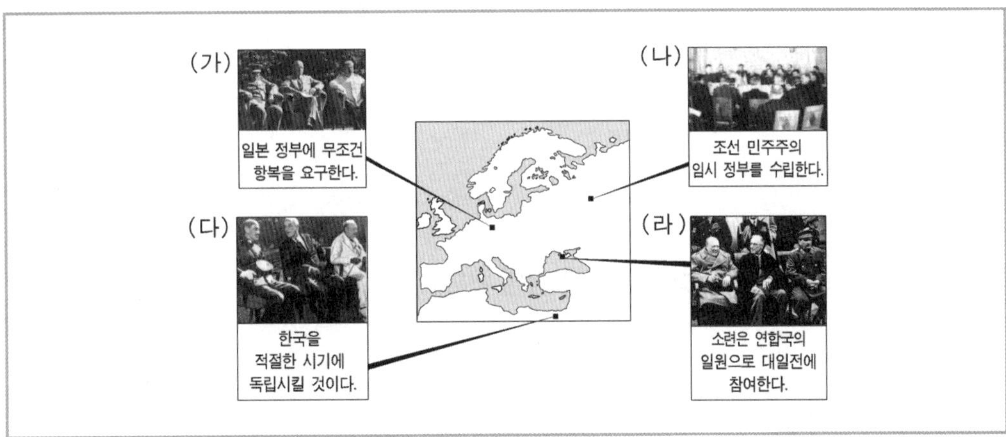

① (가)는 38도선을 경계로 하는 분할 점령을 결정하였다.
② (나)는 제2차 세계대전 중에 개최되었다.
③ (다)는 신탁 통치안을 제기하였다.
④ (라)에는 미국, 영국, 중국의 수뇌부가 참가하였다.
⑤ (다)의 약속을 실현하기 위해 (나)의 방안이 합의되었다.

해설 정답 ⑤

(가) 포츠담 선언이다. 독일이 항복한 후 1945년 7월 독일의 포츠담에서 미국, 영국, 중국의 수뇌들이 모여 일본의 무조건 항복을 요구하며 제2차 세계대전의 전후처리문제를 논의하였다. 후에 소련이 대일선전포고를 하고 포츠담 선언에 서명함으로써 회담에 참여하였다. 회담 이후 발표된 포츠담 선언에서는 카이로 선언에서 결정한 '한국의 독립'을 재확인하였다.
(나) 모스크바 3상회의이다. 1945년 8월 일본의 항복으로 제2차 세계대전이 끝난 후, 1945년 12월 28일 미국, 영국, 소련의 외무장관이 모스크바에 모여 제2차 세계대전의 전후 처리 문제를 논의하였다.
(다) 카이로 회담이다. 제2차 세계대전에서 연합군이 승기를 잡자, 1943년 11월 미국, 영국, 중국 등 연합국 대표들이 이집트의 카이로에 모여 상호협력과 종전 후 문제를 논의하였다. 카이로 회담은 처음으로 한국의 독립문제를 논의한 회담으로 적당한 절차를 거쳐 (적당한 시기에) 한국을 독립시키겠다는 선언문을 발표하였다.
(라) 얄타 회담이다. 이탈리아가 항복하고 독일 패전이 임박하자 1945년 2월에 미국, 영국, 소련 등 3국 수뇌들은 흑해 연안의 얄타에 모여 전후 독일 문제와 소련의 대일전 참전에 대한 논의를 하였다.

⑤ (다) 카이로 회담의 약속인 '한국의 독립'을 실현하기 위해 (나) 모스크바 3상회의에서 '신탁통치'라는 방안을 합의하였다.
① 얄타 회담 이후 참전한 소련군은 1945년 8월 11일 한반도에 진주하여 일본군의 무장을 해제시키며 한반도 북부 지역을 빠르게 점령해 나갔다. 미국은 소련의 한반도 단독 점령을 막기 위해 소련에 38도선을 기준으로 한 분할 점령을 제안하였다. 소련이 이 제안에 동의하여 1945년 8월 14일 '38도선을 기준으로 한 분할 점령'이 결정되었다.
② 모스크바 3상회의는 제2차 세계대전이 끝난 후에 전후 처리 문제를 논의하기 위해 개최되었다.
③ 한반도에 대한 신탁통치안을 공식적으로 제기한 회의는 모스크바 3상회의이다.
④ 얄타회담에 중국은 참가하지 않았다.

명호샘의 한마디!!

지도에 표시된 회담 '장소'를 기억해 두기 바란다. 위치와 함께 회담의 내용을 외우면 그 암기가 살아있기 때문이다.

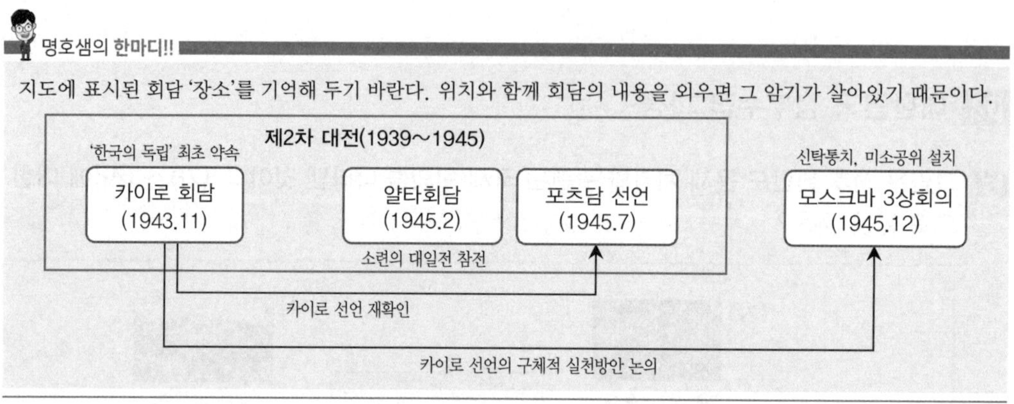

08 [보기]의 선언에 대한 설명으로 가장 옳은 것은? [2018 서울시 9급]

[보기]

각 군사 사절단은 일본국에 대한 장래의 군사행동을 협정하였다. (중략) 앞의 3대국은 조선인민의 노예상태에 유의하여 적당한 시기에 맹세코 조선을 자주독립시킬 결의를 한다.

① 이 선언에서 연합국은 일본에 무조건 항복을 요구하였다.
② 미국, 영국, 중국의 정상이 모여 회담을 한 후 나온 선언이다.
③ 소련은 일본과의 전쟁에 참전할 것을 결정했다.
④ 미국의 루즈벨트 대통령이 20~30년간의 신탁통치안을 처음으로 제안하였다.

해설

정답 ②

'조선인민의 노예상태에 유의하여 적당한 시기에 맹세코 조선을 자주독립시킬 결의를 한다(The aforesaid three great powers, mindful of the enslavement of the people of Korea, are determined that in due course Korea shall become free and independent).'는 제2차 세계 대전이 발발한 뒤인 1943년 11월 23일부터 27일까지 미국의 프랭클린 루스벨트(Franklin Roosevelt) 대통령, 영국의 윈스턴 처칠(Winston Churchill) 수상, 중국의 장제스[蔣介石] 장군 등 연합국 수뇌가 이집트의 카이로에 모여 전후 처리에 관해 협의한 뒤 발표한 「카이로 선언」의 일부이다.
① 연합국이 일본에 무조건 항복을 요구한 선언은 1945년 7월의 포츠담 선언이다.
③ 소련이 일본과의 전쟁에 참전할 것을 결정한 회담은 1945년 2월의 얄타회담이다.
④ 미국의 루즈벨트 대통령이 20~30년간의 신탁통치안을 처음으로 제안한 회담은 1945년 2월의 얄타회담이다. 다만 이것은 얄타회담 중 비공식 토론에서 루즈벨트와 스탈린의 대화에서 언급된 내용이다.

09 다음은 대한민국 정부수립 과정에서 나타난 국제회의의 결의 사항이다. 다음 (가), (나), (다) 자료에 대한 설명으로 올바른 것을 [보기]에서 모두 고른 것은? [2012 경찰간부]

> (가) 미, 영, 중 3대 동맹국은 조선인민의 노예 상태에 유의하여 적절한 시기(in due course)에 조선을 자유 독립시킬 것을 결의한다.
>
> (나) 만약 통일 정부 수립을 위한 남북한 동시 총선거가 불가능하다면 유엔 한국 임시 위원단의 활동이 가능한 지역에서만이라도 선거를 실시해야 한다.
>
> (다) 조선 임시 정부의 구성을 원조할 목적으로 먼저 그 적절한 방안을 연구 조성하기 위하여 남조선 미합중국 점령군과 북조선 소연방 점령군의 대표자들로 공동 위원회가 설치될 것이다.

> [보기]
>
> ㉠ (가) – 한국의 38도선 분할이 결정되었다.
>
> ㉡ (나) – 남북 협상의 계기가 되었다.
>
> ㉢ (다) – 소련은 회담에서 모든 정당들을 참여시킬 것을 주장하였다.

① ㉠　　② ㉡

③ ㉠, ㉡　　④ ㉠, ㉢

해설 정답 ②

(가)는 카이로 회담(1943. 11)이다. (나)는 '유엔 한국 임시 위원단의 활동이 가능한 지역'에서의 총선거, 즉 남한만의 총선거를 결정한 UN 소총회(1948. 2. 6)이다. (다)는 모스크바 3상회의(1945. 12)이다.

㉡ UN 소총회의 남한 단독 선거 결정은 사실상의 분단이 결정되는 것이었다. 남한만의 총선거에 반대한 김구・김규식은 북한의 김일성・김두봉에게 남북 정치 지도자 회의의 개최를 제의하였다. 그 결과 남북협상(1948. 4)이 이루어졌다.

㉠ 38도선을 기준으로 한 분할 점령은 광복 직전 미국의 제안과 소련의 동의로 이루어졌다(1945. 8. 14).

㉢ 1946년 3월 임시 정부 수립을 위한 제1차 미・소 공동 위원회가 개최되었다. 그러나 소련은 모스크바 3상회의 결정에 '찬성'하는 정당・사회단체만을 협의 단체로 참여시키자고 주장하였고, 미국은 '모든' 정당・사회단체의 참여를 주장하여 회의는 결국 중단되었다.

10 다음은 광복 이후에 개최된 한국 문제에 대한 회의 결정문이다. 이에 관한 내용으로 가장 적절한 것은? [2013 경찰]

> 1. 조선을 독립 국가로 재건설하며 조선을 민주주의적 원칙하에 발전시키기 위한 조건을 조성하고…(중략)… 임시 조선 민주주의 정부를 수립할 것이다.
> 2. 조선 임시 정부의 구성을 원조할 목적으로…(중략)… 남조선 미합중국 관구와 북조선 소연방국 관구의 대표자들로 공동 위원회가 설치될 것이다. 그 제안을 작성하는 데 있어 공동 위원회는 조선의 민주주의 정당 및 사회단체와 협의해야 한다.
> 3. 공동 위원회의 제안은 최고 5년 기한으로 4개국 신탁 통치를 협약하기 위하여 미국・영국・중국・소련 여러 나라 정부가 공동 참작할 수 있도록 조선 임시 정부와 협의한 후 제출되어야 한다.
> 4. 남・북 조선에 관련된 긴급한 제문제를 고려하기 위하여…(중략)… 2주일 이내에 조선에 주둔하는 미국, 소련 양군 사령부 대표로서 회의를 소집할 것이다.

① 미국의 트루먼 대통령, 영국의 처칠 수상, 소련의 스탈린 등 3개국 정상들이 참석하였다.
② 이 회의에서 미·소 양국은 2항을 결정하는 과정에서 협의의 대상인 정당 및 사회단체 선정 문제를 놓고 진통을 겪었다.
③ 이 소식을 접한 김구, 이승만 등의 우익 세력은 즉각적으로 대대적인 신탁반대운동에 나섰다.
④ 미국과 소련은 회의 결정안을 실천하기 위하여 미·소 공동 위원회를 3차례에 걸쳐 실시하였다.

해설 정답 ③

제시된 자료는 모스크바 3상회의(1945. 12)의 결정문이다. '미소공동위원회 개최 → 미소공동위원회와 한국의 정당 및 사회단체의 협의 → 임시민주정부 수립 → 미소공동위원회와 임시민주정부 협의하에 미, 영, 중, 소에 의한 신탁통치 방안 결정'의 순서대로 한국 정부를 수립하려는 결정이었다. ➲ 2017 사회복지직

'최고 5년 기한으로 4개국 신탁 통치'라는 결정 사항이 국내에 알려지자 범국민적인 반탁 운동이 일어났다. 김구 등 임시정부 계열은 '신탁 통치 반대 국민총동원 중앙위원회'를 구성하였고, 이승만 계열은 '독립촉성 중앙협의회'를 구성하였는데, 이 두 단체가 통합하여 '대한독립촉성 국민회'(1946. 2)를 결성하였다.

① 미국의 번즈 국무상, 영국의 베빈 외상, 소련의 모토로프 외상이 참가하였다.

②, ④ 미・소 공동 위원회는 모스크바 3상회의의 '결정'에 따라 열린 회의이다. 1946년 3월과 1947년 5월에 걸쳐 두 차례 열렸으나 모두 결렬되었다.

명호샘의 **한마디!!**

모스크바 3상회의 문제의 기출 문장을 정리한다.

<table>
<tr><td>정 답</td><td>
1. 카이로 선언의 원칙을 구체적으로 실행에 옮기기 위한 방안에서 나온 것이다.(O) ➲ 2011 국가직 9급
2. 민주주의 원칙하에 독립국가 건설을 위한 임시 정부를 수립한다.(O) ➲ 2014 서울시 7급
= 일본 통치의 폐해를 청산하기 위한 임시 조선 민주주의 정부를 수립한다.(O) ➲ 2013 수능
3. 최고 5년간 미·영·중·소 4개국이 신탁 통치를 실시한다.(O) ➲ 2014 서울시 7급
4. 우익 세력은 대대적인 신탁 반대 운동을 전개하였다.(O) ➲ 2007년 국가직 9급
5. 신탁통치에 대한 의견 차이로 좌익과 우익은 격렬하게 대립하였다.(O) ➲ 2007 국가직 9급
6. 임시 정부의 수립을 원조하기 위해 미·소 공동 위원회를 설치한다.(O) ➲ 2014 서울시 7급
7. 두 차례의 미·소 공동 위원회는 두 나라의 이해관계로 결렬되었다.(O) ➲ 2007 국가직 9급
8. 조선에 주둔하는 미·소 사령부는 2주일 이내에 대표 회의를 개최한다.(O) ➲ 2014 서울시 7급
</td></tr>
<tr><td>오 답</td><td>
1. 미국의 트루먼 대통령, 영국의 처칠 수상, 소련의 스탈린 등 3개국 정상들이 참석하였다.(×)
➲ 2013 경찰 → 번즈, 베번, 모토로프 참석
2. 이 회의에서 미·소 양국은 2항을 결정하는 과정에서 협의의 대상인 정당 및 사회단체 선정 문제를 놓고 진통을 겪었다.(×) ➲ 2013 경찰 → 참여단체의 범위 문제로 결렬된 것은 미·소 공동위원회
3. 미국과 소련은 회의 결정 안을 실천하기 위하여 미·소 공동 위원회를 3차례에 걸쳐 실시하였다.(×) ➲ 2013 경찰 → 미소공위는 2차례
4. 조선의 민족 대표로 하여금 임시 정부 수립을 위한 협의체를 구성하게 한다.(×)
➲ 2014 서울시 7급 → 조선의 민족 대표가 아닌 '남조선 미합중국 관구와 북조선 소 연방국 관구의 대표자'로 협의체 구성
5. 좌익 세력은 처음부터 찬탁 운동에 참여하여 민족의 분열을 초래하였다.(×)
➲ 2007년 국가직 9급 → 반탁에서 찬탁으로 전환
<table>
<tr><th>우익 세력</th><th>좌익 세력</th><th>중도 세력</th></tr>
<tr><td>김구, 이승만, 조만식</td><td>박헌영</td><td>여운형, 김규식</td></tr>
<tr><td>적극적인 반탁</td><td>반탁에서 찬탁으로 전환</td><td>명확한 입장 표명 없이
좌우 합작 운동 전개</td></tr>
</table>
6. 한반도 내의 좌익 세력은 좌우 합작위원회를 구성하여 회의결과를 총체적으로 지지하였다.(×) ➲ 2011 국가직 9급 → 좌우 합작위원회는 '중도파'가 구성
7. 미국의 즉각적인 독립안과 소련의 신탁통치안이 대립하면서 나온 절충안이었다.(×)
➲ 2011 국가직 9급 → 미국의 '4개국 대표에 의한 신탁통치'와 소련의 '신탁통치 기간 5년 이내 한정'의 절충안
8. 공동위원회에서 소련은 표현의 자유를 내세워 모든 단체의 회담 참여를 주장하였다.(×)
➲ 2011 국가직 9급 → '모든' 단체의 미소공위 참여는 미국의 입장
9. 이 회의 이후에 조선 건국 준비위원회가 결성되었다. (×) ➲ 2024 국가직 9급 → 조선 건국 준비위원회는 1945년 8월에 결성, 모스크바 3상회의는 그 해 12월에 개최
</td></tr>
</table>

11 다음 주장을 한 조직에 대한 설명으로 옳은 것을 [보기]에서 고른 것은? [2012 지방직 9급]

> 카이로, 포츠담 선언과 국제 헌장으로 세계에 공약한 한국의 독립 여부는 금번 모스크바에서 개최한 3국 외상 회의의 신탁 관리 결의로 수포로 돌아갔으니, 다시 우리 3천만은 영예로운 피로써 자주독립을 획득하지 아니하면 아니 될 단계에 들어섰다. 동포여! 8・15 이전과 이후, 피차의 과오와 마찰을 청산하고서 우리 정부 밑에 뭉치자. 그리하여 그 지도하에 3천만의 총역량을 발휘하여 신탁 관리제를 배격하는 국민운동을 전개하여 자주 독립을 완전히 획득하기까지 3천만 전 민족의 최후의 피 한 방울까지라도 흘려서 싸우는 항쟁 개시를 선언한다.

[보기]

㉠ 좌우 합작위원회를 주도하였다.
㉡ 신탁 통치 반대 운동을 하였다.
㉢ 대한민국 임시 정부의 승인을 요구하였다.
㉣ 한반도 문제의 처리를 유엔으로 넘기자고 주장하였다.

① ㉠, ㉡ ② ㉡, ㉢
③ ㉢, ㉣ ④ ㉠, ㉣

해설 정답 ②

'다음 주장을 한 조직'이란 김구 등 임시 정부 계열이 반탁 운동을 전개하기 위해 구성한 '신탁통치반대 국민총동원 중앙위원회'이다. 이들은 강력하게 '반탁 운동을 전개'하면서 '대한민국 임시 정부를 즉각 승인해 줄 것'을 연합국에 요구하였다. 반탁 운동은 점점 번져나가 서울에서는 철시(撤市)와 시위(示威)가 행해지고, 군정의 한국인 직원들은 일제히 파업에 들어갔으며, 시위운동은 전국으로 확대되었다.

> 신탁통치반대 국민 총동원 위원회 성명서(1946.1.12.)
> 지난 연말에 모스크바 3국 외상 회의의 결의라 하여 우리나라에 신탁 통치제를 시행하고 5년간의 기한부로 독립을 승인하겠다는 소식이 들리자, 전 국민은 물 끓듯 반대의 물의가 분분하며, 그 의사 표시로서 서울을 비롯하여 지방 각처와 각 정당 각 단체 각 계급 각층이 같은 애국열에 한데 뭉치어 시위행진까지 하였던 것이다. 그러면 우리가 무엇을 반대함이며 무엇을 반대함이런가? 냉정히 검토해 보기로 하자. 우리의 반대하는 의사의 내용은 외래 세력의 우리 내정 간섭에 대한 배격이다. 연합국에 대해 장래 우리나라와의 우호 관계와 세계 평화를 위해 우리나라를 즉시 독립 국가로 승인해 달라는 요구이다. 신탁, 협조, 후견의 언구를 농하여 내정 간섭에 인과적 관계를 맺으려는 3국 외상의 탈선적 호의를 반대함이다.

> 우리는 피로 건립한 독립국과 정부가 이미 존재함을 다시 선언한다. 5천 년의 주권과 3천만의 자유를 쟁취하는 것은 자기의 정치 활동을 옹호하고 외래의 신탁 통치를 배격함에 있다. 우리의 혁혁한 혁명을 완성하자면 민족의 일치로써 최후까지 분투할 뿐이다. ➲ 신탁통치반대 국민총동원 중앙위원회 ➲ 2013 국가직 7급

㉠ '좌우 합작위원회를 주도'한 인물은 여운형과 김규식을 비롯한 중도 세력이다. 이들은 제1차 미・소 공동 위원회가 결렬되자 좌우 합작위원회(1946. 7)를 구성하고, 좌우 합작 7원칙(1946. 10)을 발표하였다.

㉣ '한반도 문제의 처리를 유엔으로 넘기자고 주장'한 쪽은 '미국'이다. 제2차 미・소 공동 위원회(1947. 5)도 결렬되자, 미국과 소련이 합의를 통해 임시 정부를 수립하려던 계획은 무너지고 말았다. 이에 미국은 소련의 반대에도 불구하고 한반도 문제를 유엔(국제연합)에 이관하였고, 1947년 11월 유엔은 소련이 불참한 가운데 총회를 열었다.

12 다음 빈칸의 (가) 시기에 있었던 사실로 맞는 것은? [2007 서울시 9급]

시 기	주요 사건
1945년	모스크바 3국 외상 회의
1946년	제1차 미・소 공동 위원회
	(가)
1947년	제2차 미・소 공동 위원회
1948년	대한민국 수립

① 제주도에서 4・3 사건이 일어났다.
② 신탁통치를 반대하는 범국민적 통합단체가 발족하였다.
③ 유엔 한국임시위원단이 입국하였다.
④ 김구가 남북 협상을 추진하였다.
⑤ 김규식, 여운형 등이 좌우 합작 운동을 전개하였다.

해설 정답 ⑤

제1차 미소공위와 제2차 미소공위 사이에 일어난 사건은 다음의 4가지이다.

1946. 3	제1차 미・소 공동 위원회 개최(결렬)
1946. 6	1) 이승만의 정읍 발언(남한만의 단독 정부 수립 주장)
1946. 7	2) 좌우 합작 운동(여운형, 김규식) (~1947. 12)
1946. 12	3) 남조선 과도입법의원 개원(~1948. 5. 10)
1947. 3	4) 트루먼 독트린 발표(미소 냉전 본격화)
1947. 5	제2차 미・소 공동 위원회 개최(결렬)

① 1948년 4월 3일, 제주도에서는 남로당 제주도당의 주도 아래 남한만의 단독 선거 반대와 통일 정부 수립을 주장하는 무장 봉기가 일어났고 진압 과정에서 무고한 제주도민이 희생당하였다.
② 1946년 2월, 신탁 통치 반대 국민총동원 중앙위원회와 독립촉성 중앙협의회가 통합하여 대한독립촉성 국민회를 결성하였다.
③ 제2차 미소공위까지 결렬되자 미국은 1947년 10월 유엔 총회에 한반도 문제를 상정하였고, 11월 소련의 불참 속에 UN 총회에서 '인구비례에 따른 총선거 실시'를 결정하였다. 이에 따라 1948년 1월 7일, 유엔 한국임시위원단이 한국에 도착하였다.
④ 1948년 4월, 김구와 김규식은 통일 정부 수립을 위한 남북 협상을 추진하였다.

13 (가), (나) 시기 사이에 있었던 사실로 옳은 것은? [2020 소방간부]

> (가) 미소 공동 회담은 3월 21일 1시 덕수궁 석조전에서 감격적인 막을 올렸다. …(중략)… 완전 자주독립을 삼천만은 기다리고 있다. 미국 측에서는 아놀드 소장, 소련 측에서는 스티코프 중장 등이 참석하였다.
>
> (나) 남조선과도입법의원 개원식이 의사당으로 개수된 군정청에서 거행되었다. 참석 예정인원 84명 중 의장 김규식 박사 이하 57명이 출석하였고 한민당계의 의원은 전원이 불참하였다.

① 좌우 합작 위원회가 결성되었다.
② 조선 인민 공화국이 선포되었다.
③ 국민 보도 연맹 사건이 일어났다.
④ 평양에서 남북 협상이 진행되었다.
⑤ 제2차 미소 공동 위원회가 개최되었다.

해설 정답 ①

(가) 덕수궁 석조전에서, 미국의 아놀드(Arnold) 소장과 소련의 스티코프(Shtykov) 중장 사이에 회의가 열렸다면 이것은 제1차 미 · 소 공동 위원회이다(1946. 3). 1946년 1월에 예비회담을 열었고, 3월에 제1차 회의가 열렸다. 제2차 미 · 소 공동 위원회는 미국의 브라운(Brown) 소장과 소련의 스티코프(Shtykov) 중장 사이에 열렸다(1947. 5).

(나) 남조선 과도 입법의원은 미군정이 정권을 인도하기 위해 설립한 과도기적 입법기관으로, 김규식을 의장으로 하여 개원하였다(1946. 12).

① 그러므로 (가), (나) 시기 사이란 1946년 3월부터 1946년 12월까지의 사실을 말한다. 좌우 합작 위원회는 1946년 7월에 결성되었다.
② 1945년 9월, 조선 인민 공화국이 선포되었다.
③ 1950년 6월부터 9월까지, 국민 보도 연맹 사건이 일어났다.
④ 1948년 4월, 평양에서 남북 협상이 진행되었다.
⑤ 1947년 5월, 제2차 미소 공동 위원회가 개최되었다.

14 밑줄 친 '이것'이 수행한 내용으로 옳은 것은? [2016 국가직 7급]

> 당면한 한반도 문제를 심의하는 데 선거로 뽑힌 한반도 국민의 대표가 참여할 것을 결의한다. …(중략)… 참여할 한반도 대표가 한반도의 군정 당국에 의하여 지명된 자가 아니라 한반도 주민에 의하여 정당히 선거된 자임을 감시하기 위하여 조속히 <u>이것</u>을 설치하여 한반도에 보내고자 한다. 그리고 <u>이것</u>에 한반도 전체에서 여행, 감시, 협의할 수 있는 권한을 주기로 결의한다.

① 소련의 방해로 남한지역에서만 총선거를 감시하였다.
② 북한을 침략자로 규정하고 유엔군 파견을 결정하였다.
③ 한국 경제의 재건과 복구를 지원하였다.
④ 남한을 한반도에서 유일한 합법정부로 승인하였다.

해설 정답 ①

이것은 '유엔 한국 임시 위원단'이다. '선거로 뽑힌 한반도 국민의 대표'란 국회의원을 말한다. 유엔은 남북한 총선거를 '감시'하기 위해 위원단을 '한반도에 보내려고' 하였으나, 소련의 방해(입북 거부)로 남한지역에서만 총선거를 '감시'할 수 밖에 없었다.

② 1950년 6월 26일 '유엔 안전보장 이사회'는 북한을 침략자로 규정하고 유엔군 파견을 결정하였다.

③ (일치하는 내용이 없다.)

④ 1948년 12월 12일 '제3차 파리 유엔 총회'는 남한을 한반도에서 유일한 합법정부로 승인하였다.

15 다음 원칙이 발표된 이후에 있었던 사실로 옳지 않은 것은? [2023 지방직 9급]

- 조선의 민주 독립을 보장한 삼상 회의 결정에 의하여 남북을 통한 좌우 합작으로 민주주의 임시 정부를 수립할 것
- 토지 개혁에 있어서 몰수, 유조건 몰수, 체감매상 등으로 토지를 농민에게 무상으로 나누어 주며, … (중략) … 민주주의 건국 과업 완수에 매진할 것
- 입법 기구에 있어서는 일체 그 권능과 구성 방법 운영에 관한 대안을 본 합작 위원회에서 작성하여 적극적으로 실행을 기도할 것

① 3·15 부정선거에 대항하여 4·19 혁명이 일어났다.

② 친일파를 청산하기 위한 「반민족행위처벌법」이 공포되었다.

③ 제헌 국회에서 대통령에 이승만, 부통령에 이시영을 선출하였다.

④ 임시 민주 정부 수립을 논의하기 위해 제1차 미·소 공동 위원회가 개최되었다.

해설 정답 ④

'좌우 합작으로 민주주의 임시 정부를 수립'할 것을 주장하고, 토지개혁 문제를 중도적 입장에서 조정하고, '입법 기구' 설치를 주장한 해당 자료는 좌우합작 7원칙이다(1946. 10).

① 4 · 19 혁명은 1960년에 일어났다.

② 「반민족행위처벌법」은 1948년 9월에 공포되었다.

③ 제헌 국회에서 대통령에 이승만, 부통령에 이시영을 선출한 시기는 1948년 7월이다.

④ 제1차 미 · 소 공동 위원회가 개최된 시기는 1946년 3월이다. 좌우합작 7원칙이 발표되기 전의 사건이다.

16 다음은 광복 이후 발표된 글이다. 밑줄 친 '7원칙'의 내용으로 옳은 것은? [2016 사회복지직]

> 조선의 좌우 합작은 민주 독립의 단계요, 남북통일의 관건인 점에서 3천만 민족의 지상 명령이며, 국제 민주화의 필연적 요청이었음에도 불구하고 저간의 복잡다단한 내외 정세로 오랫동안 파란곡절을 거듭해 오던 바, 10월 4일 좌우 대표가 회담한 결과 좌측의 5원칙과 우측의 8원칙을 절충하여 <u>7원칙</u>을 결정하였다.

① 미・소 공동위원회의 속개를 요청하는 공동 성명 발표
② 신탁통치 반대와 남북한에서 외국 군대의 철수
③ 토지의 유상 분배 및 중요 산업 사유화
④ 유엔 감시 하의 남북한 총선거 실시

해설 정답 ①

좌측의 5원칙과 우측의 8원칙을 절충하여 7원칙을 결정한 운동은 '좌우합작운동'이다. 제1차 미소공동위원회가 결렬된 상태에서 제시된 좌우합작 7원칙에는 '미소공동위원회의 속개를 요청'하는 내용이 포함되었다.

> 조선의 좌우 합작은 민족 독립의 단계요, 남북통일의 관건인 점에 있어서 3천만 민족의 지상 명령이며 국제 민주화의 필연적 요청이었음에도 불구하고 저간의 복잡다단한 내외 정세로 오랫동안 파란곡절을 거듭해 오던바, 10월 4일 좌・우 대표가 회담한 결과 좌측의 5원칙과 우측의 8원칙을 절충하여 7원칙을 결정하였다.
> 우리는 다음과 같은 합작 원칙과 입법 기구에 대한 요망을 작성하여 발표한다.
> 1. 조선의 민주 독립을 보장한 3상회의 결정에 의하여 남북을 통한 좌우 합작으로 민주주의 임시 정부를 수립할 것
> 2. 미・소 공동 위원회의 속개를 요청하는 공동 성명을 발할 것
> 3. 토지개혁에 있어서 몰수, 유조건 몰수, 체감매상 등으로 토지를 농민에게 무상으로 분여하며, 시가지의 기지 및 대건물을 적정 처리하며, 중요 산업을 국유화하며, 사회노동법령 및 정치적 자유를 기본으로 지방자치제의 확립을 속히 실시하며, 통화 및 민생문제 등을 급속히 처리하며, 민주주의 건국 과업 완수에 매진할 것
> 4. 친일파・민족반역자를 처리할 조례는 본 합작위원회에서 입법기구를 제안하여 입법기구로 하여금 심의, 결정하여 실시하게 할 것
> 5. 남북을 통하여 현 정권 하에서 검거된 정치운동자의 석방에 노력하며, 아울러 남북 좌우의 테러적 행동을 일체 즉시로 제지하도록 노력할 것
> 6. 입법기구에 있어서는 일체 그 기능과 구성 방법, 운영을 본 합작위원회에서 작성하여 적극적으로 실행을 기도할 것
> 7. 전국적으로 언론・집회・결사・출판・교통・투표 등 자유를 절대 보장하도록 노력할 것
>
> 2008 국가직 7급

17 다음과 같은 원칙에 합의한 단체에 대한 설명으로 옳지 않은 것은? [2017 서울시 7급, 2012 서울시 9급]

- 미·소 공동 위원회 속개를 요청하는 공동 성명을 발표할 것
- 친일파, 민족 반역자 처리 문제는 장차 구성될 입법 기구에서 처리할 것

① 제1차 미소 공동 위원회가 결렬되고 이승만 중심의 단독 정부 수립론이 제기됨에 따라 이에 대응하여 전개되었다.
② 여운형과 김규식 등 중도파가 중심이 되어 추진하였다.
③ 미 군정은 처음부터 이를 지지하지 않았으나 대중은 이 운동을 지지하였다.
④ 이 단체가 제시한 7원칙은 토지문제와 친일파 처리문제 등을 중도적 입장에서 조정한 것이었다.
⑤ 남한만의 단독 정부 수립에 반대하였다.

해설 　　　정답 ③

제시된 자료는 '좌우 합작 7원칙'의 일부이다. 좌우합작 위원회의 좌우합작 운동(1946. 7 ~ 1947. 12)에 대해 미군정은 자기 기반 강화를 위해 지원하였다. 그러나 1947년 3월 트루먼 독트린이 발표되고 미·소 냉전이 본격화되면서 미군정은 좌우합작 운동에 대한 지원을 철회하였다.

18 1948년에 열린 남북연석회의에 관한 옳은 설명으로만 묶인 것은? [2008 지방직 9급]

㉠ 김구·김규식이 제안했으며, 김일성·김두봉이 이에 응함으로써 성사되었다.
㉡ 남북연석회의에서는 남한 단독정부 수립을 반대하는 의사를 명확히 했다.
㉢ 이승만은 향후 자신의 정치적 입지를 강화하기 위해 막판에 참석했다.
㉣ 미국은 '한국문제의 유엔 이관'을 대신할 수 있는 현실적인 대안으로 생각하고 적극 지원했다.
㉤ 이 회의에서 미·소 양군의 동시 철수를 요구하는 결의를 하였다.

① ㉠, ㉡, ㉤ 　　② ㉠, ㉣, ㉤
③ ㉡, ㉢, ㉣ 　　④ ㉡, ㉢, ㉤

해설 　　　정답 ①

UN 소총회의 '남한만의 단독 선거' 결정으로 남북이 실질적으로 분단될 위기에 처하자, 김구·김규식은 1948년 4월 평양에서 김일성·김두봉 등과 함께 통일국가 수립을 위해 남한만의 단독 선거에 반대한다는 공동 성명을 발표하였다.

남북 협상 공동 성명(요약)
1. 외국 군대의 즉시 철수
2. 외국 군대 철수 후 내전이 발생할 수 없다는 점 확인
3. 전 조선 정치 회의 구성을 통한 임시 정부 수립과 전국 총선거에 의한 통일 국가 수립
4. 남한 단독 선거 반대

㉢, ㉣ 이승만은 남한 단독정부 수립을 주장하고 있었으므로 남북 연석회의에 끝까지 참석하지 않았고, 미국 역시 남북협상이 UN 소총회의 결정을 거부하는 것이라며 이 회의를 반대했다.

명호샘의 한마디!!

문제에서 '이승만 세력'과 '미국'은 남북협상에 반대하였음을 확인했다. 그렇다면 북한은 어떤 입장이었을까?

북한은 1948년 초에 이미 인민군을 창설하고, 헌법초안을 발표하는 등 독자적인 정권수립을 위한 준비를 마쳤지만, 남북회담의 규모를 확대하여 열 것을 수정 제의하였다. 즉 남북의 모든 정당, 사회단체의 대표자들이 평양에 모여 대중 집회를 열기를 희망하였다. 북한은 남북협상을 북한정권수립을 정당화하는 수단으로 이용하려 하였다.

명호샘의 한마디!!

'남북협상파' 김구와 김규식은 5·10 선거에 참여하지 않았으며, 선거가 치러진 이후에도 1948년 7월 21일 '통일독립촉성회'를 결성하는 등 통일에 대한 의지를 포기하지 않았다.

김구, 김규식 양씨는 1948년 6월 7일 새로운 통일운동 방향을 논의하고 장문의 공동성명서를 발표했다. 이 공동 성명서에서는 "통일이 없이는 독립이 없고 독립이 없이는 우리는 살 수 없다. 조국의 독립을 쟁취하려면 우리의 유일한 무기는 민족단결뿐이다."라고 역설하면서 통일운동을 다시 전개할 것을 천명하였다.

19 다음과 같은 결의문에 근거하여 시행된 조치로 옳은 것은? [2023 국가직 9급]

> 소총회는 … (중략) … 한국 인민의 대표가 국회를 구성하여 중앙정부를 수립할 수 있도록 선거를 시행함이 긴요하다고 여기며, 총회의 의결에 따라 국제연합 한국 임시위원단이 접근할 수 있는 지역에서 결의문 제2호에 기술된 계획을 시행함이 동 위원단에 부과된 임무임을 결의한다.

① 미 군정청이 설치되었다.
② 5·10 총선거가 실시되었다.
③ 좌우 합작 위원회가 구성되었다.
④ 미·소 공동 위원회가 개최되었다.

해설 정답 ②

소련의 입북 거부로 남북한 총선거 실시가 어려워지자, 1948년 2월 6일 유엔 한국 임시 위원단은 '남한에서만이라도 선거를 실시하는 것이 유엔 총회 결의와 임시 위원단 임무에 비추어 타당한가?'라는 질문을 유엔 총회 정치 위원회에 전달하였다. 이것은 사실상 남한만의 총선거에 대한 의견 표명이었다. 유엔 소총회의 결의에 따라 1948년에 5·10 총선거가 실시되었다.

20 다음의 사실들을 순서대로 바르게 나열한 것은? [2009 서울시 9급 변형]

> ㉠ 과도입법의원의 개원
> ㉡ 남한 단독 선거의 결정
> ㉢ 제1차 미·소 공동 위원회 개최
> ㉣ 제주도 4·3 사건의 발생

① ㉠ - ㉡ - ㉢ - ㉣
② ㉡ - ㉢ - ㉠ - ㉣
③ ㉢ - ㉠ - ㉡ - ㉣
④ ㉠ - ㉢ - ㉣ - ㉡
⑤ ㉢ - ㉡ - ㉣ - ㉠

해설 정답 ③

㉢ 1946. 3 제1차 미·소 공동 위원회 개최 → ㉠ 1946. 12 남조선 과도입법의원 개원 → ㉡ 1948. 2. 6 유엔 소총회의 남한 단독 선거 결정 → ㉣ 1948. 4. 3 제주도 4·3 사건 발생

21 **다음은 1945년부터 1950년까지 발생했던 한국현대사의 역사적 기록이다. 시기 순으로 바르게 나열한 것은?** [2011 지방직 9급]

㉠ 미국, 소련, 영국의 외상들이 3상회의를 개최하고 '한국문제에 관한 4개항의 결의서'(신탁통치안)를 결정하였다.
㉡ 남한에서는 유엔 한국 임시위원단의 감시 아래 총선거가 실시되었다.
㉢ 일제의 잔재를 청산하고 민족정기를 바로잡기 위해 「반민족행위 처벌법」을 제정하였다.
㉣ 북한은 38도선 전 지역에 걸쳐 남침을 감행하였다.

① ㉠ − ㉡ − ㉢ − ㉣
② ㉠ − ㉡ − ㉣ − ㉢
③ ㉠ − ㉢ − ㉡ − ㉣
④ ㉡ − ㉠ − ㉢ − ㉣

해설 정답 ①

㉠ 1945. 12. 28 모스크바 3상회의 → ㉡ 1948. 5. 10 총선거 → ㉢ 1948. 9. 22 반민족행위 처벌법 공포(제헌 국회에서 제정, 이승만 대통령이 공포함) → ㉣ 1950. 6·25 전쟁 발발

22 **다음은 해방 이후의 국내의 정세와 관련된 정치적 사항과 선언에 관련된 것이다. 발생시기의 순서로 적절한 것은?** [2012 경찰간부]

㉠ 제1조 북위 38도 이남의 조선 영토와 조선인민에 대한 통치의 전 권한은 당분간 본관의 권한 하에 시행된다.
㉡ 제1조 대한민국은 민주 공화국이다.
㉢ 제1조 일본정부와 통모하여 한일합방에 적극 협력한 자, 한국의 주권을 침해하는 조약 또는 문서에 조인한 자 및 모의한 자는 사형 또는 무기징역에 처하고, 그 재산의 전부 혹은 2분의 1 이상을 몰수한다.
㉣ 조선의 민주 독립을 보장한 3상회의 결정에 의하여 남북을 통한 좌우 합작으로 민주주의 임시 정부를 수립할 것

① ㉠ − ㉡ − ㉣ − ㉢
② ㉠ − ㉢ − ㉣ − ㉡
③ ㉠ − ㉣ − ㉡ − ㉢
④ ㉡ − ㉠ − ㉣ − ㉢

해설

정답 ③

㉠ 1945. 9. 9 맥아더 포고령 1호 → ㉣ 1946. 10. 7 좌우 합작 7원칙 → ㉡ 1948. 7. 17 제헌 헌법 → ㉢ 1948. 9. 22 반민족행위 처벌법

제헌 헌법(1948. 7. 17 선포) 유구한 역사와 전통에 빛나는 우리들 대한 국민은 기미 삼일 운동으로 대한민국을 건립하여 세계에 선포한 위대한 독립 정신을 계승하여 …… 정당 또 자유로이 선거된 대표로서 구성된 국회에서 단기 4281년 7월 12일 이 헌법을 제정한다. 제1조 대한민국은 민주 공화국이다. 제53조 대통령과 부통령은 국회에서 무기명 투표로써 각각 선거한다. 제55조 대통령과 부통령의 임기는 4년으로 한다. 단, 재선에 의하여 1차 중임할 수 있다.

23 다음의 사건을 시기순으로 바르게 나열한 것은?

[2020 지방직 9급]

(가) 제헌국회가 구성되어 헌법을 제정하였다. (나) 여운형과 김규식은 좌우합작위원회를 조직하였다. (다) 조선건국동맹을 기반으로 조선건국준비위원회가 조직되었다. (라) 민주주의 임시정부 수립을 논의하기 위해 제1차 미 · 소공동위원회가 열렸다.

① (가) - (다) - (나) - (라)
② (나) - (다) - (라) - (가)
③ (다) - (라) - (나) - (가)
④ (라) - (나) - (가) - (다)

해설

정답 ③

(다) 조선건국준비위원회(1945. 8)
(라) 제1차 미 · 소공동위원회(1946. 3)
(나) 좌우합작위원회(1946. 7)
(가) 헌법 제정(1948. 7)

03 건국 초기의 국내 정세

24 다음 성명서가 발표된 직접적 배경을 이해하기 위한 사료로 적절한 것은? [2008 법원직 9급]

> … 한국이 있어야 한국 사람이 있고, 한국 사람이 있어야 민주주의도 공산주의도 또 무슨 단체도 있을 수 있는 것이다. … 내가 불초하나 일생을 독립 운동에 희생하였다. 내 나이가 이제 73세인바 이제 새삼스럽게 재물을 탐내며 명예를 탐낼 것이냐? 더구나 외국 군정하에 있는 정권을 탐낼 것이냐? 내가 대한민국 임시 정부를 지켜온 것도 다 조국의 독립과 민족의 해방을 위하는 것뿐이다. 나의 단일한 염원은 3천만 동포와 손을 잡고 통일된 조국의 달성을 위하여 공동 분투하는 것뿐이다. 이 육신을 조국이 수요(需要)로 한다면 당장에라도 제단에 바치겠다. …
>
> 『삼천만 동포에게 읍고함』

① 북위 38도선 이남의 조선 영토와 조선 인민에 대한 통치의 모든 권한은 당분간 본관 권한 하에 시행한다.

② 우리는 남방만이라도 임시 정부 혹은 위원회 같은 것을 조직하여 38 이북에서 소련이 철퇴하도록 세계 공론에 호소하여야 할 것이다.

③ 공동 위원회는 최고 5년 기간의 4개국 통치 협약을 작성하는데 공동으로 참작할 수 있는 제안을 조선 임시 정부와 협의하여 제출하여야 한다.

④ 지난 2월 결의에서 유엔 소총회가 표명한 견해에 따라 위원단이 접근 가능한 한국 지역에서 선거 실시를 감시하며 동 선거는 5월 10일 이전에 실시한다.

해설 정답 ④

1948년 2월 6일, 유엔 소총회(유엔 총회의 임시위원회)는 우선 가능한 지역(남한)에서의 총선거를 결정하였다(④의 내용). 문제에서 제시된 자료는 유엔 소총회의 결정에 반대하여 2월 10일에 김구가 발표한 '삼천만 동포에게 읍고함'이라는 글이다.

① 미군 총사령관인 맥아더가 포고한 내용이다.

② 이승만의 정읍 발언의 내용이다.

③ 모스크바 3국 외상 회의에서 결의한 내용이다.

25 다음의 발언을 한 (가), (나) 정치인에 대한 설명으로 옳은 것은? [2015 경찰, 2011 국가직 7급]

> (가) 이제 우리는 무기 휴회된 미・소 공동 위원회가 재개될 기색도 보이지 않으며, 통일 정부를 고대하나 여의케 되지 않으니, 우리는 남방만이라도 임시 정부 혹은 위원회 같은 것을 조직하여 38 이북에서 소련이 철퇴 하도록 세계 공론에 호소하여야 될 것이니 여러분도 결심하여야 될 것이다.
>
> (나) 현시에 있어서 나의 유일한 염원은 3천만 동포와 손을 잡고 통일된 조국의 달성을 위하여 공동 분투하는 것뿐이다. 이 육신을 조국이 수요(需要)로 한다면 당장에라도 제단에 바치겠다. 나는 통일된 조국을 건설하려다. 38도선을 베고 쓰러질지언정 일신에 구차한 안일을 취하여 단독 정부를 세우는 데는 협력하지 아니하겠다.

① (가)는 신한청년당의 대표로 활동하였다.

② (나)는 독립촉성중앙협의회 대표로 활약하였다.

③ (가), (나)는 신탁 통치 실시를 반대하였다.

④ (가), (나)는 좌우 합작 운동에 적극 참여하였다.

해설

정답 ③

(가) '남방만이라도 임시 정부 혹은 위원회 같은 것을 조직'할 것을 주장한 이승만의 정읍 발언(1946. 6)이다.

(나) '38도선을 베고 쓰러질지언정' 단독 정부 수립에는 협력하지 않겠다는 김구의 '삼천만 동포에게 읍고함'(1948. 2. 10)이다. 두 사람 모두 반탁 운동을 전개하였다.

① 신한청년당의 대표는 한 사람으로 말하기 곤란한 부분이 있다. 표면적인 대표는 '서병호'였다. '여운형'도 실질적으로 대표 역할을 하였다. 파리강화회의에 '민족대표'로 파견된 인물은 김규식이었다.

② 이승만은 1945년에 독립 촉성 중앙 협의회를 발족시켰다. ➲ 2015 경찰

④ 김구와 이승만은 중도 세력이 주도한 좌우 합작 운동에는 참여하지 않았다.

26 ㉠, ㉡ 발언을 한 각각의 인물에 대한 설명으로 옳은 것은? [2013 기상직 9급]

> ㉠ 아! 왜적이 항복! 이 소식은 내게 희소식이라기보다는 하늘이 무너지고 땅이 꺼지는 일이었다. 수년 동안 애를 써서 참전을 준비한 것도 모두 허사로 돌아가고 말았다.
>
> ㉡ 우리는 남방만이라도 임시 정부 혹은 위원회 같은 것을 조직하여 38 이북에서 소련이 철퇴하도록 세계 공론에 호소하여야 될 것이니 여러분도 결심하여야 될 것이다.

① ㉠ – 반민특위에서 활동하였다.

② ㉡ – 국제연맹에 위임통치를 청원하였다.

③ ㉠ – 모스크바 3상회의의 결정을 지지하였다.

④ ㉡ – 신한청년당 대표로 파리강화회의에 파견되었다.

해설

정답 ②

㉠ 한국광복군의 국내 정진군은 1945년 8월 20일 국내 진공 작전을 실행하기로 계획하였다. 그러나 그 이전에 일본이 연합국에 무조건 항복하면서, 한국광복군의 국내 진공 작전은 실행에 옮기지 못하였다. 제시된 자료는 '김구'가 자력(自力)으로 나라를 찾지 못한 슬픔을 표현한 「백범일지」의 자료이다. 「백범일지」의 다음 자료도 숙지하기 바란다.

> 네 소원이 무엇이냐 하고 하느님이 내게 물으시면, 나는 서슴지 않고 "내 소원은 대한 독립이오." 하고 대답할 것이다. 그 다음 소원은 무엇이냐 하면, 나는 또 "우리나라의 독립이오." 할 것이요, 또 그 다음 소원이 무엇이냐 하는 세 번째 물음에도, 나는 더욱 소리를 높여서 "나의 소원은 우리나라 대한의 완전한 자주 독립이오." 하고 대답할 것이다.
>
> ➲ 2017 국가직 7급

㉡ '이승만'의 정읍 발언이다.

② 이승만은 대한민국 임시 정부 대통령이었을 때, 국제연맹에 위임 통치를 청원하였다. 이것은 결국 국민대표회의를 소집하게 하였고, 독립운동 세력이 임시 정부를 이탈하게 하는 주요한 이유가 되었다.

① 제헌국회는 1948년 9월 「반민족행위처벌법」을 공포하였고, 10월에는 반민특위(반민족행위특별조사위원회)를 구성하였다. 반민특위는 각 도에서 1명씩 선발된 10명의 국회의원이 조사위원으로 활동하였다. 김상돈, 조중현, 박우경 등이었으며, 김구는 여기에 포함되지 않았다.

③ 김구와 이승만 모두 모스크바 3상회의의 결정인 '신탁통치'에 반대하는 운동을 전개하였다.

④ 파리강화회의에 민족대표로 파견된 인물은 김규식이다.

27 다음 법령에 대한 설명으로 옳지 않은 것은? [2017 지방직 9급]

> 제1조 일본 정부와 통모하여 한・일 합병에 적극 협력한 자, 한국의 주권을 침해하는 조약 또는 문서에 조인한 자와 모의한 자는 사형 또는 무기 징역에 처하고, 그 재산과 유산의 전부 혹은 2분의 1 이상을 몰수한다.
>
> 제2조 일본 정부로부터 작위를 받은 자 또는 일본 제국 의회의 의원이 되었던 자는 무기 또는 5년 이상의 징역에 처하고 그 재산과 유산의 전부 혹은 2분의 1 이상을 몰수한다.
>
> 제3조 일본 치하 독립운동자나 그 가족을 악의로 살상・박해한 자 또는 이를 지휘한 자는 사형, 무기 또는 5년 이상의 징역에 처하고 그 재산의 전부 혹은 일부를 몰수한다.

① 이 법령에 따라 특별 재판부가 설치되었다.

② 이 법령의 제정은 제헌헌법에 명시된 사항이었다.

③ 이 법령에 따라 반민족행위자들이 실형을 선고받았다.

④ 이 법령은 여수・순천 10・19 사건 직후에 국회에서 통과되었다.

해설 정답 ④

제시된 자료는 「반민족 행위 처벌법」(1948. 9. 22)의 일부이다. 이 법이 국회에서 통과된 이후에 여수・순천 10・19 사건(1948)이 일어났다.

① 이 법령에 따라 대법원에 국회의원 5명, 고등법원 이상의 법관 6명, 일반사회인 5명으로 구성된 특별 재판부가 설치되었다.

② 이 법령은 제헌헌법에 명시된 사항에 따라 제헌국회에서 제정하였다.

③ 이 법령에 따라 반민족행위 특별조사위원회가 설치되었고, 반민족행위자들이 체포되어 실형을 선고받았다.

28 다음 조항을 포함한 법률에 대한 설명으로 옳지 않은 것은? [2022 지방직 9급]

> 제1조 일본 정부와 통모하여 한일 합병에 적극 협력한 자, 한국의 주권을 침해하는 조약 또는 문서에 조인한 자와 이를 모의한 자는 사형 또는 무기 징역에 처하고, 그 재산과 유산의 전부 혹은 2분의 1 이상을 몰수한다.

① 이 법률은 제헌국회에서 제정되었다.

② 이 법률은 농지개혁법이 제정된 후 제정되었다.

③ 이 법률에 의해 반민특위와 특별 재판부가 구성되었다.

④ 이 법률에 의해 친일 경력을 지닌 고위 경찰 간부가 체포되었다.

해설 정답 ②

제시된 자료는 「반민족 행위 처벌법」(1948. 9. 22)의 일부이다. 반면에 「농지개혁법」은 1949년 6월에 제정되고, 1950년 3월에 공포되었다. 그러므로 「반민족 행위 처벌법」(1948. 9)이 제정된 후 「농지개혁법」(1949. 6)이 제정된 것이다.

① 이 법률은 제헌헌법에 명시된 사항에 따라 제헌국회에서 제정되었다.

③ 이 법률에 의해 <u>반민특위(반민족행위 특별조사위원회)가 구성되었다.</u> ➲ 2022 국가직 9급 또 이 법률에 의해 대법원에 특별 재판부가 구성되었다.

④ 이 법률에 의해 친일 경력을 지닌 고위 경찰 간부가 체포되어 조사를 받자 경찰이 특별조사위원회 사무실에 난입하여 직원을 연행하고 서류를 압류하기도 하였다.

29 다음은 해방 이후 남한에서 실시된 농지개혁법의 일부이다. 이에 대한 설명으로 옳지 않은 것은?

[2011 기상직 9급]

> • 3정보 이상을 초과하는 농가의 토지나 부재 지주의 토지를 국가에서 매수하고 이들에게 각자 증권을 발급하여 농지의 연 수확량의 150%를 한도로 5년 동안 보상하도록 한다.
> • 국가에서 매수한 농지는 영세 농민에게 3정보를 한도로 분배하고 그 대가를 5년간에 걸쳐 수확량의 30%씩 상환곡으로 수납하게 한다.

① 유상매수, 유상분배를 원칙으로 하였다.

② 이 법의 실시 결과 많은 지주들이 몰락하였다.

③ 농민들이 자작농화하여 자본주의로의 발전이 저해되었다.

④ 토지를 분배받은 농민은 다시 소작농으로 전락하기도 하였다.

해설 정답 ③

이승만 정부는 1949년 6월에 '농지 개혁법'을 제정하고, 1950년 3월에 공포하여 농지개혁을 실시하였다.

③ 이승만 정부의 농지개혁의 결과, 농민이 자기 땅을 가질 수 있게 되었다. 즉 농민 중심의 토지소유가 확립(자작농화)되었으므로, 사유재산에 기반한 자본주의로의 발전에 긍정적인 영향을 주었다.

① 이승만 정부의 농지개혁은 한 가구당 3정보를 소유 상한으로 정하였다. 즉, 소유 농지 상한 설정 방식이었다. ➲ 2016 수능 3정보 이상의 토지는 국가가 지주에게 지가 증권을 발급하여 매수하고, 이 토지를 소작농에게 역시 3정보를 상한으로 분배한 후 매년 평균 생산량의 30%씩 5년 동안 현물로 상환하게 하였다. 즉 '유상매수, 유상분배' 방식이었다.

② 정부는 농민에게는 토지상환증서를 주었다. 지주들에게는 보상기간, 지급액, 지급기일, 지급장소 등의 약정이 기재되어 있는 지가증권을 주었다. 그러나 (6·25 전쟁으로 인하여) 전시 인플레이션(戰時 Inflation)으로 지가증권의 가치가 절반 이하로 떨어져 중소지주의 몰락을 앞당겼다.

④ 농지개혁 후 자작농 육성 정책이나 농지 제도의 사후관리를 규정하는 제도들이 미비하였고, 유상분배에 따른 빈농(貧農)의 곤란으로, 토지를 분배받은 농민이 다시 소작농으로 되돌아가는 경우들이 생겨났다.

명호샘의 한마디!!

'이승만 정부의 농지개혁 문제' 문장들을 정리한다. '오답'에 1) 대한제국의 지계 발급, 2) 미군정의 농지개혁이 있음을 눈여겨 보아야 한다.

정답	1. 유상매수, 유상분배를 원칙으로 하였다. (○) 2. 농지개혁법의 실시 결과 많은 지주들이 몰락하였다. (○) 3. 소작농으로 시달렸던 농민들이 자기 농토를 가질 수 있어 농민의 생활에 기여하였다. = 개혁의 결과로 소작 제도가 폐지되었다. (○) = 소작지가 크게 줄어들고, 자작지가 늘어났다. (○) 4. 토지를 분배받은 농민은 다시 소작농으로 전락하기도 하였다. (○) 5. 경자유전의 원칙하에 소작농에게 분배하였다. (○) 6. 임야 등 비경지는 대상에서 제외하였다. (○)

오 답	1. 지계를 발급하여 토지 소유권을 인정해 주었다. (×) → 대한제국의 지계 발급 2. 광복 직후 미군정하에서 실시되었다. (×) → 미군정의 농지개혁 3. 신한공사가 중앙토지행정처로 개편되는 계기가 되었다. (×) → 미군정의 농지개혁 4. 일제가 소유하였던 귀속 농지는 국유화되었다. (×) = 일본인 소유 농지의 한국 귀속을 위해 신한 공사를 설립하여 적산 농지를 관리하였다. (×) → 미군정의 농지개혁 5. 전국의 모든 토지가 대상이 되었다. (×) = 농지 이외 임야도 포함되었다. (×) → 삼림이나 임야 등 비경작지를 제외한 농지(農地)만을 개혁의 대상으로 함 6. 지주의 권한을 철저하게 부정하였다. (×) → 유상매수였으므로 '철저한 부정'은 아님(북한의 토지개혁은 지주의 권한을 부정하였음) 7. 소작료 분쟁이 발생할 경우 정부가 이를 강제 조정할 수 있도록 규정하였다. (×) → 강제 조정 규정은 없음

30 다음 법령과 관련한 설명으로 옳은 것은?

[2019 지방직 9급]

> 제5조 정부는 다음에 의하여 농지를 취득한다.
> 1. 다음의 농지는 정부에 귀속한다.
> (가) 법령 및 조약에 의하여 몰수 또는 국유로 된 토지
> (나) 소유권의 명의가 분명하지 않은 농지
> 2. 다음의 농지는 본법 규정에 의하여 정부가 매수한다.
> … (중략) …
> 제12조 농지의 분배는 1가구당 총 경영 면적 3정보를 초과하지 못한다.

① 농지 이외 임야도 포함되었다.
② 신한공사가 보유하던 토지를 분배하였다.
③ 중앙토지행정처가 분배 업무를 주무하였다.
④ 분배받은 농민은 평년 생산량의 30%를 5년간 상환하였다.

해 설 정답 ④

제시된 자료는 1949년 6월에 제정되고, 1950년 3월에 공포된 「농지개혁법」이다. 이에 따라 이승만 정부의 농지개혁이 추진되었다. 이승만 정부는 3정보 이상의 농지는 국가에서 사들여 5년간 보상하고, 사들인 농지는 영세 농민에게 유상 분배하고 5년간 농산물로 상환하도록 하였다. 분배받은 농민은 평년 생산량의 30%를 5년간 상환하였으며, 매수된 농지의 지주에게는 연평균 수확량의 150%를 5년간 나누어 보상하도록 하였다.

① 이승만 정부의 농지개혁은 경자유전(耕者有田)의 원칙에 따라 시행되었으며, 삼림이나 임야 등 비경작지를 제외한 농지(農地)만을 개혁의 대상으로 하였다.
② 신한공사는 일본인과 동양 척식 주식회사가 소유한 토지를 접수하여 이를 관리하기 위해 미군정이 설치하였던 기구이다. 미군정은 대한민국 수립 직전 신한공사를 해체하였으므로, 이승만 정부의 농지개혁과 관련이 없다.
③ 중앙토지행정처는 '토지를 소유하지 못한 소작농민에게 전(前) 일본인 소유의 농지를 방매(放賣)해 소작농민으로 하여금 자립농지 소유자가 되도록 협조하며 토지 소유권을 광범위로 보급시켜 조선의 농업을 발전시키는 것'을 목적으로 남조선 과도정부(민정장관: 안재홍) 산하에 두었던 기구로, 신한공사 이후 토지 분배 업무를 담당하다가 대한민국이 수립된 이후인 1948년 11월 농림부로 흡수되었다. 그러므로 이승만 정부의 농지개혁과 관련이 없다.

31 대한민국 정부 수립 이후에 일어난 사건을 [보기]에서 모두 고른 것은? [2016 서울시 9급]

[보기]
㉠ 반민족 행위 특별 조사 위원회 설치
㉡ 농지 개혁법 시행
㉢ 안두희의 김구 암살
㉣ 제주 4·3 사건 발생
㉤ 여수·순천 10·19 사건 발생

① ㉠, ㉡, ㉤
② ㉠, ㉡, ㉢, ㉤
③ ㉠, ㉡, ㉣, ㉤
④ ㉠, ㉡, ㉢, ㉣, ㉤

해설 정답 ②

대한민국 정부 수립은 1948년 8월 15일이다. 제주 4·3 사건은 그 이전인 1948년 4월 3일에 발생하였다.
㉠ 반민족 행위 처벌법은 1948년 9월에 공포되었으며, 반민족 행위 특별 조사 위원회는 1948년 10월에 설치되었다.
㉡ 농지 개혁법은 1950년 3월에 공포·시행되었다.
㉢ 안두희가 경교장에서 김구를 암살한 때는 1949년 6월이다.
㉤ 여수·순천 10·19 사건은 1948년 10월 19일에 발생하였다.

04 6·25 전쟁

32 다음 보기의 (가) 시기에 일어난 사실로 옳지 않은 것은? [2021 경찰간부]

	6·25 전쟁 발발	휴전협정 조인
	(가)	

① 대전협정
② 부산정치파동
③ 반공포로 석방
④ 한미상호방위조약

해설

정답 ④

6·25 전쟁은 1950년 6월 25일에 발발하였고, 휴전협정은 1953년 7월 27일에 조인되었다. (가)는 6·25 전쟁 기간이다. 전쟁 중에는 다음과 같은 사건들이 발생하였다.

1950. 6. 25	6·25 전쟁 발발
1950. 6. 26	유엔안전보장이사회에서 북한을 '침략자'로 규정
1950. 7. 12	대전협정 체결(주한미군 사법관할권에 관한 외교협정 체결)
1950. 9. 2	국군 최후 방어선 구축
1950. 9. 15	인천상륙 작전 성공(맥아더 장군)
1950. 9. 28	서울 수복
1950. 10. 1	제3보병사단 38선 돌파
1950. 10. 19	평양 탈환
1950. 10. 25	중국군 참전
1950. 12. 15	흥남 철수
1951. 1. 4	1·4 후퇴(피난령에 따라 서울 시민들이 다시 서울을 떠남)
1951. 2. 10	거창 양민 학살 사건
1951. 3. 15	서울 다시 탈환
1951. 7. 10	개성에서 휴전회담 개시
1951. 12	자유당 결성
1952. 5	부산 정치 파동
1952. 7. 4	제1차 개헌(발췌 개헌)
1953. 6. 18	반공포로 석방
1953. 7. 27	휴전협정 조인
1953. 10	한미 상호 방위 조약 체결(1954. 11 발효)

명호샘의 한마디!!

1953년 10월에 체결된 한미상호방위조약은 1) 한미상호방위원조협정(1950. 1), 2) 한미행정협정(1966. 7)과 구별하여야 한다. 한미상호방위원조협정을 기반으로, 미국은 6·25 전쟁 발발 직후 유엔안전보장이사회에 소집을 요청한 것이며, 휴전 협정 이후 한미상호방위조약을 체결한 것이다. 한미상호방위조약의 주요 규정을 확인하기 바란다.

한미상호방위조약(1953. 10)

제2조 당사국 중 어느 일방의 정치적 독립 또는 안정이 외부로부터의 무력 침공에 의하여 위협을 받고 있다고 어느 당사국이든지 인정할 때에는 언제든지 당사국은 서로 협의한다.

제3조 각 당사국은 …… 타 당사국에 대한 태평양 지역에 있어서의 무력 공격을 자국의 평화와 안전을 위태롭게 하는 것이라고 인정하고 공통한 위험에 대처하기 위하여 각자의 헌법상의 수속에 따라 행동할 것을 선언한다.

제4조 상호 합의에 의하여 결정된 바에 따라 미합중국의 육군, 해군과 공군을 대한민국의 영토 내와 그 주변에 배치하는 권리를 대한민국은 이를 허락하고 미합중국은 이를 수락한다.

33 다음 조약이 조인된 시기를 연표에서 가장 옳게 고른 것은? [2023 법원직 9급]

> 제3조 각 당사국은 타 당사국의 행정 지배하에 있는 영토와 각 당사국이 타 당사국의 행정 지배하에 합법적으로 들어갔다고 인정하는 금후의 영토에 있어서 타 당사국에 대한 태평양 지역에 있어서의 무력 공격을 자국의 평화와 안전을 위태롭게 하는 것이라 인정하고 공통한 위험에 대처하기 위하여 각자의 헌법상의 수속에 따라 행동할 것을 선언한다.
>
> 제4조 상호적 합의에 의하여 미합중국의 육군, 해군과 공군을 대한민국의 영토 내와 그 부근에 배치하는 권리를 대한민국은 이를 허여하고 미합중국은 이를 수락한다.

	(가)		(나)		(다)		(라)	
대한민국 정부 수립		6・25 전쟁 발발		제2차 개정헌법 공포		5・16 군사정변		한일 기본 조약 조인

① (가)
② (나)
③ (다)
④ (라)

해설

정답 ②

주한미군 주둔을 골자로 하는 해당 조약은 한미상호방위조약이다. 이 조약은 1953년 10월 1일 한국과 미국간에 조인되고 1954년 11월 18일에 발효되었으며 상호방위를 목적으로 체결되었다. 즉 6・25 전쟁이 종료된 후에 '조인'되었으므로 (나)에 들어간다.

	(가)		(나)		(다)		(라)	
대한민국 정부 수립 (1948. 8)		6・25 전쟁 발발 (1950. 6)		제2차 개정헌법 공포 (1954. 11)		5・16 군사정변 (1961. 5)		한일 기본 조약 조인 (1965)

34 6・25 전쟁의 휴전회담에 대한 설명으로 옳은 것은? [2010 국가직 7급]

① 중공군이 참전하자 휴전회담은 일시 중단되었다.
② 휴전협정이 체결되고 같은 해 한미상호방위조약이 체결되었다.
③ 휴전회담이 난항에 빠지자 참전국들 간의 회담이 제네바에서 개최되었다.
④ 휴전협정이 체결되자 이승만은 거제도에 수용되어 있던 반공 포로들을 석방하였다.

해설 정답 ②

1953년에 휴전이 성립되고, 한미상호방위조약이 체결되었다. 한미상호방위조약으로 인해 미군이 한국 내에 계속 주둔하는 것이 허용되었다.

① 중공군은 휴전회담 이전에 이미 참전한 상태였다. 휴전회담이 일시 중단된 이유는 '전쟁 포로의 자유의사에 의한 송환 원칙'에 공산측이 비타협적으로 대하였기 때문이다.

③ 제네바 회담은 1954년 4월부터 7월까지 유엔참전국을 비롯한 19개국 외상들이 스위스 제네바 전 국제연맹회관에서 '한국의 평화적인 통일 방안'을 모색하기 위해 개최한 국제 정치회담이다.

> 제네바 협정(1954)
> 이 협정은 두 가지 임무를 가지고 있었다. 1) 한반도의 통일 문제와 2) 프랑스령 인도차이나의 평화유지에 대한 논의였다. 그러나 한반도의 문제에 관해서는 어떠한 선언이나 제안도 채택되지 못한 채 종결되었다.

④ '휴전회담 개최'는 '1951년 7월 개성'이다. '휴전협정 체결'은 '1953년 7월 판문점'이다. 반공포로 석방은 '1953년 6월 18일 전국'이다. 즉, 반공포로 석방은 휴전협정 체결 전(前)에 이루어졌다.

35 6·25 전쟁에 대한 설명으로 사실과 가장 거리가 먼 것은? [2012 해양경찰 변형]

① 미국의 원조가 본격화되면서 남한에 대한 미국의 영향력이 더욱 증대되었다.

② 남한에서는 반공통일을 내세웠음에도 군사력은 매우 열악했다.

③ 남한은 휴전협정 당사자로 참여하지 못하였다.

④ 닉슨 독트린의 원인으로 발발하였다.

해설 정답 ④

닉슨 독트린은 1969년 미국 대통령 닉슨이 미·소·중·일 협력 체제의 필요성을 강조한 발표이다. 이로 인하여 냉전 체제가 완화되고 화해 분위기가 조성되었다. 6·25 전쟁의 원인이 된 '발표'는 애치슨 선언이다. 1950년 1월 12일, 미국 국무장관 애치슨은 대공산권 극동 방어선을 '알류산 열도 – 일본 – 오키나와 – 필리핀'을 연결하는 선으로 정한다고 발표하였는데, 이것이 북한의 남침을 자극하였다.

① 6·25 전쟁 후 미국의 원조가 본격화되어, 1950년대에는 '원조 경제'의 특징이 나타났다.

② 6·25 전쟁이 발발할 당시 북한의 군사력에 비하여 남한의 군사력은 열세였다.

③ 유엔군과 중국군, 북한군은 2년여 동안 협의를 거쳐 정전협정을 체결하였다. 한국군은 전쟁 초기에 작전 지휘권을 유엔군에게 넘겼기 때문에 이 협정문에 서명할 수 없었다.

휴전협정	서명한 국가	서명하지 않은 국가
	미국, 북한, 중국	한국, 소련

36 6·25 전쟁 중 있었던 사실로 옳지 않은 것은? [2023 지방직 9급]

① 국군과 유엔군이 인천 상륙 작전을 감행하였다.

② 대통령 직선제를 포함한 발췌 개헌안이 국회에서 통과되었다.

③ 이승만 정부가 북한 송환을 거부하는 반공 포로를 석방하였다.

④ 미국이 한반도를 미국의 태평양 지역 방위선에서 제외한다는 애치슨 선언을 발표하였다.

해설

정답 ④

1950년 1월 12일, 미국 국무장관 애치슨은 대공산권 극동 방어선을 '알류산 열도 - 일본 - 오키나와 - 필리핀'을 연결하는 선으로 정한다고 발표하였다. 이것을 애치슨 선언이라고 한다. 애치슨 선언은 6 · 25 전쟁 '전'에 있었던 선언으로, 6 · 25 전쟁의 배경이 된다.

① 인천 상륙 작전은 전쟁 중인 1950년 9월에 있었다.

② 발췌 개헌안이 국회에서 통과된 것은 전쟁 중인 1952년이다.

③ 반공 포로 석방은 전쟁 중인 1953년 6월에 있었다.

02 이승만 정부와 장면 내각

01 이승만 정부

01 다음의 선거 벽보가 사용된 선거에 대한 설명으로 옳지 않은 것은? [2015 서울시 7급]

① 조봉암이 대통령 후보로 출마하였다.

② 자유당의 부통령 후보는 이기붕이었다.

③ 부정선거로 자유당이 대통령과 부통령 선거에서 모두 승리했다.

④ 사사오입 개헌 이후 이승만이 제3대 대통령으로 당선된 선거였다.

해설

정답 ③

민주당의 정통령 후보가 신익희, 부통령 후보가 장면이었던 선거는 1956년 5월에 치러졌던 제3대 대통령 선거(정·부통령 선거)이다. 선거 결과 정통령은 자유당의 이승만, 부통령은 민주당의 장면이 되었다. 민주당의 정통령 후보였던 신익희 후보는 선거 기간 중 사망하였으며, 진보당의 조봉암 후보는 많은 득표를 하여, 당선자 이승만의 차기 경쟁자로 부각되었다.

구 분	자유당	민주당	진보당
정통령 후보	이승만(당선)	신익희	조봉암
부통령 후보	이기붕	장면(당선)	박기출

③ 부정선거로 자유당이 대통령(이승만)과 부통령(이기붕) 선거에서 모두 승리한 선거는 제4대 대통령 선거이다. 1960년 3월 15일에 치러진 이 부정선거로 인하여, 4·19 혁명이 일어났다.

02 (가)와 (나) 사이에 있었던 사건으로 옳은 것은?

[2020 국회직 9급]

> (가) 대통령이 계엄령을 선포한 가운데 개헌에 반대하는 국회의원들을 감금하고 국회에서 대통령 직선제를 골자로 하는 개헌안을 통과시켰다.
> (나) 국회에서 개헌안에 대해 표결한 결과 재적 인원 203명의 2/3에 못 미치는 135명이 찬성하였으나 사사오입의 논리를 펴 억지로 개헌안을 통과시켰다.

① 이승만이 여러 우익 단체를 모아서 자유당을 창당하였다.

② 부통령 선거에서 민주당의 장면 후보가 당선되었다.

③ 6.25 전쟁에 대한 휴전 협정이 체결되었다.

④ 대통령 후보였던 조봉암이 간첩 혐의로 사형에 처해졌다.

⑤ 김일성이 연안파를 숙청하고 주체를 강조하기 시작하였다.

해설

정답 ③

(가) '개헌에 반대하는 국회의원들을 감금'하고(부산 정치 파동), 대통령 직선제를 골자로 하는 개헌안을 통과시킨 때는 1952년(6·25 전쟁 중, 이승만 정부)이다. 이것이 1차 개헌(발췌 개헌)이다.

(나) '사사오입의 논리'로 개헌안을 통과시킨 때는 1954년(이승만 정부)이다. 이것이 2차 개헌(사사오입 개헌)이다.

③ 제1차 개헌(1952)과 제2차 개헌(1954) 사이에 6·25 전쟁에 대한 휴전 협정이 체결되었다(1953). (가)는 전쟁 중에 일어났고, (나)는 전쟁 후에 일어났다는 사실을 생각해야 한다.

① 이승만이 자유당을 창당한 시기는 1951년 12월이다. 다음 해에 부산 정치파동이 일어났고, 이어서 (가) 1차 개헌이 있었다. 즉 자유당 창당은 (가) 이전의 사건이다.

② 부통령 선거에서 민주당의 장면 후보가 당선된 것은 제3대 대통령 선거 때이다(1956). '부통령'은 이승만 정부에 있었으므로, (다시 치른) 제4대 대통령 선거에서 윤보선이 당선되고, 이어서 '장면'을 국무총리로 임명한 것을 구분해야 한다.

④ 대통령 후보였던 조봉암이 간첩 혐의로 사형에 처해진 때는 1959년이다. 조봉암은 제3대 대통령 선거에서 대통령 후보로서 선전하였고, 1958년에 간첩 혐의로 체포되었고, 1959년에 사형에 처해졌다.

⑤ 1950년대에 김일성은 6·25 전쟁의 책임을 물어 무정 등 연안파를 숙청하고 주체를 강조하기 시작하였다. 특히 1956년 8월 종파사건으로 김일성에게 도전하는 연안파를 대거 숙청하였다.

03 다음 자료에 해당하는 선거에 대한 설명으로 가장 옳지 않은 것은? [2015 서울시 9급]

- 총 유권자의 40%에 해당하는 표를 자유당 후보에게 기표하여 투표 당일 투표함에 미리 넣어 놓는다.
- 나머지 60%의 유권자는 3인, 5인, 9인조로 묶어 매수 혹은 위협을 통해 자유당 후보에게 투표하도록 한다.
- 투표소 부근에 여당 완장을 착용한 완장 부대를 배치하여 야당 성향의 유권자를 위협한다.
- 야당 참관인은 적당한 구실을 만들어 투표소 밖으로 내쫓는다.

『동아일보』, 1960년 3월 4일

① 4·19 혁명 발발의 중요한 계기가 되었다.
② 장면 정부는 이 선거 결과를 무효로 하고 재선거를 실시하였다.
③ 이승만의 대통령 당선 가능성이 높은 상황에서 실시되었다.
④ 정부는 이 선거를 규탄하는 시위의 배후에 공산주의 세력이 개입되었다고 발표하였다.

해설

정답 ②

제시된 자료는 민주당이 언론에 폭로한 '3·15 부정선거'이며, 이를 계기로 4·19 혁명(1960)이 일어났다. 1960년 3월 15일 제4대 정·부통령 선거가 실시되었다. 자유당은 대통령 후보에 이승만, 부통령에 이기붕을 내세웠다. 이승만의 대통령 당선 가능성은 높았으나, 부통령 후보인 이기붕의 당선 가능성이 낮았으므로, 정부와 자유당은 공무원 및 관변 단체를 동원하여 '4할 사전 투표', '3인조 또는 9인조 공개 투표' 등의 부정 선거를 저질렀다.

② 4·19 혁명(1960)의 결과 이승만 대통령이 하야하고, 허정의 과도 정부가 들어섰다. 과도 정부에서 의원내각제 및 양원제 의회 채택을 골자로 하는 헌법 개정(제3차 개헌)을 하였고, 새 헌법에 따라 새로 실시한 선거에 의해 대통령 윤보선, 국무총리 장면이 선출되어 장면 내각이 수립되었다. 즉 재선거의 결과 장면 내각이 수립된 것이지, 장면 내각이 재선거를 실시한 것이 아니다.

04 다음 선언문이 발표된 민주화운동에 대한 설명으로 옳은 것은? [2018 소방]

1. 마산, 서울 기타 각지의 학생 데모는 주권을 빼앗긴 국민의 울분을 대신하여 궐기한 학생들의 순진한 정의감의 발로이며 부정과 불의에 항거하는 민족 정기의 표현이다.
2. 데모를 공산당의 조종이나 야당의 사주로 보는 것은 고의의 곡해이며 학생들의 정의감에 대한 모독이다.
5. 3·15 선거는 불법 선거이다. 공명선거에 의하여 정·부통령 선거를 다시 실시하라.

① 대통령의 하야 발표를 이끌어냈다.
② 6·29 선언이 발표되는 계기가 되었다.
③ 신군부 세력의 권력 장악을 막고자 하였다.
④ 시위대가 시민군을 조직하여 계엄군에 맞섰다.

해설 정답 ①

국민들은 선거 이전부터 자유당의 노골적인 선거 개입에 항의하였고, 2월 28일 대구에서 자유당의 불법・부정을 규탄하는 시위를 열었다. 선거 당일인 3월 15일에는 마산, 광주, 서울 등에서 부정선거 규탄시위를 열었다. 얼마 뒤 마산 시위 과정에서 실종되었던 김주열 학생이 최루탄을 맞고 숨진 채 바다에서 발견되었는데, 이 사건이 마산 시민의 분노를 폭발시켰다. 이제 시위의 목적은 부정선거에 대한 항의에서 독재정권 타도로 바뀌었고, 국민들의 반감은 더욱 고조되어 부정선거를 규탄하는 시위가 전국으로 확산되었다. 분노한 학생과 시민들은 4월 19일 전국에서 대규모 시위를 전개하였다. 4월 19일에는 서울의 주요 대학과 고등학생까지 시위에 참가하였다. 4월 25일에는 '학생들의 피에 보답하라'는 대학교수 200여 명이 시위대를 옹호하는 시국 선언을 하고 가두시위를 벌였다. 미국 측도 이승만의 퇴진을 권유하자 4월 26일 이승만은 "국민이 원한다면 대통령직에서 물러나겠다"는 성명서를 내고 대통령직에서 물러났다(하야 발표).

이승만 대통령 퇴임사(1960. 4. 26) 나는 해방 후 본국에 돌아와서 우리 여러 애국 애족하는 동포들과 더불어 잘 지내왔으니 이제는 세상을 떠나도 한이 없으나, 나는 무엇이든지 국민이 원하는 것만이 있다면 민의를 따라서 하고자 하는 것이며 또 그렇게 하기를 원했던 것이다. 보고를 들으면 우리 사랑하는 청소년 학도들을 위시해 우리 애국 애족하는 동포들이 내게 몇 가지 결심을 요구하고 있다 하니 …… 국민이 원하면 대통령직을 사임하겠다.

② 6・29 선언이 발표되는 계기가 된 민주화 운동은 6월 민주 항쟁이다(1987).

③, ④ 신군부 세력의 권력 장악을 막고자 했으며, 시위대가 시민군을 조직하여 계엄군에 맞선 민주화 운동은 5・18 민주화 운동이다(1980).

05 4・19 혁명의 영향으로 볼 수 없는 것은? [2010 지방직 9급]

① 내각책임제 정부와 양원제 의회가 출범하였다.

② 반민족행위자에 대한 처벌법이 제정되었다.

③ 부정축재자에 대한 처벌 요구가 높아졌다.

④ 통일에 관한 논의가 활발하게 제기되었다.

해설 정답 ②

「반민족행위 처벌법」은 정부수립 직후인 1948년 9월에 제정되었다. 4・19 혁명의 영향으로 제정된 법은 「부정축재처리법」(1961. 6 공포)이다. 4・19 혁명의 영향은 1) 헌법 개정(의원내각제, 양원제), 2) 제2공화국 출범(민주당 정권 수립, 장면 내각 출범), 3) 부정축재자 처벌(부정축재처리법 공포), 4) 통일 논의 활발이다.

06 다음 시의 밑줄 친 '그 날'의 발단이 된 역사적 사실로 옳은 것은? [2016 기상직 9급]

> 눈이 부시네 저기 난만히 멧등마다
> <u>그 날</u> 쓰러져 간 젊음 같은 꽃 사태가
> 맺혔던 한이 터지듯 여울여울 붉었네.
> 그렇듯 너희는 지고 욕처럼 남은 목숨
> 지친 가슴 위엔 하늘이 무거운데
> 연련히 꿈도 설워라 물이 드는 이 산하.
>
> ➲ 이영도, '진달래'

① 전두환 정부는 4·13 호헌 조치를 발표하였다.
② 자유당 정권은 대대적으로 3·15 부정선거를 저질렀다.
③ 12·12 사태 이후 신군부가 계엄령을 전국에 확대하였다.
④ 박정희 정부는 한·일 협정을 체결하여 양국의 국교를 정상화하였다.

해설 정답 ②

이영도의 '진달래(다시 4·19 앞에)'는 4·19 혁명 추도시이다. 산에 핀 진달래는 4·19 혁명 때 희생된 젊은이들을 상징한다. 그러므로 문제에서 묻고 있는 '그 날의 발단'은 4·19 혁명의 원인 중의 하나인 3·15 부정선거이다.
① '4·13 호헌 조치'는 6월 민주항쟁의 원인이다.
③ '계엄령 확대'는 5·18 민주화 운동의 원인이다.
④ '한·일 협정'은 6·3 사태의 원인이다.

07 [보기] 선언문의 발표 후에 있었던 사건으로 가장 적합하지 않은 것은? [2019 서울시 9급]

> [보기]
>
> 상아의 진리탑을 박차고 거리에 나선 우리는 질풍과 같은 역사의 조류에 자신을 참여시킴으로써 이성과 진리, 그리고 자유의 대학정신을 현실의 참담한 박토에 뿌리려 하는 바이다. 〈중략〉 무릇 모든 민주주의 정치사는 자유의 투쟁사다. 그것은 또한 여하한 형태의 전제로 민중 앞에 군림하든 '종이로 만든 호랑이'같이 헤슬픈 것임을 교시 한다. 〈중략〉 근대적 민주주의의 근간은 자유다. 〈하략〉
>
> ➲ 서울대학교 문리과대학 학생 일동

① 이승만 대통령이 하야하였다.
② 장면 정권이 수립되었다.
③ 민족자주통일중앙협의회가 조직되었다.
④ 조봉암이 진보당을 결성하였다.

해설

정답 ④

제시된 자료는 4·19 혁명 당시 서울대 문리대 학생회가 발표한 4월 혁명 선언문이다(1960. 4. 19).

① 1960년 4월 25일에 이승만 대통령이 하야하였다.

② 1960년 8월 12일에 장면 정권이 수립되었다.

③ 1960년 9월 3일에 민족자주통일중앙협의회가 조직되었다. 이승만 대통령이 하야한 이후, 혁신계 여러 정당들이 일대 국민운동단체를 구성하기 위하여 해당 협의회를 발기하였다.

④ 1956년 11월 10일 조봉암을 비롯한 박기출, 김달호 등을 중심으로 진보당을 결성하였다. 진보당은 소위 '진보당 사건'에 의해 등록이 취소되어 1958년 2월 25일 소멸되었다.

08 [보기]의 부정선거가 계기가 되어 촉발된 민주화 운동에 대한 설명으로 가장 옳은 것은?

[2019 서울시 7급]

> [보기]
>
> 민주당 후보인 조병옥이 선거 10일을 앞두고 급사하여 단일후보가 되었음에도 자유당의 충성파들은 약 40%의 사전투표를 하는 등 온갖 부정선거를 자행하였다. 이에 부통령 이기붕의 표가 100%에 육박하는 결과가 나오자 이를 79%로 하향조정하기도 하였다.

① 야당정치인과 종교인 등이 민주회복국민회의를 결성하여 저항하였다.

② 경무대를 향해 돌진하던 시위대에 경찰이 총격을 가하였다.

③ 부산과 마산을 중심으로 부마항쟁으로 불리는 대규모 저항운동이 일어났다.

④ 서울의 봄이라고 불리는 대규모 학생시위가 벌어졌다.

해설

정답 ②

조병옥이 사망하여 '단일후보'가 된 인물은 이승만이다. 이승만의 당선은 확실시되었으나, 부통령 후보였던 이기붕의 당선 가능성이 낮아 일어난 사건이 '3·15 부정선거(1960)'이며, 이 부정선거가 계기가 되어 촉발된 민주화 운동은 '4·19 혁명(1960)'이다.

② 1960년 4월 19일 서울을 비롯한 대도시에서 학생들과 시민들의 부정선거 규탄 시위가 전개되었다. 그 중 경무대(대통령 관저)를 향해 돌진하던 시위대에 경찰이 발포하여 희생자가 발생하였다.

① 민주회복국민회의(1974)는 민청학련 사건 이후 만들어진 조직으로, 유신체제에 저항하였다.

③ 부마항쟁(1979)은 YH 무역사건 및 김영삼 신민당 총재 의원직 박탈 사건의 연장선상에서 일어난 사건이다.

④ '서울의 봄'이란 1980년 5월 계엄 철폐 등을 요구하였던 대규모 시위를 말한다.

02 장면 내각

09 **4・19 혁명으로 집권한 민주당 정부의 시정 방침으로 가장 옳지 않은 것은?** [2016 서울시 7급]

① 외자 도입과 경제 원조 확대를 통한 경제 개발 계획 추진
② 반공을 국시의 제일로 삼아 반공 태세를 재정비・강화
③ 일본과의 국교 정상화 및 유엔 감시하의 남북한 자유 선거에 의한 통일 달성
④ 군비 축소와 군의 정예화 추진을 통한 국방력 강화 및 군의 정치적 중립 확보

해설

정답 ②

'4・19 혁명으로 집권한 민주당 정부'란 장면 내각(1960~1961)을 말한다. 1960년 8월 윤보선이 대통령에, 장면이 국무총리에 선출되면서 장면 내각이 수립되었고, 이때 시정 방침(1960. 8)을 내놓았다.

> 민주당 정부(장면 내각) 시정 방침
> 1. 일본과의 국교 정상화 및 유엔 감시하의 남북한 자유 선거에 의한 통일 달성
> 2. 관료 제도의 합리화와 공무원 재산 등록 및 경찰 중립화를 통한 민주주의 구현
> 3. 부정 선거의 원흉과 발포 책임자, 부정・불법 축재자 처벌
> 4. 외자 도입과 경제 원조 확대를 통한 경제 개발 계획 추진
> 5. 군비 축소와 군의 정예화 추진을 통한 국방력 강화 및 군의 정치적 중립 확보

② '반공을 국시의 제1의로 삼고 지금까지 형식적이고 구호에만 그친 반공 체제를 재정비 강화할 것입니다'는 5・16 군사정변 때 군사 혁명 위원회가 제시한 혁명 공약이다(1961. 5. 16).

10 **(가) 정권 시기에 있었던 사실로 옳은 것은?** [2019 기상직 9급]

> (가) 정권과 그 호위 세력들은 소위 '반공임시특별법' 및 '국가보안법' 보강 등 인류 역사상 그 유례를 찾아볼 수 없는 반민주・반민족 악법을 공공연히 획책하고 있다. …… 현행법만으로는 공산 간첩을 잡지 못한다는 억지 보다 더한 억지가 또한 어디에 있는가. 이런 전 논리적 대중 우롱을 받아들일 만큼 이 민족은 무지하지 않다.

① 향토 예비군 제도가 창설되었다.
② 와우아파트 붕괴 사건이 발생하였다.
③ 반민주행위자공민권제한법이 제정되었다.
④ 진보당이 해체되고 조봉암이 사형을 당하였다.

해설

정답 ③

4・19 혁명 이후 수립된 장면 정권(제2공화국)은 장기적인 경제개발 계획의 초안을 마련하였고, 평화적 방법에 의한 남북교류와 통일론이 모색되었다. 그러나 반공임시특별법(반공법)과 데모 규제법을 제정하는 등 국민들을 통제하려다가 반발을 초래하기도 하였다. (가) 정권은 장면 정권을 말한다.

③ 반민주행위자공민권제한법이란 1960년 3・15 부정선거 때 반민주 행위를 한 사람의 공무원이 되는 자격 및 선거권・피선거권을 제한하기 위하여 제정된 법률이다. 1960년 12월 장면 정권에서 제정되었다.
① 향토 예비군은 박정희 정부 때인 1968년 4월에 창설되었다.
② 박정희 정부 때인 1970년 4월 서울 마포구에서 와우아파트 붕괴 사건이 발생하였다(33명 사망).
④ 이승만 정부 때인 1958년에 진보당이 해체되고, 그 다음 해에 조봉암이 사형을 당하였다.

03 박정희 정부

01 박정희 정부의 수립

01 1965년 6월 22일 체결된 한일기본조약에 대한 설명으로 가장 옳은 것은? [2018 서울시 9급]

> • 제2조 : 1910년 8월 22일 및 그 이전에 대한제국과 일본 제국 간에 체결된 모든 조약 및 협정이 이미 무효임을 확인한다.
> • 제3조 : 대한민국 정부가 국제연합 총회의 결의 제195(Ⅲ)호에 명시된 바와 같이 한반도에 있어서의 유일한 합법정부임을 확인한다.

① 위안부 문제가 주요한 의제로 논의되었다.
② 조약에 반대하여 학생들이 6・10 민주 항쟁을 일으켰다.
③ 조약 협의를 위해 중앙정보부장 이후락이 특사로 파견되었다.
④ 재일 교포의 법적 지위 및 대우에 관한 협정도 함께 체결되었다.

해설 정답 ④

제시된 사료는 1965년에 일본 수상 관저에서 정식으로 조인된 한일기본조약의 일부이다. 제2조와 제3조가 제시되었으나, 다음 시험을 대비하여 제1조와 제7조도 함께 보기 바란다.

> 제1조 양체약당사국간에 외교 및 영사관계를 수립한다. 양체약당사국간은 대사 급 외교사절을 지체 없이 교환한다. 또한 양체약당사국간은 양국정부에 의하여 합의되는 장소에 영사관을 설치한다.
> 제2조 1910년 8월 22일 및 그 이전에 대한제국과 일본제국 간에 체결된 모든 조약 및 협정이 이미 무효임을 확인한다.
> 제3조 대한민국 정부가 국제 연합 총회의 결의 제195호(Ⅲ)에서 명시된 바와 같이 한반도에 있어서의 유일한 합법정부임을 확인한다.
> ……(중략)……
> 제7조 본 조약은 비준되어야 한다. 비준서는 가능한 한 조속히 서울에서 이를 교환한다. 본 조약은 비준서가 교환된 날로부터 효력을 발생한다.

④ 한일기본조약에 의하여 한일 양국은 외교・영사 관계를 개설하고 「한일병합조약」과 그 전에 양국 간에 체결된 모든 조약 및 협정이 무효임을 확인하였으며, 일본 측은 대한민국 정부가 한반도에서의 유일한 합법 정부임을 인정하였다. 한편 이에 부속된 협정이 다음과 같이 체결되었다.

> (1) 「청구권・경제 협력에 관한 협정」을 통해 일본이 3억 달러의 무상 자금과 2억 달러의 장기 저리 정부 차관 및 3억 달러 이상의 상업 차관(교환 공문)을 공여하기로 합의하였다. 이에 따라 1966년부터 1975년까지 5억 달러의 대일 청구권 자금이 도입되었다.
> (2) 「어업협정」에서는 양국 연안 12해리의 어업 전관 수역을 설정하고, 어업 자원의 지속적 생산성을 확보하기 위해 일정한 공동 규제 수역을 설정하였다.
> (3) 「재일 교포의 법적 지위와 대우에 관한 협정」에 의하여 재일 한국인이 영주권을 획득할 수 있게 되었다.
> (4) 「문화재・문화 협력에 관한 협정」을 통하여 일제 강점기 일본으로 유출된 다수의 문화재를 반환받을 수 있게 되었다.

① 한일기본조약에서는 위안부 문제가 주요한 의제로 논의되지 않았다. 이 조약은 일본의 침략 사실 인정과 가해 사실에 대한 진정한 사죄가 선행되지 않았고, 청구권 문제, 어업 문제, 문화재 반환 문제 등에서 한국이 지나치게 양보하여 국내에서 크게 논란을 일으켰다. 부속 협정인 「청구권・경제협력에 관한 협정」은 양국간 청구권 문제가 포괄적으로 해결(일괄해결)된 것으로 표현하였으며, 위안부 문제를 주요한 문제로 다루지는 않았다. (다만, 당시 협상문상의 청구권 대상에

'남방점령지역위안부의 예금・잔치재산(南方占領地域慰安婦의 預金・殘置財産'이라는 항목이 있어서 이 당시 위안부 문제가 다루어졌다고 주장하기도 한다. 그러나 이 문제가 주요한 문제로 다루어진 것은 아니다.)

② 한일기본조약에 반대하여 '굴욕적인 한일회담 반대'를 외쳤던 시위는 1964년의 6・3 시위이다.

③ 한일기본조약은 당시 김종필 중앙정보부장과 오히라 일본 외상이 교환한 메모가 기초가 되었다. (이후락이 특사로 파견된 것과 관련된 사건은 7・4 남북공동성명이다. 1971년 9월 남북 적십자 회담이 비밀리에 개최되었고, 박정희는 이후락을 평양에 특사로 보내 김일성을 만나게 하였다. 이후 남북 간 합의하에 7・4남북공동성명이 발표되었다.)

02 (가)와 (나) 사이에 있었던 역사적 사실로 옳은 것을 [보기]에서 모두 고른 것은?

[2013 국가직 7급]

(가) 이번 4월의 참사는 학생운동사상 최대 비극이요, 이 나라의 정치적 위기를 극복하기 위한 중대 사태이다. 이에 대한 철저한 반성 없이는 이 민족의 불행한 운명을 도저히 만회할 길이 없다. 우리 전국 대학교 교수들은 이 비상시국에 대처하여 양심의 호소를 하는 바이다.

(나) 대한민국과 일본국은 양국 국민 관계의 역사적 배경을 고려하며, 선린관계 및 주권 상호 존중 원칙에 입각한 양국 관계의 정상화를 상호 의망(意望)함을 고려하고, 양국의 공동 복지 및 공동 이익을 증진하고 국제평화 및 안전을 유지하는 데 양국이 … (중략) … 협력하는 것이 중요하다는 사실을 인식한다.

[보기]

㉠ 진보당 사건, 경향신문 폐간이 이어졌다.
㉡ 한일회담에 반대하여 6・3 시위가 일어났다.
㉢ 국가재건최고회의가 구성되어 군정이 실시되었다.
㉣ 부산정치파동으로 야당 국회의원이 정치적 공격을 받았다.

① ㉠, ㉡ ② ㉡, ㉢
③ ㉡, ㉣ ④ ㉢, ㉣

해설 정답 ②

(가)는 4・19 혁명 때의 '교수시국선언문'이고, (나)는 '한일협정'의 일부이다. '(가)와 (나) 사이'란 1960년 4월 25일부터 1965년 6월 22일까지를 말한다.

㉡ 6・3 시위(6・3 사태)는 1964년에 일어났다. 1964년 봄부터 시작된 한일협정 반대 투쟁은 6월 3일에 절정에 달하였다.

㉢ 1961년 5・16 군사정변 직후 '군사혁명위원회'가 '국가재건최고회의'로 이름을 바꾸었다. 국가재건최고회의는 6월 6일 「국가재건비상조치법」에 의해 군정의 최고 통치기구로 규정되었다. 이 조직은 제3공화국이 출범되기 직전인 1963년 12월 17일까지 존속하였다.

㉠ 진보당 사건은 1958년, 경향신문 폐간은 1959년이다. 두 사건은 모두 1956년 제3대 대통령 선거 이후 야당세력의 강력한 도전에 직면한 이승만 정부가 정권유지를 위해 일으킨 사건이다.

㉣ 1952년 제2대 대통령 선거에 임박하여, 이승만은 임시 수도 부산에서 대통령 직선제로의 헌법 개정을 강행하였다. 부산정치파동(5・26 정치파동)이란 공비 토벌을 이유로 계엄령을 선포한 후 개헌안에 반대하는 야당 의원 47명을 체포・감금한 사건을 말한다.

03 **다음은 1960년대 어느 일간지에 실린 사설이다. 밑줄 친 '파병'에 대한 설명으로 옳은 것만을 모두 고르면?** [2019 지방직 9급]

> 우리는 원했든 원하지 안했든 이미 이 전쟁에 직접적인 관계를 맺었고 파병을 찬반(贊反)하던 국민이 이젠 다 힘과 마음을 합해서 파병된 용사들을 성원하고 있거니와 근대 전쟁이 전투하는 사람만의 전쟁이 아니라 온 국민이 참가하는 '총력전'이라는 것을 알고 이 전쟁의 승리를 위해 모든 국민의 단합을 호소하는 바이다.

> ㉠ 발췌개헌안 통과에 영향을 주었다.
> ㉡ 브라운 각서를 체결하는 이유가 되었다.
> ㉢ 1960년대 경제개발계획의 추진에 기여하였다.
> ㉣ 한 · 미 상호방위원조협정을 체결하는 계기가 되었다.

① ㉠, ㉡　　② ㉠, ㉢
③ ㉡, ㉢　　④ ㉢, ㉣

해설 정답 ③

제시된 자료에서 '1960년대'의 '파병'이란 베트남 파병(1964~1973)을 말한다.

> 베트남 파병으로
> 1) 브라운 각서를 체결하였다. ➲ 2019 지방직 9급
> 2) 파병군인들의 송금과 군수품 수출 및 건설업체의 베트남 진출로 외화를 획득하였고 이것은 1960년대 경제개발계획의 추진에 기여하였다. ➲ 2019 지방직 9급

㉡ 「브라운 각서」(1966)는 한국군이 베트남에 추가 파병을 하면 미국 정부가 한국군의 장비를 현대화하고 파병 비용을 부담하겠다는 약속을 담은 문서다. 「브라운 각서」의 주요 내용은 대한민국 군의 현대화를 위한 실질적인 장비 지원, 추가 베트남 파병 비용의 미국 정부 부담, 북한의 간첩 남파를 봉쇄하기 위한 지원과 협조, 대한(對韓) 군사 원조 이관 중지, 대한 차관 제공, 한국의 대베트남 물자 · 용역 조달, 병사 처우 개선 등이었다. 그 뒤 박정희 정부는 국회의 승인을 받아 1개 전투 연대를 4월에, 1개 사단 병력을 7월에 파병함으로써 미국으로부터 대규모 군사 · 경제 지원을 받았다.

㉢ 대한민국 정부는 베트남전에 참전한 대가로 10억 달러 이상의 외화를 획득하여 제2차 경제개발 5개년 계획에 필요한 재원을 충당하였다. 즉 1960년대 경제개발계획의 추진에 기여하였다.

㉠ 발췌개헌은 1952년(이승만 정부)의 제1차 헌법 개정을 말하는 것으로 베트남 파병과는 관련이 없다.

㉣ 한 · 미 상호방위원조협정은 1950년 1월(이승만 정부)에 한국과 미국 사이에 체결된 경제 및 군사 원조에 관한 협정으로, 이 또한 베트남 파병과는 관련이 없다.

04 다음 자료와 관련된 내용으로 옳지 않은 것은? [2009 국가직 7급]

> 미국 정부는 월남에서 싸우고 있는 자유 세계 군대에 합류하여 크게 기여하려는 대한민국 정부의 결정을 충심으로 환영합니다. 본인은 한국의 안전과 발전이 우리의 공동이익임을 생각하며, 이에 미국은 한국의 방위에 경제적 발전이 필요하다고 보고 다음과 같은 조치를 취할 용의가 있음을 말씀드립니다.

① 한・미 연합군 사령부를 개편하였다.

② 전쟁에 필요한 물자 일부를 한국에서 구매하였다.

③ 한・미에 주둔군지위협정(SOFA)을 체결하였다.

④ 미국은 경제 개발을 위한 추가 AID차관을 공여하였다.

해설 정답 ①

제시된 자료는 1966년 3월 미국 대사 브라운과 이동원 외무부장관 간에 체결된 브라운 각서의 전문(前文)이다. 이 전문은 뒤에는 다음과 같은 내용이 이어진다.

> 1. 군사 원조
> - 한국에 있는 대한민국 국군의 현대화 계획을 위하여 수년 동안 상당량의 장비를 제공한다.
> - 베트남 공화국에 파견되는 추가 병력에 필요한 장비를 제공하며, 또한 베트남 파견 추가 병력에 따르는 일체의 추가적 원화 경비를 부담한다.
>
> 2. 경제 원조
> - 베트남 주둔 대한민국 부대에 소용되는 보급 물자와 용역 및 장비를 대한민국에서 구매하며, 베트남 주둔 미군과 베트남군을 위한 물자 중 선정된 구매 품목을 한국에 발주한다.
> - 이미 약속한 바 있는 1억 5,000만 달러 AID차관에 추가하여 AID차관을 제공한다.

②, ④ 브라운 각서에 따라 미국은 전쟁에 필요한 '보급 물자와 용역 및 장비'를 한국에서 구매하였으며, 한국에 '1억 5,000만 달러 AID차관 이외에 추가적으로 AID차관을 제공'하였다.

③ 1966년 7월에는 주한미군의 법적인 지위를 규정한 한미주둔군지위협정(SOFA)을 체결하였다.

① 한미연합군사령부(CFC)는 주한미군과 한국군으로 구성된 한미 연합군을 총괄하기 위한 목적으로 박정희 정부 말기인 1978년 11월에 설립되었다.

05 (가)와 (나)는 외국과 맺은 각서이다. 두 각서 사이에 있었던 사실로 옳은 것은? [2018 국가직 9급]

> (가) 일본 측은 한국 측에 무상원조 3억 달러, 유상원조(해외경제협력기금) 2억 달러, 그리고 수출입은행 차관 1억 달러 이상을 제공한다.
>
> (나) 미국 정부가 한국과 약속했던 1억 5천만 달러 규모의 차관 공여와 더불어 … (중략) … 한국의 경제 발전을 돕기 위한 추가 AID차관을 제공한다.

① 경부 고속 국도가 개통되었다.

② 마산에 수출 자유 지역이 건설되었다.

③ 국가 기간 산업인 울산 정유 공장이 가동되었다.

④ 유엔의 지원으로 충주에 비료 공장을 설립하였다.

해설

정답 ③

(가) 박정희 정부는 일본과의 국교 정상화를 위하여 한・일 회담을 추진하였다. 한일 양국은 1961년 10월 20일 제6차 회담을 열었으나, 청구권 액수・평화선 문제・독도 문제 등으로 교착 상태에 빠지게 되었다. 한국 정부는 1962년 10월 당시 중앙정보부장 김종필을 일본에 파견하여 비밀 회담을 가지게 하였다. 그 결과 이른바 「김・오히라 메모[金・大平]」를 통하여 한일 간의 가장 큰 쟁점이던 청구권 문제가 타결되고, 1964년 4월 어업 협정 문제 등도 타결되었다. 이렇게 '1962년 각서'가 교환되어 체결된 한・일 회담은 청구권 문제, 어업 문제, 문화재 반환 문제 등에서 한국 측의 지나친 양보가 논란이 되어, 6・3 사태로 이어졌으나, 1965년 국회를 통과하였다. 제시된 자료는 1962년에 김종필과 오히라가 주고 받은 메모의 내용이다.

(나) 제시된 자료는 1966년 3월 7일 미국 정부가 한국군 월남 증파의 선행조건에 대한 양해 사항을 당시 주한 미국대사 W. G. 브라운을 통해 한국 정부에 전달한 공식 통고서이다. 일명 「브라운 각서」라고 한다. 「브라운 각서」는 한국군이 베트남에 추가 파병을 하면 미국 정부가 한국군의 장비를 현대화하고 파병 비용을 부담하겠다는 약속을 담은 문서다.

③ 우리 나라는 1960년대와 1970년대에 국가의 주요 목표를 경제 발전에 두었다. 1960년대에는 정유 공장을 비롯하여 발전소, 시멘트, 비료, 철강 공장 등과 도로, 철도, 통신 시설 등을 건설하여 경제 발전의 기틀을 이루게 하였다. 울산정유공장은 1963년 3월 12일 착공하였고, 1964년 5월 7일 준공되어 가동이 시작되었다. 그러므로 (가) 1961년과 (나) 1966년 사이에 발생한 사실에 해당한다.

① 경부 고속 국도는 1968년 2월 1일에 기공식을 갖고, 2년 2개월만인 1970년 7월 7일 준공되어 개통되었다.

② 수출자유지역은 박정희 정부가 1970년 1월 수출 증대와 외국인 투자 유치를 위해 '수출자유지역 설치법'에 따라 설치한 구역이다. 1970년에는 마산을, 1973년에는 이리(현재의 익산)를 수출자유지역으로 지정하였다. 2015년 경찰, 2012년 기상직 9급에서 출제되었다.

④ 한국 경제는 전쟁의 피해를 복구하면서 공업화를 지향해 나갔다. 그 중에서 급속한 발전을 이룩한 분야는 섬유 공업이었으며, 그 다음으로 활발하였던 것이 화학 공업이었다. 충주 비료, 나주 비료 등 대규모의 공장이 건설되고, 제지, 고무, 유리 공업 분야에서 눈에 띌 만한 성과를 거두었다. 특히 1961년 완성된 충주 비료 공장은 식량 증산을 위한 비료 공급에 크게 기여하였다.

06 밑줄 친 '나'가 집권하여 추진한 사실로 옳은 것은? [2023 국가직 9급]

> 나는 우리 국민이 선천적으로 타고난 재질을 최대한으로 활용하여 다각적인 생산 활동을 더욱 활발하게 하고, … (중략) … 공산품 수출을 진흥시키는 데 가일층 노력할 것을 요망합니다. 끝으로 나는 오늘 제1회 「수출의 날」 기념식에 즈음하여 … (중략) … 이 뜻깊은 날이 자립경제를 앞당기는 또 하나의 계기가 될 것을 기원합니다.

① 대통령 직선제 개헌을 추진하였다.

② 3・1 민주 구국 선언을 발표하였다.

③ 반민족 행위 특별 조사 위원회를 구성하였다.

④ 베트남 파병에 필요한 조건을 명시한 브라운 각서를 체결하였다.

해설

정답 ④

1964년 12월 5일 수출실적 1억 달러 돌파를 기념하는 '제1회 「수출의 날」 기념식'이 대한무역진흥공사 주관으로 서울시민회관에서 열렸다. 밑줄 친 '나'는 박정희이다.

④ 박정희 정부는 베트남 파병에 필요한 조건을 명시한 브라운 각서를 체결하였다(1966).

① 대통령 직선제 개헌은 제1차 개헌(이승만 정부), 제5차 개헌(장면 내각), 제9차 개헌(전두환 정부)이다. 제5차 개헌은 박정희가 주도하였으나, 아직은 정부 수립(집권) 전의 일이다.

② 3・1 민주 구국 선언(1976)은 박정희 정부가 발표한 것이 아니라, 박정희 정부의 유신체제에 대항하여 발표된 선언이다.

③ 반민족 행위 특별 조사 위원회는 이승만 정부 때인 1948년 10월에 구성되었다.

07 다음은 한국 현대사에 발생한 사건들이다. 시기적으로 ㉠과 ㉡ 사이에 들어갈 수 있는 사실은?

[2004 국가직 9급]

> ㉠ 박정희를 중심으로 한 군부세력은 사회 혼란을 구실로 군사정변을 일으켜 정권을 잡았다.
> ㉡ 10월 유신이 단행되어 대통령에게 강력한 통치권을 부여하는 권위주의 통치체제가 구축되었다.

① 자유당의 독재와 부정선거를 규탄하는 대규모 시위가 일어났다.
② 내각책임제와 양원제 국회의 권력 구조로 헌법을 개정하였다.
③ 7년 단임의 대통령을 간접 선거로 선출하는 헌법이 공포되었다.
④ 베트남으로 국군이 파병되었으며, 한일협정이 체결되었다.

해설 정답 ④

㉠은 5·16 군사정변(1961. 5)이고, ㉡은 10월 유신(1972. 10)이다. 편의적으로 박정희 시대를 '전기 박정희'와 '후기 박정희'로 나눈다면, 10월 유신은 그 분기점이 된다. 이 문제는 '전기 박정희' 시대의 사건을 묻는 문제이다. 베트남 파병은 1964년부터 시작되었고, 한일협정은 1965년에 체결되었으니, 두 사건 모두 '전기 박정희' 시대의 사건들이다.

전기 박정희	후기 박정희
1961. 5 ~ 1972. 10	1972. 10 ~ 1979. 10
제3공화국	제4공화국
제1차·제2차 경제개발 5개년 계획	제3차·제4차 경제개발 5개년 계획
1) 국가재건최고회의, 중앙정보부 2) 공화당 조직 3) 한일협정 → 6·3 사태 4) 베트남 파병 → 브라운 각서, SOFA	1) 유신 체제 → 통일주체국민회의, 긴급조치 2) 개헌 청원 1백만인 서명 운동 3) 3·1 민주구국선언 4) YH 무역사건 → 부마항쟁

① 4·19 혁명(1960), ② 제3차 개헌(1960), ③ 제8차 개헌(1980)

08 밑줄 친 '헌법'이 시행 중인 시기에 일어난 사건은?

[2021 국가직 9급]

> 이 헌법은 한 사람의 집권자가 긴급조치라는 형식적인 법 절차와 권력 남용으로 양보할 수 없는 국민의 기본 인권과 존엄성을 억압하였다. 그리고 이러한 권력 남용에 형식적인 합법성을 부여하고자 … (중략) … 입법, 사법, 행정 3권을 한 사람의 집권자에게 집중시키고 있다.

① 부·마 민주 항쟁이 일어났다.
② 국민교육헌장을 선포하였다.
③ 7·4 남북공동성명이 발표되었다.
④ 한일 협정 체결을 반대하는 6·3 시위가 있었다.

해설

정답 ①

'긴급조치'로 '국민의 기본인권과 존엄성을 억압'하였던 헌법은 유신헌법(1972, 제7차 개헌 헌법)이다. 유신헌법은 1972년부터 적용되기 시작하여, 제8차 개헌이 있었던 1980년까지 시행되었다. 이 사이에 부·마 항쟁(1979)이 있었다.

② 국민교육헌장은 1968년에 발표되었다.

③ 7·4 남북공동성명은 1972년에 발표되었다. 유신헌법이 11월부터 적용되었으므로, 7·4 남북공동성명은 유신헌법 시행 이전의 사건이다.

④ 6·3 시위는 1964년에 있었다.

02 유신체제

09 다음 헌법이 적용된 시기에 일어난 사실로 가장 옳은 것은? [2023 법원직 9급]

> 제38조 ① 대통령은 통일에 관한 중요정책을 결정하거나 변경함에 있어서, 국론통일을 위하여 필요하다고 인정할 때에는 통일 주체 국민 회의의 심의에 붙일 수 있다.
> ② 제1항의 경우에 통일 주체 국민 회의에서 재적대의원 과반수의 찬성을 얻은 통일정책은 국민의 총의로 본다.
>
> 제40조 통일 주체 국민 회의는 국회의원 정수의 3분의 1에 해당하는 수의 국회의원을 선거한다.

① 광주 대단지 사건이 일어났다.

② 7·4 남북 공동 성명이 발표되었다.

③ 국가 보위 비상 대책 위원회가 조직되었다.

④ 전태일이 근로기준법 준수를 요구하며 분신하였다.

해설

정답 ③

'통일 주체 국민 회의'에서 중요사항을 심의하고, '국회의원 정수의 3분의 1에 해당하는 수의 국회의원을 선거'하는 것으로 규정한 헌법은 제7차 개정헌법(유신헌법, 1972)이다. 유신헌법이 '적용된 시기'는 제8차 개헌이 있었던 1980년까지이다.

③ 국가 보위 비상 대책 위원회는 1980년 5월 31일 설치되었다. 이후 전두환 정부가 수립되고, 제8차 개헌은 1980년 11월에 있었다. 유신헌법이 '적용된 시기'에 일어난 사실이다.

① 광주 대단지 사건은 박정희 정부 시기인 1971년 8월에 있었다.

② 7 · 4 남북 공동 성명은 박정희 정부 시기인 1972년 7월에 발표되었다. 유신헌법은 1972년 10월에 선포되고, 11월에 국민투표로 확정되었다.

④ 전태일이 근로기준법 준수를 요구하며 분신한 때는 박정희 정부 시기인 1970년 11월이다.

10 그림에 나타난 시기의 정치 상황을 [보기]에서 고른 것은? [2010 수능]

[보기]

㉠ 대통령이 국회의원의 3분의 1을 추천하였다.

㉡ 근대화를 표방하며 민주 공화당이 창당되었다.

㉢ 헌법 개정을 요구하는 민주화 운동이 일어났다.

㉣ 대통령 선거인단이 7년 단임의 대통령을 선출하였다.

① ㉠, ㉡ ② ㉠, ㉢

③ ㉡, ㉢ ④ ㉡, ㉣

⑤ ㉢, ㉣

해설 정답 ②

'3·1 민주 구국 선언'은 1976년 3월 1일 문익환 등의 재야 인사들이 명동성당에 모여 발표한 선언으로 ➲ 2019 서울시 9급, 유신체제를 정면으로 비판하였다. 꽤 긴 3·1 민주 구국 선언의 선언문 중 다른 부분을 발췌한 두 개의 자료에 익숙해지기 바란다.

3·1 민주 구국 선언(1976)
삼권 분립은 허울만 남았다. 국가 안보라는 구실 아래 신앙과 양심의 자유는 날로 위축되어 가고 언론의 자유와 학원의 자주성은 압살당하고 말았다. …… 우리의 비원인 민족 통일을 향해서 국내외로 민주 세력을 키우고 규합하여 한 걸음 한 걸음 착실히 전진해야 할 마당에 이 나라는 1인 독재 아래 인권은 유린되고 자유는 박탈당하고 있다. 우리는 이를 보고 있을 수 없어 …… 이 나라의 먼 앞날을 내다보면서 민주 구국 선언을 선포하는 바이다.
1. 이 나라는 민주주의의 기반 위에 서야 한다.
2. 경제 입국 구상과 자세가 근본적으로 검토되어야 한다.
3. 민족 통일은 오늘 이 겨레가 짊어진 최대의 과업이다.

> 3·1 민주 구국 선언(1976)
> 오늘로 3·1절 쉰일곱 돌을 맞으면서 우리는 1919년 3월 1일 전 세계에 울려 퍼지던 이 민족의 함성, 자주독립을 부르짖던 그 아우성이 쟁쟁히 울려와서 이대로 앉아 있는 것은 구국선열들의 피를 땅에 묻어버리는 죄가 되는 것 같아 우리의 뜻을 모아 '민주구국선언'을 국내외에 선포하고자 한다.
> 1. 이 나라는 민주주의 기반 위에 서야 한다.
> 민주주의는 대한민국의 국시이다. 따라서 대한민국의 정통성은 민주주의에 있다. 그러므로 어떤 구실로도 민주주의가 위축되어서는 안 된다. 이북 공산주의 정권과 치열한 경쟁에 뛰어든 이 마당에 우리가 길러야 할 힘은 민주역량이다. 국방력도, 경제력도 길러야 하지만 민주역량의 뒷받침이 없을 때 그것은 모래 위에 세운 집과 같다. 그러면 민주주의란 무엇인가? … (중략) … 그러므로 우리는 국민의 자유를 억압하는 긴급조치를 곧 철폐하고, 민주주의를 요구하다가 투옥된 민주 인사들과 학생들을 석방하라고 요구한다. 국민의 의사가 자유로이 표명될 수 있도록 집회, 출판의 자유를 국민에게 돌리라고 요구한다. 다음으로 우리는 유신헌법으로 허울만 남은 의회정치가 회복되어야 한다고 주장한다. … (중략) … 셋째로 우리는 사법부의 독립을 촉구한다. 사법권의 독립없이 국민은 강자의 힘찬 실천활동을 계속할 것을 선언한다. … (이하 생략) …

㉠ 유신 체제에서는 대통령이 국회의원 정수의 3분의 1을 추천할 수 있도록 하였다.
㉢ 유신체제에 반대하여 장준하·백기완 등을 중심으로 한 재야인사들의 개헌 청원 1백만인 서명운동이 일어났다(1973. 12).
㉡ 민주공화당은 1963년에 '창당'되어 박정희 정부의 집권당으로 활동하다가, 1980년에 해체하였다.
㉣ 1980년 8월 통일주체국민회의에서 제11대 대통령으로 선출된 전두환은 이 해 10월에 유신헌법을 일부 수정한 신헌법을 제정하여, 대통령임기를 7년 단임으로 하고, 통일주체국민회의와 유사한 '대통령선거인단'이 대통령을 간접 선출하도록 하였다.

11 한국 민주화 운동에 대한 설명 중 적절하지 않은 것은? [2004 국가직 7급]

① 1980년 광주 민주화 운동과정에서 언론보도에 불만을 품은 시위대는 방송국을 불태웠다.
② 학생들은 1970년대 후반에 등장한 신군부 세력에 항의하기 위해 '민족적 민주주의 화형식'을 개최하고, '전국민주청년학생총연맹(약칭 민청학련)'을 조직했다.
③ 1987년 6월 민주항쟁 과정에서 시위대는 대통령 직선제 개헌을 요구했다.
④ 4·19 혁명은 이승만 정권이 자행한 부정선거에 의해 촉발되었다.

해설 정답 ②

민청학련은 '유신 체제에 저항'하기 위하여 조직한 단체이다. 박정희 정부는 이 시기의 민주주의를 '민족적 민주주의', '한국적 민주주의', '행정적 민주주의' 등으로 선전하였지만, 많은 국민은 이를 민주주의로 받아들이지 않았다. 학생들은 민청학련(전국민주청년학생총연맹)을 조직하여 전국적인 연대 투쟁을 벌였으며, 언론인들도 '자유언론 수호투위'를 결성하는 등 저항의 강도를 높여갔다. 이에 정부는 1974년 4월 3일 민청학련이 공산주의자의 배후조종을 받고 국가변론을 기도했다는 '민청학련사건'에 대한 특별담화를 발표하였고, 이어 긴급조치 4호를 선포했다. 이 사건으로 윤보선 전 대통령, 김지하 시인 등 253명이 송치되고, 14명에게 사형이 선고되었다.

명호샘의 **한마디!!**

민청학련 사건(1974. 4)과 관련하여 '인민혁명당 재건위원회 사건'(1974. 4)도 같은 시기의 사건이니 함께 알아두기 바란다.

> 인민혁명당 재건위원회 사건(제2차 인혁당 사건)
> 중앙정보부는 노동악법 철폐, 유신 폐지 등을 요구하는 민청학련의 배후에 북한의 지령을 받고 국가전복을 노리는 인민혁명당 재건위원회가 있다고 주장하며, 관련자들을 처벌하였다. 국가보안법 위반 혐의로 23명이 구속기소되었으며, 이 중 8명은 즉시 사형이 집행되었다.

12 다음 사건들을 일어난 순서대로 바르게 나열한 것은? [2016 서울시 9급]

(가) 김영삼 신민당 당수 국회 제명	(나) 김대중 납치 사건 발생
(다) 유신 헌법의 국민투표 통과	(라) 국민교육헌장 제정
(마) 7·4 남북 공동 성명 발표	

① (라) – (마) – (다) – (가) – (나)
② (라) – (마) – (다) – (나) – (가)
③ (마) – (다) – (라) – (가) – (나)
④ (마) – (다) – (라) – (나) – (가)

해설 정답 ②

제시된 사건들은 모두 박정희 정부에서 있었던 사건들이다.
(라) 국민교육헌장 제정(1968. 12)
(마) 7·4 남북 공동 성명 발표(1972. 7)
(다) 유신 헌법의 국민투표 통과(1972. 11)
(나) 김대중 납치 사건 발생(1973. 8)
(가) 김영삼 신민당 당수 국회 제명(1979. 10)

13 다음 [보기]를 시대 순으로 가장 적절하게 나열한 것은? [2019 경찰특공대]

[보기]

㉠ 한·미 상호 방위 조약 체결	㉡ 사사오입 개헌
㉢ 휴전 협정 조인	㉣ 발췌 개헌
㉤ 향토 예비군 창설	

① ㉣ – ㉢ – ㉠ – ㉡ – ㉤
② ㉢ – ㉠ – ㉣ – ㉤ – ㉡
③ ㉢ – ㉣ – ㉠ – ㉤ – ㉡
④ ㉣ – ㉠ – ㉢ – ㉡ – ㉤

해설 정답 ①

㉣ 발췌 개헌(1952년 7월 7일, 이승만 정부)
㉢ 휴전 협정 조인(1953년 7월 27일, 이승만 정부)
㉠ 한·미 상호 방위 조약 체결(1953년 10월 1일 체결, 1954년 11월 18일 발효, 이승만 정부)
㉡ 사사오입 개헌(1954년 11월 27일, 이승만 정부)
㉤ 향토 예비군 창설(1968년 4월 1일, 박정희 정부)

04 전두환 정부와 노태우 정부

01 다음 대화가 있었을 당시의 상황으로 옳은 것은? [2016 수능]

① 제2차 석유 파동으로 경제 불황을 겪고 있었다.
② 국제 통화 기금의 지원 자금을 모두 상환하였다.
③ 제3차 경제 개발 5개년 계획이 전개되고 있었다.
④ 저유가・저금리・저달러의 3저 호황을 누리고 있었다.
⑤ 미국의 경제 지원 방식이 무상 원조에서 유상 차관으로 전환되었다.

해설 정답 ①

통일주체국민회의는 1972년 10월부터 1980년 10월까지 있었던 기관이다. 통일주체국민회의에서는 1972년 제8대 대통령으로 박정희를, 1978년 제9대 대통령으로 박정희를, 10・26 사태 이후 1979년 12월 제10대 대통령으로 최규하를, 1980년 8월 제11대 대통령으로 전두환을 선출했다. 그러므로 문제의 대화에서 '얼마 전에 통일주체국민회의에서 대통령을 선출'했다면, 1972년, 1978년, 1979년, 1980년 중의 하나이다.

'일부 군인들이 대통령의 재가도 없이 상관인 육군 참모 총장을 연행하고 군사권을 장악'했다는 것은 전두환 등이 육군 참모 총장이자 계엄사령관이었던 정승화를 연행하고 (직전에 통일주체국민회의에서 대통령으로 선출된) 최규하 대통령을 협박하여 사후 승인을 받은 12・12 사태(1979)를 말한다.

① 12・12 사태가 '며칠 전'이라면, 이 대화는 1979년 12월에 있었을 것이다. 이 당시에는 제2차 석유파동(1978~1980)으로 경제 불황을 겪고 있었다.
② 김대중 정부 때인, 2001년 8월 23일 국제통화기금(IMF) 차입금 195억 달러 중 마지막으로 남아 있던 1억4000만 달러를 상환하였다.
③ 제3차 경제 개발 5개년 계획은 1972년부터 1976년까지 추진되었다. 경공업에서 중화학공업으로의 전환을 목표로 하였던 이 기간에 제1차 석유 파동(1974)을 겪게 되어 한국 경제에는 큰 어려움이 있었다.
④ '3저 호황'은 1980년대 중반인 전두환 정부 시기에 나타났던 현상이다. 2020년 국가직 9급 기출에서도 제2차 석유파동(1978~1980)과 OECD 가입(1996) 사이에 '3저 호황' 현상이 있었음을 물었다.
⑤ 1950년대 후반 미국의 경제 지원 방식이 무상 원조에서 유상 차관으로 바뀌었다.

명호샘의 한마디!!

1차 석유파동(1974)

1973년 10월 이스라엘과 아랍 국가 간에 제4차 중동전쟁이 일어났다. 1974년부터 페르시아만의 산유국들이 가격 인상과 감산에 돌입하면서 전세계적으로 유가(油價)가 폭등하였다. 이것을 1차 석유파동(오일 쇼크)이라 한다. 이로 인해 한국도 물가가 치솟고, 무역수지 적자폭이 커졌으며, 성장률은 떨어졌다. 1976년에 가서야 한국 경제는 겨우 정상화되었다.

2차 석유파동(1978~1980)

1978년 이슬람 혁명을 일으킨 이란이 석유 수출을 중단하고, 1980년에 이란과 이라크가 전쟁에 돌입하면서 유가가 다시 폭등하였다. 이것을 2차 석유파동이라 한다. 한국은 석유파동과 10·26 사건 등 정치·경제적 혼란이 겹쳐서 실질 경제 성장률이 마이너스가 되었고, 물가와 실업률이 치솟았다.

02 우리나라의 역대 대통령 선거와 관련된 내용으로 옳지 않은 것은? [2016 서울시 7급]

① 1979년 대통령 선거에서 10대 대통령으로 최규하가 당선되었다.
② 1980년 대통령 선거에서 11대 대통령으로 전두환이 당선되었다.
③ 1978년 대통령 선거에는 민주공화당 후보로 박정희가 단독 출마하였다.
④ 1972년 대통령 선거에는 민주공화당 후보로 박정희, 신민당 후보로 김대중이 출마하였다.

해설 정답 ④

1972년 12월 23일 치러진 제8대 대통령 선거는 유신헌법에 따라 창설된 통일주체국민회의 대의원회의의 간접선거로 이루어졌다. 박정희가 단독 후보로 출마하였으며, 대통령으로 선출되었다. 민주공화당 후보 박정희와 신민당 후보 김대중이 출마하여 경쟁을 벌인 선거는 1971년 4월 27일의 제7대 대통령 선거이다. 다음은 역대 대통령 선거의 내역이다.

* (국): 국회, (통): 통일주체국민회의, (대): 대통령선거인단

대	선거일	당선자	주요 후보	선출방식
1	1948. 7. 20	이승만(대한독립촉성국민회)	이승만(92.3%), 김구, 안재홍	(국) 간선
2	1952. 8. 5	이승만(자유당)	이승만(74.6%), 조봉암(11.4%), 이시영(10.5%)	직선
3	1956. 5. 15	이승만(자유당)	이승만(70.0%), 조봉암(30.0%)	직선
4	1960. 3. 15	〈무효〉	이승만, 조병옥	직선
4	1960. 8. 12	윤보선(민주당)	윤보선(82.0%), 김창숙	(국) 간선
5	1963. 10. 15	박정희(민주공화당)	박정희(46.6%), 윤보선(45.1%)	직선
6	1967. 5. 3	박정희(민주공화당)	박정희(51.4%), 윤보선(40.9%)	직선
7	1971. 4. 27	박정희(민주공화당)	박정희(53.2%), 김대중(45.2%)	직선
8	1972. 12. 23	박정희(민주공화당)	박정희(100%)〈단독후보〉	(통) 간선
9	1978. 7. 6	박정희(민주공화당)	박정희(100%)〈단독후보〉	(통) 간선
10	1979. 12. 6	최규하〈무소속〉	최규하(96.7%)〈단독후보〉	(통) 간선
11	1980. 8. 27	전두환〈무소속〉	전두환(100%)〈단독후보〉	(통) 간선
12	1981. 2. 25	전두환(민주정의당)	전두환(90.2%), 김종철, 김의택	(대) 간선

13	1987. 12. 16	노태우(민주정의당)	노태우(36.6%), 김영삼(28.0%)	직선
14	1992. 12. 18	김영삼(민주자유당)	김영삼(42.0%), 김대중(33.8%)	직선
15	1997. 12. 18	김대중(새정치국민회의)	김대중(40.3%), 이회창(38.7%)	직선
16	2002. 12. 19	노무현(새천년민주당)	노무현(48.9%), 이회창(46.6%)	직선
17	2007. 12. 19	이명박(한나라당)	이명박(48.7%), 정동영(25.1%)	직선
18	2012. 12. 19	박근혜(새누리당)	박근혜(51.6%), 문재인(48.0%)	직선
19	2017. 5. 9	문재인(더불어민주당)	문재인(41.0%), 홍준표(24.0%)	직선
20	2022. 3. 9	윤석열(국민의힘)	윤석열(48.5%), 이재명(47.8%)	직선

03 다음 선언과 관련한 민주주의 운동의 성과는? [2008 법원직 9급]

> 오늘 우리는 전 세계 이목이 주시하는 가운데 40년 독재 정치를 청산하고 희망찬 민주 국가를 건설하기 위한 거보를 전 국민과 함께 내딛는다. 국가의 미래요 소망인 꽃다운 젊은이를 야만적인 고문으로 죽여 놓고 그것도 모자라서 국민을 속이려 했던 현 정권에게 국민의 분노가 무엇인지 분명히 보여 주고, 국민적 여망인 개헌을 일방적으로 파기한 4·13 호헌조치를 철회시키기 위한 민주 장정을 시작한다.

① 강압적 유신 체제의 종말을 맞이하였다.
② 내각 책임제와 국회의 양원제가 실시되었다.
③ 5년 단임의 대통령 직선제 개헌이 이루어졌다.
④ 최초로 평화적 여·야 정권 교체가 이루어졌다.

해설 정답 ③

1987년 전두환 정부는 4·13 호헌조치를 발표하고, 예정대로 신군부 세력인 노태우를 차기 대통령 후보로 선출하였다. 여당 대통령 후보가 선출되던 날 민주화 운동 진영과 야당은 '박종철군 고문 살인·은폐 조작 규탄 및 민주 헌법 쟁취 범국민대회'를 전국 각지에서 동시에 개최하였다(6·10 국민대회). 이 대회를 계기로 국민들의 민주화 요구는 더욱 확산되었고, 범국민적 저항에 직면한 전두환 정부는 마침내 대통령 직선제 개헌, 정치 활동 규제 철폐 등을 담은 시국 수습 방안을 발표하였다(6·29 민주화 선언). 이에 따라 대통령 직선제 선출, 대통령 임기 5년 단임제, 헌법 재판소 설치 등을 골자로 하는 헌법 개정이 이루어졌다(제9차 개헌).

① 1979년 10월 26일 중앙정보부장 김재규가 박정희 대통령을 암살하면서 유신체제는 사실상 붕괴되었다.
② 1960년 4·19 혁명 이후 수립된 장면내각에 대한 설명이다.
④ 1997년 제15대 대통령 선거에서 당시 야당이었던 김대중이 당선되었다. 이것이 최초의 '평화적 여·야 정권 교체'이다.

04 밑줄 친 ㉠과 ㉡에 대한 설명으로 옳은 것은?

[2014 국가직 7급]

> 여야 합의하에 조속히 대통령 직선제 개헌을 하고, ㉠ 새 헌법에 의한 대통령 선거를 통해 평화적 정부 이양을 실현토록 해야겠습니다. 오늘 이 시점에서 저는 사회적 혼란을 극복하고 국민적 화해를 이룩하기 위하여는, ㉡ 대통령 직선제를 택하지 않을 수 없다는 결론에 이르게 되었습니다.

① ㉠ – 노태우 정부 시기에 공포되었다.

② ㉡ – 사사오입 개헌으로 시작되었다.

③ ㉠ – 4·13 호헌 조치로 효력을 유지하였다.

④ ㉡ – 6·10 민주 항쟁의 결실이었다.

해설

정답 ④

'대통령 직선제 개헌'은 제1차 개헌(1952), 제5차 개헌(1962), 제9차 개헌(1987)이다. 이 중 '여야 합의'와 '평화적 정부 이양'과 관련된 직선제 개헌은 '제9차 개헌' 밖에 없다. 제시된 자료는 직선제 개헌을 약속한 6·29 민주화 선언(1987)이다. 이것은 6월 민주항쟁(6·10 민주항쟁)의 결실이다.

> 6·29 민주화 선언의 주요 내용(1987)
> 첫째, 대통령 직선제로 개헌하고 1988년 2월 평화적으로 정부를 이양한다.
> 둘째, 대통령 선거법을 개정하여 자유로운 출마와 경쟁을 공정하게 보장한다.
> 셋째, 국민 화해와 대단결을 위해 시국 관련 사범을 석방한다.
> 넷째, 인간의 기본권을 존중하기 위해 개헌안에 기본권 강화 조항을 보완한다.
> 다섯째, 언론 관련 제도와 관행을 개선하고 언론의 자유성을 최대한 보장한다.
> 여섯째, 지방 자치, 대학의 자율화와 교육 자치를 조속히 실현한다.

① 6·29 민주화 선언은 당시 여당(민주정의당) 대통령 후보였던 노태우가 발표하였다. 이 선언과 제9차 개헌은 (아직은) 전두환 정부 때 이루어졌다.

② 사사오입 개헌이란 제2차 개헌(1954)을 말하는 것으로, 제9차 개헌과는 거리가 멀다.

③ 4·13 호헌 조치로 효력을 유지한 것이 아니라, 4·13 호헌 조치가 오히려 '새 헌법'을 만들게 된 원인이 되었다.

05 다음은 같은 해에 벌어졌던 사건들이다. 이러한 사건들로 말미암아 나타난 사실로 옳은 것은?

[2013 국가직 9급]

> • 박종철 사건
> • 4·13 호헌 조치
> • 6·10 국민 대회 개최
> • 민주헌법쟁취 국민운동본부 결성

① 국가보위 비상대책위원회가 구성되었다.

② 5년 단임의 대통령 직선제 개헌이 이루어졌다.

③ 전국에 계엄령을 선포하고, 모든 정치활동을 정지시켰다.

④ 대통령의 중임 제한을 없애고 간선제를 골자로 하는 헌법을 제정하였다.

해설

정답 ②

1987년에 일어난 다음의 사건들의 발생 순서를 꼭 암기하길.

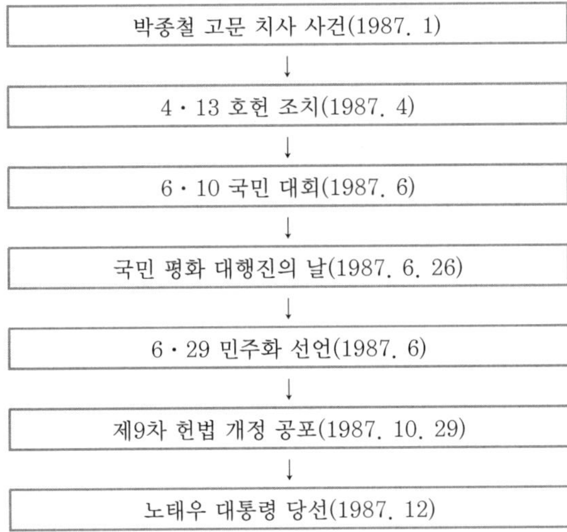

① 국가보위 비상대책 위원회는 1980년 5월 신군부가 5·18 민주화 운동을 진압한 후 설치한 임시 행정 기구이다. 전두환이 대통령으로 선출된 후 (입법권을 가진) '국가 보위 입법 회의'로 개편되었다(1980. 10).

③ 계엄령은 이승만, 박정희, 최규하, 전두환 등이 걸핏하면 선포하였다. 특히 '전국에 계엄령을 선포하고, 모든 정치활동을 정지시켰다.'는 표현은 1980년 5월 17일에 내려진 계엄령과 잘 어울린다. 6월 민주항쟁 때에는 계엄령이 선포되지 않았다.

④ 유신헌법(1972)과 가장 가까운 표현이다.

명호샘의 한마디!!

계엄령(戒嚴令)이란 전쟁, 사변 또는 이에 준하는 국가의 비상 사태시에 '군사권을 발동'하여 치안을 유지하는 최고 통수권자(대통령)의 고유한 권한이다.

1) 이승만 정부의 계엄령

- 1952년 7월 6·25 전쟁 중 임시 수도 부산에서 비상계엄령이 선포되었다. 그리고 발췌 개헌안이 통과되었다.
- 1960년 4월 19일, 서울의 주요 대학과 고등학교까지 시위에 참가하고, 시민들도 합세하였다. 그 중의 일부는 대통령 관저인 경무대를 향하여 돌진하다가 경찰의 총격으로 100여 명이 목숨을 잃었다. 이승만 정부는 시위 확산을 막기 위해 전국 대도시에 계엄령을 선포하였다.

2) 박정희 정부의 계엄령

- 1961년 5월 16일 새벽 박정희 소장을 지도자로 하여 육사 8기생이 중심이 된 청년장교들은 3천 6백여 명의 군대를 이끌고 서울을 점령한 후 비상계엄을 선포하였다.
- 1964년 3월부터 시위가 발생하여 전국적으로 확대되었고, 6월 3일에는 1만여 명이 시위에 참가하였다(6·3 시위). 이에 정부는 계엄령을 선포한 가운데 1965년 6월 22일 한일협정을 체결하였다.
- 1972년 10월 17일 박정희 대통령은 비상계엄을 선포하여 국회를 해산시키고, 비상국무회의에서 유신헌법을 제정하였다.

3) 전두환 정부의 계엄령

1979년 10월 27일 박정희 대통령 피살과 함께 선포된 비상계엄은 1980년 5월까지도 해제되지 않고 있었다. 1980년 5월 17일 계엄령 적용 지역이 확대됐고, 이것은 5·18 민주화 운동의 원인이 되었다. 이 계엄령은 1981년 1월 24일이 되어서야 해제되었다.

06 그림에 나타난 두 운동의 공통점으로 옳은 것은?

[2011 수능]

① 헌법 개정의 계기가 되었다.

② 계엄령 선포 하에서 전개되었다.

③ 과도 정부 수립의 계기가 되었다.

④ 집권 세력의 부정 선거가 발생 원인이었다.

⑤ 군부 독재를 타도하려 한 민주화 운동이었다.

해설

정답 ①

첫 번째 그림은 4·19 혁명(1960)이고, 두 번째 그림은 6월 민주항쟁(1987)이다. 두 민주화 운동 모두 '헌법 개정'의 계기가 되었다.

민주화 운동		개 헌	헌법 개정의 내용
4·19 혁명	→	제3차 개헌	의원내각제(내각책임제) 국회 양원제 채택·실시
6월 민주항쟁	→	제9차 개헌	대통령 직선제 대통령 임기 5년 단임

② 4·19 혁명 때는 계엄령이 선포되었으나, 6월 민주항쟁 때는 계엄령이 선포되지 않았다.
③, ④ 집권 세력의 부정선거가 원인이 되어 발생하고, 과도 정부 수립의 계기가 된 것은 4·19 혁명이다.
⑤ '군부 독재 타도'는 6월 민주항쟁에만 해당한다.

명호샘의 한마디!!

4·19 혁명(1960)과 6월 민주항쟁(1987)의 공통점은 다음과 같다.

1) 헌법 개정으로 이어졌다. (3차 개헌, 9차 개헌)
2) 학생 사망 사건으로 시위가 격화되었다. (김주열 군, 이한열 군)

07 **우리나라의 민주주의 발전을 보여주는 자료를 시대 순으로 바르게 나열한 것은?**

[2007 세무직 9급]

> ㉠ 마산, 서울, 기타 각지의 학생 데모는 주권을 빼앗긴 국민의 울분을 대신하여 궐기한 학생들의 순진한 정의감의 발로이며 부정과 불의에 항거하는 민족정기의 표현이다. …… 3.15 선거는 불법 선거이다. 공명 선거에 의하여 정・부통령 선거를 다시 실시하라.
>
> ㉡ 오늘 우리는 전 세계 이목이 우리를 주시하는 가운데 40년 독재 정치를 청산하고 희망찬 민주 국가를 건설하기 위한 거보를 전 국민과 함께 내딛는다. …… 국민적 여망인 개헌을 일방적으로 파기한 4・13 호헌 조치를 철회시키기 위한 민주 장정을 시작한다.
>
> ㉢ 정부 당국에서는 …… 18일 아침에 각 학교에 공수 부대를 투입하고 이에 반발하는 학생들에게 대검을 꽂고 "돌격 앞으로!"를 감행하였고, 이에 우리 학생들은 다시 거리로 뛰쳐나온 정부 당국의 불법 처사를 규탄하였던 것입니다.
>
> ㉣ 우리는 …… 이 나라의 먼 앞날을 내다보면서 민주 구국 선언을 선포하는 바이다. 1. 이 나라는 민주주의의 기반 위에 서야 한다. 2. 경제 입국의 구상과 자세가 근본적으로 검토되어야 한다. 3. 민족 통일은 오늘 이 겨레가 짊어진 최대의 과업이다.

① ㉠ − ㉡ − ㉢ − ㉣　　② ㉠ − ㉢ − ㉣ − ㉡

③ ㉠ − ㉢ − ㉡ − ㉣　　④ ㉠ − ㉣ − ㉢ − ㉡

해설　　정답 ④

㉠은 4・19 혁명 때 전국 27개 대학 교수단 4백여 명이 발표한 시국 선언문(1960. 4. 25)이다.

> 이번 4・19 참사는 우리 학생운동사상 최대의 비극이요, 이 나라 정치적 위기를 초래한 중대사태이다. 이에 대한 철저한 반성과 규정이 없이는 이 민족의 불행한 운명은 도저히 만회할 길이 없다. 우리 전국대학교 교수들은 이 비상시국에 대처하여 양심의 호소로써 다음과 같이 우리의 소신을 선언한다.
>
> 1. 마산・서울, 기타 각지의 데모는 주권을 빼앗긴 국민의 울분을 대신하여 궐기한 학생들의 순수한 정의감의 발로이며, 불의에는 언제나 항거하는 민족정기의 표현이다.
> 2. 이 데모를 공산당의 조종이나 야당의 사주로 보는 것은 고의의 왜곡이며 학생들의 정의감의 모독이다. … (중략)
>
> …
>
> 5. 3・15 선거는 부정선거다. 공명선거에 의하여 정・부통령을 재선거하라.
> 6. 3・15 부정선거를 조작한 자는 중형에 처해야 한다. … (중략) …
> 9. 모든 구금된 학생을 즉시 석방하라. 설령 파괴와 폭행이 있었더라도 이는 동족의 피살에 흥분된 비정상 상태하의 행동이요, 파괴와 폭동이 그 본의가 아닌 까닭이다. … (중략) …
> 15. 학생제군은 38 이북에서 호시탐탐하는 공산괴뢰들이 제군들의 의거를 1백퍼센트 선전에 이용하고 있다는 사실을 경계하라. 또 이남에서도 종래의 반공명의를 도용하는 방식으로 제군들의 피의 대가를 정치적으로 악이용하려는 불순분자가 있음을 조심하라.
>
> ➲ 4293년 4월 25일 대학교수단

㉣은 유신 헌법의 철폐와 민주주의 각성을 위해 재야 정치인・지성인 등이 발표한 민주 구국 선언서(1976. 3. 1)의 내용이다.
㉢은 신군부 세력에 대항하였던 5・18 민주화 운동 당시의 광주 시민 궐기문(1980. 5. 25)이다.

> 우리는 왜 총을 들 수밖에 없었는가? 그 대답은 너무나 간단합니다. 너무나 무자비한 만행을 더 이상 보고 있을 수만 없어서 너도나도 총을 들고 나섰던 것입니다. …(중략)… 계엄 당국은 18일 오후부터 공수 부대를 대량 투입하여 시내 곳곳에서 학생, 젊은이들에게 무차별 살상을 자행하였으니!
>
> ➲ 「광주 시민군 궐기문」 ➲ 2019 소방

㉡은 6월 민주 항쟁 당시의 6.10 국민 대회 선언문(1987)이다.

08 다음과 같은 내용의 선언문들을 시기 순으로 바르게 나열한 것은? [2010 국가직 9급]

> ㉠ 이제 새 시대의 진군을 알리는 민주 정의의 횃불이 올랐다. 정의 사회를 구현하고 통일 민주 복지 국가를 건설하는 우리의 꿈을 실현할 민족 대행진이 시작되었다.
>
> ㉡ 우리는 4·13 호헌 조치가 무효임을 전 국민의 이름으로 선언하며 이 땅에 민주 헌법이 서고 민주 정부가 확고히 수립될 때까지 이 운동을 전개할 것이다.
>
> ㉢ 우리는 국민의 자유를 억압하는 긴급조치를 철폐하고 국민의 의사가 자유로이 표현될 수 있도록 언론 자유를 국민에게 돌리라고 요구한다.
>
> ㉣ 오늘 이 자리에 모인 우리들은 한마음 한뜻으로 전국 교직원 노동조합의 결성을 위해 힘차게 나아갈 것을 엄숙히 선언한다.

① ㉢ – ㉠ – ㉡ – ㉣ ② ㉢ – ㉡ – ㉠ – ㉣

③ ㉠ – ㉢ – ㉣ – ㉡ ④ ㉠ – ㉣ – ㉡ – ㉢

해설

정답 ①

㉢ 1976년 3·1 민주구국선언문이다. 1976년 3월 1일 재야 인사들은 명동성당에 모여 유신체제를 정면으로 비판하는 구국선언을 발표하였다.

㉠ 1981년 1월 민주정의당의 창당 선언문이다. 민정당은 전두환이 이끄는 신군부 세력이 중심이 되어 만든 정당이다.

㉡ 1987년 6월의 6·10 국민대회선언문이다. 이 대회는 6월 10일 오후 6시 성공회 대성당에서 '4·13 호헌조치는 무효임을 전 국민의 이름으로 선언한다'는 선언문을 낭독하면서 시작되었다.

㉣ 1989년 5월 14일 전교조 발기인대회 선언문이다. 1989년 5월에 조직된 전국교직원노동조합(전교조)은 교육계 전반의 비리개혁과 참교육 실현을 목표로 하였다. 정부는 이들의 움직임을 반체제적인 것으로 규정하여 1989년 이후 수천 명의 교사를 해직하였다.

09 다음 자료와 관련된 사건이 발생한 정권 시기의 사실로 옳지 않은 것은? [2019 기상직 9급]

> …… 헌법 개정의 주체는 오로지 국민이다. 국민 이외의 어느 누구도 이 신성한 권리를 대행하거나 파기할 수 없다. 그러므로 국민적 의사를 전적으로 묵살한 4·13 폭거는 시대적 대세인 민주화를 거스르려는 음모요, 국가 권력의 주인인 국민을 향한 도전장이 아닐 수 없다. ……

① 신한 민주당이 창당되어 국회에 진출하였다.

② 부천경찰서에서 성고문 사건이 발생하였다.

③ 천주교정의구현전국사제단이 조직되었다.

④ 금강산댐 사건으로 위기를 조성하였다.

해설 정답 ③

'국민적 의사를 전적으로 묵살한 4 · 13 폭거'란 4 · 13 호헌조치를 말한다. 이와 관련된 사건은 6월 민주항쟁(1987)이며, 이 사건이 발생한 정권은 '전두환 정부'이다.

① 신한 민주당 창당(1985, 전두환 정부)
② 부천경찰서 성고문 사건(1986, 전두환 정부)
③ 천주교정의구현전국사제단 조직(1974, 박정희 정부)
④ 금강산댐 사건(1986, 전두환 정부)

10 다음 중 노태우 정부 시기에 이루어진 남북 관계의 내용으로 옳은 것은? [2009 국가직 9급]

① 남한과 북한이 동시에 유엔에 가입하였다.
② 7 · 4 남북공동성명을 발표하여 통일 3대 원칙을 마련하였다.
③ 6 · 15 남북공동선언을 발표하여 남북 경제 교류를 활성화시켰다.
④ 금강산 관광 사업을 시작하여 민간 차원에서 교류가 본격화되었다.

해설 정답 ①

노태우 정부(1988. 3 ~ 1993. 2) 시기인 1991년 9월 17일, 남한과 북한이 동시에 유엔에 가입하였다.

② 1972년(박정희 정부) ③ 2000년(김대중 정부) ④ 1998년(김대중 정부)

05 김영삼 · 김대중 · 노무현 정부

01 다음 정책을 시행한 정부에 대한 설명으로 가장 옳은 것은? [2016 법원직 9급]

- 금융 실명 거래 및 비밀 보장에 관한 긴급명령 발표
- 역사 바로 세우기 운동

① 한 · 일 국교를 정상화하였다.
② 국민 연금 제도를 도입하였다.
③ 지방자치제를 전면 실시하였다.
④ 국가보위비상대책위원회를 구성하였다.

해설 정답 ③

금융실명제는 금융기관과의 모든 거래에서 가명이나 차명이 아닌 실명(實名)에 의해 금융거래를 하도록 조치한 제도이다. 한국의 금융실명제는 김영삼 정부 때 '금융실명거래 및 비밀보장에 관한 긴급명령'에 의하여 도입되었다(1993. 8. 12). 김영삼 정부는 출범 직후 '역사 바로 세우기'를 천명하고, 전두환 · 노태우 전직 대통령을 구속하였다.

① '한 · 일 국교 정상화'란 1961년에 체결되고 1965년에 국회를 통과한 한 · 일 회담을 말한다. 박정희 정부 때 일이다.
② 국민 연금 제도는 전두환 정부 말기인 1988년에 10인 이상의 사업장을 대상으로 실시되었다. 이후 그 적용 범위가 점차 확대되어 1999년에는 전 국민 연금 시대가 열렸다.
④ 국가보위비상대책위원회(국보위)는 1980년 5월 31일 전국 비상계엄 아래에서 설치된 신군부의 조직이다. 8월 27일 통일주체국민회의에서 국보위 상임위원장인 전두환이 제11대 대통령으로 선출되었고, 이후 국보위는 국가보위입법회의로 개편되었다.

02 김영삼 정부 시기에 대한 설명으로 옳지 않은 것은? [2021 국회직 9급]

① 「공직자 윤리법」을 개정하여 고위공직자 재산을 공개하였다.
② 탈세와 부정부패를 차단하기 위한 금융실명제를 실시하였다.
③ 지방자치단체장 선출을 포함한 지방자치제를 전면적으로 실시하였다.
④ 「국민기초생활보장법」을 제정하여 저소득층 · 장애인 · 노인 복지를 향상시켰다.
⑤ 전두환, 노태우 두 전직 대통령이 반란죄 및 내란죄로 수감되었다.

해설

정답 ④

「국민기초생활보장법」은 생활 유지 능력이 없거나 생활이 어려운 국민들의 최저 생활을 보장하고 자활을 조성하기 위해 만든 법률로, 김대중 정부 시기인 2000년 10월 1일에 시행되었다.

① 김영삼 정부는 「공직자 윤리법」에 따라 고위 공무원(공직자)의 재산등록을 의무화하였다(1993). ➲ 2021 소방, 2020 소방간부
② 김영삼 정부는 금융실명제를 실시하였다(1993). ➲ 2020 소방간부, 2020 지방직 7급, 2020 법원직 9급
③ 김영삼 정부는 지방자치단체장(광역단체장) 선출을 포함한 지방자치제를 전면적으로 실시하였다(1995). ➲ 2021 법원직 9급, 2018 경찰간부, 2016 법원직 9급
⑤ 김영삼 정부는 신군부 출신의 전두환과 노태우를 12 · 12 사태 및 5 · 18 민주화 운동과 관련하여 반란죄 및 내란죄 혐의로 구속 기소하였다(1995). ➲ 2019 법원직 9급

03 다음 연설을 한 대통령의 집권기에 일어난 사실로 가장 옳은 것은? [2023 법원직 9급]

> 저는 이 순간 엄숙한 마음으로 헌법 제76조 제1항의 규정에 의거하여, 「금융실명 거래 및 비밀보장에 관한 대통령 긴급명령」을 반포합니다. …… 금융실명제에 대한 우리 국민의 합의와 개혁에 대한 강렬한 열망에 비추어 국회의원 여러분이 압도적인 지지로 승인해 주실 것을 믿어 의심치 않습니다. 친애하는 국민 여러분, 드디어 우리는 금융실명제를 실시합니다. 이 시간 이후 모든 금융거래는 실명으로만 이루어집니다. 금융실명제가 실시되지 않고는 이 땅의 부정부패를 원천적으로 봉쇄할 수가 없습니다.

① YH 무역 사건이 일어났다.
② 제4차 경제 개발 계획이 추진되었다.
③ 국민 기초 생활 보장법이 시행되었다.
④ 한국이 경제 협력 개발 기구(OECD)에 가입하였다.

해설

정답 ④

금융실명제에 관한 연설을 한 대통령은 김영삼이다. 김영삼의 집권기는 1993년부터 1998년까지이다.

④ 김영삼 정부 시기인 1996년에 한국은 경제 협력 개발 기구(OECD)에 가입하였다.
① 박정희 정부 시기인 1979년에 YH 무역 사건이 일어났다. 이때 신민당 총재였던 김영삼의 국회의원직이 박탈되었다.
② 제4차 경제 개발 계획은 1977년부터 1981년까지 실시되었다.
③ 김대중 정부 시기인 2000년에 국민 기초 생활 보장법이 시행되었다.

04 다음 연표에서 ㉠ ~ ㉣ 시기의 정치 상황에 대한 설명으로 옳지 않은 것은? [2013 기상직 9급]

1945		1960		1972		1988		1998
	㉠		㉡		㉢		㉣	
광복		4·19 혁명		10월 유신		서울올림픽		김대중 대통령 취임

① ㉠ – 반민법과 반민특위를 구성하였지만 친일파 처벌은 미미하였다.
② ㉡ – 한일 국교 정상화와 베트남 파병으로 경제 개발에 도움이 되었다.
③ ㉢ – 권력 강화와 체제에 도전하는 운동의 탄압 수단인 긴급조치권이 있었다.
④ ㉣ – 외환위기를 극복하고 대북 화해 협력 정책으로 남북 정상회담을 개최하였다.

해설 정답 ④

기업의 구조 조정, 외국 자본 유치, 부실기업 정리 등을 통해 외환 위기를 극복하여 2001년 8월 IMF의 관리 체제에서 벗어난 정부는 '김대중 정부'이다. 대북 화해 협력 정책을 펼쳐 2000년 6월 최초의 남북 정상회담을 성사시킨 정부도 '김대중 정부'이다. ㉣은 노태우 정부(1988~1993)와 김영삼 정부(1993~1998)이다.

① 반민족행위 처벌법 공포(1948), 반민족행위 특별조사위원회 구성(1948)
② 한일 국교 정상화(1965), 베트남 파병(1964~1973)
③ 긴급조치(1974~1979)

05 다음 사실들을 시기 순으로 바르게 나열한 것은? [2016 사회복지직]

㉠ 서울 올림픽 개최
㉡ 한·일 월드컵대회 개최
㉢ 금융실명제 개시(開始)
㉣ 제3차 경제개발 5개년 계획 실시

① ㉠ → ㉣ → ㉡ → ㉢
② ㉡ → ㉢ → ㉣ → ㉠
③ ㉢ → ㉡ → ㉣ → ㉠
④ ㉣ → ㉠ → ㉢ → ㉡

해설 정답 ④

㉣ 제3차 경제개발 5개년 계획 실시(1972) → ㉠ 서울 올림픽 개최(1988. 9) → ㉢ 금융실명제 개시(1993) → ㉡ 한·일 월드컵대회 개최(2002. 5)

06 개헌

01 1952년에 통과된 발췌개헌안의 핵심 내용은? [2011 사회복지직 9급]

① 대통령 간선제 실시
② 내각책임제 실시
③ 초대 대통령의 중임제한 철폐
④ 대통령 직선제와 국회의 국무위원 불신임제

해설

정답 ④

발췌개헌(제1차 개헌, 1952)의 주요 내용은 1) 대통령 직선제, 2) 국회 양원제 도입, 3) 국회의 국무위원 불신임제, 4) 탄핵재판소 설치이다. 발췌개헌안은 국회에서 제출한 양원제 개헌안과 정부가 제출한 대통령 직선제 개헌안 중 일부를 발췌하여 마련하였다.

> 발췌개헌안
> 제31조 입법권은 국회가 행한다. 국회는 민의원과 참의원으로써 구성한다.
> 제53조 대통령과 부통령은 국민의 보통, 평등, 직접 비밀 투표에 의하여 각각 선거한다.
> 부 칙 이 헌법은 공포한 날로부터 시행한다. 단, 참의원에 관한 규정과 참의원의 존재를 전제로 한 규정은 참의원이 구성된 날로부터 시행한다.

① '간선제로의 개헌'은 제3차 개헌(1960), 제7차 개헌(유신헌법, 1972)이다.
② '의원 내각제(내각책임제) 실시'는 제3차 개헌(1960)이다.
③ '초대 대통령의 중임제한 철폐'는 제2차 개헌(사사오입개헌, 1954)이다.

02 1950년대 정치와 사회에 대한 설명으로 가장 옳지 않은 것은? [2016 서울시 9급]

① 이승만 정권은 1951년 국민회, 대한청년당, 노동총연맹, 농민총연맹, 대한부인회 등 우익단체를 토대로 자유당을 조직하였다.
② 이승만 정권은 신국가보안법을 제정하였고 반공청년단을 조직하였으며 진보당의 조봉암을 간첩 혐의로 사형에 처하였다.
③ 미국의 원조로 소비재 공업이 성장하였고 밀가루, 설탕, 면화 산업 등 삼백산업이 중심을 이루었다.
④ 이승만 정권은 1954년 의회에서 부결된 대통령 직선제 개헌안을 사사오입의 논리로 통과시켰다.

해설

정답 ④

이승만 정권(자유당)은 '초대 대통령에 한하여 중임 제한을 철폐한다.'는 내용의 대통령 중심제 개헌안을 국회에 발의하여 표결에 들어갔다. 국회의원 203명 가운데 135명만이 찬성하여 개헌에 필요한 136표를 얻지 못하여 부결되었으나, 자유당은 사사오입(四捨五入)의 이론을 내세워 개헌안을 통과시켰다. '대통령 직선제 개헌안'이 통과된 것은 1952년의 1차 개헌(발췌 개헌)이다.

03 헌법이 다음과 같이 개정된 시기에 볼 수 있는 사회 모습으로 가장 적절한 것은?

[2016 법원직 9급]

> 개헌안에 대한 국회 표결 결과, 재적 의원 203명, 재석 의원 202명, 찬성 135표, 반대 60표, 기권 7표였다. 이것은 헌법 개정에 필요한 의결 정족수(재적 의원의 3분의 2 이상)인 136표에 1표가 부족한 135표 찬성이므로 부결된 것이었다. 그러나 자유당 간부회는 재적 의원 203명의 3분의 2는 135.333…이므로 이를 사사오입하면 135명이 개헌 정족수가 된다고 주장하였다. 이들은 이 주장을 자유당 의원 총회에서 채택하고, 국회에서 야당 의원들이 퇴장한 가운데 '번복 가결 동의안'을 상정하여 통과시켰다.

① 소설 '자유부인'을 읽고 있는 사람들
② 경부고속도로 개통 소식을 전해 듣는 시민
③ 혼・분식 장려 정책으로 도시락 검사를 받는 학생들
④ 반민족 행위 처벌법이 통과되었다는 뉴스를 듣는 시민

해설 정답 ①

제시된 자료에서 설명하는 개헌은 제2차 개헌인 사사오입 개헌(1954. 11. 29)이다. 이 개헌은 초대 대통령에 한하여 중임 제한을 없앤다는 내용을 골자로 한다. ➲ 2018 소방간부 그리고 이 개헌안에는 대통령 궐위시 부통령의 승계, 국무총리제 폐지, 개별 국무위원에 대한 불신임 인정 등이 포함되었다. ➲ 2021 국회직 9급

① 사사오입 개헌이 이루어지기 직전인 1954년 1월부터 8월까지 〈서울신문〉에 소설 '자유부인'이 연재되었다. 그리고 연재가 완료되기 전에 단행본으로 간행되었다. 즉, 1950년대에 6・25 전쟁 직후의 절실한 사회 단면을 파헤친 정비석의 소설 「자유부인」이 출간되었다. ➲ 2018 경찰간부
② 경부고속도로(경부고속국도)는 1968년 2월에 기공하여 1970년 7월에 완공・개통되었다.
③ 혼・분식 장려 정책은 쌀 소비를 줄이기 위해 정부가 주도하여 벌인 식생활 개선 정책이다. 1960년대 이후 박정희 정부는 식량 부족 문제를 해결하고자 쌀 소비를 줄이고 혼식과 분식을 장려하는 정책을 시행하였으며, 1969년 1월부터 매주 수요일과 토요일을 '분식의 날', '쌀이 없는 날'로 지정하였다. 이후 통일벼라는 다수확 품종의 보급으로 쌀의 자급이 달성되자 정부는 1977년 분식의 날을 해제하였다. 그러므로 혼・분식 장려 정책으로 도시락 검사를 받는 학생은 1960년대부터 1977년까지 볼 수 있다.
④ 반민족 행위 처벌법은 1948년 9월 22일에 통과되었다.

04 밑줄 친 '새 헌법'에 대한 설명으로 옳은 것은? [2020 지방직 9급]

> 정부에서는 6월 15일 국회에서 통과된 개헌안을 이송받자 이날 긴급 국무회의를 소집하고 정식으로 이를 공포하였다. 이로써 개정된 새 헌법은 16일 0시를 기해 효력을 발생케 되었다. 새 헌법이 공포됨으로써 16일부터는 실질적인 내각책임제제의 정부를 갖게 되었으며 허정 수석국무위원은 자동으로 국무총리가 된다.
> 『경향신문』, 1960.6.16.

① 임시수도 부산에서 개정되었다.
② '사사오입'의 논리로 통과되었다.
③ 통일주체국민회의 설치를 규정한 조항이 있다.
④ 민의원과 참의원으로 구성된 국회 조항이 있다.

해설 정답 ④

1960년 6월에 국회에서 통과되었으며, '내각책임체제'의 정부를 규정하였고, '허정'의 과도 정부가 개정한 헌법은 '제3차 개헌 헌법'이다. 이 '새 헌법'은 다음과 같은 내용을 골자로 한다.

> 1. 대통령 간선제
> 2. 의원내각제(내각책임제)
> 3. 양원제 의회(민의원, 참의원)

① 임시수도 부산에서 개정된 것은 제1차 개헌 헌법이다(1952).
② '사사오입'의 논리로 통과된 것은 제2차 개헌 헌법이다(1954).
③ 통일주체국민회의 설치를 규정한 조항이 있는 것은 제7차 개헌 헌법(유신헌법)이다(1972).

05 다음 (가) ~ (라)를 내용으로 하는 헌법이 적용되던 시기에 일어난 사건으로 바르게 연결한 것은? [2017 지방직 9급]

> (가) 대통령의 임기는 7년이며 중임할 수 없다.
> (나) 대통령과 부통령은 국회에서 무기명 투표로 각각 선거한다.
> (다) 대통령과 부통령의 임기는 4년으로 하며, 1차 중임할 수 있다. 단, 이 헌법 공포 당시의 대통령에 대하여 중임 제한을 적용하지 아니한다.
> (라) 6년 임기의 대통령은 통일 주체 국민회의에서 선출한다.

① (가) – 남한과 북한은 함께 유엔에 가입하였다.
② (나) – 판문점에서 휴전 협정이 체결되었다.
③ (다) – 평화통일론을 주장한 진보당의 정당등록이 취소되었다.
④ (라) – 민족 통일을 위한 남북 공동 성명이 발표되었다.

해 설 정답 ③

(가) '대통령의 임기는 7년이며 중임할 수 없다.'는 '제8차 개헌(1980)'의 내용이다.
(나) '대통령과 부통령은 국회에서 무기명 투표로 각각 선거한다.'는 '제헌 헌법(1948)'의 내용이다.
(다) '대통령과 부통령의 임기는 4년으로 하며, 1차 중임할 수 있다. 단, 이 헌법 공포 당시의 대통령에 대하여 중임 제한을 적용하지 아니한다.'는 '초대 대통령에 한하여 중임 제한을 철폐'한다는 의미로 '제2차 개헌(1954)'의 내용이다.
(라) '6년 임기의 대통령은 통일 주체 국민회의에서 선출한다.'는 '제7차 개헌(1972, 유신헌법)'의 내용이다.
③ '평화통일론을 주장한 진보당의 정당등록이 취소'된 것은 1958년으로, 이승만 정부 말기이다. 이 시기는 제2차 개헌(1954, 사사오입개헌)과 제3차 개헌(1960) 사이이므로 제2차 개헌 헌법이 적용되는 시기이다.
① '남한과 북한이 함께 유엔에 가입'한 것은 1991년으로, 노태우 정부 때이다. (가)~(라) 중 적합한 것이 없다.
② '판문점에서 휴전 협정이 체결'된 것은 1953년으로, 이승만 정부 때이다. 이 시기는 제1차 개헌(1952) 헌법이 적용되었던 때이므로 (다)와 연결되어야 한다.
④ '민족 통일을 위한 남북 공동 성명' 즉, 7・4 남북 공동성명이 발표된 때는 1972년으로, 박정희 정부 때이다. 제7차 개헌 헌법(유신헌법)은 1972년 10월에 확정되었으므로, 7・4 남북 공동성명되었던 7월에는 아직 유신헌법이 적용되지 않았다.

06 다음과 같은 대통령 선출 방식이 포함된 헌법의 내용으로 옳지 않은 것은? [2022 지방직 9급]

> 제39조 ① 대통령은 통일주체국민회의에서 토론없이 무기명 투표로 선거한다.
> ② 통일주체국민회의에서 재적 대의원 과반수의 찬성을 얻은 자를 대통령당선자로 한다.

① 대통령은 국회를 해산할 수 있다.
② 대통령의 임기는 7년으로 하며, 중임할 수 없다.
③ 대법원장은 대통령이 국회의 동의를 얻어 임명한다.
④ 대통령은 국정 전반에 걸쳐 필요한 긴급조치를 할 수 있다.

해 설 정답 ②

'통일주체국민회의'에서 대통령을 선출하기로 한 헌법은 유신헌법(제7차 개헌)이다. 유신헌법에는 대통령의 임기를 6년으로 하며, 중임할 수 있도록 규정하였다.
① 유신헌법에서 대통령은 국회를 해산할 수 있다. 그러나 국회는 대통령을 탄핵할 수 없다.
③ 유신헌법에서 대법원장은 대통령이 국회의 동의를 얻어 임명한다.
④ 유신헌법에서 대통령은 긴급조치를 할 수 있다.

07 경제성장과 사회의 변화

01 경제발전을 위한 노력

01 다음 법령이 반포되었을 당시의 경제적 상황으로 가장 옳은 것은? [2020 법원직 9급]

> 제2조 본 법에서 귀속 재산이라 함은 … 대한민국 정부에 이양된 일체의 재산을 지칭한다. 단, 농경지는 따로 농지 개혁법에 의하여 처리한다.
>
> 제3조 귀속 재산은 본 법과 본 법의 규정에 의하여 발하는 명령이 정하는 바에 의하여 국용 또는 공유재산, 국영 또는 공영 기업체로 지정되는 것을 제외하고는 대한민국의 국민 또는 법인에게 매각한다.
>
> ➲ 귀속 재산 처리법

① 삼백 산업이 발달하였다.
② 금융실명제가 실시되었다.
③ 수출 100억 달러를 달성하였다.
④ OECD 회원국으로 가입하였다.

해설 정답 ①

귀속 재산이란 1948년 9월 대한민국 정부와 미국 정부간에 체결된 '재정 및 재산에 관한 최초 협정' 제5조에 의하여 대한민국 정부에 양도된 대한민국 영토 안에 있는 일체의 일본의 소유재산을 말한다. (다만 귀속 농지는 농지개혁법에 따른다.) 「귀속 재산 처리법」은 1949년 12월 19일에 제정되어 바로 시행되었고, 해당 시행령은 1950년 3월 30일에 시행되었다. 그러므로 이 법령이 반포되었을 당시란 '이승만 정부'를 말한다. 이승만 정부의 경제정책을 물을 때엔 1) 이승만 정부, 2) 1950년대, 3) 6 · 25 전쟁 직후 등의 표현을 쓴다.

① 이승만 정부의 경제정책 키워드는 1) 삼백 산업, 2) 원조 경제, 3) 산업복구국채 발행, 4) 중앙은행에서 대출이다.
② 1993년 김영삼 정부 때 금융실명제가 실시되었다.
③ 1977년 박정희 정부 때 수출 100억 달러를 달성하였다.
④ 1996년 김영삼 정부 때 OECD 회원국으로 가입하였다.

02 1950년대 이후 한국 사회의 상황에 대한 설명으로 옳은 것은? [2009 국가직 9급]

① 1950년에 시행된 농지 개혁으로 토지가 없던 농민이 토지를 갖게 되었다.
② 1960년대에 임금은 낮았지만 낮은 물가 덕분으로 노동자들이 고통을 겪지는 않았다.
③ 1970년대에 이르러 정부는 노동 3권을 철저히 보장하는 정책을 채택하였다.
④ 1980년대 초부터는 노동조합을 자유롭게 설립할 수 있게 되었다.

해설 정답 ①

이승만 정부는 1949년 「농지개혁법」을 제정하고, 그 다음 해인 1950년 3월에 이 법을 공포하고 시행하였다. 이 농지개혁으로 '토지가 없던 농민'(소작농)이 토지를 갖게 되어 자작농으로 상승하였다.

② 산업화 과정 속에서 정부는 수출품의 가격 경쟁력을 유지하기 위해 '저임금 정책'을 지속하였고, 이를 유지하기 위한 '저곡가 정책'도 실시하였다. 농촌 경제가 파탄에 이르자 농촌 인구가 도시로 유입되어 도시의 인구가 급증하였고, 이것은 노동력의 과잉공급으로 이어져 저임금이 계속 유지되는 악순환이 되풀이 되었다. 이로 인해 노동자와 농민의 삶의 질은 더욱 열악해졌다.

③ 전태일의 분신자살(1970)을 계기로 노동운동이 점차 활발해졌으나, 정부는 노동 운동을 강력히 통제하였다. 1970년대 후반에는 여성 노동자들의 노동 운동을 탄압한 동일방직 사건, YH 무역사건 등이 일어나기도 하였다. '노동 3권'이란 노동자의 인간다운 생활을 보장하기 위해 헌법에서 정한 단결권, 단체교섭권, 단체행동권을 말하는데, 1970년대에는 이 권리들이 보장되지 못하였다.

> 대통령에게 드리는 글(전태일, 1970)
> 저희는 근로 기준법의 혜택을 조금도 못 받으며 종업원의 90% 이상이 평균 연령 18세의 여성입니다. …… 또한, 3만여 명 가운데 40%를 차지하는 보조공들은 평균 연령 15세의 어린이들로서 …… 일반 공무원의 평균 근무 시간이 일주일에 45시간인데 비해, 15세의 어린 보조공들은 일주일에 98시간의 고된 작업에 시달립니다. …… 1일 15시간의 작업 시간을 1일 10~12시간으로 단축해 주십시오. 1개월 휴일 2일을 늘려서 일요일마다 쉬기를 원합니다. …… 절대로 무리한 요구가 아님을 맹세합니다. 인간으로서의 최소한의 요구입니다.

④ 1987년 6월 민주항쟁을 계기로 노동운동이 활발해지고, 노동조합도 크게 증가하였다. 그러나 '1980년대 초반'에는 군사정부의 등장으로 노동운동이 주춤하였고, 노동조합도 자유롭게 설립될 수 없었다.

03 **1960년대 한국 사회에 대한 설명으로 알맞은 것을 고르시오.** [2014 서울시 7급]

> ㉠ 자립 경제의 기반 구축에 역점을 둔 제1차 경제개발계획이 추진되었으며 이에 따라 노동집약적인 경공업을 집중 육성하였다.
> ㉡ 근면, 자조, 협동을 구호로 내건 새마을 운동이 추진되어, 농촌 생활환경 개선과 소득 증대에 일정한 성과를 올렸다.
> ㉢ 면방직, 설탕, 밀가루 등 이른바 삼백산업을 중심으로 소비재 산업이 성장하였다.
> ㉣ 대부분의 노동자들이 낮은 임금과 열악한 노동 조건 속에서 일을 하였으며 법적으로 보장된 권리조차 행사하기 어려웠다.
> ㉤ 대학교, 전문대학 등 고등교육기관의 숫자가 많이 늘어났으며, 대학 진학률도 크게 높아졌다.

① ㉠, ㉡ ② ㉣, ㉤
③ ㉠, ㉢ ④ ㉠, ㉣
⑤ ㉡, ㉣

해설 정답 ④

㉠ 1962년에 시작된 제1차 경제개발 5개년 계획의 목표는 '자립 경제의 구축'이었다. 이를 위해 에너지원을 확보하고 기간 산업과 사회 간접 자본을 확충하려고 하였으며, 값싼 노동력을 이용하여 면직물, 가발 등 노동집약적 경공업을 육성하고 수출을 늘리는 데 힘썼다.

㉣ 1960~1970년대 경제 성장의 한 주역은 노동자였다. 이들의 '낮은 임금'이 만들어낸 '가격경쟁력'을 갖춘 물품들은 해외로 수출되었다. 정부는 '선 성장 후 분배' 논리를 내세워 기업과 자본가 중심의 경제 정책을 추진하였다. 반면 노동자들은 적절한 노동의 대가를 받지 못하였고, 법적으로 보장된 권리마저도 행사하기 어려웠다.

㉡ 새마을 운동은 1970년에 시작되었다.
㉢ 삼백산업 중심의 소비재 산업은 1950년대(6・25 전쟁 후)에 성장하였다.
㉤ 1980년대 이후 교육의 성장이 더욱 두드러졌다. 대학교가 늘어났고, 고등학교 졸업자의 대학 진학률도 크게 높아졌다.

명호샘의 한마디!!

제1차~제4차 경제개발 5개년 계획의 특징을 알아두길 바란다.

계획	내용	성과
제1차 경제 개발 5개년 계획 (1962~1966)	• 자립 경제의 기반 구축(기간산업, 사회 간접 자본 확충) • 노동 집약적인 경공업 집중 육성(섬유, 식료품, 장신구 등) • 일본과 국교 정상화(일본 자본 유치)	연 평균 9.2%에 달하는 성장률(수출은 20배, 1인당 국민총생산은 2배 가까이 증가)
제2차 경제 개발 5개년 계획 (1967~1971)	• 수출 증가, 제조업 발전 • 산업 구조의 근대화 • 경부 고속 국도 개통	
제3차 경제 개발 5개년 계획 (1972~1976)	수출 주도형 중화학 공업화	중화학 공업 연평균 20.9%의 높은 성장률
제4차 경제 개발 5개년 계획 (1977~1981)	• 중화학 공업 크게 성장 (비중 : 2차 산업 〉 1차 산업) • 제조업 중심의 산업 구조	

04 1980년대 경제 상황의 설명으로 바른 것은? [2012 기상직 9급]

① 저금리・저유가・저달러의 '3저 호황'으로 위기를 벗어났다.
② 소비재 중심인 제분, 제당, 면방직 등의 삼백산업이 발달하였다.
③ 우루과이 라운드의 타결로 쌀 시장과 서비스 시장을 개방하였다.
④ 마산과 익산을 수출자유지역으로 선정하여 외자를 유치하였다.

해설

정답 ①

1970년대 말 시작된 경제 위기로 인해, 1980년에는 경제 성장률이 '마이너스 4.8%'를 기록하였다. 이런 위기 속에 등장한 전두환 정부는 중화학 공업에 대한 투자를 조정하고, 부실기업을 정리하는 등 경제 위기를 벗어나려는 노력을 하였다. 1980년대 중반부터 경제가 안정되기 시작하였으며, 1986년부터는 '저유가, 저달러, 저금리'라는 3저 호황 시대를 맞이하면서 수출 부진이 해소되고, 경제위기를 극복할 수 있었다. 그러나 1989년 3저 호황이 막을 내리면서, 경제는 다시 어려워졌다.
② '삼백산업'은 6・25 전쟁 이후인 1950년대의 특징이다.
③ 우루과이라운드 협정은 김영삼 정부 시기인 1993년 12월에 타결되었다. 우리나라는 이 협정으로 상품, 금융, 건설, 유통, 서비스 등 모든 분야에서 외국에 문호를 열어놓게 되었고, 농축산물 14종의 전면 수입자유화를 결정했다. 쌀시장은 유예기간을 둔 후 단계별로 개방하기로 합의하였다. (2015년 전면개방)
④ 수출자유지역은 박정희 정부가 1970년 1월 수출증대와 외국인 투자 유치를 위해 「수출자유지역 설치법」에 따라 설치한 구역이다. 1970년에는 마산을, 1973년에는 이리(현재의 익산)를 수출자유지역으로 지정하였다.

> 마산, 이리(익산)에 수출 자유 지역이 만들어져 많은 외국인 기업이 들어섰다. 또 울산, 포항, 창원, 여천(여수), 구미 등에 새로운 공업단지를 조성하여 철강, 조선, 기계, 전자, 비철금속, 석유 화학 등 중화학 공업이 크게 발전하였다. 2015 경찰

02 현대문화의 성장

05 현대문화의 성장과 발전에 대한 설명으로 옳지 않은 것은? [2010 국가직 9급]

① 1970년대 이후 무비판적으로 수용하였던 서구 문화에 대한 반성이 일어나면서 전통 문화를 되살리는 노력이 펼쳐졌다.

② 1960년대 이후 정치적 민주화와 사회 경제적 평등을 지향하는 민중 문화 활동이 활발하였다.

③ 1987년 6월 민주항쟁을 거치면서 언론에 대한 정부의 통제와 간섭은 줄어들고 언론의 자유는 확대되었다.

④ 1980년대 이후에는 고등교육의 대중화를 위하여 대학이 많이 세워졌다.

해설 정답 ②

대중문화(大衆文化)와 민중문화(民衆文化)는 다른 것이다. 대중문화는 문화산업의 '소비성'이 강조되는 반면, 민중문화는 민중의 '저항성'이 강조되는 개념이다. 박정희 정부 시기의 권위주의적 사회 분위기 속에서 이에 대응한 현실 비판적 '대중문화'가 성장하였다. 이것이 5・18 민주화 운동을 거치며 '민중문화'로 발전해 갔다. 즉 1980년대에 들어 민중문화 활동이 활발해져서, '민중 문학, 민중 미술, 민중 가요' 등이 많이 나타났다.

① 1970년대 이후에는 무분별하게 수용하였던 서구 문화에 대한 반성과 함께 대학가에서 탈춤과 사물놀이가 유행하는 등 전통문화가 대중화되기도 하였다.

③ 1980년대에 권력을 장악한 신군부도 언론인 해직, 언론사 통폐합, 보도지침 등으로 언론을 통제하였다. 그러나 6월 민주항쟁을 계기로 언론계에도 민주화의 물결이 일어 '전국 언론 노동조합 연맹'이 조직되고, 언론의 자유가 확대되었다.

④ 1980년대 이후 교육의 성장은 더욱 두드러졌다. 대학교, 전문대학 등 고등교육기관이 많이 늘어났으며, 고등학교 졸업자의 대학 진학률도 크게 높아졌다.

06 시대별 교육문화의 변화에 대한 설명으로 옳지 않은 것은? [2017 지방직 9급]

① 미군정기 : 미국식 민주주의 교육과 6-3-3학제가 도입되었다.

② 1950년대 : 경제적 어려움 속에서도 초등학교 의무교육제가 시행되었다.

③ 1960년대 : 입시과열을 막기 위해 중학교 무시험 추첨제가 도입되었다.

④ 1970년대 : 국가주의 이념을 강조한 국민교육헌장이 제정되었다.

해설 정답 ④

1968년 박정희 정부는 국민교육헌장을 제정하였다. 즉 1970년대가 아닌 1960년대이다.

① 1949년, 미군정 시기에 6-3-3 학제가 시작되었다.

② 1950년부터 초등학교 의무교육제가 시행되었다. 이에 따라 자녀가 만 6세가 되면 초등학교에 입학시켜야 했다.

③ 1969년, 박정희 정부는 중학교 무시험 추첨제를 도입하였다.

07 **우리나라의 시기별 교육 변화 양상으로 옳지 않은 것은?** [2017 지방직 7급]

① 1960년대 – 중학교 무시험 진학제도가 처음 실시되었다.

② 1970년대 – 처음으로 고등학교 입학시험이 연합고사로 바뀌었다.

③ 1980년대 – 학교 교육과 별개로 사교육인 과외가 활성화되었다.

④ 1990년대 – 대학수학능력시험이 실시되었다.

해설 정답 ③

중학교 무시험 추첨제가 도입되기 전까지는 초등학생(국민학생)도 입시 준비를 위해 열심히 공부해야 했다. 이후 1970년대에는 기업형 과외가 등장하는 등 과외가 성행하게 되었다. 그래서 정부는 1981년 과외 전면 금지와 대학 졸업 정원제를 시행하여 과도한 교육열에 따른 부작용을 최소화하려 하였다.

① 1969년, 박정희 정부는 중학교 무시험 추첨제를 도입하였다.

② 1973년, 박정희 정부는 대도시에서의 고등학교 연합고사와 고교 평준화를 실시하였다.

④ 1994년, 김영삼 정부는 대학수학능력시험을 실시하였다.

08 **다음은 연대별 인구 정책을 상징하는 표어이다. 각 연대별로 일어난 일에 대한 설명으로 옳은 것만을 [보기]에서 모두 고른 것은?** [2017 국가직 9급]

연 대	표 어
(가)	덮어 놓고 낳다 보면 거지꼴을 못 면한다.
(나)	딸 아들 구별 말고 둘만 낳아 잘 기르자.
(다)	잘 키운 딸 하나 열 아들 안 부럽다.

[보기]

㉠ (가) 군사 정부가 '경제개발 5개년 계획'을 추진하였다.

㉡ (나) 유신 체제가 성립되었고, 2차례의 오일쇼크와 중화학공업 과잉 중복 투자에 따른 경제 불황이 있었다.

㉢ (다) 6월 민주 항쟁과 저금리, 저유가, 저달러의 3저호황이 있었다.

① ㉠, ㉡ ② ㉠, ㉢

③ ㉡, ㉢ ④ ㉠, ㉡, ㉢

해설 정답 ④

1960년대 이후 인구 증가를 억제하기 위해 정부는 가족계획 정책을 추진하였다. 각 시대의 구호는 다음과 같다.

1960년대	덮어 놓고 낳다 보면 거지꼴을 못 면한다.
1970년대	딸 아들 구별 말고 둘만 낳아 잘 기르자.
1980년대	잘 키운 딸 하나 열 아들 안 부럽다.

㉠ '경제개발 5개년 계획'은 1960년대인 1962년부터 추진되었다.
㉡ 유신체제 성립(1972), 2차례의 오일쇼크(1974, 1978) 등은 모두 1970년대에 일어났다.
㉢ 6월 민주 항쟁(1987), 3저호황(1980년대 중반)은 모두 1980년대에 일어났다.

08 북한사

01 6·25 전쟁 이전 북한에서 일어난 다음의 사건들을 연대 순으로 바르게 나열한 것은?

[2009 국가직 9급]

㉠ 북조선 5도 행정국 설치 ㉡ 토지개혁 단행
㉢ 북조선 노동당 창당 ㉣ 조선공산당 북조선 분국 조직

① ㉠ – ㉡ – ㉢ – ㉣ ② ㉠ – ㉡ – ㉣ – ㉢
③ ㉡ – ㉠ – ㉣ – ㉢ ④ ㉣ – ㉠ – ㉡ – ㉢

해설 정답 ④

㉣ 미국과 소련이 한반도를 분할 점령한 상태에서 조선공산당도 남한 세력과 북한 세력으로 갈라지기 시작했다. 조선공산당의 북한 세력은 서울 중앙당의 지도력을 문제 삼으며, 북한에서 따로 '조선공산당 북조선 분국'을 설치하였다(1945. 10).
㉠ 광복 직후 결성되었던 평남건국준비위원회는 해체되어 각 지방 인민위원회로 개편되었는데, '조선공산당 북조선 분국' 설치 직후 평양에서 북조선 5도 인민위원회의 연합회의가 소집되었고, 이에 따라 '북조선 5도 행정국'이 정식으로 발족하였다(1945. 10).
㉡ '조선공산당 북조선 분국'은 '북조선 공산당'으로 이름을 바꾸고 김일성을 책임자로 하였으며(1945. 12), 소련은 '북조선 임시 인민위원회'를 결성하였다(1946. 2). 북조선 임시 인민위원회는 친일파를 제거하고, 곧 무상몰수·무상분배를 원칙으로 하는 토지개혁을 단행하였다(1946. 3).
㉢ 북조선 공산당은 북조선 신민당과 통합하여 '북조선 노동당'이 되었다(1946. 8).

명호샘의 한마디!!

'조선 노동당'은 다음과 같이 생겨났다.

조선공산당 북조선 분국(1945. 10) → 북조선 공산당 → '북조선 공산당 + 북조선 신민당' → 북조선 노동당(1946. 8) → '북조선 노동당 + 남조선 노동당' → 조선 노동당(1949. 6)

02 [보기]의 북한정권 수립 과정을 시간 순으로 바르게 나열한 것은? [2018 서울시 9급]

[보기]

㉠ 북조선임시인민위원회 성립
㉡ 조선인민군 창설
㉢ 토지개혁 실시
㉣ 최고인민회의 대의원 선거 실시
㉤ 북조선노동당 결성
㉥ 조선민주주의인민공화국 성립

① ㉠ - ㉡ - ㉢ - ㉣ - ㉤ - ㉥
② ㉠ - ㉢ - ㉤ - ㉡ - ㉣ - ㉥
③ ㉠ - ㉤ - ㉢ - ㉣ - ㉡ - ㉥
④ ㉠ - ㉤ - ㉡ - ㉢ - ㉣ - ㉥

해설

정답 ②

㉠ 북조선임시인민위원회 성립(1946. 2)
⇩
㉢ 토지개혁 실시(1946. 3)
⇩
㉤ 북조선노동당 결성(1946. 8)
⇩
남조선노동당 결성(1946. 11)
⇩
북조선 인민 위원회 수립(1947. 2)
⇩
㉡ 조선인민군 창설(1948. 2)
⇩
㉣ 최고인민회의 대의원 선거 실시(1948. 8)
⇩
㉥ 조선민주주의인민공화국 성립(1948. 9)

03 다음 중 1950년대 북한상황에 대한 설명으로 옳지 않은 것은? [2011 서울시 9급]

① 박헌영 등 남로당계 간부들이 숙청되었다.
② 연안파의 김무정 장군이 숙청되었다.
③ 주민들의 생산노동 참여를 경쟁시키기 위해 '천리마 운동'을 전개하였다.
④ '주체사상'을 노동당의 유일사상으로 규정하였다.
⑤ 농업협동화에 의한 협동농장 건설이 추진되었다.

해설 정답 ④

주체사상은 북한의 실정에 맞춰 수립한 사회주의 사상으로, 김일성 유일 지배체제 구축 및 김일성 개인숭배에 이용되었다. 1960년대 후반, 주체사상은 '지도이념'이 되었고, '노동당의 유일사상'이 되었다.

① 1946년 8월 북한에서는 북조선 노동당(북로당)이 창당되었고, 1946년 11월 남한에서는 남조선 노동당(남로당)이 창당되었다. 1949년 6월 남북의 노동당이 '조선노동당'으로 통합되면서, 남로당도 김일성의 지배하에 들어갔다. 6·25 전쟁 직후 박헌영 등 남로당계 간부들은 여러 명목으로 숙청되었다.

② 1956년 '8월 종파 사건'으로 소련파, 연안파 인물들이 숙청되었다. ➲ 2005 국가직 7급

③ 1956년부터는 노동력을 최대한 동원하여 생산력을 높이기 위해 천리마 운동을 벌였다. 천리마 운동은 생산노동에 참여하여 성적이 좋은 사람을 영웅으로 높여 대중의 생산경쟁을 유도하였다. 이 운동은 초기에는 경제발전에 큰 역할을 하였지만, 대중의 노동력에 의존하는 경제성장 방식은 점차 한계를 드러냈다.

⑤ 북한은 전쟁이 끝난 1954년부터 협동농장을 조직하였다. 전쟁 전에 토지 개혁을 통해 나누어 줬던 토지들을 다시 협동농장으로 귀속시켰다. 농업협동화를 계기로 북한은 토지 사유를 부정하고, 사회주의의 기초를 다지는 단계로 나아갔다.

04 1960년대 북한 정세로 맞는 것은? [2004 서울시 9급]

① 4대 군사노선을 채택하여 군수공업발전에 힘썼다.
② 북조선 임시 인민 위원회를 구성했다.
③ 경제개방 정책으로 합영법·합작법을 제정했다.
④ 3대 혁명 소조 운동을 전개했다.
⑤ 핵무기 확산 방지위해 NPT에 가입했다.

해설 정답 ①

'4대 군사노선'이란 전인민의 무장화, 전국토의 요새화, 전군의 간부화, 전군의 현대화를 말한다. 북한은 1960년대에 4대 군사노선을 강력히 추진하면서 군수공업발전에 박차를 가하였다.

② 북조선 임시 인민 위원회는 1946년 2월에 소련의 주도로 구성되었다.

③ 북한은 경제개방 정책으로, 1984년 9월 외국기업과의 합작을 가능하게 하는 '합영법(합작회사경영법)'을 제정했고, 1991년에는 나진·선봉지구를 경제특구로 지정하면서 외국기업과의 합작과 자본도입을 적극 추진하였다. 1992년 10월에는 '합작법'을 제정하였다.

④ 3대 혁명 소조 운동은 1973년 당 핵심들과 청년인텔리들로 구성된 '작은 지도그룹'을 공장, 기업소, 협동농장에 파견하여 사상·기술·문화의 세 분야에서 혁명을 지도하게 한 운동이다.

⑤ 북한은 1985년 NPT(핵 확산 금지 조약)에 가입하였고, 1993년에 탈퇴하였다.

05 1945년 해방 이후 남북한의 정치 상황에 대한 설명으로 옳은 것은? [2007 국가직 9급]

① 1948년 김일성은 남로당과 연안파 인사들을 배제하고 북한 정부를 구성하였다.
② 1965년 한국군은 UN군의 일원으로 베트남에 파병되었다.
③ 1969년 3선 개헌에 성공한 박정희는 간접선거를 통해 1971년 대통령에 당선되었다.
④ 1972년 북한은 사회주의 헌법을 공포하여 수령 유일 지도 체제를 확립하였다.

해 설

정답 ④

1972년의 7·4 남북공동성명은 남·북한에 의해 정치적으로 이용되었다. 공동성명 이후 남한의 박정희는 유신헌법을, 북한의 김일성은 사회주의 헌법을 제정하고 독재 체제를 강화하였다.

① 1948년 9월 9일 수립된 북한 정부(조선 민주주의 인민공화국)는 갑산파(김일성), 남로당(박헌영), 연안파(김두봉), 소련파 등의 연합 정권이었다.

② 박정희 정부는 1964년부터 1973년까지 베트남에 군대를 파병하였다. 이것은 '미국'의 요청에 의한 것으로, UN군의 일원으로 파병한 것이 아니었다.

③ 1969년 박정희 정부는 여당 의원들만 참석한 가운데 3선 개헌안을 통과시켰다. 이 헌법에 따라 치러진 '직접선거'에서 박정희는 제7대 대통령으로 선출되었다(1971).

09 통일을 위한 노력

01 다음 합의문에 대한 설명으로 옳은 것은? [2013 지방직 9급]

- 통일은 외세에 의존하거나 외세의 간섭을 받음이 없이 자주적으로 해결하여야 한다.
- 통일은 서로 상대방을 반대하는 무력행사에 의거하지 않고 평화적 방법으로 실현하여야 한다.
- 사상과 이념·제도의 차이를 초월하여 우선 하나의 민족으로서 민족적 대단결을 도모하여야 한다.

① 합의문 발표 이후 남북조절위원회가 설치되었다.

② 합의 내용은 6·15 남북공동선언으로 정리되었다.

③ 합의문 중에는 한반도 비핵화 문제가 포함되었다.

④ 합의 결과로 경의선 및 동해선 철도가 연결되었다.

해 설

정답 ①

7·4 남북공동성명(1972)은 자주통일, 평화통일, 민족적 대단결이라는 '통일의 3대 원칙을 천명하였다.' ➲ 2014 서울시 9급

이 합의문을 서울과 평양에서 동시에 발표한 이후 통일문제 협의기구인 '남북조절위원회'가 설치되었다.

원 칙	자주통일, 평화통일, 민족적 대단결
협의기구	남북조절위원회
기 타	• 남북 회담용 직통 전화의 가설 • 북한에 대한 호칭을 괴뢰에서 북한으로 변경
한 계	남북한 정권의 독재 체제 구축에 악용됨

②, ④ 6·15 남북공동선언은 2000년 제1차 남북정상회담에서 발표되었다. 이 선언에 따라 경의선 철도 및 도로 연결에 대한 복구 작업을 시작하여 남과 북은 경의선과 동해선의 동시 시험운행에 합의하였다. 그 후 사업이 지연되긴 하였으나, 2007년 5월 군사분계선을 처음으로 넘는 경의선과 동해선을 시험운행할 수 있었다.

③ 한반도 비핵화에 관한 공동 선언은 1991년에 발표되었다.

02 다음과 같은 남북한의 공동 성명 직후 나타난 상황은? [2008 법원직 9급]

> 첫째, 통일은 외세에 의존하거나 외세의 간섭을 받음이 없이 자주적으로 해결하여야 한다.
> 둘째, 통일은 상대방을 반대하는 무력행사에 의거하지 않고 평화적 방법으로 실현하여야 한다.
> 셋째, 사상과 이념, 제도의 차이를 초월하여 우선 하나의 민족으로서 민족적 대단결을 도모하여야 한다.

① 남한과 북한이 유엔에 동시 가입하고 대화 및 교류를 늘렸다.
② 북한에서는 국가 주석에게 절대적 지위를 부여하는 사회주의 헌법을 만들었다.
③ 김일성의 갑작스러운 죽음과 뒤이은 조문 파동으로 남북관계가 다시 차가워졌다.
④ 북한에서는 서방 사회에 대한 개방과 교역 확대 등의 새로운 변화를 모색하였다.

해설 정답 ②

제시된 자료는 7·4 남북공동성명(1972)의 3대 원칙이다. 7·4 남북공동성명을 계기로 정부는 남북대화를 뒷받침할 수 있는 '국민총화'와 '능률의 극대화'를 내세우며, 실제로는 박정희 대통령의 영구집권과 권력 강화를 위한 유신체제를 준비하고 있었다. 그 결과 '유신헌법'이 공포되었다. 북한도 같은 해 12월 인민민주주의 헌법을 개정하여 '사회주의 헌법'을 제정하였다. 이는 국가 권력을 주석에게 몰아준 것으로, 주석에 직속된 '중앙인민위원회'에 행정, 입법, 사법의 모든 권력을 집중시켜 절대 권력을 구축하였다.

① 남북한 유엔 동시 가입은 1991년이다.
③ 김영삼 대통령은 북한의 김일성 주석과 남북 정상회담 개최를 합의하였다. 그러나 남북 정상회담을 며칠 앞두고 김일성이 사망함으로써, 정상 회담은 열리지 못하였다(1994). 오히려 김일성에 대한 조문 문제로 남북 관계는 다시 경색되었다.
④ 북한은 1984년 합영법(합작 회사 경영법)을 제정하여 외국자본과의 합작을 공식적으로 법제화하면서, 개혁·개방 정책을 펼쳤다.

03 밑줄 친 '합의'에 대한 설명으로 옳은 것을 [보기]에서 모두 고르면? [2014 국가직 7급]

> 쌍방 사이의 관계가 나라와 나라 사이의 관계가 아닌 통일을 지향하는 과정에서 잠정적으로 형성되는 특수 관계라는 것을 인정하고, 평화통일을 성취하기 위한 공동의 노력을 경주할 것을 다짐하면서, 다음과 같이 <u>합의</u>하였다. 제1조 남과 북은 서로 상대방의 체제를 인정하고 존중한다.

[보기]

㉠ 남북의 정상이 만나서 약속한 것이다.
㉡ 남북이 동시에 유엔에 가입하는 계기가 되었다.
㉢ 군사 당국자 간의 직통 전화를 가설하기로 하였다.
㉣ 남북 불가침을 위한 남북 군사공동위원회 설치를 명시하였다.

① ㉠, ㉡
② ㉠, ㉣
③ ㉡, ㉢
④ ㉢, ㉣

해설

정답 ④

남북의 관계를 국가 대 국가의 관계가 아닌 '잠정적으로 형성되는 특수 관계'로 보고, 서로 '상대방의 체제를 인정'한 공동 합의는 남북기본합의서(1991)이다. 남북기본합의서는 화해, 불가침, 교류・협력을 강조한다. 이 중 특히 불가침(상대방을 무력으로 침략하지 않는다)의 실천사항으로 제시된 것이 1) 군사 당국자 간의 직통전화 가설, 2) 남북 군사공동위원회의 설치이다.

> 남북 사이의 화해와 불가침 및 교류・협력에 관한 합의서(1991)
>
> 남과 북은 분단된 조국의 평화적 통일을 염원하는 온 겨레의 뜻에 따라, 7.4 남북 공동성명에서 천명된 조국 통일 3대 원칙을 재확인하고, 정치・군사적 대결 상태를 해소하여 민족적 화해를 이룩하고, 무력에 의한 침략과 충돌을 막고 긴장 완화와 평화를 보장하며, 다각적인 교류・협력을 실현하여 민족 공동의 이익과 번영을 도모하며, 쌍방 사이의 관계가 나라와 나라 사이의 관계가 아닌 통일을 지향하는 과정에서 잠정적으로 형성되는 특수 관계라는 것을 인정하고, 평화 통일을 성취하기 위한 공동의 노력을 경주할 것을 다짐하면서, 다음과 같이 합의하였다.
>
> 제1조 남과 북은 서로 상대방의 체제를 인정하고 존중한다.
>
> 제4조 남과 북은 상대방을 파괴・전복하려는 일체 행위를 하지 아니한다.
>
> 제9조 남과 북은 상대방에 대하여 무력을 사용하지 않으며 상대방을 무력으로 침략하지 아니한다.
>
> 제15조 남과 북은 민족 경제의 통일적이며 균형적인 발전과 민족 전체의 복리 향상을 도모하기 위하여 자원의 공동 개발, 민족 내부 교류로서의 물자 교류, 합작 투자 등 경제 교류와 협력을 실시한다.

㉠ 남북 정상회담은 두 번 있었다. 2000년에 '김대중－김정일'이 만나서 약속한 것은 '6・15 남북 공동 선언'이고, 2007년에 '노무현－김정일'이 만나서 약속한 것은 '10・4 선언(남북 관계 발전과 평화 번영을 위한 선언)'이다.

㉡ 1991년 9월 남북한이 함께 UN에 가입한 후, 그 해 12월에 남북기본합의서가 채택되었다.

04 (가), (나) 발표 시기의 사이에 있었던 사실로 옳지 않은 것은? [2012 지방직 9급]

> (가) 통일은 외세에 의존하거나 외세의 간섭을 받음이 없이 자주적으로 해결하여야 한다. 통일은 서로 상대방을 반대하는 무력행사에 의거하지 않고 평화적인 방법으로 실현하여야 한다. 사상과 이념 제도의 차이를 초월하여 우선 하나의 민족으로서 민족적 대단결을 도모하여야 한다.
>
> (나) 남과 북은 나라의 통일을 위한 남측의 연합제안과 북측의 낮은 단계의 연방제 안이 서로 공통성이 있다고 인정하고, 앞으로 이 방향에서 통일을 지향시켜 나가기로 하였다.

① 경의선 철도가 다시 연결되었다.

② 북한에서 국가 주석제가 도입되었다.

③ 남북 이산가족이 서울과 평양을 처음 방문하였다.

④ 한반도 비핵화에 관한 공동 선언이 채택되었다.

해설

정답 ①

(가)는 7・4 남북공동성명(1972)이고, (나)는 6・15 남북공동선언(2000)이다. 그러므로 '(가), (나) 발표 시기의 사이'란 '1972년 7월~2000년 6월'이다.

① 경의선 철도 복원 기공식은 2000년 9월에 있었고, '다시 연결'되어 시험운행이 이루어진 것은 2007년이다. 그러므로 (나) 이후에 있었던 사건이다.

② 북한에서는 1972년 사회주의 헌법을 공포하면서 주석제가 도입되었다.

③ 1985년 전두환 정부 때 '이산가족 방문 및 예술 공연단 교환방문에 관한 합의서'가 체결되었다. 이 합의를 바탕으로 남과 북의 '고향방문단'이 각각 평양과 서울을 방문하였다.

④ 1991년 노태우 정부 때 한반도 비핵화에 관한 공동 선언이 채택되었다.

05 **(가)와 (나) 사이의 시기에 있었던 사실을 [보기]에서 모두 고른 것은?** [2014 서울시 7급]

> (가) 남과 북은 … 쌍방 사이의 관계가 나라와 나라 사이의 관계가 아닌 통일을 지향하는 과정에서 잠정적으로 형성되는 특수 관계라는 것을 인정하고, 평화 통일을 성취하기 위한 공동의 노력을 경주할 것을 다짐하면서 다음과 같이 합의하였다.
>
> (나) 남과 북은 나라의 통일을 위한 남측의 연합제 안과 북측의 낮은 단계의 연방제 안이 서로 공통성이 있다고 인정하고 앞으로 이 방향에서 통일을 지향시켜 나가기로 하였다.

> [보기]
>
> ㉠ 남북조절위원회를 설치하였다.
> ㉡ 경의선 철도 복원 기공식을 가졌다.
> ㉢ 최초로 남북한 이산 가족의 상봉이 이루어졌다.
> ㉣ 한반도 에너지 개발기구(KEDO)가 발족하였다.
> ㉤ 배를 이용한 금강산 관광이 처음으로 시작되었다.

① ㉠, ㉡　　② ㉡, ㉢
③ ㉢, ㉣　　④ ㉣, ㉤
⑤ ㉠, ㉤

해설 정답 ④

'나라와 나라 사이가 아닌 특수한 관계'는 노태우 정부 시기의 1991년 12월 남북기본합의서, '연합제 안과 낮은 단계의 연방제 안'은 김대중 정부 시기의 2000년 6·15 남북공동선언이다. 이 사이의 일을 묻는 문제이므로 '노태우 정부 후반, 김영삼 정부, 김대중 정부 초기'의 사건을 찾으면 된다.

㉣ 한반도 에너지 개발기구(KEDO)는 1995년 3월에 발족한 단체로 북한에 대한 경수로 제공(LWR project)을 전담하는 다국적 컨소시엄이었다. 2006년 5월 31일 활동을 중지하였다.
㉤ 금강산 관광은 김대중 정부 초기인 1998년 11월에 시작되었다.
㉠ 1972년 7·4 남북공동성명이 발표된 후, 그 해 11월에 남북조절위원회가 설치되었다. 그러므로 (가) 이전이다. 남북조절위원회는 1973년 김대중 납치사건으로 중단되었다.
㉡ 경의선 철도 복원 기공식은 2000년 9월이다. (나) 이후의 일이다.
㉢ 최초의 남북이산가족 상봉은 1985년 9월 이산가족 고향방문 및 예술 공연단의 동시교환으로 이뤄졌다.

06 (가)가 발표된 시점과 (나)가 발표된 시점 사이에 있었던 사실로 가장 적절하지 않은 것은?

[2016 경찰]

> (가) 첫째, 통일은 외세에 의존하거나 외세의 간섭을 받음이 없이 자주적으로 해결하여야 한다.
> 둘째, 통일은 서로 상대방을 반대하는 무력행사에 의거하지 않고 평화적인 방법으로 실현하여야 한다.
> 셋째, 사상과 이념, 제도의 차이를 초월하여 우선 하나의 민족으로서 민족적 대단결을 도모하여야 한다.
> (나) 제1조 남과 북은 서로 상대방의 체제를 인정하고 존중한다.
> 제4조 남과 북은 상대방을 파괴・전복하려는 일체 행위를 하지 아니한다.
> 제15조 남과 북은 민족 경제의 통일적이며 균형적인 발전과 민족 전체의 복리 향상을 도모하기 위하여 자원의 공동 개발, 민족 내부 교류로서의 물자 교류, 합작 투자 등 경제 교류와 협력을 실시한다.

① 6・23 평화통일외교정책선언이 발표되었다.

② 통일을 위한 남측의 연합제 안과 북측의 낮은 단계의 연방제 안의 공통성을 인정하는 선언을 발표하였다.

③ 남북한이 동시에 유엔에 가입하였다.

④ 분단 이후 최초로 남북한 이산가족의 상봉이 실현되었다.

해설

정답 ②

(가)는 7・4 남북 공동성명(1972)이고, (나)는 남북기본합의서(1991)이다.

① 6・23 평화통일 외교정책 선언 발표(1973)

③ 남북한 동시 유엔 가입(1991. 9)

④ 최초 남북한 이산가족 상봉(1985. 9)

② 6・15 남북공동선언(2000. 6)

07 (가), (나) 사이 시기에 있었던 사실로 가장 옳은 것은?

[2022 법원직 9급]

> (가) 남과 북은 상대방에 대하여 무력을 사용하지 않으며 상대방을 무력으로 침략하지 아니한다. …… 민족 전체의 복리향상을 도모하기 위하여 자원의 공동개발, 민족 내부 교류로서의 물자교류, 합작투자 등 경제교류와 협력을 실시한다.
> (나) 남과 북은 나라의 통일을 위한 남측의 연합제 안과 북측의 낮은 단계의 연방제 안이 서로 공통성이 있다고 인정하고 앞으로 이 방향에서 통일을 지향시켜 나가기로 하였다.

① 남북조절위원회가 설치되었다.

② 금강산 관광 사업이 시작되었다.

③ 제2차 남북 정상 회담이 개최되었다.

④ 남북 이산가족 상봉이 최초로 이루어졌다.

해설 정답 ②

(가)는 남북기본합의서(1991)이고, (나)는 6 · 15 공동 선언(2000)이다. (가)와 (나) 사이 시기에 금강산 관광 사업이 시작되었다(1998).

① 7 · 4 남북 공동 성명(1972)의 결과, 남북조절위원회가 설치되었다.

③ 2007년(노무현 정부)에 제2차 남북 정상 회담이 개최되었다.

④ 1985년(전두환 정부)에 남북 이산가족 상봉이 최초로 이루어졌다.

08 **(가) ~ (라)의 통일 정책을 합의한 정부에 대한 설명으로 옳은 것은?** [2016 기상직 9급]

(가) 1. 나라의 통일 문제를 우리 민족끼리 서로 힘을 합쳐 자주적으로 해결해 나가기로 하였다.
2. 나라의 통일을 위한 남측의 연합제 안과 북측의 낮은 단계의 연방제 안이 서로 공통성이 있다고 인정하고, 이 방향에서 통일을 지향하기로 하였다.

(나) 1. 통일은 외세에 의존하거나 외세의 간섭을 받지 않고 자주적으로 해결해야 한다.
2. 통일은 상대를 반대하는 무력 행사에 의거하지 않고 평화적 방법으로 실현해야 한다.
3. 사상과 이념, 제도의 차이를 초월하여 하나의 민족으로서 민족적 대단결을 도모하여야 한다.

(다) 1. 남과 북은 서로 상대방의 체제를 인정하고 존중한다.
9. 남과 북은 상대방에 대하여 무력을 사용하지 않으며 상대방을 무력으로 침략하지 아니한다.

(라) 1. 6 · 15 공동 선언을 고수하고 적극 구현해 나간다.
4. 현 정전 체제를 종식시키고 항구적인 평화 체제를 구축하기 위한 종전 선언을 협력해 추진하기로 하였다.

① (가) – 탈세와 부정부패를 막기 위해 금융실명제를 실시하였다.

② (나) – 3저 호황을 통해 무역수지 흑자를 달성하였다.

③ (다) – 북방외교를 통해 공산권 국가들과 외교 관계를 맺었다.

④ (라) – 국제 통화 기금(IMF)의 지원금을 앞당겨 상환하여 위기를 극복하였다.

해설 정답 ③

(가) 6 · 15 남북공동선언(2000, 김대중 정부), (나) 7 · 4 남북공동성명(1972, 박정희 정부), (다) 남북기본합의서(1991, 노태우 정부), (라) 남북정상선언(10 · 4 선언, 남북 관계 발전과 평화 번영을 위한 선언, 2007, 노무현 정부)

① 김영삼 정부, ② 전두환 정부, ③ 노태우 정부, ④ 김대중 정부

명호샘의 한마디!!

네 차례의 공동 선언 및 합의서를 정리한다. 출제되었던 포인트를 정확히 기억하자.

7·4 남북공동성명 (1972)	• 남북 상호 밀사 교환을 거쳐 발표하였다. • 자주통일, 평화통일, 민족적 대단결이라는 3대 원칙을 천명하였다. • 후속 사업을 위해 남북조절위원회를 설치하였다. ➲ 2022 법원직 9급, 2020 소방간부, 2020 경찰간부, 2018 서울시 9급, 2018 지방직 9급 • 남북 회담용 직통 전화를 가설하였다. • 북한에 대한 호칭을 괴뢰에서 북한으로 변경하였다.
남북기본합의서 (1991)	• 냉전 체제 붕괴와 정부의 북방 정책이라는 정세를 배경으로 하였다. • 남북 화해, 불가침, 교류 협력을 내세웠다. • 남과 북은 서로 상대방의 체제를 인정하고 존중한다. ➲ 2022 서울시 9급, 2019 소방간부, 2018 법원직 9급, 2017 경찰 • 남과 북은 잠정적으로 형성되는 특수 관계로 인정하였다. ➲ 2022 서울시 9급, 2018 법원직 9급 • 한반도 비핵화에 관한 공동 선언으로 이어졌다. • 군사 당국자 간의 직통 전화를 가설하기로 하였다. ➲ 2014 국가직 7급
6·15 공동선언 (2000)	• 김대중 정부의 햇볕 정책을 배경으로 추진되었다. • 평양에서 최초로 열린 남북 정상회담에서 합의되었다. • 남북의 경제, 문화, 예술 등의 교류와 협력 사업 활성화를 주 내용으로 하였다. • 남북 경의선 철도 복원 기공식으로 이어졌다. ➲ 2020 경찰간부, 2018 법원직 9급, 2018 서울시 9급
10·4 정상선언 (2007)	• 두 번째 남북 정상회담에서 합의되었다. • 남북 관계 발전과 평화 번영을 위한 선언이라고도 한다. • '서해 평화 협력 특별 지대' 설치를 약속하였다. ➲ 2015 경찰, 2009 국가직 7급

제2의 기본서와 같은 상세한 해설

이명호 한국사 상세한 해설 기출문제집

이명호
한국사

제2의 기본서와 같은 상세한 해설

이명호 **한국사 기출로 적중**

P/A/R/T 5

주제별 기출분석

CHAPTER

01 종교사

01 한국 도교사

01 우리나라 도교에 대한 설명으로 옳지 않은 것은? [2013 국가직 7급]

① 고구려에서는 연개소문이 도교진흥정책을 써서 불교사찰을 도관(道觀)으로 쓰기도 했다.
② 유학자 최치원은 도교와 불교에도 조예가 깊어 삼교를 회통한 사상가로 추앙받았다.
③ 고려 문종 때 복원궁이라는 도교 사원을 세우고 본격적으로 도교를 보급하였다.
④ 조선 초기에는 소격서라는 관청을 두고 일월성신에 대한 제사로서 초제를 주관하게 했다.

해설 정답 ③

고려 '예종' 때 복원궁이라는 우리나라 최초의 도교 사원이 건립되었다.

① 고구려 영류왕 때(624) 연개소문은 당에서 도교를 수입하여 융성시키는 반면 귀족 세력의 후원을 받던 불교는 탄압하였다. 심지어는 불교 사찰을 빼앗아 도관(道觀, 도교의 사원)으로 쓰기도 했다.

② 최치원은 유학자인 동시에 도교와 불교에도 조예가 깊어 후세에 유(儒), 불(佛), 도(道) 삼교(三敎)를 회통한 사상가로 추앙을 받았다. 최치원이 유교와 불교를 함께 이해하고 있는 사상은 사산비명(四山碑銘)에 반영되었으며, 도교 사상에 대한 관심은 난랑비서에 반영되었다. 다음 자료가 출제되면 '화랑도' 문제이다.

> 나라에 현묘(玄妙)한 도가 있으니 풍류(風流)라 한다. 실로 이는 삼교(三敎)를 포함하고 뭇 백성들을 교화한다. 이를테면 들어와서는 집안에서 효를 행하고 나가서는 나라에 충성함은 노나라 사구(司寇)의 가르침이고, 하였다고 자랑함이 없는 일을 하고 말 없는 가르침을 행함은 주나라 주사(柱史)의 뜻이며, 모든 악을 짓지 말고 모든 선을 받들어 행하라 함은 축건태자의 교화이다. ➲ 난랑비서, 최치원

④ 조선왕조는 성리학을 통치 이념으로 하는 국가로서 불교, 도교, 무속을 이단으로 배척하였다. 그래서 조선 초기부터 도관이 대폭 정리되고, 도교 행사도 줄어들었지만, '제천 행사'만큼은 국가의 권위를 높이는 기능이 있어서 소격서(昭格署)라는 관청을 두면서까지 초제(도교의 제사)를 주관하게 하였다. 초제는 궁중, 강화도 마니산 참성단 등에서 행하였다.

02 다음에서 설명하는 사상과 가장 거리가 먼 것은? [2004 선관위 9급 변형]

> 불로장생과 현세구복을 추구하고 민간신앙과 결합하여 번성하였다. 인위적인 도덕이나 제도를 부정하고 무위자연을 주장하였다.

① 백제 봉래산 금동 대향로
② 고려 팔관회
③ 신라 화랑도
④ 발해 상경의 주작대로

해설 정답 ④

주작대로는 발해 상경 용천부의 시가지를 남북으로 관통하는 중앙 도로이다. 이것은 '당 문화의 영향'의 답이며, 도교와는 관련이 없다.

① 봉래산 금동 대향로는 '신선'들이 사는 이상 세계를 표현하고 있으므로, 도교의 영향을 받은 것이다. 이 금동 대향로는 1993년 부여 능산리 절터에서 발견되었다. 동으로 만들고 금으로 도색한 이 향로는 64센티미터 높이에 꿈틀거리는 용모습을 받침대로 하여 그릇의 표면에 연꽃무늬가 새겨져 있으며, 뚜껑에는 신선이 산다는 봉래산이 화려하게 조각되어 있고, 그 위에는 금방이라도 날아갈 것 같은 봉황이 앉아 있다.

② 팔관회는 전통적인 제천행사와 도교의 초제(醮祭), 불교행사가 합쳐진 종합적인 종교 행사였다.

③ 신라의 화랑도(花郎道)는 고유의 '신선' 사상을 바탕으로 유교와 불교윤리가 복합적으로 나타나는 조직이다. 특히 화랑도를 국선도, 풍류도, 풍월도 등으로 부르는 것에서 도교적 요소를 찾아볼 수 있다. 화랑도를 지도하기 위하여 원광이 지은 세속오계 중 '임전무퇴'에도 도교적 특성이 나타난다. 이는 전쟁에 나갔을 때 함부로 후퇴하지 말라는 의미로 도교의 상무(尙武)적인 기풍과 일맥상통하기 때문이다.

명호샘의 한마디!!

1) 사신도, 2) 사택지적비, 3) 정효공주 묘지, 4) 안압지, 5) 초제 및 참성단, 6) 소격서, 7) 팔관회, 8) 금동대향로, 9) 화랑도, 10) 무령왕릉 지석도 도교의 영향을 받은 것들이다.

03 다음 그림에 대한 설명으로 옳지 않은 것은? [2012 지방직 9급]

① 사신도의 하나로, 북쪽 방위신이다.

② 돌무지덧널무덤의 벽면에 그려진 것이다.

③ 죽은 자의 사후세계를 지켜 주리라는 믿음을 표현하였다.

④ 고구려 시대의 고분에 그려졌는데 도교의 영향이 나타나 있다.

해설 정답 ②

제시된 그림은 강서대묘의 사신도 중 '현무' 그림이다. 돌무지덧널무덤에는 널방이 없으므로 무덤 구조상 벽화를 그릴 수가 없다. 또한 제시된 그림은 고구려의 벽화인데, 돌무지덧널무덤은 고구려에서는 발견되지 않는다.

04 (가) 인물의 활동으로 옳은 것은? [2019 기상직 9급]

> 건무 왕 재위 25년에 (가)이/가 왕을 죽이고 장(臧)을 세워 왕위를 계승하게 하였다. …… (가)이/가 죽고 장자인 남생이 대신 막리지가 되었다. 『삼국사기』

① 신라에 투항하여 보덕국왕에 봉해졌다.
② 의열사(義烈祠)와 충곡서원에 제향되었다.
③ 비담, 염종 등이 일으킨 반란을 진압하였다.
④ 숙달 등 8명의 도사를 맞아들이고 도교를 육성하였다.

해설 정답 ④

'건무 왕'은 연개소문에 의해 시해당한 '영류왕'을 말한다. 연개소문은 영류왕을 죽이고 '장(臧)'을 왕으로 세웠는데, 이 '장(臧)'이 고구려의 마지막 왕 '보장왕'이다. 연개소문이 죽자 장자인 남생이 대신 막리지가 되었다. (가)는 연개소문이다.
④ 연개소문은 당으로부터 숙달 등 8명의 도사를 맞아들이고 도교를 육성하였다.

> [보장왕 2년(643)] 3월 연개소문(淵蓋蘇文)이 왕에게 아뢰기를, "삼교(三敎)는 비유하자면 솥의 발과 같아서 하나라도 없어서는 안 됩니다. 지금 유교와 불교는 모두 흥하는데 도교는 아직 성하지 않으니, 이른바 천하의 도술(道術)을 갖추었다고 할 수 없습니다. 엎드려 청하오니 당(唐)나라에 사신을 보내 도교를 구하여 와서 나라 사람들을 가르치게 하소서."라고 하였다. 대왕이 매우 그러하다고 여기고 표(表)를 올려서 (도교를) 요청하였다. 태종(太宗)이 도사(道士) 숙달(叔達) 등 8명을 보내고, 이와 함께 노자(老子)의 『도덕경(道德經)』을 보내주었다. 왕이 기뻐하여 불교 사찰을 빼앗아 이들을 머물도록 하였다. 『삼국사기』, 「고구려본기」, 2021 지방직 9급

① 신라에 투항하여 보덕국왕에 봉해진 인물은 '안승'이다.
② 의열사(義烈祠)와 충곡서원에 제향된 인물은 '계백'이다.
③ 비담, 염종 등이 일으킨 반란을 진압한 인물은 '김유신'이다.

05 (가) 종교가 반영된 문화유산의 사례로 가장 적절한 것은? [2022 법원직 9급]

> 불로장생과 신선이 되기를 추구하는 (가) 은/는 삼국에 전래 되어 귀족 사회를 중심으로 유행했으며 예술에도 많은 영향을 주었다. 7세기 고구려의 연개소문은 귀족과 연결된 불교 세력을 억누르기 위해 (가) 을/를 장려하는 정책을 펼쳤다.

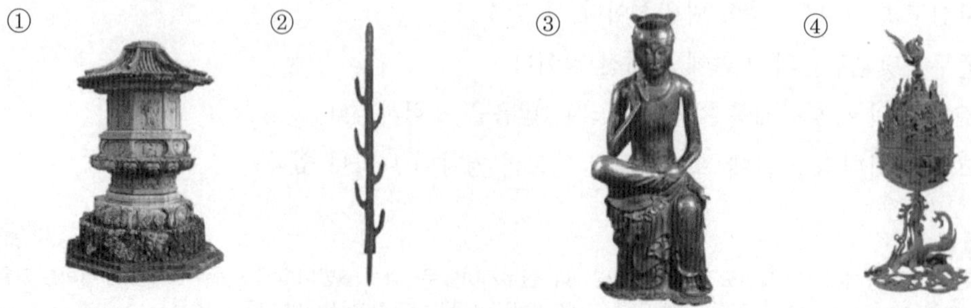

해설 정답 ④

'불로장생'을 주장하고 '신선' 사상을 반영하는 종교는 도교이다. 연개소문은 불교를 억누르기 위해 도교를 장려하는 정책을 펼쳤다. 백제 금동 대향로에는 신선들이 사는 이상 세계가 조각되어 있어 도교 사상이 반영되어 있다고 볼 수 있다.

① 쌍봉사 철감선사 승탑: 불교 선종의 영향을 받은 조형물이다.

② 칠지도: 어떤 종교의 영향이라기보다는 백제와 일본의 외교관계를 알려주는 유물이다.

③ 금동 미륵 반가사유상: 삼국시대 후반기의 불상으로, 불교 미륵신앙의 영향을 받은 유물이다.

06 다음은 고려 시대의 특정 사상에 대한 내용이다. 이와 관련된 사실만을 [보기]에서 모두 고른 것은? [2014 지방직 7급]

> 영암군 사람들이 전하기를 "고려 때 최씨의 뜰 가운데 오이 하나가 열렸는데, 길이가 한 자나 넘어 온 집안사람들이 자못 이상하게 여겼다. 최씨 딸이 몰래 이것을 따 먹었더니, 저절로 태기가 있어 달이 차서 아들을 낳았다. …(중략)… 이름을 도선이라 하였다."
>
> 『세종실록』 지리지

[보기]

㉠ 보현십원가 ㉡ 남경개창도감

㉢ 대화궁 건립 ㉣ 연등회

① ㉠, ㉡ ② ㉡, ㉢

③ ㉡, ㉣ ④ ㉢, ㉣

해설 정답 ②

도선은 전남 '영암'에서 태어나 풍수지리사상의 대가가 된 승려이다. 그 출생연도와 가계에 대한 많은 전승이 있고, 심지어는 가공의 인물이라고 주장하는 이들도 있다. 그러나 고려 태조의 「훈요십조」에 도선의 이름이 계속 언급되는 것을 보면, 실제 인물임에 틀림없다. 도선의 어머니는 '강씨'라는 자료도 있고, '최씨'라는 자료도 있다. 제시된 자료는 도선의 태생에 대한 자료이다.

㉡ 고려 문종 때 풍수지리사상에 근거를 둔 '남경길지설'이 대두되었고, 숙종 때에는 이것을 토대로 남경건설을 위한 '남경개창도감'이라는 관청을 두기도 하였다.

㉢ 고려 인종 때 이자겸의 난(1126)으로 궁궐이 불타고 왕실의 권위가 추락하자, '서경길지설'에 기반을 둔 묘청의 주장에 따라 서경에 세운 궁궐이 '대화궁'이다. 대화궁(大花宮)이란 크게 세력을 떨치는 세력이 있는 서경에 지은 궁궐이라는 뜻이다.

㉠, ㉣ 보현십원가는 고려 광종 때 균여가 불경을 풀어 지은 향가이다. 연등회는 고려 때 성행하였던 불교 행사이다. 보현십원가와 연등회는 모두 불교 사상과 관련된 것들이다.

02 한국 불교사

01 삼국 시대의 불교에 대한 서술 중 옳지 않은 것은? [2009 지방직 9급 변형]

① 신라는 삼국 중 불교 수용이 가장 늦었고, 그 과정에서 전통 사상과 마찰을 빚었다.

② 삼국은 중앙집권 체제의 확립과 지방 세력의 통합을 힘쓰던 시기에 불교를 수용하였다.

③ 신라 불교는 왕실의 강력한 비호 아래 호국불교를 진흥하였다.

④ 고구려는 왕즉불(王卽佛) 사상을 수용하여 불교식 왕명을 사용하였다.

⑤ 신라 진흥왕은 불교의 정법을 퍼뜨린 위대한 정복군주인 전륜성왕의 이상을 추구하였다.

해설

정답 ④

왕즉불(王卽佛) 사상이란 말 그대로 '왕이 곧 부처'라는 뜻이다. 삼국은 이 사상을 왕권 중심의 국가를 형성하기 위한 정치적 목적으로 사용하였다. '신라'에서는 이 사상에 기반하여 법흥왕 때부터 진덕여왕 때까지(514~654) 불교식 왕명을 사용하였다. 그러나 '고구려'는 불교식 왕명을 사용하지 않았다.

① 고구려와 백제는 4세기경에 불교를 수용했다. 한편 신라는 5세기 눌지마립간 때 고구려를 거쳐 온 묵호자에 의해 불교가 수용되었지만, 종래의 강한 민간 신앙과 보수적인 귀족 세력의 반대로 100여 년간 박해를 받다가 법흥왕 때 이차돈의 순교(527)를 계기로 공인되었다(535).

② 삼국은 연맹국가에서 중앙집권국가로 발전하면서 샤머니즘과 점술과 같은 원시종교로는 초부족적인 상태의 사회를 이끌어 갈 수 없게 되었다. 여러 분권적인 세력을 통합하기 위해 각 부족마다 다른 신앙을 하나로 묶을 수 있는 사상이 필요하였는데 이에 부응한 것이 불교였다.

③ 신라는 삼국 중 가장 늦게 불교를 공인했지만, 왕실의 강력한 비호를 받았기 때문에 호국불교로서 크게 진흥되었다. 진흥왕이 황룡사를 짓고 선덕여왕이 대규모의 9층탑을 만든 것도 국가보호의 동기에서 나온 것이다.

⑤ 전륜성왕(轉輪聖王)이란 하늘로부터 '수레바퀴로 된 무기'를 받아서 천하를 정복하는 왕이라는 의미이다. '수레바퀴로 된 무기'를 윤보라고 하는데, 재질에 따라 금륜, 은륜, 동륜, 철륜의 네 가지가 있다. 진흥왕은 자신을 전륜성왕이라 하고, 세 아들을 각각 금륜, 은륜, 동륜이라고 하였다. ➲ 2019 서울시 9급 전륜성왕의 개념은 왕권 강화와 호국 불교 사상을 고취하는 데 기여하였다.

02 (가) 인물에 대한 설명으로 옳은 것은? [2021 지방직 9급]

> (가) 가/이 귀산 등에게 말하기를 "세속에도 5계가 있으니, 첫째는 충성으로써 임금을 섬기는 것, 둘째는 효도로써 어버이를 섬기는 것, 셋째는 신의로써 벗을 사귀는 것, 넷째는 싸움에 임하여 물러서지 않는 것, 다섯째는 생명있는 것을 죽이되 가려서 한다는 것이다. 그대들은 이를 실행함에 소홀하지 말라."라고 하였다. ➲「삼국사기」

① 모든 것이 한마음에서 나온다는 일심 사상을 제시하였다.

② 화엄 사상을 연구하여 「화엄일승법계도」를 작성하였다.

③ 왕에게 수나라에 군사를 청하는 글을 지어 바쳤다.

④ 인도를 여행하여 「왕오천축국전」을 썼다.

해설 정답 ③

제시된 자료는 원광이 주장한 '세속오계'이다. 원광은 신라 진평왕 때의 승려이다. 원광은 진평왕에게 '수나라에 군사를 청하는 글' 즉 걸사표를 지어 바쳤다.

① 원효, ② 의상, ④ 혜초.

03 다음 (가), (나) 승려에 대한 설명으로 옳은 것은? [2022 국가직 9급]

(가) 중국 유학에서 돌아와 부석사를 비롯한 여러 사원을 건립하였으며, 문무왕이 경주에 성곽을 쌓으려 할 때 만류한 일화로 유명하다.

(나) 진골 귀족 출신으로 대국통을 역임하였으며, 선덕여왕에게 황룡사 9층탑의 건립을 건의하였다.

① (가)는 모든 것이 한마음에서 나온다는 일심사상을 제시하였다.

② (가)는 「화엄일승법계도」를 만들었다.

③ (나)는 『왕오천축국전』이라는 여행기를 남겼다.

④ (나)는 이론과 실천을 같이 강조하는 교관겸수를 제시하였다.

해설 정답 ②

(가) '중국 유학'에서 돌아와, 영주 '부석사'를 건립하였으며, 문무왕이 축성을 만류하였던 승려는 의상이다.

> 왕이 수도(금성)에 성곽을 쌓으려고 문의하니 그가 말하기를, "비록 초야에 살더라도 정도(正道)만 행하면 복업(福業)이 오래 갈 것이요, 만일 그렇지 못하면 여러 사람을 수고롭게 하여 성을 쌓을지라도 아무 이익이 없을 것입니다."라고 하였다. 왕은 이에 성 쌓는 일을 그만두었다. 『삼국사기』 2018 국가직 7급

(나) '진골 귀족' 출신인 자장(590~658)은 중국 유학 후 돌아와 양산 통도사를 창건하고 이곳에 머물면서 계율종을 창시하였다. 자장은 선덕여왕에게 건의하여 70여 미터에 달하는 '황룡사 9층 목탑'을 세웠는데, 이것은 신라 주변의 아홉 나라를 굴복시킨다는 호국적 의미가 담겨 있다. 자장은 당 유학 후 돌아와 '대국통(大國統)'이 되어 신라의 불교를 총관하였다.

> [보기]
> 신인(神人)이 말하였다. 지금 그대 나라는 여자가 왕위에 있으니 덕은 있지만 위엄이 없습니다. 그래서 이웃 나라가 침략을 꾀하고 있는 것입니다. 그대는 빨리 돌아가야 합니다. (가)가(이) 다시 물어보았다. 고국에 돌아가면 어떤 이로운 일을 해야 합니까? 신인이 답했다. 황룡사의 호법용(護法龍)은 나의 맏아들입니다. 범왕(梵王)의 명을 받고 가서 그 절을 보호하고 있습니다. 고국에 돌아가거든 절 안에 9층탑을 세우십시오. 그러면 이웃나라가 항복할 것이고 구한(九韓)이 와서 조공할 것이며 왕업의 길이 편안할 것입니다. (중략) 정관 17년 계묘 16일에 (가)는(은) 당나라 황제가 준 불경과 불상, 승복과 폐백 등을 가지고 와 탑을 세울 일을 왕에게 아뢰었다. 2018 서울시 7급

① 일심사상을 제시한 승려는 통일신라의 원효이다.

② 「화엄일승법계도」를 지은 승려는 통일신라의 의상이다.

③ 『왕오천축국전』이라는 여행기를 남긴 승려는 통일신라의 혜초이다.

④ 교관겸수를 제시한 승려는 고려의 의천이다.

04 다음 ㉠~㉣에 들어갈 인물을 바르게 연결한 것은? [2019 지방직 9급]

- (㉠)는/은 『신편제종교장총록』을 편찬하였다.
- (㉡)는/은 원의 불교인 임제종을 들여와서 전파시켰다.
- (㉢)는/은 강진에 백련사를 결사하여 법화신앙을 내세웠다.
- (㉣)는/은 『목우자수심결』을 지어 마음을 닦고자 하였다.

	㉠	㉡	㉢	㉣
①	수기	보우	요세	지눌
②	의천	각훈	요세	수기
③	의천	보우	요세	지눌
④	의천	요세	각훈	수기

해설 정답 ③

㉠ 초조 대장경이 완성된 얼마 후에 의천이 중심이 되어 흥왕사에 교장도감을 설치하였다. 이곳에서 국내의 것은 물론 송, 요, 일본 등에서 모아 온 대장경의 주석서인 장(章), 소(疏) 들을 간행하였는데, 이것이 이른바 속장경이다. 그는 먼저 불서 목록인 『신편제종교장총록(新編諸宗敎藏總錄)』을 작성하고, 10년에 걸쳐 4,760여 권을 간행하였다.

㉡ 보우는 1356년(공민왕 때)에 왕사가 되어 광명사에 머물면서 왕도의 누적된 폐단, 정치의 부패, 불교계의 타락 등에 대하여 개혁의 필요성을 강조하였다. 보우는 임제종(臨濟宗)을 도입하여 선문(禪門)의 새로운 조류를 형성하였다. 임제종에서는 화두(話頭)를 이용하는 '간화선'을 수행 방법으로 택하였으며, 스승과 제자의 관계를 중시하였다.

㉢ 요세는 강진 만덕사를 중심으로 백련사 결사(百蓮社結社)를 결성하고, 염불을 중심으로 수행에 정진하는 운동을 전개하였다. 요세는 자신의 행동을 진정으로 참회하는 법화 신앙을 강조하였는데, 이는 지방민의 호응을 얻어 수선사와 양립하여 고려 후기 불교계를 이끌었다.

㉣ 지눌의 자호(自號)는 목우자(牧牛子)이다. 지눌은 저술로는 『권수정혜결사문』 외에 『수심결(修心訣)』, 『진심직설(眞心直說)』, 『계초심학인문(誡初心學人文)』, 『원돈성불론(圓頓成佛論)』, 『화엄론절요(華嚴論節要)』, 『법집별행록절요병입사기(法集別行錄節要并入私記)』, 『간화결의론(看話決疑論)』, 『염불요문(念佛要門)』, 『상당록(上堂錄)』, 『법어가송(法語歌頌)』 등이 있다.

05 밑줄 친 '왕' 대에 있었던 역사적 사실로 옳은 것은? [2015 국가직 7급]

<u>왕</u>이 죽기 전에 여러 신하들이 <u>왕</u>에게 아뢰었다. "어떻게 해서 모란꽃에 향기가 없고, 개구리 우는 것으로 변이 있다는 것을 아셨습니까." <u>왕</u>이 대답했다. "꽃을 그렸는데 나비가 없으므로 그 향기가 없는 것을 알 수가 있었다. 이것은 당나라 임금이 나에게 짝이 없는 것을 희롱한 것이다."

「삼국유사」

① 「국사」를 편찬하였다.

② 영묘사를 건설하였다.

③ 향가를 모아 「삼대목」을 편찬하였다.

④ 오언태평송(五言太平頌)을 지어 당에 보냈다.

해설 정답 ②

자료는 「삼국유사」에 기록되어 있는 '선덕여왕이 세 가지 일을 미리 알았다(예언하였다)'는 내용의 글이다. 선덕여왕은 진평왕의 딸로, 진평왕이 아들이 없이 죽자 화백회의를 통해 왕으로 추대되었다. 삼국유사에 의하면 선덕여왕은 지혜가 있어서 나라에 일어나게 될 세 가지 일을 미리 알아챘다고 한다. 첫째는 당 태종이 꽃씨와 함께 보낸 모란 그림에 나비가 없는 것을 보고 꽃이 피어나도 향기가 없을 것을 알아챘다. 둘째, 영묘사에 겨울인데도 개구리가 모여 사나흘 동안 우는 걸 보면서, 서쪽에서 군사가 올 것을 알아챘다. 셋째, 자신이 언제 죽을지 예언하였다.

② 영묘사는 선덕여왕이 635년에 경주에 세운 절이다.

① 거칠부로 하여금 「국사」를 편찬하게 한 왕은 '진흥왕'이다.

③ 각간 위홍과 승려 대구에게 명하여 향가집인 「삼대목」을 편찬하게 한 왕은 '진성여왕'이다.

④ 오언태평송(五言太平頌)을 스스로 짓고 비단을 짜서 무늬를 놓아 당에 보낸 왕은 '진덕여왕'이다. 오언태평송(삼국사기)은 태평가(삼국유사)라고도 한다.

06 다음 내용과 관련된 인물에 대한 설명으로 옳은 것만을 [보기]에서 모두 고른 것은?

[2014 지방직 7급]

> 스스로 소성거사라 부르고 …(중략)… 방방곡곡을 돌아다니며 노래와 춤을 통해 부처의 가르침을 전하였다. 이로 말미암아 가난하고 무지몽매한 사람들까지도 부처의 이름을 알게 되었고, 나무아미타불을 외우게 되었으니 그의 교화가 자못 크다. 「삼국유사」

[보기]

㉠ 현세에서 고난을 구제받고자 하는 관음신앙을 이끌었다.
㉡ 「금강삼매경론」을 찬술하였다.
㉢ 교종과 선종을 통합하고자 하였다.
㉣ 화쟁사상을 주장하였다.

① ㉠, ㉡ ② ㉡, ㉣

③ ㉡, ㉢ ④ ㉠, ㉣

해설 정답 ②

소성거사(小性居士)란 원효가 요석공주와 결혼하면서 실계(失戒, 법계를 잃음)하고 속세의 옷으로 갈아입으면서, 자신을 부른 이름이다. 실계(失戒)로 인해 원효라는 법명을 쓸 수는 없었지만, 민간에 깊이 들어가 불교 대중화 운동을 더욱 활발히 추진할 수 있었다. 원효는 대중에게 '나무아미타불'을 염불하면 극락세계에 간다고 주장하였다. ➲ 2017 경찰특공대 원효의 저서에는 「금강삼매경론」, 「대승기신론소」, 「십문화쟁론」 등이 있다. 원효의 중심사상은 화쟁사상, 일심사상이다.

㉠ 관음신앙을 이끈 인물은 '의상'이다.

㉢ 교종과 선종을 통합하고자 한 인물은 '균여, 의천, 지눌' 등이다. 원효가 활동하던 시대에는 아직 선종이 들어오기 전이었으므로, 원효의 불교통합 사상은 '중관파와 유식파의 대립 문제를 해소'하였다고 표현해야 한다.

07 다음 글을 쓴 인물에 대한 설명으로 옳은 것만을 [보기]에서 고른 것은? [2021 경찰]

> 기신론(起信論)에서 "여래(如來)의 넓고 크며, 끝없는 도리를 총섭(總攝)하고자 이 논(論)을 설(說)하였다."라고 말하였다. 이 논의 뜻이 이와 같다. 펼치면 무량무변(無量無邊)의 도리를 본질[宗]로 삼고, 합하면 이문일심(二門一心)의 법을 핵심으로 한다. 이문의 안은 만 가지 뜻을 포용하나 어지럽지 않다. 무변이라는 뜻은 일심과 같고 또한 혼융(混融)된다.

[보기]

㉠ 법상종을 개창하였다.
㉡ 『금강삼매경론』을 저술하였다.
㉢ 화쟁국사(和諍國師)라는 시호를 받았다.
㉣ 『화엄일승법계도』를 저술하고 화엄종을 창설하였다.

① ㉠, ㉡　　② ㉡, ㉢
③ ㉢, ㉣　　④ ㉠, ㉣

해설 정답 ②

「대승기신론소」는 (대승)기신론에 대한 해설서이다. '기신론'이 언급되고, '이문일심'이 주장되는 이 글은 원효가 쓴 글이다.

㉡ 자료에서 「대승기신론소」가 언급이 되었으니, 답으로 나올 수 있는 원효의 저술은 「금강삼매경론」이나 「십문화쟁론」, 「화엄경소」 등이다.

㉢ 원효는 화쟁사상을 주장했으며, 화쟁국사(和諍國師)라는 시호를 받았다.

㉠ 원효는 법성종(해동종)을 개창하였다. 법상종을 개창한 인물은 진표이다.

㉣ 「화엄일승법계도」는 의상의 저술이다. 원효 문제에서 늘 '오답'으로 출제되는 인물은 의상이다. 「화엄일승법계도」와 '관음 신앙'은 의상에게 쓸 수 있는 표현으로, 원효의 대표적인 오답이다.

명호샘의 한마디!!

원효 문제로 기출되었던 사료와 앞으로 출제될 사료를 정리한다.

> 열면 헬 수 없고 가없는 뜻이 대종(大宗)이 되고, 합하면 이문(二門) 일심(一心)의 법이 그 요체가 되어 있다. 그 이문 속에 만 가지 뜻이 다 포용되어 조금도 혼란됨이 없으며 가없는 뜻이 일심과 하나가 되어 혼융된다. 이런 까닭에 전개, 통합이 자재하고, 수립, 타파가 걸림이 없다. 펼친다고 번거로운 것이 아니고 합친다고 좁아지는 것도 아니다. 그리하여 수립하되 얻음이 없고 타파하되 잃음이 없다. 「대승기신론소」 2015 경찰

> 크다고 말하고자 하니 속이 없는 곳에 들어가도 남음이 없고, 작다고 말하고자 하니 밖이 없는 것을 감싸고도 남음이 있다. 있다고 하자니 비어 있고, 없다고 하자니 만물이 다 이것을 타고 태어난다. 이것을 무엇이라 이름을 붙일 수 없으므로 억지로 대승이라 하였다. (중략) 이 논(論)을 지어서 (중략) 도를 닦는 자에게 온갖 경계를 없애 '일심(一心)'으로 되돌아가게 하고자 한다. 「대승기신론소」

> 하는 말은 상식에 어긋나고 드러난 행동은 거슬리고 거칠었다. 거사처럼 기생집과 술집을 드나들었고, 지공같이 칼과 석장을 지녔다. 소(疏)를 지어 〈화엄경〉을 강하기도 하고 사우에서 가야금을 타며 노래하기도 하고, 속인 집에서 잠을 자기도 하고, 산수 간에서 좌선도 하는 등 마음 가는대로 하여 도무지 정해진 틀이 없었다. 「송고승전」 2004 국비유학생

그는 그 모양대로 도구를 만들어 화엄경의 "일체 무애인은 한 길로 생사를 벗어난다."라는 문구에서 그 이름을 따와서 무애라 하며 이내 노래를 지어 세상에 퍼뜨렸다. 일찍이 이것을 가지고 많은 촌락에서 노래하고 춤추며 교화하고 음영하여 돌아왔으므로 가난하고 무지몽매한 무리들까지도 모두 부처의 호를 알게 되었고, 다 나무아미타불을 부르게 되었으니 그의 법화는 컸던 것이다. ➲ 「삼국유사」 ➲ 2013 국가직 7급

정토의 깊은 뜻은 본래 범부(凡夫)를 위함이지 보살(菩薩)을 위함이 아니다. ➲ 「유심안락도(遊心安樂道)」

스스로 소성거사라 부르고 … 방방곡곡을 돌아다니며 노래와 춤을 통해 부처의 가르침을 전하여 가난하고 무지몽매한 사람까지도 부처의 이름을 알게 되었다. ➲ 「삼국유사」 ➲ 2020 경찰간부

원효 문제의 답으로 출제되었던 주요 문장을 정리한다.

1) 화쟁사상을 주장하였다. ➲ 2021 해경간부
   = 화쟁국사(和諍國師)라는 시호를 받았다. ➲ 2021 경찰
   = 화쟁의 논리에 따라 중관파의 부정론과 유식파의 긍정론을 다같이 비판하였다. ➲ 2013 국가직 7급
   = 중관파와 유식파의 대립 문제를 연구해 일심사상으로 체계화하였다. ➲ 2010 지방직 9급
2) 아미타 정토신앙을 널리 전도하였다. ➲ 2018 기상직 9급
3) 대승불교인 삼론종을 발전시켰다. ➲ 2004 경북 9급
4) 「금강삼매경론」을 저술하였다. ➲ 2021 경찰
5) 「금강삼매경론」, 「화엄경소」 등을 저술하여 일심사상을 완성하였다. ➲ 2021 해경간부
6) 「대승기신론소」와 「금강삼매경론」을 저술하였다. ➲ 2019 국회직 9급, 2018 기상직 9급, 2015 경찰
7) 「십문화쟁론」을 저술하여 여러 불교 종파의 융화 · 통일을 주장하였다. ➲ 2018 계리직 9급

명호샘의 한마디!!

원효의 저술을 따로 정리해 봐야겠다.

1. 소(疏)란 불교 경전을 알기 쉽게 풀이한 해설서를 뜻하는데, 원효는 화엄경, 열반경, 법화경, 무량수경, 중관론 등 주요 교종 경전에 대한 소(疏)를 지어 정리하였다. 그 중 대표적인 것이 「대승기신론소(大乘起信論疏)」이다. ➲ 2020 서울시 9급 이 책은 원효가 '대승기신론'에 대하여 주석한 것으로, 여기에서 대승불교의 양대 조류로 서로 모순 · 대립되는 것처럼 보이는 중관사상과 유식사상을 하나로 회통시키는 이론적 기반을 제시하였다.
2. 금강삼매경론(金剛三昧經論)은 금강삼매경에 대한 원효의 주석서이다. 이 책에는 중국 남북조 시대부터 당나라 초기까지 제기된 불교의 공(空)사상, 화엄(華嚴), 재가불교(在家佛敎) 등의 사상이 폭넓게 담겨 있다.

08 밑줄 친 ( )의 인물에 대한 설명으로 옳은 것은? [2023 계리직 9급]

> ( )은/는 이미 계를 어겨 아들 총(聰)을 낳은 후에는 세속의 옷으로 바꿔 입고 스스로 소성거사라고 하였다. 우연히 광대들이 춤출 때 쓰는 큰 박을 얻었는데, 모양이 괴상하였다. 그 모양을 본떠서 도구를 제작하여, 『화엄경』의 "일체 무애인(無㝵人)은 한 번에 생사를 벗어난다."라는 구절에 나오는 무애라는 이름을 붙이고, 노래를 지어 세상에 퍼뜨렸다. 『삼국유사』

① 화엄종의 중심 사찰인 부석사를 창건하였다.
② 세속오계를 제시하고 호국 불교의 전통을 세웠다.
③ 황룡사에 9층 목탑을 세울 것을 왕에게 건의하였다.
④ 종파 간 대립을 극복하기 위해 일심 사상을 제창하였다.

해설 정답 ④

아들 '(설)총'을 낳았으며, 스스로 '소성거사'라 하였으며 '무애가'를 지어 부른 승려는 원효이다. 원효는 일심사상 및 화쟁사상을 제창하였다.

① 의상, ② 원광, ③ 자장

09 다음은 신라 시대의 두 승려가 주장한 사상이다. 승려 (가), (나)에 대한 설명으로 옳지 않은 것은? [2010 법원직 9급 변형]

> (가) 법성은 원융하여 두 모습이 없으니 모든 불법은 부동하여 본래 고요하다. …… 하나 안에 일체이며, 모두 안에 하나이다. 하나가 곧 일체이며 모두가 곧 하나이다. 하나의 작은 먼지 안에 모든 방향을 포함하고 일세의 먼지 안에 역시 이와 같다.
>
> (나) …… 열면 헬 수 없고 가없는 뜻이 대종(大宗)이 되고, 합하면 이문(二門) 일심(一心)의 법이 그 요차가 되어 있다. 그 이문 속에 만 가지 뜻이 다 포용되어 조금도 혼란됨이 없으며 가없는 뜻이 일심과 하나가 되어 혼융된다.

① (가) : 「화엄일승법계도」를 저술해 화엄 사상을 정립하였다.
② (가) : 영주에 있는 부석사를 비롯한 여러 사원을 건립했다.
③ (나) : 현세에서 고난을 구제받고자 하는 관음 사상을 이끌었다.
④ (나) : 대승불교인 삼론종을 발전시켰다.

해설 정답 ③

(가) 의상(625~702)의 '화엄일승법계도'이다. '하나가 곧 일체이며 모두가 곧 하나'라는 것은 모든 우주만물이 대립적인 존재가 아니라, 서로 조화하고 포용하는 관계를 가졌다는 주장이다. 이것이 곧 일즉다 다즉일(一卽多 多卽一)이다. 이것을 원융(圓融) 또는 일체불리(一體不離)로 표현하기도 한다.

(나) 원효(617~686)의 '대승기신론소'로, 일심(一心) 사상이 나타난다.

③ 원효는 아미타 신앙을 전도하여 불교대중화의 길을 열었다. 누구든지 아미타불의 이름을 부르기만 하면 서방정토에 태어나게 된다는 내세 신앙이다. 그런데 여기에 현세에서 구제받고자 하는 관음 신앙을 추가한 승려는 의상이다.

10 다음 글은 특정 시기에 유행했던 불교종파와 관련된 내용이다. 이 종파가 성립된 시기에 해당하는 사항을 [보기]에서 모두 고른 것은? [2009 지방직 7급]

> 일(一) 안에 일체(一切)요, 다(多) 안에 일(一)이다.
> 일(一)이 곧 일체(一切)요, 다(多)가 곧 일(一)이다.
> 한 작은 티끌 속에 시방(十方)을 머금고,
> 일체(一切)의 티끌 속에 또한 이와 같다.
> 무량(無量)한 먼 겁(劫)이 곧 한 찰나(刹那)요,
> 한 찰나(刹那)가 곧 그냥 무량(無量)한 겁(劫)이다.

[보기]

㉠ 황룡사의 건립
㉡ 정토 신앙의 유행
㉢ 강수(强首)의 외교문서 작성
㉣ 고달사(高達寺) 원종대사(元宗大師) 혜진탑비(慧眞塔碑)의 건립
㉤ 울진 봉평비(鳳坪碑)의 건립

① ㉢, ㉣　　② ㉡, ㉢, ㉣
③ ㉠, ㉣, ㉤　　④ ㉡, ㉢

해설 정답 ④

제시된 자료는 의상의 '화엄일승법계도'의 일부이다. 의상(625~702)은 통일신라 전기의 대표적인 승려이다.

㉡ 이 시기에는 원효가 아미타 신앙(정토 신앙)을 널리 전도하여 불교 대중화의 길을 열었고, 의상은 아미타 신앙과 관음 신앙을 설파하여 불교의 대중화에 힘썼다.

㉢ 6두품 출신 강수(?~692)는 해박한 한문학 지식을 바탕으로 외교문서를 지어 무열왕·문무왕의 통일 사업에 큰 공헌을 하였다.

㉠ 황룡사는 6세기 진흥왕 때 준공된 사찰이다.

㉣ 고달사(高達寺) 원종대사(元宗大師) 혜진탑비(慧眞塔碑)는 10세기 고려 광종 때 건립되었다.

㉤ 울진 봉평비(鳳坪碑)는 6세기 법흥왕(524) 때 세워졌다.

명호샘의 한마디!!

의상 문제로 기출되었던 사료와 앞으로 출제될 사료를 정리한다.

그는 당나라에 유학하여 지엄의 문하에서 수학하고 돌아와 영주에 부석사를 창건하고 문무왕의 정치적 자문도 맡았다. 그는 모든 우주만물이 대립적인 존재가 아니라 서로 조화하고 포용하는 관계를 가졌다고 주장해 유명한 '일즉다 다즉일(一卽多 多卽一)'이라는 독특한 논리를 폈다. 즉 하나가 전체요 전체가 하나라는 것이다.
➲ 2012 지방직 9급, 2010 지방직 9급

문무왕이 도읍의 성을 새롭게 하고자 승려에게 문의하였다. 승려는 말하였다. "비록 궁벽한 시골과 띳집(茅屋)이 있다해도 바른 도(道)만 행하면 복된 일이 영구히 지속될 것이요, 만일 그렇지 못하면 여러 사람이 수고롭게 하여 훌륭한 성을 쌓을지라도 아무 이익이 없을 것입니다." 왕이 곧 공사를 그쳤다.
➲ 「삼국사기」 ➲ 2018 국가직 7급, 2012 지방직 9급

의상에 대한 기출 문장을 정리한다.

1) 관음 신앙을 전파하였다. ➲ 2020 서울시 지방직 9급
2) 모든 존재가 상호 의존적인 관계에 있으면서 서로 조화를 이룬다는 화엄사상을 정립하고, 교단을 형성하여 많은 제자를 양성하였다. ➲ 2020 서울시 지방직 9급
3) 제자 양성과 함께 교세 확장에 힘써 화엄 10찰을 조성하였다. ➲ 2019 계리직
4) 진골 귀족 출신으로 원융사상을 설파하였다. ➲ 2010 지방직 9급
5) 「화엄일승법계도」를 지었으며, 부석사, 낙산사 등의 화엄종 사찰을 중심으로 불교의 가르침을 폈다. ➲ 2012 지방직 9급

11 밑줄 친 '그'에 대한 설명으로 옳은 것은? [2023 지방직 9급]

<u>그</u>는 화엄종을 중심으로 교종을 통합하고 해동 천태종을 창시하여 선종까지 포섭하려 하였다. 그러나 <u>그</u>의 사후에 교단은 다시 분열되었고, 권력층과 밀착되어 타락하는 양상까지 나타났다.

① 이론적인 교리 공부와 실천적인 수행을 아우를 것을 주장하였다.
② 참선과 독경은 물론 노동에도 힘을 쓰자고 하면서 결사를 제창하였다.
③ 삼국시대 이래 고승들의 전기를 정리하여 『해동고승전』을 편찬하였다.
④ 백련사를 결성하여 극락왕생을 기원하는 참회와 염불 수행을 강조하였다.

해설 정답 ①

'해동 천태종'을 창시한 승려는 의천이다. 의천은 이론적인 교리 공부와 실천적인 수행을 아우를 것을 주장하였다. 즉 교관겸수를 주장하였다.

② 지눌, ③ 각훈, ④ 요세

12 (가) 인물에 대한 설명으로 가장 옳은 것은? [2023 법원직 9급]

> 당에서 유학하고 돌아온 (가) 은/는 '모든 존재가 서로 의존하며 조화를 이루고 있다.'라는 사상을 강조하여 통일 직후 신라 사회를 통합하는 데 큰 역할을 하였다. 또한 (가) 은/는 부석사를 중심으로 많은 제자를 양성하여 교단을 형성하고 각지에 사찰을 세웠다. 또한, 현세에서 겪는 고난을 구제받고자 하는 관음 신앙을 전파하였다.

① 무애가를 지어 불교 대중화에 기여하였다.
② 화엄일승법계도를 지어 화엄 사상을 정립하였다.
③ 불교 교단을 통합하기 위해 천태종을 개창하였다.
④ 인도와 중앙아시아를 여행하고 왕오천축국전을 저술하였다.

해설 정답 ②

'당에서 유학'하고 돌아왔으며, '조화'를 강조하고 '부석사를 중심으로 많은 제자를 양성하여 교단을 형성'하였으며 '관음신앙'을 전파한 승려는 의상이다. 의상은 화엄일승법계도를 지어 화엄 사상을 정립하였다.
① 원효, ③ 의천, ④ 혜초

13 다음 글의 괄호 안에 들어갈 인물은? [2012 경찰간부]

> 화엄종에서는 '하나가 일체요, 일체가 곧 하나'여서 우주만물이 서로 융통하고 화해하며 무한하고 끝없는 조화를 이룬다고 한다. 신라의 승려 ( )은(는) 일본에 건너가 화엄교리를 강의하고 일본 승려 양변(良辯)에게 법을 전하여 일본의 화엄종을 일으키는 데 많은 영향을 주었다.

① 원효 ② 자장
③ 심상 ④ 의상

해설 정답 ③

화엄종을 창시한 승려는 '의상'이지만, 화엄종을 일본에 전파한 승려는 '심상'이다.

14 (가)에 해당하는 인물로 옳은 것은? [2024 지방직 9급]

> (가) 은/는 중앙아시아와 인도지역의 다섯 천축국을 순례하고 각국의 지리, 풍속, 산물 등에 관한 기행문을 남겼다. 이 기행문은 중국의 둔황 막고굴에서 발견되었으며 현재 프랑스 국립도서관에 있다.

① 원광 ② 원효
③ 의상 ④ 혜초

해설 정답 ④

'중앙아시아와 인도지역의 다섯 천축국'을 순례하고 쓴 기행문은 '왕오천축국전(往五天竺國傳)'이다. 이 글의 저자는 혜초(704~787)이다.

15 신라 하대의 구산선문이 잘못 연결된 것은? [2004 서울시 9급]

① 무염 – 성주산파 ② 홍척 – 실상산파
③ 도의 – 가지산파 ④ 이엄 – 수미산파
⑤ 범일 – 봉림산파

해설 정답 ⑤

범일은 사굴산파이다. 봉림산파는 현욱이 주도하였다.

가지산파(최초)	도의	보림사	장흥
실상산파	홍척	실상사	남원
동리산파	혜철	대안사	곡성
사굴산파	범일	굴산사	강릉
봉림산파	현욱	봉림사	창운
사자산파	도윤	홍녕사	영월
희양산파	지선·도헌	봉암사	문경
성주산파	무염	성주사	보령
수미산파(최후)	이엄(왕건 스승)	광조사	해주

16 다음 (가)에 대한 설명으로 옳지 않은 것은? [2018 국가직 9급]

> 예전에 성종이 (가) 시행에 따르는 잡기가 정도(正道)에 어긋나는데다가 번거롭고 요란스럽다 하여 이를 모두 폐지하였다. … (중략) … 이것을 폐지한 지가 거의 30년이나 되었는데, 이때에 와서 정당문학 최항이 청하여 이를 부활시켰다.

① 국제 교류의 장이었다.
② 정월 보름에 개최되었다.
③ 토속 신에게 제사를지냈다.
④ 훈요 10조에서 시행할 것을 강조하였다.

해설 정답 ②

고려 성종은 연등회를 '축소'하고 팔관회를 '폐지'하여 국가적인 불교행사를 억제하였으나, 약 30년 후 현종 대에 이르러 연등회와 팔관회를 다시 성대하게 거행하였다. 팔관회는 최승로의 건의에 따라 성종 때 폐지되었다가, 현종 때 최항의 건의에 따라 다시 부활되었다.

① 팔관회는 국제 교류의 장이었다. 팔관회 행사 기간 중에는 향등을 설치하고, 노래와 춤을 벌이며 밤낮으로 즐겼다. 특히 11월의 팔관회는 외국상인들과의 무역의 장이 되기도 하였다. 송나라 상인과 동번(東蕃)·서번(西蕃)·탐라에서는 고려에 토산물을 바쳤다.

③ 팔관회는 불교의 팔관재계(八關齋戒)와 도교·민간신앙이 복합된 불교 행사였다. 그러므로 토속 신에게도 제사를 지냈다.

④ 고려의 팔관회는 고려 건국의 해인 918년부터 시작되었다. 훈요 10조(943)에서 연등회와 함께 팔관회 시행이 강조되었다. 다음 자료는 훈요 10조에서 연등회와 팔관회 시행을 강조한 부분이다.

> 여섯째, 짐의 지극한 소원은 연등회(燃燈會)나 팔관회(八關會)에 있으니 연등회는 부처를 섬기는 일이고[燃燈所以事佛] 팔관회는 하늘의 신령 및 오악·명산·대천·용신을 섬기는 일이다[八關所以事天靈及五嶽名山大川龍神也].

② '정월 보름에 개최'된 행사는 연등회이다. 팔관회는 서경에서는 10월, 개경에서는 11월에 개최되었다.

명호샘의 **한마디!!**

팔관회는 진흥왕 때 신라로 건너 온 고구려 승려 혜량이 전몰장병(전쟁에서 죽은 병사)의 위령제를 지낸 것에서 유래하였다. 팔관회는 호국적 의미가 강한 토속 행사였는데, 이것을 승려가 주관하였다는 것은 신라의 불교가 호국적이었다는 것을 의미한다. 고려 시대의 팔관회는 개경(11월)과 서경(10월)에서 열렸는데, 도교·토착신앙·불교가 어우러진 행사로 국가와 왕실의 태평을 기원하는 축제로 전개되었다. 팔관회가 열릴 때에는 주변 여러 나라에서도 조공을 바치고 답례품을 받아가는 형식으로 공무역이 이루어지기도 했다. 즉 외국 상인에게 무역의 장이 되기도 하였다. ➲ 2017 법원직 9급

팔관회와 관련하여 출제 가능한 다음의 자료들을 숙지하기 바란다.

> 문무반이 서둘러 정렬하고 임금님은 옥수레를 타고 깊은 궁궐로부터 천천히 내려오시네. 태양과 달은 하늘의 길 위에 있고 별들은 높이 자미성으로 나아가는구나. 맑은 아악 소리는 하늘을 흔들고, 커다란 만세함성은 땅을 흔드네.
> ➲ 팔관회 때 부른 노래, 「동문선」

> 짐의 지극한 관심은 연등과 팔관에 있다. 연등은 부처를 섬기는 것이요, 팔관은 하늘의 신령과 오악(五嶽), 명산(名山), 대천(大川), 용신(龍神)을 섬기는 것이다. … 군신이 함께 즐기기로 하였으니 마땅히 조심하여 이대로 시행할 것이다.
> ➲ 「훈요10조」

17 우리나라 불교에 대한 설명으로 옳지 않은 것은? [2011 사회복지직 9급]

① 신라 말에는 실천 수행을 통하여 마음속에 내재된 깨달음을 얻는다는 선종 불교가 널리 확산되었다.

② 고구려 불교를 계승한 발해의 불교는 왕실과 귀족을 중심으로 성행하였다.

③ 고려에서 대장경을 간행했다는 것은 불교의 교리 체계에 대한 정리가 이루어졌음을 의미한다.

④ 호족이 주축이 되어 건국한 고려 왕조는 정책적으로 선종을 우대하고 교종을 억제하였다.

해설

정답 ④

고려는 신라 하대 선종과 풍수지리사상을 받아들인 지방 호족이 주축이 되어 건국하였다. 그러나 건국 후에는 왕권 강화를 위해 정책적으로 교종을 우대하였다.

① 독경(讀經)이 아닌 수행(修行)을 통해 깨달음을 얻는 선종은 신라 말(신라 하대)에 널리 확산되었다(크게 유행하였다, 호족이 수용하였다).

② 발해 불교에 대해서는 그 기록이 부족하여 다른 국가에 비하여 구체적인 사항을 파악하기 어려우나, 사찰 유적지에서 발견되는 불상과 석등, 기와 등을 보면 그 양식이 고구려적인 성격을 띠고 있는 것을 알 수 있다. 또한 문왕이 스스로를 불교적 성왕(聖王)으로 자처한 것으로 보아 발해의 불교는 국가적으로 장려된 것으로 보인다. 불교식으로 지은 '대흥보력효감금륜성법대왕'이라는 문왕의 존호 중 '금륜(金輪)'과 '성법(聖法)'은 불교의 전륜성왕(轉輪聖王) 이념에서 유래한 것이다. 문왕의 존호가 불교식이었다는 것은 고구려계 귀족들이 불교라는 종교적 바탕 위에서 왕권을 보좌한 것으로 볼 수 있다. 이런 측면에서도 발해의 불교는 고구려의 불교를 계승한 것으로 보인다.

③ 대장경은 불교 경전을 집대성한 것으로서, 교리체계에 대한 정리가 선행되어야만 이루어질 수 있는 문화 유산이다.

18 고려 시대에 국가불교가 발전한 사실과 관련된 내용으로 옳은 것을 모두 고르면? [2008 지방직 9급]

㉠ 승과를 실시하여 합격한 승려들에게 법계를 부여하였다.
㉡ 팔관회와 연등회가 성대히 거행되었으며 왕이 보살계를 받는 보살계도량이 별도로 열렸다.
㉢ 승정을 담당한 승록사라는 기구가 있었으며 승군이 조직되어 국방의 일익을 담당하기도 했다.
㉣ 현존하는 팔만대장경은 대부분 해인사에서 제작되었다.

① ㉠
② ㉠, ㉡
③ ㉠, ㉡, ㉢
④ ㉠, ㉡, ㉢, ㉣

해설

정답 ③

현존하는 팔만대장경은 강화도의 대장도감과 남해에 둔 분사에서 제작되었다. 이 목판은 강화도 선원사에 보관되어 있다가 이후에 합천 해인사로 이관되었다. 해인사는 대장경을 제작한 곳이 아니라 '보관'하고 있는 곳이다.

㉠ 고려 광종은 과거를 시행하면서, 과거 시험에 승과(僧科)도 두었다. 승과에 합격한 자에게는 승계(법계)를 주었다. 승과는 교종시와 선종시로 나뉘어졌는데, 승과 합격자에게 처음 부여되는 법계는 '대선'이었고, 교종의 최고는 '승통', 선종의 최고는 '대선사'가 되었다. 승통과 대선사의 위에는 '국사'와 '왕사'를 두었는데, 이것은 불교의 초세속적인 권위를 인정하는 제도였다.

㉡ 고려의 불교 행사 중 가장 큰 것은 연등회와 팔관회였다. 그 밖에 기복도량(국왕의 생일 때), 기신도량(국왕의 기일 때) 등이 있었다. 도량(道場)이란 불교의 법회를 말한다. 특히 보살계도량은 매년 6월 15일에 국왕이 보살계를 받는 행사로 국왕이 보살의 자격을 새로 얻거나 보살의 자격을 다시 확인할 때 열렸다.

㉢ 승정이란 불교 행정을 말한다. 고려에는 승정을 담당하는 승록사라는 관청이 있었다. 고려 시대에는 승군의 활약이 컸다. 현종 때 거란의 침략으로 서경이 위기에 놓였을 때에는 승장 법언(法言)이 임원역(林原驛)에 진을 치고 거란병을 공격하여 큰 전과를 올렸다. 여진족의 침략에 대비하여 만든 별무반에는 항마군이라는 승군이 있었다. 몽골의 2차 침입 때에는 승려 김윤후가 처인성에서 몽골 장수 살리타를 사살하였다. 고려 말에는 승군이 홍건적과 왜구의 침략을 막기도 하였다.

19 다음은 고려 시대 불교에 관한 내용이다. 옳은 것으로 묶인 것은? [2014 서울시 9급]

㉠ 천태종의 지눌은 선종을 중심으로 교종을 포용하는 선교일치를 주장하였다.
㉡ 의천은 불교와 유교가 심성 수양이라는 면에서 차이가 없다고 하였다.
㉢ 의천이 죽은 뒤 교단은 분열되고 귀족 중심이 되었다.
㉣ 요세는 참회수행과 염불을 통한 극락왕생을 주장하며 백련사를 결성했다.

① ㉠, ㉢
② ㉡, ㉣
③ ㉠, ㉡
④ ㉠, ㉣
⑤ ㉢, ㉣

해설

정답 ⑤

㉢ 의천의 불교 통합은 교종을 중심으로 선종을 통합하는 것이었지만, 선종의 통합은 실제적으로는 효과적이지 못하였다. 의천이 죽은 후 교단은 다시 분열되는 모습을 보였고, 무신정권기에는 지눌이 분열되어 있던 선종을 통합하여 조계종을 창시하였다.

㉣ 요세는 1) 자신의 행동을 진정으로 '참회'하라는 법화신앙을 강조하였다. 2) 정토신앙을 적극 수용하여 극락왕생을 주장하였으며, 3) 강진 만덕사를 중심으로 백련사 결사를 조직하였다. 4) 항몽투쟁을 표방하여 최씨 정권의 지원을 받았다. (원묘국사 요세의 4가지 키워드를 숙지하길.)

㉠ 지눌은 선종을 중심으로 교종을 통합하려고 하였다. 다만 지눌의 종파는 '조계종'이었다.

㉡ 불교와 유교가 심성 수양이라는 면에서 차이가 없다는 것은 혜심이 주장한 '유불일치설'이다.

20 **고려 시대의 불교에 대한 설명으로 가장 적절하지 않은 것은?** [2016 경찰]

① 광종 때부터 승과 제도를 실시하여 합격한 자에게는 승계(僧階)를 주고 승려의 지위를 보장하였다.

② 공민왕 때 개혁 정치를 추진한 신돈은 9산선문의 통합을 주장하였다.

③ 지눌은 승려 본연의 자세로 돌아가 독경과 선 수행, 노동에 고루 힘쓰자는 개혁운동인 수선사 결사를 제창하였다.

④ 고려 초기에는 화엄 사상을 정비하고 보살의 실천행을 폈던 균여의 화엄종이 성행하였다.

해설

정답 ②

공민왕 때 '9산선문의 통합'을 주장한 승려는 '보우'이다. 보우는 1356년 왕사가 되어 광명사에 머물면서 왕도의 누적된 폐단, 정치의 부패, 불교계의 타락 등에 대한 개혁을 주장하였다. 그는 임제종(臨濟宗)을 도입하여 선문(禪門)의 새로운 조류를 형성하였으며, 서울을 한양으로 옮겨 인심을 일변하고 9산선문을 일문(一門)으로 통합하고 종파의 이름을 '도존(道存)'이라 할 것을 건의하는 등 교단의 통합 및 정리를 주장하였다.

① 광종은 쌍기의 건의에 따라 과거 제도를 채택하였고 이에 준하여 승과(僧科)를 두었다(958). 승과에 합격한 자에게는 대덕, 수좌, 승통, 선사 등의 승계(僧階)를 주어 승려의 지위를 보장하였다.

③ 지눌은 명리에 집착하는 당시 불교계의 타락상을 비판하면서, 송광산 수선사를 중심으로 수선사 정혜결사를 조직하여 승려 본연의 자세로 돌아가 독경과 선 수행, 노동에 고루 힘쓰자는 개혁 운동을 전개하였다.

④ 고려 초기에는 선종과 화엄종이 성행하였다. 선종은 후삼국 통일 과정에서 태조 왕건과 긴밀한 관계를 맺으며 발달했고, 화엄종은 보살의 실천행을 폈던 균여로 인하여 성행하였다.

21 **밑줄 친 '이 승려'에 대한 설명으로 옳은 것을 [보기]에서 모두 고른 것은?** [2017 서울시 7급]

> <u>이 승려</u>는 고려 초기에 귀법사의 주지를 역임하였고, 남악파와 북악파의 통합을 위해 인유(仁裕)와 함께 큰 사찰의 승려를 찾아가 설득하여 화엄종파의 분쟁을 종식시켰다. 958년에는 시관(試官)이 되어 유능한 승려들을 많이 선발하였다.

[보기]

㉠ 『신편제종교장총록』을 편찬하였다.
㉡ 『천태사교의』를 저술하였다.
㉢ 성상융회를 주창하였다.
㉣ 향가를 지음으로써 국문학 사상 큰 업적을 남겼다.

① ㉠, ㉡ ② ㉡, ㉢
③ ㉡, ㉣ ④ ㉢, ㉣

해설 정답 ④

'고려 초기에 귀법사의 주지'였고, '남악파와 북악파의 통합'을 의도하였던, '958년'경에 활동하였던 승려는 균여(923~973)이다. 균여는 북악의 법손(法孫)으로서 북악을 중심으로 남악의 사상을 융합하였다.

ⓒ 균여는 광종의 체제 정비 일환으로서 성상융회 사상을 바탕으로 불교 통합을 시도하였다.

ⓔ 균여는 중생을 교화하기 위하여 어려운 불경을 향가로 풀이하여 '보현십원가'를 지었다. 현재 전해지고 있는 향가 25수 중 11수가 보현십원가에 담겨 있어, 그 국문학상 가치가 높다.

㉠『신편제종교장총록』은 의천이 교장(속장경) 간행을 위해 수집한 불경의 목록이다.

ⓛ『천태사교의』는 고려 초기의 승려 제관(?~970)이 천태종의 교리를 해설한 책이다. 제관은 송나라에 가서 의적(義寂)을 만나 중국 천태종을 다시 일으키는 데 중요한 역할을 하였으며, 천태종 기본 교리서인 「천태사교의(天台四敎儀)」를 저술하여 중국 승려들을 가르쳤다.

22 다음에서 설명하는 승려의 활동으로 가장 옳지 않은 것은? [2010 경찰 변형]

- 고려 제11대 왕 문종의 넷째 아들로 태어남
- 송나라에 유학을 가서 화엄학과 천태학을 익힘
- 출가하여 구족계를 받고 국사로 책봉된 후 입적함
- 개경에 국청사를 개창하고 해동 천태종을 창시함

① 신라 승려 원효의 통합 불교 사상을 계승하고자 했다.

② 「원종문류」, 「석원사림」 등 불교서적을 저술하였다.

③ 정혜쌍수의 이론으로 선종과 교종의 교리적 통합을 추구하였다.

④ 송, 요, 일본 등지에서 불교 전적을 수집하여 대장경을 보완하였다.

⑤ 숙종에게 활구(은병) 등 화폐 발행을 건의하였다.

해설 정답 ③

문종의 첫째 아들은 순종, 둘째 아들은 선종, 셋째 아들은 숙종, 넷째 아들은 '의천(1055~1101)'이다. ③의 정혜쌍수는 지눌이 강조한 교리이다.

① 의천은 원효의 통합불교사상을 계승하고, 균여의 불교통합 운동의 영향을 받아 교단통합운동을 펼쳤다. 의천은 균여의 화엄학이 지나치게 관념화되어 있음을 비판하고 교관겸수(敎觀兼修)를 주장하여 화엄교단을 정비하였다. 2005년 인천시 9급에서는 다음과 같이 '원효'의 화쟁사상을 주고, '(고려 시대에) 교종과 선종의 통합 운동이 전개되었다.'를 고르는 문제가 출제된 적이 있다. 의천은 원효를 계승한 승려이다!

> 인간 세상에는 화(和)와 쟁(爭)이라는 양면성이 있다. 이 두 요소의 근본을 꿰뚫어 둘이 서로 다르지 않다는 것을 체득하게 되면 쟁(爭)도 화(和)로 동화시킬 수 있다.

②, ④ 의천은 「원종문류」, 「석원사림」, 「신편제종교장총록」, 「대각국사문집」, 「천태사교의주」를 썼으며, 송, 요, 일본 등지에서 불교 전적을 수집하여 '속장경(교장)'을 제작하였다.

명호샘의 한마디!!

의천에 대한 그 밖의 기출 문장을 정리한다.

1) 해동천태종을 통해 교종의 입장에서 선종을 통합하려 하였다. ➲ 2017 기상직 7급, 2014 국가직 7급
2) 흥왕사를 근거지로 교종을 통합하려 하였으며, 국청사를 창건하고 천태종을 창시하였다. ➲ 2010 지방직 7급, 2004 국가직 9급
   = 국청사를 창건하고 교단 통합 운동을 펼쳤다. ➲ 2021 경찰, 2011 수능
3) 이론의 연마와 실천을 아울러 강조하는 교관겸수를 제창하였다. ➲ 2024 법원직 9급, 2017 지방교행, 2004 국가직 9급
   = 교관겸수와 성상겸학을 주장하였다. ➲ 2017 기상직 7급
   = 내외겸전을 주장하였다. ➲ 2016 소방

명호샘의 한마디!!

의천은 흥왕사에 '교장도감'을 설치하고 국내의 고서를 수집하고, 송·요·일본에서 불서를 구입하여 대장경을 보완한 교장(敎藏), 즉 속장경을 간행하였다. 강화천도 때 흥왕사가 불타면서 속장경의 판목은 불타 없어졌고, 인쇄본의 일부만 남아 있다. 그러나 「신편제종교장총록」에 의해 당시 수집하였던 서적의 이름은 알 수 있다. 그 서적 목록에는 선종 관련 서적이 단 한 권도 포함되어 있지 않으므로, 속장경 작업은 교종 중심의 교리 정리에 그 목표가 있었음을 알 수 있다.

대사는 일찍부터 중국에 가서 구도할 뜻을 가지고 있었다. …(중략)… 마침내 송, 요, 일본으로부터 4천여 권의 불전을 구하여 잘못되고 빠진 곳을 바로잡아 교장(敎藏)을 출판하였다. ➲ 2011 수능

선종 8년에 간행된 (속장경)은 고려, 송, 요, 일본 등 각지에 있는 불교 서적을 모아 편찬한 것으로 고려 불교의 전통을 재확인하고 불교의 기반을 국제적 규모로 확대한 것이다. ➲ 2010 지방직 7급

지승법사의 호법(護法)하는 뜻을 본받아 교장(敎藏)을 널리 찾아내는 것을 나의 책임으로 삼았다. …… 여러 종파의 의소(義疏)를 얻게 되면, 감히 사사로이 비장(秘藏)하지 않고 간행했으며, 책을 낸 후에 새로 발견된 것이 있으면 그 뒤에 계속해서 수록하고자 하였다. 이렇게 편집된 권질이 삼장(三藏)의 정문(正文)과 더불어 무궁하게 전해져 내려감이 나의 소원이다. ➲ 2021 경찰

23 밑줄 친 '나'에 대한 설명으로 옳지 않은 것은? [2014 지방직 9급]

<u>나</u>는 도(道)를 구하는 데 뜻을 두어 덕이 높은 스승을 두루 찾아다녔다. 그러다가 진수대법사 문하에서 교관(敎觀)을 대강 배웠다. 법사께서는 강의하다가 쉬는 시간에도 늘 "관(觀)도 배우지 않을 수 없고, 경(經)도 배우지 않을 수 없다."라고 제자들에게 훈시하였다. 내가 교관에 마음을 다 쏟는 까닭은 이 말에 깊이 감복하였기 때문이다.

① 해동 천태종을 창시하였다.
② 이론과 실천의 양면을 강조하였다.
③ 교종의 입장에서 선종을 통합하였다.
④ 정혜쌍수로 대표되는 결사운동을 일으켰다.

해설 정답 ④

'관(觀)도 배우지 않을 수 없고, 경(經)도 배우지 않을 수 없다.'는 꼭 암기해야 하는 문장이다. 유사한 사료가 또 출제된다 하더라도, 이 부분만큼은 '그대로' 출제될 것이기 때문이다. 이것은 불교의 교리 체계인 교(敎)뿐만이 아니라 실천 수행법인 지관(止觀)을 함께 닦아야 한다는 것으로, 의천의 '교관겸수(敎觀兼修)' 사상을 말한다. ②의 '이론과 실천의 양면을 강조하였다'는 표현은 교관겸수의 개념에서 도출된 문장이다. 의천은 교관겸수 사상을 바탕으로 교종을 중심으로(교종의 입장에서) 선종을 통합하려는 불교통합 운동을 전개하였다. 교선 통합 운동에서 통합의 중심이 되었던 종파는 의천 자신이 개창한 '(해동)천태종'이었다.

④ 정혜쌍수(定慧雙修)란 참선으로 선정을 쌓고, 독경(讀經)으로 지혜를 쌓고, 이 두 가지를 함께 수행해야 한다는 보조국사 지눌의 사상이다.

명호샘의 한마디!!

그 밖에 '의천' 기출 사료를 정리한다.

숙종의 후원을 받아 국청사를 중심으로 해동천태종을 창건하여 법상종과 선종의 여러 종파의 대립을 극복하려고 하였다. ➲ 2013 경찰

법사는 일찍이 제자들을 훈시하여, "관(觀)을 배우지 않고 경(經)만 배우면 비록 오주(五周)의 인과(因果)를 들었더라도 삼중(三重)의 성덕(性德)에는 통하지 못하며 경을 배우지 않고 관만 배우면 비록 3중의 성적을 깨쳤으나 5주의 인과를 분별하지 못한다. 그러므로 관도 배우지 않을 수 없고 경도 배우지 않을 수 없다."고 하였다. ➲ 2008 서울시 9급

왕이 하루는 여러 아들들에게 일러 말하기를, "누가 승려가 되어 복전(福田)을 지어 이로움을 더할 수 있겠는가?"라고 하자, <u>왕후(王煦)</u>가 일어나서 말하기를, "제가 세상을 벗어날 뜻이 있으니 오직 임금께서 명하실 바입니다."라고 하였다. 왕이 말하기를, "좋다."라고 하자 드디어 스승을 좇아 출가(出家)하여 영통사(靈通寺)에 살았다. 왕후는 성품이 총명하고 지혜롭고 배움을 좋아하여, 먼저 『화엄경(華嚴經)』을 업으로 삼고 곧 오교(五敎)에 통달하게 되었다. 또한 유학(儒學)도 섭렵하여 정통하게 알지 못하는 것이 없었으니, 우세승통(祐世僧統)이라고 불렸다. ➲ 2017 기상직 7급

24 다음 자료와 관련된 인물의 주장을 [보기]에서 모두 고르면? [2009 법원직 9급]

> 지금 불교계를 보면, 아침저녁으로 행하는 일들이 비록 부처의 법에 의지하였다고 하나, 자신을 내세우고 이익을 구하는 데 열중하며, 세속의 일에 골몰한다. 도덕을 닦지 않고 옷과 밥만 허비하니, 비록 출가하였다고 하나 무슨 덕이 있겠는가? 하루는 같이 공부하는 사람 10여 인과 약속하였다. 마땅히 명예와 이익을 버리고 산림에 은둔하여 같은 모임을 맺자. 항상 선을 익히고 지혜를 고르는 데 힘쓰자.
>
> ➲ 〈권수정혜결사문〉

[보기]

㉠ 내가 곧 부처라는 깨달음을 위한 노력과 함께, 꾸준한 수행으로 깨달음의 확인을 강조하는 돈오점수(頓悟漸修)를 주장하였다.

㉡ 자신의 행동을 진정으로 참회하는 법화 신앙에 중점을 둔 백련결사를 제창하였다.

㉢ 교학과 선을 함께 수행하되, 교학의 수련을 중심으로 선을 포용하려는 사상 체계인 교관겸수(敎觀兼修)를 제창하였다.

㉣ 승려 본연의 자세로 돌아가 독경과 선 수행, 노동에 고루 힘쓰자는 개혁 운동인 수선사 결사를 제창하였다.

① ㉠, ㉡　　② ㉠, ㉢

③ ㉠, ㉣　　④ ㉡, ㉢

 **해설** 정답 ③

권수정혜결사문(勸修定慧結社文)에는 지눌의 교리와 수선사 결사를 조직한 배경 등이 나타나 있다. 지눌의 이론은 정혜쌍수(定慧雙修)로 대표되며, 이를 뒷받침하는 방법으로서 돈오점수(頓悟漸修)가 강조되었다. 이 중 돈오점수는 인간의 마음이 곧 부처의 마음이라는 진리를 깨닫는 돈오(頓悟)와 이를 바탕으로 꾸준히 수행하여 진리를 실천하자는 점수(漸修)를 병행하는 것을 말한다. 지눌은 이러한 사상 체계를 바탕으로 수선사(修禪社) 신앙결사를 조직하였다.

㉡ 요세, ㉢ 의천

명호샘의 한마디!!

지눌과 관련된 그 밖의 기출문장을 정리한다.

1) 선과 교학은 근본이 둘이 아니라는 정혜쌍수를 사상적 바탕으로 철저한 수행을 강조하였다. ➲ 2007 국가직 7급

= 선・교 일치의 완성된 철학체계를 이루게 되었다. ➲ 2005 서울시 세무직 9급

2) 선종을 중심으로 교종을 포용하는 선교일치사상을 완성하였다. ➲ 2007 국가직 7급

3) 꾸준한 수행으로 깨달음의 확인을 아울러 강조한 돈오점수를 주장하였다. ➲ 2009 국가직 9급, 2007 국가직 7급

명호샘의 한마디!!

지눌 문제의 대표적 사료들은 다음과 같다. 첫 번째 사료에 일심(一心)이라는 표현이 보이는데, 이것 때문에 원효 관련 자료로 오해해서는 안 된다. 여기에서는 부처가 깨달은 '한마음'을 깨닫는 것을 중시하고 있다. 지눌이 말하는 깨달음이란 '나의 마음 = 부처의 마음', '나 = 부처'이다.

> 한마음(一心)을 깨닫지 못하고 한없는 번뇌를 일으키는 것이 중생인데 부처는 이 한마음을 깨달았다. 깨닫고 아니 깨달음은 오직 한마음에 달려 있으니 이 마음을 떠나 따로 부처를 찾을 것이 없다.
>
> ➲ 2016 지방직 9급, 2009 국가직 9급

> 인간의 마음이 곧 부처의 마음이라는 것을 깨닫고, 그것을 깨달은 후에는 꾸준히 수행해야 해탈에 이를 수 있다.
>
> ➲ 2004 서울시 9급

> 하루는 같이 공부하는 사람 10여 인과 약속하였다. 마땅히 명예와 이익을 버리고 산림에 은둔하여 같은 모임을 맺자. 항상 선을 읽히고 지혜를 고르는 데 힘쓰고, 예불하고 경전을 읽으며 힘들여 일하는 것에 이르기까지 각자 맡은 바 임무에 따라 경영한다. 인연에 따라 성품을 수양하고 평생을 호방하게 고귀한 이들의 드높은 행동을 좇아 따른다면 어찌 통쾌하지 않겠는가.
>
> ➲ 2010 서울시 9급

> '그'는 선종의 부흥과 신앙결사운동의 새로운 움직임을 주도하였다. 송광사에 머무르고 있던 그는 당시 불교계의 타락을 비판하였다. 불교수행의 중심을 이루는 두 요소인 참선과 지혜를 아울러 닦아야 한다고 하였다. 그리고 승려본연의 자세로 돌아가 예불독경과 함께 참선 및 노동에 힘쓰자는 개혁운동을 전개하였다.
>
> ➲ 2005 서울시 세무직 9급

25 다음 내용을 주장한 인물에 대한 설명으로 옳은 것은? [2016 지방직 9급]

> - 한 마음(一心)을 깨닫지 못하고 한없는 번뇌를 일으키는 것이 중생인데, 부처는 이 한 마음을 깨달았다. 깨닫는 것과 깨닫지 못하는 것은 오직 한 마음에 달려 있으니 이 마음을 떠나서 따로 부처를 찾을 수 없다.
> - 먼저 깨치고 나서 후에 수행한다는 뜻은 못의 얼음이 전부 물인 줄은 알지만 그것이 태양의 열을 받아 녹게 되는 것처럼 범부가 곧 부처임을 깨달았으나 불법의 힘으로 부처의 길을 닦게 되는 것과 같다.

① 국청사를 창건하고 천태종을 창시하였다.
② 부석사를 창건하고 화엄 사상을 선양하였다.
③ 불교계를 개혁하기 위해 수선사 결사를 주도하였다.
④ 십문화쟁론을 저술하여 종파 간의 사상적 대립을 조화시키고자 하였다.

해설 정답 ③

주어진 자료는 '지눌'이 주장한 내용이다. '一心'이라는 말 때문에 일심 사상을 주장한 원효로 생각해서는 안 된다. 두 번째 자료에서 '먼저 깨치고 나서 후에 수행한다'는 것은 깨달음 뒤에 '수행(실천)'이 반드시 있어야 한다는 지눌의 사상을 보여준다. 지눌의 '깨달음'이란 '범부 = 부처'라는 깨달음이다. 지눌은 독경과 선 수행, 노동에 고루 힘쓰자는 '수선사 정혜결사'를 주도하였다.

① 의천, ② 의상, ④ 원효

26 ㉠과 ㉡의 인물이 수행한 활동으로 옳은 것은? [2013 지방직 9급]

> • 문무왕이 도성을 새롭게 짓고자 하니, ㉠ 이(가) 말하기를 "비록 궁벽한 시골[草野] 띳집[茅屋]에 있다고 해도 바른 도를 행하면 복된 일이 오래 갈 것이고, 만일 그렇지 못하면 사람을 수고롭게 하여 성을 쌓을 지라도 아무 이익이 없을 것입니다." 하니, 왕이 곧 그 성을 쌓는 것을 그만두었다.
> • 임인년 정월에 개경 보제사에서 열린 담선법회가 파한 연후에 ㉡ 은(는) 동문 10여 인과 함께 "명예와 이익을 버리고 산림에 은둔하여 같은 모임을 맺자. 항상 선정을 익히고 지혜를 고르는 데 힘쓰고, 예불하고 경전을 읽으며 힘들여 일하는 것에 이르기까지 각자 맡은 바 임무에 따라 경영한다."라고 결의하였다.

① ㉠ – 황룡사 9층 목탑의 건립을 왕에게 건의하였다.

② ㉠ – 세속 5계를 만들어 젊은이에게 규범을 제시하였다.

③ ㉡ – 순천 송광사에서 수선결사운동을 전개하였다.

④ ㉡ – 국청사를 중심으로 고려 천태종을 창시하였다.

해설 정답 ③

㉠은 의상이다. 당에서 귀국한 이후 문무왕의 정치적 자문을 담당하기도 했던 의상은 왕실과 귀족층의 사치와 탐욕을 억제하는 일에도 공헌하였다. 문무왕이 경주에 도성을 쌓으려고 할 때엔 '바른 도'를 행하여 민심의 성을 쌓는 것이 더 중요하다는 점을 역설하여 축성을 만류하였다.

㉡은 지눌이다. '선정을 익히고 지혜를 고르는 것', 즉 정혜쌍수를 강조하였고, '힘들여 일하는 것', 즉 노동을 강조하였다. 지눌은 순천 송광사에서 수선결사(수선사결사) 운동을 전개하였다.

① 자장, ② 원광, ④ 의천

27 밑줄 친 '그'에 대한 설명으로 옳은 것은? [2017 서울시 9급]

> <u>그</u>는 『묘종초』를 설법하기 좋아하여 언변과 지혜가 막힘이 없었고, 대중에게 참회를 닦기를 권하였다. … (중략) … 대중의 청을 받아 교화시키고 인연을 맺은 지 30년이며, 결사에 들어온 자들이 3백여 명이 되었다.

① 강진의 토호세력의 도움을 받아 백련사를 결성하였다.

② 불교계 폐단을 개혁하기 위해 9산선문의 통합을 주장하였다.

③ 이론의 연마와 실천을 아울러 강조하는 교관겸수를 제창하였다.

④ 깨달은 후에도 꾸준한 실천이 필요하다는 돈오점수를 중시하였다.

해설 정답 ①

'묘종초'(묘종)를 설법하기 좋아하였고, 자신의 행동을 진정으로 '참회'하는 법화신앙을 강조하였으며, '결사'를 조직한 인물은 원묘국사 요세(1163~1245)이다. 요세는 강진 만덕사를 중심으로 이 지역의 토호 세력의 도움을 받아 백련사결사(百蓮社結社)를 결성하고, 염불을 중심으로 수행에 정진하는 운동을 전개하였다.

② 불교계의 폐단을 개혁하기 위해 9산선문을 일문(一門)으로 통합하자고 주장한 승려는 공민왕 때 활동한 보우(1301~1382)이다.
③ 교관겸수를 제창한 승려는 대각국사 의천(1055~1101)이다.
④ 돈오점수를 중시한 승려는 보조국사 지눌(1158~1210)이다.

28 **우리나라 불교 문화와 관련된 내용을 시대 순으로 옳게 나열한 것은?** [2011 법원직 9급 변형]

(가) 그는 유불일치설을 주장하며 심성의 도야를 강조하여 장차 성리학을 수용할 수 있는 사상적 토대를 마련하기도 하였다.
(나) 그는 '내가 곧 부처'라는 깨달음을 위한 노력과 함께, 꾸준한 수행으로 깨달음의 확인을 아울러 강조한 돈오점수를 주장하였다.
(다) 그는 화엄 사상을 바탕으로 교단을 형성하여 많은 제자를 양성하고, 부석사를 비롯한 여러 사원을 건립하여 불교문화의 폭을 확대하였다.
(라) 그는 흥왕사를 근거지로 삼아 화엄종을 중심으로 교종을 통합하려 하였으며, 또 선종을 통합하기 위하여 국청사를 창건하여 천태종을 창시하였다.
(마) 그가 새로이 중국에서 들어온 임제종이 불교계의 새로운 주류로 떠올랐다.

① (다) → (라) → (마) → (가) → (나)
② (라) → (다) → (마) → (나) → (가)
③ (다) → (라) → (나) → (가) → (마)
④ (라) → (가) → (다) → (나) → (마)
⑤ (가) → (라) → (나) → (마) → (다)

해설 정답 ③

(다) 의상(625~702) → (라) 의천(1055~1101) → (나) 지눌(1158~1210) → (가) 혜심(1178~1234) → (마) 보우(1301~1382)

명호샘의 한마디!!

진각국사 혜심은 지눌의 제자이다. 혜심은 불교의 세속화를 비판하고, 1) 심성의 도야를 강조한 2) 유불일치설을 주장하여 장차 성리학을 수용하는 사상적 토대를 마련하였다. 혜심의 유불일치설 사료를 주의 깊게 봐두기 바란다.

> 부처님이 말씀하시기를, "나는 두 성인을 중국에 보내어 교화를 펴리라. 한 사람은 노자로 그는 가섭보살이요, 또 한 사람은 공자로 그는 유동보살(儒童菩薩)이다." 하였다. 이 말에 의하면 유(儒)와 도(道)의 종(宗)은 부처님의 법에서 흘러 나온 것이다.
> 「진각국사 어록」

명호샘의 한마디!!

'보우'라는 승려는 두 명이 있다. 공민왕 때 불교 개혁을 주도하였던 보우(1301~1382)가 있고, 조선 명종 때 문정대비의 불교 중흥 시도를 도왔던 보우(1509~1565)가 있다.
공민왕 때 왕사가 되어 원간섭기에 타락하였던 불교를 개혁하려고 하였던 보우는 임제종(臨濟宗)을 도입하여 선문(禪門)의 새로운 조류를 형성하였다. 2013년 경찰 시험에서 "새로이 중국에서 들어온 임제종이 불교계의 새로운 주류로 떠올랐다."는 문장이 출제되었다. 이것은 보우와 관련된 것으로 '공민왕 때'로 이해하고 풀면 된다.

29 고려 시대에 제작된 대장경에 대한 설명으로 옳지 않은 것은? [2011 지방직 9급]

① 초조대장경은 거란의 침입 때 부처의 힘을 빌려 적을 물리치고자 만들었다.
② 속장경(교장)은 의천이 경(經), 율(律), 논(論) 삼장의 불교경전을 모아 간행한 것이다.
③ 재조대장경은 몽고 침략으로 초조대장경이 소실된 후 고종 때 다시 만든 것이다.
④ 현재 합천 해인사에 보관되어 있는 팔만대장경은 재조대장경을 가리킨다.

해설 정답 ②

경(經)이란 부처의 설법이고, 율(律)이란 부처가 정한 교단의 규칙이며, 논(論)이란 경과 율을 체계적으로 연구하여 해석한 논술을 말한다. 경, 율, 논을 모두 모은 것을 '대장경'이라 한다. 의천이 편찬한 속장경(교장)은 경, 율, 논 삼장의 형식을 갖추지 않았다. 속장경은 국내외 자료를 수집하여 정리한 것으로 '대장경'이 아니라 '대장경에 대한 연구해석서'라고 할 수 있다.

① 고려가 독자적으로 대장경을 만들기 시작한 것은 거란과의 제2차 전쟁이 진행되던 1011년(현종 때)이다. 이것을 몽골 침입 중에 만든 재조대장경(팔만대장경)과 구분하기 위하여 '초조대장경'이라 한다. 초조대장경은 1) 거란의 침입을 불력(佛力)으로 막기 위해서, 2) 불교의 교리를 정리하기 위해서 만들기 시작했으며, 1087년(선종 때) 완성되었다.

③, ④ 몽골 침입으로 초조대장경이 소실되자, 최씨 정권은 1236년(고종 때) 강화도와 진주에 대장도감을 설치하고 대장경 판각을 시작하였고, 16년 만에 완성하였다. 이것을 재조대장경이라 하며, 8만여 판에 법문이 실려 있으므로 팔만대장경이라고도 한다. 이 목판은 강화도 선원사에 있다가 조선 초기에 합천 해인사로 이관되었고, 이를 보관하기 위해 해인사 내에 장경판전을 건축하였다.

30 고려 시대의 대장경을 설명한 것으로 가장 옳지 않은 것은? [2016 서울시 9급]

① 대장경이란 경(經)·율(律)·논(論) 삼장으로 구성된 불교 경전을 말한다.
② 초조대장경의 제작은 거란의 침입을 받으면서 시작되었다.
③ 의천은 송과 금의 대장경 주석서를 모아 속장경을 편찬하였다.
④ 초조대장경과 속장경은 몽골의 침입으로 소실되었다.

해설 정답 ③

속장경은 대장경에 대한 주석서(연구 해석서)이다. 11세기 말 의천은 흥왕사 내에 교장도감(敎藏都監)을 설치하여 나라 안에 널리 흩어져 있던 고서(古書)를 수집하고, '송·요·일본'으로부터 불서(佛書)를 구입하여 대장경을 보완한 속장경(續藏經)을 간행하였다.

31 **다음의 ㉠ ~ ㉢과 관련된 설명으로 가장 적절한 것은?** [2016 경찰]

> 심하도다. (㉠)의 환란이여. 잔인한 것은 말할 것도 없고, 지극히 어리석기는 짐승보다 심하니, 어찌 천하에서 공경하는 바를 알겠으며, 불법(佛法)이 있음을 알겠습니까? 그들은 지나가는 곳마다 불상과 불서를 모두 불태워 ㉡ 부인사에 소장된 대장경 판본도 남기지 않고 쓸어버렸습니다. …… 이런 큰 보물이 없어졌는데 어찌 감히 역사(役事)가 클 것을 염려하며, ㉢ 고쳐 만드는 일을 주저할 수 있겠습니까?
>
> 이규보, 「동국이상국집」

① ㉠은 송과 연합하여 요를 멸망시킨 후 송을 침략하여 강남으로 몰아냈다.

② ㉠과의 전쟁이 끝난 후 고려는 개경에 나성을 쌓아 도성 수비를 강화하였으며, 북쪽 국경 일대에 천리장성을 쌓았다.

③ ㉡은 부처의 도움으로 여진을 퇴치하려고 만든 금속활자 인쇄본이다.

④ ㉢에 따라 만들어진 대장경판은 현재 합천 해인사에 보관되어 있다.

해설 정답 ④

몽골 침입으로 초조대장경이 소실되자, 이를 '고쳐 만드는 일'을 하였다. 즉 재조대장경(팔만대장경)을 판각하기 시작하였다(1236). 팔만대장경은 현재 합천 해인사에 보관되어 있다.

① ㉠은 '몽골'이다. 이규보가 쓴 「동국이상국집」에서 발췌한 대표적인 자료이다. '몽골의 환란이여'라는 이 문장은 여러 번 출제되었다. 꼭 외워 두기를! 요를 멸망시킨 나라는 '금'이다. 중국의 북쪽에 금이, 남쪽에 송이 있을 때, 몽골은 송과 연합하여 '금'을 멸망시키고, 이후 송도 멸망시켰다.

② 고려는 '거란'과의 전쟁이 끝난 후, 개경과 천리장성을 쌓았다.

③ ㉡은 부인사에 보관되어 있다가 소실된 '초조대장경'이다. 초조대장경은 '거란'을 퇴치하려고 만든 목판이다.

32 **우리나라 불교의 특징을 알아보기 위해 비슷한 성격의 사례를 정리한 것이다. (가)에 가장 알맞은 것은?** [2006 경북 9급]

고 대	황룡사 9층 목탑 건립, 문무왕 해중릉 조성
중 세	(가)
근 세	서산대사, 사명당의 승병 활동

① 보현십원가 보급 ② 수선사 결사

③ 팔만대장경 조판 ④ 직지심체요절 인쇄

해설

정답 ③

제시된 사례는 우리나라의 불교의 호국적(護國的) 특징을 보여준다. 팔만대장경 조판도 불력으로 외적의 침입을 막으려는 것으로 호국불교의 성격을 가진다. 호국불교의 성격을 보여주는 다음의 사례들을 암기하기 바란다.

시 대	호국 불교의 사례
삼국 시대	백제 미륵사・왕흥사, 신라 화랑도, 황룡사 9층탑, 세속오계, 인왕경
통일신라	감은사지 3층 석탑, 대왕암(해중릉), 사천왕상
고 려	초조대장경・재조대장경, 별무반(항마군), 팔관회
조 선	왜란 의병(사명대사, 서산대사)

① 보현십원가는 고려 광종 때 승려 균여가 어려운 불경을 향가로 풀이한 작품으로 '불교 대중화'를 의미한다.

② 수선사 결사는 무신집권기에 지눌과 혜심이 이끌었던 신앙결사운동으로 '불교 개혁'을 의미한다.

④ 직지심체요절은 여러 경전과 법문을 편집한 불교 서적이다. 1377년(우왕 때) 청주 흥덕사에서 발간된 세계에서 가장 오래된 금속활자인쇄물로 '인쇄술의 발달'을 의미한다.

33 다음 중 조선 시대 불교계의 동향을 바르게 서술한 것은? [2005 서울시 9급]

① 조선 초기 성리학에 입각한 억불정책으로 교세가 크게 위축되었으나, 사회적 위신은 약화되지 않았다.

② 민간에서는 여전히 불교가 신봉되었으나 왕실과 궁중에서는 불교 신앙 행위가 근절되었다.

③ 세종은 도첩제를 실시하여 출가를 신고제로 바꿈으로써 위축되었던 불교 교세를 어느 정도 만회시켜 주었다.

④ 세조는 간경도감을 설치하여 불경의 번역에 힘쓰는 등 적극적인 불교 진흥책을 시행하였으나 일시적인 효과에 그치고 말았다.

⑤ 임진왜란을 겪으면서 승려들이 승병으로 크게 활약함으로써 조선의 국책이 불교 중흥으로 전환되었다.

해설

정답 ④

세조(1455~1460)는 즉위하자마자 다른 왕과는 달리 숭불정책을 채택하였다. 간경도감을 두어 많은 불서를 국문으로 번역・간행하고, 원각사를 세우는 등 일시적이나마 불교의 중흥을 가져왔다.

하지만 성종(1469~1494)은 도첩제마저 폐지하여 일체의 출가를 금지하였고 중종(1505~1544)은 승과를 완전히 폐지하고, 선종과 교종의 양종도 없앴다.

①, ② 조선의 억불 정책으로 '불교의 교세'뿐만이 아니라 '불교의 사회적 위신'도 모두 약화되었다. 성리학을 통치 이념으로 내세운 조선 왕조는 불교를 이단으로 배척했지만, 종교로서의 기능이 완전히 없어지기는 어려워서 '민간과 왕실'에서 여전히 신봉되었다.

③ 도첩제는 고려 말부터 실시되었으며, 조선의 태조도 도첩제를 실시하여 승려가 증가하는 것을 방지하였다. 세종 때에는 불교의 각 종파를 '선・교 양종'으로 병합하였다.

⑤ 임진왜란 중에 사명대사(유정), 서산대사(휴정) 등의 승려들이 의병으로 활약하였다. 그러나 이로 인하여 조선의 정책이 불교 중흥으로 전환된 것은 아니었다.

34 다음 왕의 재위시기에 활동했던 승려에 대한 설명으로 옳은 것은? [2017 국회직 9급 변형]

> 왕이 즉위하면서 외척끼리의 권력 다툼에 휩쓸려 사림 세력은 또다시 정계에서 밀려났다. 이에 따라 이 왕 때에는 윤원형을 비롯한 왕실 외척인 척신들이 정국을 주도하였고, 사림의 세력은 크게 꺾였다.

① 왕실의 지원을 받아 승과를 부활시키는 등 불교 중흥 정책을 펼쳤다.

② 다른 종파들과 사상적 대립을 조화시키고 분파 의식을 극복하려는 「십문화쟁론」을 지었다.

③ 「화엄일승법계도」를 저술하여 모든 존재는 상호 의존적인 관계에 있으면서 서로 조화를 이루고 있다고 주장하였다.

④ 승려 본연의 자세로 돌아가 독경과 선 수행, 노동에 두루 힘쓰자며 '정혜쌍수', '돈오점수'를 주장하였다.

해설 정답 ①

'외척끼리의 권력 다툼'에 '사림'이 정계에서 밀려나고, '윤원형' 일파가 정국을 주도하게 된 사건은 명종 때의 을사사화(1545)이다. 명종이 어린 나이로 즉위하자 문정왕후가 섭정을 하면서 승려 보우를 중용하여 불교를 중흥시키려 하였다. 보우(1509~1565)는 문정왕후의 도움을 받아 선교 양종과 승과를 부활시켰다.

② 원효, ③ 의상, ④ 지눌

CHAPTER

02 문화사

01 불상과 탑의 역사

01 **밑줄 친 '이 시기'에 있었던 사실로 옳은 것은?** [2022 지방직 9급]

> 이 시기의 불교 조각은 지역에 따라 다양하게 제작되었다. 처음에는 하남 하사창동의 철조 석가여래 좌상과 같은 대형 철불이 많이 제작되었다. 또한 덩치가 큰 석불이 유행하였는데, 논산 관촉사 석조 미륵보살 입상이 대표적이다. 이 불상은 큰 규모에 비해 조형미는 다소 떨어지지만, 소박한 지방 문화의 모습을 잘 보여준다.

① 성골 출신의 국왕이 재위하였다.

② 지방 세력으로 호족이 존재하였다.

③ 풍양 조씨 등 특정 가문이 정권을 장악하였다.

④ 성리학에 투철한 사림 세력이 정국을 주도하였다.

해설

정답 ②

불교 조각이 '지역에 따라 다양하게 제작'된 '이 시기'는 고려 시대이다. 하남 하사창동 철조 석가여래 좌상(광주 춘궁리 철불) 등의 '대형 철불'과 논산 관촉사 석조 미륵보살 입상 등 '대형 석불(덩치가 큰 석불)'이 유행한 시기는 고려 시대이다. 고려 시대에는 안동 이천불 석불, 부석사 소조 아미타여래 좌상, 개성 불일사 5층 석탑, 예산 수덕사 대웅전, 여주 고달사지 승탑, 수월 관음보살도 등이 만들어졌다. ➲ 2006 서울시 9급

② 고려 시대에는 지방 세력으로 호족이 존재하였다. 호족은 나말여초에 실권을 가지고 있던 지방 세력이다.

① 신라 상대에는 성골 출신의 국왕이 재위하였다. 선덕여왕, 진덕여왕으로 성골 출신이 끊어지고, 최초의 진골 출신 국왕으로 무열왕이 즉위하였다.

③ 안동 김씨, 풍양 조씨 등 특정 가문이 정권을 장악한 시기는 조선 후기 세도정치기이다.

④ 성리학에 투철한 사림 세력은 15세기 말에 중앙 정계에 진출하여, 여러 사화를 거친 후 16세기 후반에는 정국을 주도하였다.

02 아래 그림에 대한 설명으로 바르지 못한 것을 고르면? [2009 법원직 9급]

㉠ 부석사 소조 아미타여래좌상

㉡ 고달사지 승탑

㉢ 월정사 8각 9층 석탑

㉣ 광주 춘궁리 철불

① ㉠, ㉡은 신라 양식을 이어 받았다.

② ㉡은 선종의 영향을 받았다.

③ ㉢은 원나라 탑의 영향을 받았다.

④ ㉠, ㉡, ㉢, ㉣ 모두 고려 시대 미술품들이다.

해설 정답 ③

월정사 8각 9층 석탑은 송나라 석탑의 영향을 받은 고려 전기의 다각 다층 석탑이다. 원나라 탑의 영향을 받은 것은 고려 후기의 경천사지 10층 석탑이다.

㉠ 부석사 소조 아미타여래좌상은 신라의 전통적인 불상 양식을 계승한 고려의 불상이다.

㉡ 고달사지 승탑은 팔각 원당형이라는 신라 말기의 양식을 계승한 고려 시대의 승탑이다. 참선을 중시하는 선종의 특성상 승려의 사리를 모시는 승탑(부도)과 승려의 일대기를 기록한 탑비가 유행하게 되었다. 승탑은 선종의 유행과 관련하여 고려 시대에도 널리 조성되었다.

㉢ 월정사 8각 9층 석탑은 정확한 건립연대는 알 수 없으나 대체로 11세기를 전후한 고려 초기의 석탑으로 보고 있다. 이 석탑은 통일신라에 정형화된 한국형 탑과는 다른 특이한 양식을 취하고 있다. 단면이 방형이 아닌 8각이고, 3층이 아닌 9층이다. 월정사 8각 9층 석탑은 고려 초기부터 친선관계를 유지하였던 송나라의 석탑 양식에 영향을 받은 것으로 보며, 고구려 계통의 다각다층탑 양식을 계승한 것으로 보는 견해도 있다.

㉣ 광주 춘궁리 철불은 나말 여초 지방 호족 세력의 참여로 인해 등장한 고려 시대의 대형 철불이다.

03 (가) ~ (라) 불상에 대한 설명으로 옳은 것은? [2016 기상직 9급]

(가) (나) (다) (라)

① (가)-고구려에서 제작된 불상이다.
② (나)-백제 불상 양식을 계승한 철불이다.
③ (다)-고려 시대의 석불로 은진미륵이라 불린다.
④ (라)-석굴암 본존불상의 양식을 계승하였다.

해설 정답 ③

(다) 논산 관촉사 석조 미륵보살 입상은 고려 시대의 불상이다. 이 불상은 우리나라에서 제일 큰 불상으로 '은진미륵'이라고 불리며 높이가 18미터에 이른다. 고려 시대 불상의 지역적 특색을 보여준다(당시 충청도에서 유행하던 불상 양식).

(가) 광주 춘궁리 철불 좌상(하남 하사창동 철조 석가여래 좌상)은 고려 시대에 제작된 거대한 철불이다. 고려 시대 불상의 지역적 특색을 보여준다.

(나) 부석사 소조 아미타여래 좌상은 신라 양식(전통 양식)을 계승한 고려의 불상이다.

(라) 파주 용미리 석불 입상(파주 용미리 마애이불 입상)은 거대한 천연 암벽에 두 불상을 새겨서 만든 고려 시대의 불상이다. 고려 시대 불상의 지역적 특색을 보여준다.

04 통일신라 시대의 불교문화에 대한 설명으로 옳지 않은 것은? [2008 선관위 9급]

① 미륵신앙이 성행하면서 미륵반가사유상이 많이 제작되었다.
② 상원사 종, 성덕대왕 신종 등 범종이 많이 주조되었다.
③ 팔각원당형을 기본형으로 하는 승탑과 승려의 일대기를 새긴 탑비가 유행하였다.
④ 이중 기단 위에 3층으로 쌓는 전형적인 통일신라의 석탑 양식이 완성되었다.

해설

정답 ①

미륵반가사유상은 통일신라 시대가 아닌 '삼국 시대 말기'에 많이 제작되었다. '삼국 시대 말기'는 '고구려 시대 말기' 또는 '백제 시대 말기'로 표현할 수도 있을 것이다. 백제 말기에는 미래에 중생을 구제한다는 미륵신앙이 유행하기도 하였다. ➲ 2019 서울시 9급

② 상원사 종과 성덕대왕 신종은 모두 통일신라 시대의 범종이다. 상원사 동종은 현존하는 가장 오래된 종으로 성덕왕 때 제작되었다. 성덕대왕 신종은 경덕왕 때 제작되기 시작하여 혜공왕 때 완성된 종으로, 가장 큰 범종이다.

③ 승탑과 탑비가 유행한 시기는 신라 하대이다. '신라 하대'를 재빨리 통일신라로 인식하는 것이 필요하다.

④ 삼국 통일을 계기로 석탑도 정돈된 형태를 갖추었는데, 그 중 대표적인 것이 감은사지 3층 석탑이다. 이것이 더욱 정돈되어 '이중 기단 위에 3층으로 쌓는 전형적인' 석탑이 정형을 보게 되었는데, 그것이 바로 불국사 3층 석탑(석가탑)이다.

금동 미륵보살 반가사유상

05 백제 문화권의 문화재에 대한 설명이 잘못된 것은? [2009 법원직 9급]

	장 소	문화재	내 용
①	서울	석촌동 고분	백제 건국의 주도 세력이 고구려 계통임을 알 수 있다.
②	공주	무령왕릉	웅진 시기 벽돌무덤으로 백제와 중국 남조와의 교류 관계를 보여 준다.
③	부여	부여 박물관 소재 금동대향로	도교가 발달하였음을 알 수 있다.
④	익산	미륵사지 석탑	전형적인 3층 석탑으로 탑신에 부조로 불상을 새겼다.

해설

정답 ④

익산 미륵사지 석탑은 목탑 양식을 모방한 현존 최고(最古)의 석탑으로서, 그 중 일부만 남아 있어서 정확한 층수를 알 수 없다. '전형적인 3층 석탑으로 탑신에 부조로 불상을 새긴' 석탑은 신라 하대에 나타났는데, 양양 진전사지 3층 석탑이 대표적이다.

① 서울 석촌동 고분은 고구려 초기의 장군총과 유사한 계단식 돌무지 무덤이다. 이를 통해 고구려와 백제의 지배층이 같은 계통이라는 것을 알 수 있다.

② 웅진 시대 이후 벽돌무덤은 중국 남조의 영향을 받은 것인데, 1971년 공주시 송산리에서 발견된 무령왕릉(武寧王陵)이 대표적이다.

③ 1993년에 부여 능산리 절터에서 발견된 금동대향로(금동용봉봉래산향로)는 꿈틀거리는 용모습을 받침대로 하여 그릇의 표면에 연꽃무늬가 새겨져 있으며, 뚜껑에는 신선이 산다는 봉래산이 화려하게 조각되어 있다. 신선들이 사는 이상세계가 표현되었다는 것을 통해 도교의 영향을 받았음을 알 수 있다.

06 밑줄 친 '가람'에 대한 설명으로 옳은 것은? [2024 국가직 9급]

> 우리 왕후께서는 좌평 사택적덕의 따님으로 지극히 오랜 세월에 선인(善因)을 심어 이번 생에 뛰어난 과보를 받아 만민을 어루만져 기르시고 삼보(三寶)의 동량(棟梁)이 되셨기에 능히 <u>가람</u>을 세우시고, 기해년 정월 29일에 사리를 받들어 맞이하셨다. 원하옵나니, 영원토록 공양하고 다함이 없이 이 선(善)의 근원을 배양하여, 대왕 폐하의 수명은 산악과 같이 견고하고 치세는 천지와 함께 영구하며, 위로는 정법을 넓히고 아래로는 창생을 교화하게 하소서.

① 목탑의 양식을 간직한 석탑이 있다.

② 대리석으로 만든 10층 석탑이 있다.

③ 성주산문을 개창한 낭혜 화상의 탑비가 있다.

④ 돌을 벽돌 모양으로 만들어 쌓은 모전석탑이 있다.

해설 정답 ①

'좌평 사택적덕의 따님'이 지은 가람(절)은 미륵사이다. 미륵사에는 목탑 양식의 석탑인 미륵사지 석탑이 있다.

② 대리석으로 만든 10층 석탑이 있는 절은 경천사와 원각사이다.

③ 낭혜 화상의 탑비는 보령 성주사에 있다.

④ 모전석탑은 여러 군데 있지만, 대표적인 모전석탑이 있는 절은 분황사이다.

07 다음과 같은 상황이 나타난 시기의 사실로 옳은 것은? [2012 서울시 9급]

> 나라 안의 여러 주와 군에서 공부(貢賦)를 바치지 않으니, 창고가 텅 비고 나라의 쓰임이 궁핍해졌다. 왕이 사신을 보내 독촉하였지만, 오히려 이로 말미암아 곳곳에서 도적이 벌떼같이 일어났다. 이에 원종, 애노 등이 상주에서 의거하여 반란을 일으켰다.

① 거대한 돌무지덧널무덤이 많이 만들어졌다.

② 세계 최고(最古)의 목판 인쇄물이 만들어졌다.

③ 승려의 사리를 봉안하는 승탑과 탑비(塔碑)가 유행하였다.

④ 불국토의 이상을 조화롭고 균형 있게 표현한 불국사가 건립되었다.

⑤ 정진과 사색하는 모습의 미륵반가사유상이 많이 만들어졌다.

해설 정답 ③

제시된 자료는 신라 말기의 사회상을 보여주는 사료로 「삼국사기」 신라본기에 수록되어 있다. 진성여왕 시기에 정치기강이 갑자기 문란해지기 시작하고, 주・군으로부터 세금이 들어오지 않게 되어 국고가 비게 되었다. 이에 관리를 각지에 보내어 세금을 '독촉'하였고, 이를 계기로 사방에서 '도적이 벌떼같이' 일어났다. 그 중 대표적인 것이 원종・애노의 난(889)이다. 이때는 통일신라 말기로, 선종이 이미 널리 퍼져서 승탑과 탑비가 유행하고 있었다.

① 돌무지덧널무덤은 삼국 시대 신라의 주된 무덤 양식이다.

② 현존하는 세계 최고(最古)의 목판 인쇄물은 석가탑에서 발견된 무구정광대다라니경이다. 그 제작 시기를 확실하게 알 수는 없으나, 석가탑을 세운 것이 751년(경덕왕 때)이므로, 아무리 늦어도 8세기 중엽, 이르면 8세기 초에 만들어졌을 것이다.

④ 경덕왕 때 재상 김대성이 짓기 시작한 불국사는 불국토(佛國土, 부처님의 나라)의 이상을 균형 잡힌 미적 감각으로 표현한 문화재이다.

⑤ 미륵반가사유상은 삼국 시대 말기에 주로 제작되었다.

08 밑줄 친 ㉠, ㉡에 해당하는 석탑을 바르게 나열한 것은? [2016 사회복지직]

> 우리나라 탑의 양식은 목탑 양식에서 석탑 양식으로 이행되었다. 우리의 산천에는 화강암이 널려 있어 석재를 구하기가 쉬웠기 때문이었다. 반면 중국에서는 황토가 많아 전탑이 유행하였는데, ㉠ 신라에서 이를 본떠 석재를 벽돌 모양으로 잘라서 만든 탑을 만들기도 하였다. 통일 이후 신라는 백제의 석탑 양식을 받아들여 비례와 균형을 갖춘 새로운 석탑 양식을 만들어 내었다. 불교가 더욱 대중화되고 토착화되었던 고려 시대에는 안정감은 부족하나 층수가 높아지고 다양한 형태의 석탑이 건립되었다. ㉡ 고려 후기에는 원나라의 영향을 받은 석탑도 만들어졌다.

	㉠	㉡
①	불국사 3층 석탑	진전사지 3층 석탑
②	불국사 3층 석탑	감은사지 3층 석탑
③	분황사탑	경천사 10층 석탑
④	분황사탑	원각사지 10층 석탑

해설 정답 ③

㉠ 중국의 전탑을 '본떠'(모방하여) 벽돌 모양으로 잘라서 만든 탑을 모전석탑(模塼石塔)이라 한다. 분황사 모전석탑에 대한 설명이다.

㉡ 고려 후기 충목왕 때 원나라의 영향(라마 불교의 영향)을 받아 경천사 10층 석탑이 만들어졌다.

09 조선 시대에 건축된 문화재로 바르게 묶은 것은? [2012 국가직 7급]

① 숭례문, 경천사 10층 석탑
② 봉정사 극락전, 법주사 팔상전
③ 수덕사 대웅전, 부석사 무량수전
④ 무위사 극락전, 원각사지 10층 석탑

해설

정답 ④

무위사 극락전은 조선 초기의 불교 건축물로 전남 강진에 있다. 건축 시기를 세종 때로 명확하게 말하는 견해도 있고, 정확한 시기는 알 수 없으나 건축물 안의 불화의 제작 시기로 볼 때 최소한 성종 이전 때라고 말하는 견해도 있다. 어떻게 보더라도 무위사 극락전은 '15세기'의 불교 건축물이다.

원각사와 원각사지 10층 석탑은 모두 '세조' 때 지어졌다. 고려 시대 경천사지 10층 석탑의 영향을 받아 만들어진 원각사지 10층 석탑도 '15세기'에 건축된 문화재이다.

① 숭례문은 견실하면서도 소박한 아름다움을 보여 주는 조선 초기의 대표적인 건축물이다. 그러나 경천사 10층 석탑은 고려 시대 원간섭기의 목조 건축물이다.

② 법주사 팔상전은 '17세기'를 상징하는 규모가 큰 다층 건물로 조선 시대의 문화재이다. 그러나 봉정사 극락전은 주심포 양식을 사용한 고려 시대의 불교 건축물이다.

③ 수덕사 대웅전과 부석사 무량수전은 모두 주심포 양식을 사용한 고려 시대의 불교 건축물이다.

10 다음 석탑이 세워진 순서대로 나열한 것은? [2017 기상직 9급]

㉠ 불국사 3층 석탑	㉡ 원각사지 10층 석탑
㉢ 경천사지 10층 석탑	㉣ 감은사지 동・서 3층 석탑

① ㉠ – ㉣ – ㉡ – ㉢
② ㉠ – ㉣ – ㉢ – ㉡
③ ㉣ – ㉠ – ㉡ – ㉢
④ ㉣ – ㉠ – ㉢ – ㉡

해설

정답 ④

㉣ 감은사지 동・서 3층 석탑(682년, 신문왕) → ㉠ 불국사 3층 석탑(742년, 경덕왕) → ㉢ 경천사지 10층 석탑(1348년, 충목왕) → ㉡ 원각사지 10층 석탑(1465년 추정, 세조)

11 (가), (나)에 해당하는 건축물을 옳게 짝지은 것은? [2024 지방직 9급]

> (가) 은 고려시대 건축물이며 배흘림 기둥과 주심포 양식으로 단아하면서도 세련된 아름다움을 담고 있다.
>
> (나) 은 우리나라에 남아 있는 조선시대 건축물 중 유일한 5층 목탑이다.

	(가)	(나)
①	영주 부석사 무량수전	김제 금산사 미륵전
②	영주 부석사 무량수전	보은 법주사 팔상전
③	합천 해인사 장경판전	김제 금산사 미륵전
④	합천 해인사 장경판전	보은 법주사 팔상전

해설 정답 ②

(가) 영주 부석사 무량수전은 주심포 양식, 팔작 지붕, 배흘림 기둥으로 이루어졌다. 이 건물 안에는 부석사 소조 아미타 여래 좌상이 있다.

(나) 보은 법주사 팔상전은 17세기를 상징하는 규모가 큰 다층 건물이다. 우리나라에 남아 있는 조선 시대 건축물 중 유일한 5층 목탑이며, 1층은 주심포 양식, 2~4층은 불완전한 다포 양식, 5층은 완전한 다포 양식을 취하고 있다.

02 무덤의 역사

01 고대에 만들어진 무덤에 관한 설명으로 가장 옳은 것은? [2014 서울시 7급]

① 백제는 고분 벽화를 그리지 않았다.
② 고구려는 초기에 돌무지덧널무덤을 만들었다.
③ 가야는 무덤의 둘레돌에 12지신상을 조각하였다.
④ 신라에는 중국 남조의 영향을 받아 벽돌무덤이 유행하였다.
⑤ 발해의 정혜공주 무덤은 모줄임 천장구조를 하고 있다.

해설 정답 ⑤

발해의 대표적인 무덤은 정혜공주묘와 정효공주묘이다. 정혜공주묘는 '굴식돌방무덤 + 모줄임 천장구조'이고, 정효공주묘는 '벽돌무덤 + 모줄임 천장구조'이다.

① 백제에도 고분 벽화가 있었다. 특히 벽돌무덤인 공주 송산리 6호분에는 사신도가 그려져 있다.
② 고구려는 초기에 돌무지무덤을 만들다가 후기에는 굴식 돌방무덤을 만들었다. 초기에 돌무지덧널무덤을 만든 나라는 신라이다.
③ 굴식 돌방무덤의 둘레돌에 12지 신상을 조각한 것은 '통일신라'이다.
④ 중국 남조의 영향을 받아 벽돌무덤이 유행한 나라는 백제이다. 무령왕 때 중국 남조의 양나라의 문화가 유입된 이후 벽돌무덤이 만들어졌다.

02 다음 자료와 관련된 설명으로 옳지 않은 것은? [2016 기상직 9급]

> 무릇 오래 전에 읽었던 〈상서〉를 돌이켜보건대, 요 임금은 … 〈좌전〉을 널리 상세히 보건대, 주나라 천자가 딸을 제나라에 시집보낼 때 … 어머니로서 갖춘 규범이 아름답고 아름다우면 선인들이 쌓은 은혜가 어찌 무궁하게 전해지지 않으리오.
> ⊙ 정효공주 묘지(墓誌)

① 당시 유학이 매우 발달하였음을 알 수 있다.
② 묘지가 발견된 무덤에 벽화가 그려져 있었다.
③ 변려체로 작성되어 한문 사용이 능숙했음을 알 수 있다.
④ 고구려의 전형적인 고분 양식을 계승한 굴식 돌방무덤에서 출토되었다.

해설

정답 ④

정효공주묘는 발해 문왕의 넷째 딸의 묘이다. 길림성 화룡현 용두산 발해 무덤군에 있는 이 무덤은 벽돌무덤이며, 여기에서 728자로 구성된 묘지(墓誌)와 12명의 인물이 그려진 벽화가 발견되었다. 묘지문에는 〈상서〉·〈좌전〉 등 유교 경전을 인용한 4·6 변려체의 능숙한 한문 문장이 구사되어 있다. 이를 통해 1) 유학의 발달, 2) 한학의 발달을 확인할 수 있으며, 묘지문 내용 중 '불로장생'이라는 용어를 통해 3) 도교의 영향을 받은 것도 알 수 있다.

④ 발해 무덤 중 대표적인 굴식 돌방무덤은 '정혜공주묘'이다.

03 삼국의 고분과 미술 문화에 대한 설명으로 옳은 것은?

[2007 국가직 7급]

① 백제의 미륵사지 석탑과 신라의 분황사탑은 각각 목탑과 전탑의 모습을 많이 간직하고 있다.

② 백제의 벽돌무덤은 중국의 영향을 받았기 때문에 벽화를 그려 넣지 않았다.

③ 고구려의 고분벽화는 처음에는 사신도가 유행했으나 점차 생활 풍속도로 변화했다.

④ 한강유역의 돌무지덧널무덤은 백제 건국의 주도세력이 고구려계 유이민임을 반영한다.

해설

정답 ①

'목탑 양식의 석탑'의 대표적인 것은 1) 익사 미륵사지 석탑, 2) 부여 정림사지 5층 석탑이다. '전탑 양식의 석탑'의 대표적인 것은 분황사탑이다. 분황사탑은 회흑색을 띤 안산암을 벽돌 크기로 잘게 다듬어 쌓은 모전석탑으로서, 현존하는 신라의 탑 중 가장 오래된 것이다.

② 백제의 벽돌무덤은 '벽돌의 나라' 중국으로부터 영향을 받았다. 대표적인 벽돌무덤은 무령왕릉과 송산리 6호분이 있는데, 무령왕릉에는 벽화가 없지만 송산리 6호분에는 사신도와 일월도 등이 그려져 있다. 2012년 법원직 9급에서는 백제 벽돌무덤의 '벽과 천장에 사신도 등을 그렸다'는 것이 강조된 적이 있었다. 송산리 6호분에는 벽화가 있다는 사실을 꼭 기억해야 한다.

③ 3세기 말에서 5세기 초까지는 생활 풍속도가 벽화의 주류를 이루었다. 생활 풍속도에는 피장자가 살아 있을 때의 생활 가운데 기념할 만한 것과 풍요로웠던 생활 모습을 그려서 내세에도 생시의 삶이 재현되기를 기원하였다. 생활 풍속도가 그려진 대표적인 벽화고분에는 안악3호분, 덕흥리 벽화고분, 각저총, 무용총이 있다. 5세기 중엽 이후에는 1실 혹은 2실로 이루어진 고분에 생활 풍속도와 사신도가 그려졌다. 사신도는 초기에는 천정부에 별자리와 함께 작게 그려지다가, 점차 벽면으로 옮겨져 생활풍속도 위에 그려졌다. 초기에 주류를 이루었던 생활 풍속도는 그 비중이 점점 줄어들다가 결국은 소멸하였다. 이 시기의 대표적인 벽화 고분에는 수산리 고분, 쌍영총이 유명하며, 후기 벽화의 주류를 이룬 사신도가 그려진 대표적인 고분에는 강서대묘가 있다.

④ 돌무지덧널무덤은 신라에서 주로 나타나는 무덤 양식이다. 백제 건국의 주도세력이 고구려계 유이민임을 반영하는 무덤은 계단식 돌무지무덤이다.

04 [그림]에 대한 설명으로 옳은 것은? [2012 계리직]

[그림]

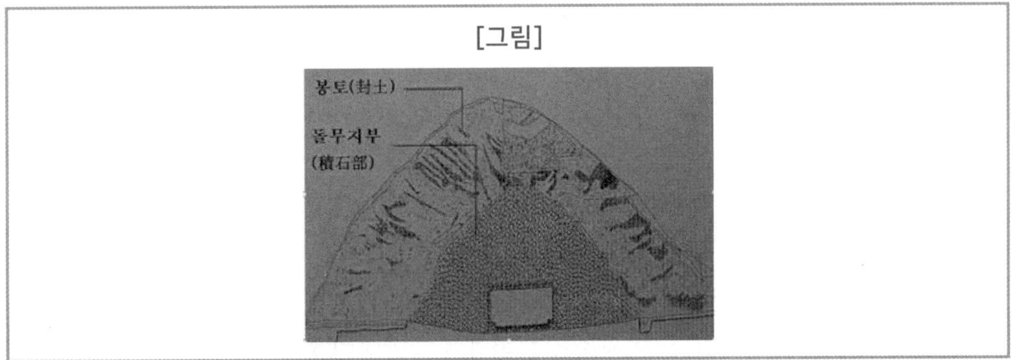

① 도굴이 어려워 많은 껴묻거리가 남아 있다.

② 중국 남조의 영향을 받아 만들어진 세련된 무덤이다.

③ 돌로 널방을 짜고 그 위에 흙으로 덮어 봉분을 만든 무덤이다.

④ 무덤 안에 그려진 벽화로 당시 사람들의 생활 모습을 알 수 있다.

해설 정답 ①

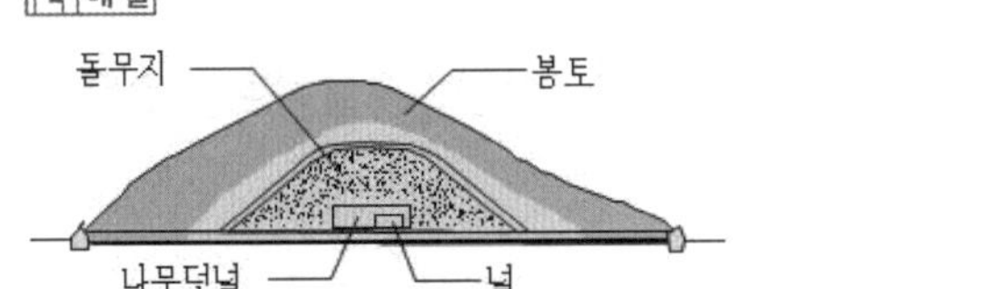

〈그림〉은 돌무지덧널무덤이다. 돌무지덧널무덤은 지하에 광(壙)을 파고 상자형의 덧널(목곽)을 만들고 그 안에 시체나 부장품을 담은 나무관을 넣은 후, 강돌을 둥글게 덮어 쌓고 다시 흙을 덮어 산봉우리처럼 축조한 형태이다. 쉽게 말하면 '관(널) + 나무덧널 + 돌무지 + 흙'이다. 돌무지 위에 흙(봉토)도 쌓았으므로, '나무덧널을 설치하고 그 위에 돌만 쌓았다'고 말하면 틀린다. ➲ 2012 국가직 9급

이 형식의 고분은 덧널의 주위에 돌을 촘촘히 쌓았기 때문에 벽화가 그려질 수 없었다. 그 대신 상대적으로 도굴 피해를 덜 입어, 오늘날 신라 문화를 자랑하는 화려한 금관을 비롯한 각종 장신구와 유물이 출토되고 있다. 또 한번 축조하면 추가장이 어려우므로 '주로 단장(單葬)을 하고 있다.' ➲ 2009 국가직 7급 부부를 같이 묻으려면 먼저 만든 무덤 옆에 다시 봉분을 만들어 쌍분(雙墳) 형식으로 만들었다.

② 벽돌무덤, ③ 굴식 돌방무덤, ④ 굴식 돌방무덤 및 벽돌무덤

05 밑줄 친 '무덤 주인'이 왕위에 있었던 시기의 사실로 옳은 것은? [2016 지방직 9급]

> 1971년 7월, 공주시 송산리 고분군 배수로 공사 도중 벽돌무덤 하나가 우연히 발견되었다. 무덤 입구를 열자, 무덤 주인을 알려주는 지석이 놓여 있었으며, 백제는 물론 중국의 남조와 왜에서 만들어진 갖가지 유물들이 고스란히 남아 있었다.

① 중앙에는 22부 관청을 두고 지방에는 5방을 설치하였다.
② 고구려의 남진 정책에 맞서 나제동맹을 처음 결성하였다.
③ 활발한 대외 정복 전쟁으로 한강 유역을 차지하고 가야를 완전히 정복하였다.
④ 지방에 22개의 담로를 두고 왕족을 파견하여 지방에 대한 통제를 강화하였다.

해설 정답 ④

제시문은 무령왕릉에 대한 설명이다. '공주시 송산리 고분군 배수로 공사 도중 발견'된 '벽돌무덤'은 무령왕릉이며, 그 주인은 당연히 무령왕이다. 6세기 초반 백제 무령왕은 지방의 22담로에 왕족을 파견함으로써 지방에 대한 통제를 강화하였다.
① 백제 성왕, ② 백제 비유왕, ③ 신라 진흥왕.

06 백제의 무덤 중 공주 송산리 6호분과 부여 능산리 1호분(동하총)의 공통점으로 옳은 것은? [2021 경찰간부]

① 방이 여러 개인 다실묘이다.
② 봉토를 덮은 굴식돌방무덤이다.
③ 중국 문화의 영향을 받은 벽돌무덤이다.
④ 무덤방의 벽면에 사신도가 그려져 있다.

해설 정답 ④

공주 송산리 6호분은 무령왕릉과 마찬가지로 '벽돌무덤'이다. 부여 능산리 1호분(동하총)을 포함한 능산리 고분군의 무덤은 '굴식돌방무덤'이다. 벽돌무덤과 굴식돌방무덤에는 벽화가 출토될 수 있는데, 두 무덤에서는 모두 청룡, 백호, 주작, 현무의 사신도가 발견되었다.

능산리 1호분 내부

07 삼국시대 고분 중 벽화가 남아 있는 것을 모두 고른 것은? [2022 계리직 9급]

ㄱ. 호우총　　ㄴ. 쌍영총
ㄷ. 무용총　　ㄹ. 각저총
ㅁ. 천마총

① ㄱ, ㄴ, ㅁ　　② ㄱ, ㄷ, ㄹ
③ ㄴ, ㄷ, ㄹ　　④ ㄷ, ㄹ, ㅁ

해설　　정답 ③

쌍영총, 무용총, 각저총은 고구려의 굴식 돌방 무덤으로 모두 벽화가 남아 있다. 쌍영총에는 기마도와 공양인 행렬도가 있고, 무용총에는 무용하는 모습과 사냥하는 모습이 그려져 있다. 각저총에는 씨름하는 두 사람이 그려져 있다.

ㄱ, ㅁ. 호우총과 천마총은 삼국시대 신라의 돌무지덧널무덤이다. 돌무지덧널무덤은 구조상 널방이 없어 벽화를 그릴 수가 없었다. ➲ 2018 경찰간부

명호샘의 **한마디!!**

고분벽화는 1) 굴식 돌방무덤, 2) 벽돌무덤에서만 나올 수 있다. 돌무지무덤이나 돌무지덧널무덤에는 벽화가 없다.

시 대		형 태	사 례	벽화 유무
고구려	초 기	계단식 돌무지무덤	장군총	×
	후 기	굴식 돌방무덤	강서대묘, 쌍영총, 무용총, 각저총	○
백 제	한 성	계단식 돌무지무덤	석촌동 고분군	×
	웅 진	굴식 돌방무덤	송산리 1~5호분	×
		벽돌무덤	무령왕릉	×
			송산리 6호분	○
	사 비	굴식 돌방무덤	능산리 1호분	○
신 라	초 기	돌무지덧널무덤	천마총, 호우총	×
	통일직전	굴식 돌방무덤	어숙묘	○
통일신라		굴식 돌방무덤	김유신 묘, 성덕대왕릉, 괘릉	×
		수중릉	문무왕릉(대왕암)	×
가 야	중 기	널무덤, 돌널무덤	김해 양동리 고분군, 고령 지산동 고분군	×
	말 기	굴식 돌방무덤	고령 고아동 벽화 고분	○
발 해		굴식 돌방무덤	정혜공주 묘	×
		벽돌무덤	정효공주 묘	○

08 백제의 유적이나 유물에 대한 설명으로 옳지 않은 것은? [2015 서울시 7급]

① 무왕은 익산에 미륵사를 창건하였다.
② 무령왕이 묻힌 관의 재료는 양나라에서 가져온 금송이다.
③ 칠지도에는 백제왕이 왜왕에게 보낸 칼임을 알려주는 내용이 새겨져 있다.
④ 목책과 우물, 사당 등 다양한 유적들이 발견된 풍납토성은 한성 백제 시기에 축조되었다.

해설 정답 ②

무령왕의 무덤 양식은 중국 남조의 영향을 받은 벽돌무덤이다. 그러나 무령왕이 묻힌 관의 재료는 금송(金松)인데, 이것은 고대부터 일본에서 수입한 목재이다. 이를 통해 백제와 일본과의 관계를 알 수 있다. 이외에도 무령왕릉에서는 금제 관장식, 돌짐승[石獸]이 나왔다. ➲ 2018 경찰

① 7세기 무왕은 익산으로 천도하려고 시도하면서, 익산에 미륵사를 창건하였다.

③ 칠지도는 근초고왕이 왜왕에게 하사한 칼이다. 칼의 표면에 금상감으로 해당 내용이 새겨져 있다.

④ 풍납토성은 한강변에 있는 초기 백제(한성 백제 시기)의 토축 성곽이다. 토성은 고운 모래를 한층씩 다져 쌓았으며, 남북으로 길게 타원형으로 뻗어 있다.

03 역사서(歷史書)의 역사

01 역사서 편찬 개요

01 다음 사료를 통해 추론할 수 있는 역사 서술의 특징과 맥락을 같이 하는 사례를 [보기]에서 고른 것은? [2009 국가직 9급]

> • 부여는 장성의 북쪽에 있으며 현도에서 천리 쯤 떨어져 있다. …… 사람들의 체격은 매우 크고 성품이 강직용맹하며 근엄 후덕해서 다른 나라를 노략질하지 않았다.
> • 고구려는 요동의 동쪽 천리에 있다. …… 좋은 밭이 없어서 힘들여 일구어도 배를 채우기에는 부족하였다. 사람들의 성품은 흉악하고 급해서 노략질하기를 좋아했다. ➲ 「삼국지」 동이전

[보기]

㉠ 김부식의 〈삼국사기〉는 불교 관련 기사가 거의 없다.
㉡ 〈고려사〉는 우왕을 부정적으로 기록하였다.
㉢ 한백겸의 〈동국지리지〉는 문헌고증에 입각한 객관적인 역사 연구를 추구하였다.
㉣ 사마천의 〈사기〉는 기전체로서 역사를 본기, 세가, 지, 열전, 연표 등으로 나누어 설명하였다.

① ㉠, ㉡ ② ㉠, ㉢
③ ㉡, ㉢ ④ ㉢, ㉣

해설 정답 ①

중국의 입장이 반영된 「삼국지」 위서 동이전은 부여를 긍정적으로, 고구려를 부정적으로 표현하였다. 주관이 개입되었으므로, 이런 역사 서술은 '기록으로서의 역사'라고 한다.

㉠ 김부식의 「삼국사기」는 유교적 도덕정치를 추구하려는 이념을 담아 서술하였다. 이것은 역사가가 특별히 의미 있다고 선정한 사건을 서술한 것이므로 '기록으로서의 역사'이다.

㉡ 세종의 명으로 편찬하여 문종 때 완성한 「고려사」는 조선 건국을 합리화하기 위해 우왕, 창왕을 열전에 기록하고, 신돈의 아들로 보는 등 고려 말의 사실을 왜곡하고 있다. 이것 또한 '기록으로서의 역사'이다.

㉢ 문헌고증에 입각한 '객관적인' 역사서인 「동국지리지」의 역사 서술 방향은 역사가의 주관이 배제된 '사실로서의 역사'이다.

㉣ 「사기」는 역사서를 본기・표・서・세가・열전 등 5체제로 분류하여 설명하였다. 5체제 중 열전만이 사마천이 독창적으로 창안한 체제이고 나머지는 국내외 각종 기록들을 조사하여 객관적으로 서술하였다. 「사기」에 나타난 역사 서술의 방향은 '사실로서의 역사'이다.

02 다음 내용과 관련 있는 일제의 식민 사관으로 적절한 것은? [2005 서울시 9급]

> 우리 역사는 시작부터 기자, 위만, 한의 4군현 등 중국 세력에 의하여, 그리고 삼국 시대에는 임나일본부를 설치한 일본 세력에 의하여 지배를 받았다.

① 정체성론
② 타율성론
③ 일선동조론
④ 만선사관
⑤ 당파성론

해설 정답 ②

'임나일본부설'이란 일본이 가야(임나)를 포함한 한반도 남부를 지배하였다는 주장이다. 임나일본부설은 타율성론에 포함된다.

명호샘의 **한마디!!**

임나일본부설이 나오면 1) 광개토대왕릉비문, 2) (신묘년 기사를 재해석하여 임나일본부설을 반박한) 정인보가 떠올라야 한다.

> 百殘新羅 舊是屬民 由來朝貢 而倭以辛卯年來 渡海破百殘ㅁㅁㅁ羅 以爲臣民
> "백제와 신라는 예부터 속민으로 조공을 해왔다. 그런데 신묘년(391년)에 **'왜가 바다를 건너와서'** **(바른 해석 : 광개토대왕이 바다를 건너와서)** 백제와 신라를 깨뜨리고 이들을 신민으로 삼았다." ➲ 광개토대왕릉 비문

03 우리 역사의 특수성을 보여주는 설명만으로 묶은 것은? [2008 국가직 9급 변형]

> ㉠ 선사시대는 구석기, 신석기, 청동기 시대 순으로 발전하였다.
> ㉡ 고대 사회의 불교는 현세 구복적으로 호국적인 성향이 있었다.
> ㉢ 조선 시대 농촌 사회에서는 두레, 계와 같은 공동체 조직이 발달하였다.
> ㉣ 전근대 사회에서 신분제 사회가 형성되어 있었다.
> ㉤ 고대 사회, 중세 사회, 근세 사회, 근대 사회의 순으로 발전해 왔다.
> ㉥ 표음문자인 한글을 창제하였다.

① ㉠, ㉡, ㉥
② ㉡, ㉢, ㉥
③ ㉢, ㉣, ㉤
④ ㉠, ㉣, ㉤

해설

정답 ②

㉡ 불교 자체는 한국사의 특수성이 아니지만 '현세 구복적, 호국적'인 성격은 특수성이다.
㉢ 공동체 조직이 발달한 것은 한국사의 특수성이다.
㉥ 한글 창제는 전 세계 어디에 내놓아도 당당한 한국사의 특수성이다.

한국사의 보편성 사례	한국사의 특수성 사례
1) 전 인류의 공통된 가치를 추구해 왔다.(자유, 평등, 민주, 평화 등) 2) 선사시대는 구석기, 신석기, 청동기 시대 순으로 발전해 왔다. 3) 고대 사회, 중세 사회, 근대 사회의 순으로 발전해 왔다. 4) 전근대 사회에서 신분제 사회가 형성되어 있었다. 5) 피지배층의 투쟁을 통하여 자유와 평등이 확대되었다.	1) 단일 민족 국가로서의 전통을 계승하였다. 2) 유교에서 특히 충, 효, 의가 강조되었다. 3) 고대 사회의 불교는 현세 구복적으로 호국적인 성향이 강하였다. 4) 고려 시대에는 향도, 조선 시대에는 두레, 계와 같은 공동체 조직이 발달하였다. 5) 표음 문자인 한글을 창제하였다.

02 역사서 편찬의 실제

04 역사 서술의 형식과 대표적인 사서가 바르게 짝지어진 것은? [2007 국가직 9급]

① 강목체 – 「고려사」
② 편년체 – 「삼국사기」
③ 기전체 – 「동국통감」
④ 기사본말체 – 「연려실기술」

해설

정답 ④

「고려사」, 「삼국사기」는 기전체, 「동국통감」은 편년체이다.

구 분	기전체	편년체	기사본말체	강목체
형 식	인물 중심	시간 순서	사건 중심	시간 순서 (성리학적 평가)
기 원	사기(사마천)	자치통감(사마광)	통감기사본말(원추)	자치통감강목(주희)

05 다음 중 역사 편찬에 관한 설명으로 가장 적절하지 않은 것은? [2016 경찰]

① 고구려에서는 일찍부터 「유기」가 편찬되었으며, 영양왕 때 이문진이 이를 간추려 「신집」 5권을 편찬하였다.
② 백제에서는 근초고왕 때 고흥이 「서기」를 편찬하였다.
③ 신라에서는 진흥왕 때 거칠부가 「국사」를 편찬하였다.
④ 삼국 통일 이후, 김대문은 「화랑세기」, 「고승전」, 「제왕연대력」을 편찬하였다.

해설

정답 ④

김대문은 신라 중대의 역사가이므로 '삼국 통일 이후' 역사서를 편찬하였다고 말할 수 있다. 김대문은 신라의 문화를 주체적으로 인식한 역사가로서, 화랑들의 전기 모음집인 「화랑세기」, 유명한 승려들의 전기 모음집인 「고승전」, 한산주 지방의 지리지인 「한산기」, 신라의 중요한 역사적 사건이나 설화를 수록한 「계림잡전」, 유교의 예악 사상에 입각하여 음악을 정리한 「악본」 등을 편찬하였다. 그러나 「제왕연대력」은 최치원이 쓴 글이다.

06 다음 내용의 역사서에 대한 설명으로 옳은 것은?

[2021 지방직 9급]

> 왕께서는 "우리나라 사람들은 유교 경전과 중국 역사에 대해서는 자세히 말하는 사람이 있으나 우리나라의 사실에 이르러서는 잘 알지 못하니 매우 유감이다. 중국 역사서에 우리 삼국의 열전이 있지만 상세하게 실리지 않았다. 또한, 삼국의 고기(古記)는 문체가 거칠고 졸렬하며 빠진 부분이 많으므로, 이런 까닭에 임금의 선과 악, 신하의 충과 사악, 국가의 안위 등에 관한 것을 다 드러내어 그로써 후세에 권계(勸戒)를 보이지 못했다. 마땅히 일관된 역사를 완성하고 만대에 물려주어 해와 별처럼 빛나도록 해야 하겠다."라고 하셨습니다.

① 불교를 중심으로 신화와 설화를 정리하였다.

② 유교적인 합리주의 사관에 따라 기전체로 서술되었다.

③ 단군조선을 우리 역사의 시작으로 본 통사이다.

④ 진흥왕의 명을 받아 거칠부가 편찬하였다.

해설

정답 ②

제시된 자료는 우리나라 사람들이 중국 역사에 대해서는 잘 알지만, '우리나라의 사실'에 대해서는 잘 모르고 있다고 지적하고 있다. 삼국의 고기(古記)가 있지만 문체가 거칠고 빠진 부분이 많아서 삼국 시대 역사를 알기에는 부족함이 많다. 이에 새로 역사를 써서 '해와 별처럼' 빛나도록 하려고 한다. 이 글은 김부식이 인종에게 올린 '진삼국사기표'이다.

② 삼국사기는 유교적인 합리주의 사관에 기초하여 서술하였다.

① 삼국유사, ③ 동국통감, ④ 국사

07 다음과 같이 왕명을 받아 편찬한 책에 대한 설명으로 옳지 않은 것은?

[2012 국가직 9급]

> 신 부식은 아뢰옵니다. 옛날에는 여러 나라들도 각각 사관을 두어 일을 기록하였습니다. … 해동의 삼국도 지나온 세월이 장구하니, 마땅히 그 사실이 책으로 기록되어야 하므로 마침내 늙은 신에게 명하여 편집하게 하셨사오나, 아는 바가 부족하여 어찌할 바를 모르겠습니다.

① 현존하는 우리나라의 역사서 가운데 가장 오래된 것이다.

② 기전체로 서술되어 본기, 지, 열전 등으로 나누어 구성되었다.

③ 고구려 계승 의식보다는 신라 계승 의식이 좀 더 많이 반영되었다고 평가된다.

④ 몽골 침략의 위기를 겪으며 우리의 전통 문화를 올바르게 이해하려는 움직임에서 편찬되었다.

해설

정답 ④

제시된 자료는 김부식이 「삼국사기」를 편찬하면서 왕에게 올린 '진(進)삼국사기표'이다.

인종은 우리나라 학자들이 중국의 역사를 잘 알면서도 우리나라 역사는 알지 못함을 개탄하여 김부식 등에게 명하여 「삼국사기」를 편찬케 하였다. 인종이 「삼국사기」를 편찬하게 한 것은 묘청 일파의 국수주의와 모험주의를 경계하고, 합리적인 관료정치를 안정시키려는 정치적 의도가 반영된 것이었다. 「삼국사기」는 본기, 연표, 지, 열전으로 구성되어 있으며, '유교적 입장에서 신라를 중심으로 기록하였다.' ➲ 2009 지방직 9급 즉, '유교적 합리주의 사관에 기초하여 기전체로 서술되었다.' ➲ 2010 지방직 7급 편찬 시기는 고려 중기 인종 때이므로 이 시기에 '묘청 등이 칭제건원과 금나라 정벌을 주장하였다.' ➲ 2008 지방직 9급

④ 「삼국유사」에 대한 설명이다.

08 밑줄 친 '사서'에 대한 설명으로 옳은 것은?

[2014 국가직 7급]

> 국왕의 명령을 받아 편찬한 기전체 <u>사서</u>로 편찬 동기를 "학사대부(學士大夫)가 우리 역사를 알지 못하니 유감이다. 중국 사서는 우리나라 사실을 간략히 적었고 고기(古記)는 내용이 졸렬하므로 왕, 신하, 백성의 잘잘못을 가려 규범을 후세에 남기지 못하고 있다"라고 하였다. 연표 3권, 본기 28권, 지 9권, 열전 10권 등 총 50권으로 구성되었다.

① 민간 설화와 신라의 향가 14수를 수록하였다.
② 열전에는 김유신을 비롯한 신라인이 편중되었다.
③ 동명왕의 건국 설화를 5언시체로 재구성하여 서술하였다.
④ 민족 시조인 단군을 강조하고 발해에 대한 내용을 서술하였다.

해설

정답 ②

'국왕의 명령을 받아 편찬'한 관찬 사서이며, '기전체'를 채택하였으며, 본기 28권 · 열전 10권으로 구성된 역사서는 '삼국사기(1145)'이다. 제시된 자료는 '진(進)삼국사기표'이다.

② 삼국사기는 신라 계승의식을 바탕으로, 신라를 중심으로 기술되었으므로, 열전에도 김유신 등 신라인의 비중이 높다. 다만 삼국의 왕들에 대한 기사를 본기(本紀)로 처리하였다.
① 민간설화와 신라의 향가를 수록한 역사서는 일연의 '삼국유사'이다.
③ 동명왕의 건국 설화를 시로 표현한 역사서는 이규보의 '동명왕편'이다.
④ 단군이 강조되고 발해가 수록된 역사서는 이승휴의 '제왕운기'이다.

09 (가)와 (나)에 들어갈 역사서에 대한 설명으로 옳은 것은?

[2016 국가직 9급]

> • (가) 은(는) 현존하는 우리나라의 가장 오래된 역사서로 고려 인종 때 편찬되었다. 본기 28권, 연표 3권, 지 9권, 열전 10권 등 총 50권으로 구성되어 있다.
> • (나) 은(는) 충렬왕 때 한 승려가 일정한 역사 서술 체계에 구애받지 않고 자유로운 형식으로 저술한 역사서이다. 총 5권으로 구성되었으며, 민간 설화와 불교에 관한 내용들이 많이 수록되어 있다.

① (가) – 고조선의 역사를 중시하였다.
② (가) – 고구려 계승의식을 강조하였다.
③ (나) – 민족적 자주의식을 고양하였다.
④ (나) – 도덕적 합리주의를 표방하였다.

해 설 정답 ③

(가) '현존하는 우리나라의 가장 오래된 역사서'로 1145년 '고려 인종 때' 편찬되었으며, 본기 28권 · 열전 10권 등으로 구성된 기전체 사서는 김부식의 「삼국사기」이다.

(나) 충렬왕 때 '한 승려'인 일연이 '민간 설화와 불교에 관한 내용'을 많이 수록하여 쓴 역사서는 「삼국유사」이다. 「삼국유사」는 원간섭기에 민족적 자주의식을 고양하였다.

① 삼국사기는 '삼국(삼국시대와 통일신라)'만 다룬다. 고조선의 건국이나 단군 신화에 관한 내용을 담고 있지 않다.

② 삼국사기는 신라 계승의식을 강조하였다.

④ 유교적(도덕적) 합리주의를 표방한 역사서는 「삼국사기」이다.

초 기	중 기	무신집권기	원간섭기	말 기
유교 사관	유교적 합리주의 사관	민족적 자주사관	민족적 자주사관	성리학적 유교사관
	신라 계승	고구려 계승	고조선 계승	
	삼국사기		삼국유사	

10 다음의 글을 쓴 인물이 활동하던 시기에 대한 설명으로 옳은 것을 [보기]에서 모두 고르면?

[2016 서울시 7급]

> 신라 · 고구려 · 백제가 나라를 세우고 솥발처럼 대립하면서 예를 갖추어 중국과 교통하였으므로, 범엽(范曄)의 『한서(漢書)』나 송기(宋祁)의 『당서(唐書)』에 모두 열전(列傳)을 두었는데, 중국의 일만을 자세히 기록하고 외국의 일은 간략히 하여 갖추어 싣지 않았습니다. 또한 그 고기(古記)라는 것은 글이 거칠고 졸렬하며 사적(事跡)이 누락되어 있어서, 임금된 이의 선함과 악함, 신하된 이의 충성과 사특함, 나라의 평안과 위기, 백성들의 다스려짐과 혼란스러움 등을 모두 드러내어 경계로 삼도록 하지 못하였습니다.

[보기]

㉠ 윤관이 북방의 거란족을 몰아내고 동북 지역에 9성을 세웠다.
㉡ 이자겸의 난이 진압된 후 15개조의 유신령이 발표되었다.
㉢ 분청사기가 유행할 정도로 화려한 문벌귀족 문화를 꽃피웠다.
㉣ 예종과 인종은 관학 부흥에 힘쓰고 유학 진흥을 위해 노력하였다.

① ㉠, ㉡ ② ㉠, ㉢
③ ㉡, ㉣ ④ ㉢, ㉣

해설

정답 ③

제시된 자료는 김부식이 「삼국사기」를 편찬하여 인종에게 올리는 글인 '진(進) 삼국사기표'이다. 문제에서 '다음의 글을 쓴 인물이 활동하던 시기'란 넓게 보면 '고려 중기'이고, 좁게 보면 '인종 때'(1122~1146)이다. [보기]에 제시된 내용들은 모두 '고려 중기'에 해당되는 것이지만, ㉠과 ㉢에는 오류가 있다.

㉡ 이자겸의 난(1126)은 인종 때 일어났다. 이자겸의 난으로 왕궁이 불타고, 왕실의 권위가 실추되었으며, 왕권의 미약함이 그대로 드러났다. 이자겸과 함께 난을 일으켰던 척준경이 오히려 이자겸을 체포하는 데 앞장서게 되면서 이자겸의 난은 진압되었지만, 자신의 공을 치켜세우던 척준경도 결국 탄핵되어 유배를 갔다. 이렇게 모든 사건이 종료되었지만, 인종은 왕조의 교체가 이루어질 만큼의 위기를 겪으며 개혁의 필요성을 강하게 느꼈다. 이에 인종은 서경을 순행하면서, 15개 조항으로 구성된 유신정교(維新政敎, 유신령)를 선포하였다. 그 주된 내용은 산천신(山川神)에게 제사하고, 검약을 실천하며, 백성을 구제하고 세상을 이롭게 하여 국가의 안녕과 태평을 도모하자는 것으로, 여기에는 왕권을 강화하겠다는 인종의 의지가 담겨 있다.

㉣ 예종은 국자감에 7재를 두고, 청연각・보문각을 세웠으며, 양현고를 설치하여 관학 진흥을 도모하였다. 인종은 국자감을 경사 6학 체제로 정비하였다.

㉠ 예종 때 윤관이 별무반을 이끌고 동북 지역의 '여진족'을 몰아낸 후 동북 9성을 세웠다.

㉢ 11세기 중엽에 이르러 고려 청자는 전성기를 맞는다. 이때 '상감청자'가 많이 만들어지기 시작하고, 참외 모양・용 모양 등의 특수한 형태의 청자들도 많이 만들어졌다.

명호샘의 한마디!!

「삼국사기」는 고려 인종 때(1145년)에 편찬된 역사서로, 그 제작 시기가 자주 출제된다. 「삼국사기」는 다음과 같이 출제된다.

1) 인종의 명을 받아 김부식 등이 편찬하였고, 현존하는 우리나라 최고(最古)의 역사서(정사류, 正史類)이다.
➲ 2017 경찰특공대, 2014 계리직, 2014 서울시 7급
2) 김부식이 주도한 관찬 사서로 기전체 서술 방식이다. ➲ 2021 경찰간부
3) 고려 초의 '구삼국사'를 참고하여 삼국 시대의 역사를 기전체로 정리하였다.
➲ 2015 지역인재 9급, 2011 국가직 7급, 2004 국가직 9급
4) 유교적 합리주의 사관에 기초하여 신이사관을 배격하였다. ➲ 2021 소방간부, 2017 경찰, 2008 계리직
5) 본기 28권, 연표 3권, 지 9권, 열전 10권 등 총 50권으로 구성되어 있다. ➲ 2016 국가직 9급
6) 삼국 중 신라가 가장 먼저 건국되었다고 신라에 우호적으로(신라를 중심으로) 서술하였다.
➲ 2015 지역인재 9급, 2011 해양경찰, 2009 지방직 9급

11 고려 시대에 편찬된 역사서에 대한 설명으로 옳은 것은 모두 몇 개인가? [2016 경찰]

> ㉠ 인종 때 김부식 등이 왕명을 받아 편찬한 '삼국사기'는 고려 초에 편찬된 '구삼국사'를 기본으로 유교적 합리주의 사관에 기초하여 편년체로 서술되었다.
> ㉡ 충선왕 때에 일연이 쓴 '삼국유사'는 불교사를 중심으로 고대의 민간 설화나 전래 기록을 수록하는 등 우리의 고유문화와 전통을 중시하였다.
> ㉢ '동명왕편'은 신라 계승 의식을 반영하고 신라의 전통을 노래하였다.
> ㉣ '제왕운기'는 우리나라의 역사를 고구려에서부터 서술하여 우리 역사를 중국사와 대등하게 파악하는 자주성을 나타낸다.
> ㉤ 건국 초기 왕조실록을 편찬하였으나 몽고의 침입으로 소실되었다.

① 0개 ② 1개
③ 2개 ④ 3개

해설 정답 ①

㉠ 「삼국사기」는 인종 때 김부식 등이 왕명을 받아 편찬한 관찬사서이다. 「삼국사기」는 고려 초의 '구삼국사'를 기본으로 유교적 합리주의 사관에 기초하여 서술된 역사서이다. 그러나 편년체가 아니라 '기전체' 사서이다.
㉡ 「삼국유사」는 일연이 썼고, 불교사가 중심이며, 우리의 고유문화와 전통을 중시하였다. 그러나 '충렬왕' 때 편찬되었다.
㉢ 이규보의 「동명왕편」은 '고구려' 계승 의식을 반영하였다.
㉣ 이승휴의 「제왕운기」는 우리나라의 역사를 '단군'에서부터 서술하여 우리 역사를 중국사와 대등하게 파악하는 자주성을 나타낸다.
㉤ 건국 초기 왕조실록을 편찬하였으나 '거란'의 침입으로 소실되었다. 소실된 역사를 복원하기 위해서 '7대 실록'을 다시 편찬하였지만 이 또한 임진왜란 때 완전히 소실되었다.

12 다음 글의 지은이에 대한 설명으로 옳지 않은 것은? [2010 국가직 7급]

> 동명왕의 일은 변화의 신이한 것으로 여러 사람의 눈을 현혹시키는 것이 아니요, 실로 나라를 창시한 신기한 사적이니 이것을 기술하지 않으면 앞으로 후세에 무엇을 볼 수 있으리오.
> 「동명왕편」

① 최씨 무인정권하에서 관직 생활을 하였다.
② 유교, 불교, 도교, 민간 신앙 등을 포용하였다.
③ 삼국사기에 반영된 신라 계승 의식을 비판하였다.
④ 단군 계승의식을 반영하여 민족적 자주의식을 고취하였다.

해설 정답 ④

동명왕을 천제의 손자로 인식하고 영웅으로 드높였던 「동명왕편」의 저자는 이규보(李奎報, 1168~1241)이다.

④ '단군 계승의식'과 '민족적 자주의식'에 어울리는 인물은 「삼국유사」를 편찬한 '일연'과 「제왕운기」를 편찬한 '이승휴'이다.

① 이규보는 최충헌・최우・최항・최의로 이어지는 최씨 무인정권기에 활동하며 「백운소설」, 「동국이상국집」 등 많은 작품들을 저술하여 고려의 문예부흥을 일으켰다. 이규보는 최충과 더불어 '해동의 공자'라고 자부하였다.
➲ 2010 기능직 10급

② 이규보의 시는 낭만적인 당송의 고문(古文)을 숭상했으며, 사상적으로 유교, 불교, 도교, 민간신앙 등을 넓게 포용하는 입장을 취했다.

③ 이규보는 고려가 고구려의 전통을 계승했다는 것을 자부하며, 「삼국사기」에 반영된 신라 계승의식과 유교적 합리주의를 거부하였다. 이규보는 고구려 계승 의식 위에서 '고려의 문화적 우위성을 드러내려는 의도가 있었다.' ➲ 2010 기능직 10급

명호샘의 한마디!!

'고려 중기－신라 계승', '무신정권기－고구려 계승', '원간섭기－고조선 계승'이다. 무신정권기에 고구려 계승 의식을 가졌던 '이규보' 문제가 출제되는 경우, 그 앞뒤의 '신라 계승(및 유교적 합리주의)'이나 '고조선 계승'이 오답이 될 수 있다.

13 다음 글을 쓴 인물에 대한 설명으로 옳은 것은? [2023 지방직 9급]

> 세상에서 동명왕의 신이(神異)한 일을 많이 말한다. … (중략) … 지난 계축년 4월에 『구삼국사』를 얻어 「동명왕 본기」를 보니 그 신기한 사적이 세상에서 얘기하는 것보다 더하였다. 그러나 처음에는 믿지 못하고 귀신이나 환상이라고만 생각하였는데, 두세 번 반복하여 읽어서 점점 그 근원에 들어가니 환상이 아닌 성스러움이며, 귀신이 아닌 신성한 이야기였다.

① 사실의 기록보다 평가를 강조한 강목체 사서를 편찬하였다.
② 단군부터 고려 충렬왕 때까지의 역사를 서사시로 기록하였다.
③ 단군신화와 전설 등 민간에서 전승되는 자료를 광범위하게 수록하였다.
④ 김부식의 『삼국사기』에 동명왕의 신이한 사적이 생략되어 있다고 평하였다.

해설 정답 ④

'동명왕편'을 쓴 인물은 이규보(1168~1241)이다. 이규보는 '구삼국사'를 인용하여 '동명왕편'을 썼다. 그러면서 또한 '구삼국사'를 인용하였던 '삼국사기'에 동명왕의 신이한 사적이 생략되어 있다고 평하였다.

① 고려 시대 강목체 사서에는 민지의 '본조편년강목'이 대표적이다.
② 단군부터 고려 충렬왕 때까지의 역사를 서사시로 기록한 역사서는 이승휴의 '제왕운기'이다.
③ 단군신화와 전설 등 민간에서 전승되는 자료를 광범위하게 수록한 역사서는 일연의 '삼국유사'이다.

14 밑줄 친 '이 책'에 대한 설명으로 가장 옳은 것은? [2022 법원직 9급]

> 이 책은 보각국사 일연의 저서로 왕력(王歷) · 기이(紀異) · 흥법(興法) · 탑상(塔像) · 의해(義解) · 신주(神呪) · 감통(感通) · 피은(避隱) · 효선(孝善) 등 9편목으로 구성되어 있다. 여러 고대 국가의 역사, 불교 수용 과정, 탑과 불상, 고승들의 전기, 효도와 선행 이야기 등 불교사와 관련된 일화를 중심으로 서술한 것이 특징이다.

① 기전체 형식으로 서술되었다.
② 현존하는 가장 오래된 역사서이다.
③ 단군의 건국 이야기가 수록되었다.
④ 대의명분을 중시하는 성리학적 사관을 반영하였다.

해설 정답 ③

'일연의 저서'이며 '왕력, 기이, 흥법, 탑상' 등으로 구성된 역사서는 『삼국유사』이다. 『삼국유사』 기이편에는 단군의 건국 이야기(단군 신화)가 수록되어 있다.
① 대표적인 기전체 형식의 역사서는 『삼국사기』이다.
② 현존하는 가장 오래된 역사서는 『삼국사기』이다.
④ 대의명분을 중시하는 성리학적 사관을 반영한 역사서는 민지의 『본조편년강목』, 이제현의 『사략』 등이 있다.

15 다음과 같은 역사인식에 따라서 편찬된 역사서에 대한 설명으로 옳은 것은? [2013 국가직 9급]

> 대저 옛 성인은 예악으로 나라를 일으키고 인의로 가르쳤으며 괴력난신(怪力亂神)은 말하지 않았다. 그러나 제왕이 장차 일어날 때는 부명(符命)과 도록(圖籙)을 받게 되므로 반드시 남보다 다른 일이 있었다. 그래야만 능히 큰 변화를 타고 대업을 이룰 수 있는 것이다. …(중략)… 그러니 삼국의 시조가 모두 신비하고 기이한 일을 연유하여 태어났다는 것을 어찌 괴이하다 할 수 있겠는가. 이것이 신이(神異)로써 이 책의 앞 머리를 삼은 까닭이다.

① 정통 의식과 대의명분을 강조하였다.
② 유교적 합리주의 사관에 기초하여 기전체로 서술하였다.
③ 고구려 계승 의식을 반영하고 고구려의 전통을 노래하였다.
④ 우리의 고유 문화와 전통을 중시하였으며 단군신화를 수록하였다.

해설 정답 ④

제시된 자료는 일연의 「삼국유사」 기이편의 '책의 앞 머리'(서문)이다. 자료에 나타난 역사인식은 불교적 신이사관이다. '민족적 자주사관'에 기초하여 편찬된 「삼국유사」에는 우리의 고유 문화와 전통을 중시하는 역사관이 나타나며, 단군신화가 수록되어 있다.
① 정통의식과 대의명분을 강조한 것은 성리학적 유교사관이다. 대표적인 역사서는 이제현의 「사략」이다.
② 유교적 합리주의 사관에 기초하여 기전체로 기술된 역사서는 김부식의 「삼국사기」이다.
③ 고구려 계승 의식을 반영하고 고구려의 전통을 노래한 역사서는 이규보의 「동명왕편」이다.

16 밑줄 친 '이 책'에 대한 설명으로 옳은 것은? [2020 국가직 9급]

> 신(臣)이 이 책을 편수하여 바치는 것은 … (중략) … 중국은 반고부터 금국에 이르기까지, 동국은 단군으로부터 본조(本朝)에 이르기까지 처음 일어나게 된 근원을 간책에서 다 찾아보아 같고 다른 것을 비교하여 요점을 취하고 읊조림에 따라 장을 이루었습니다.

① 성리학적 유교 사관이 반영되어 대의명분을 강조하였다.
② 국왕, 훈신, 사림이 서로 합의하여 통사체계를 구성하였다.
③ 원 간섭기에 중국과 구별되는 우리 역사의 독자성을 강조하였다.
④ 왕명으로 단군조선에서 고려 말까지의 역사를 노래 형식으로 정리하였다.

해설

정답 ③

'중국'과 '동국'(우리나라)의 역사를 모두 썼으며, '읊조림'에 따라 시(詩) 형식으로 쓴 역사서는 이승휴의 『제왕운기』이다. 이 책은 단군 조선에서부터 우리 역사가 시작되는 것으로 보았으며, 삼한 · 삼국 · 예맥 · 부여 · 옥저 등 모든 고대 국가들이 단군 후손에 의해 세워진 것으로 보았다. 단군신화와 발해사를 수록하고 있다. 요동의 동쪽을 중국과는 다른 '별천지(별도의 세계)'로 표현하였다.

③ 『제왕운기』는 원 간섭기에 '민족적 자주사관'을 바탕으로 써진 역사서이다. 그러므로 중국과 구별되는 우리 역사의 독자성을 강조하였다.
① 성리학적 유교 사관이 반영되어 대의명분을 강조한 대표적인 역사서는 이제현의 『사략』이다.
② '국왕'이 명령하고, '훈신'(훈구파)이 쓰고, '사림'이 수정한 우리나라 최초의 통사는 『동국통감』이다.
④ 『제왕운기』가 '노래 형식'(시 형식)인 것은 맞지만, 이 책은 원 간섭기에 써졌으므로 '고려 말'의 역사를 담고 있지 않다.

17 밑줄 친 ( )에 대한 설명으로 옳은 것은? [2023 계리직 9급]

> 신이 ( )을/를 삼가 편수하여 두 권으로 나누어 깨끗이 써서 바칩니다. …(중략)… 예로부터 지금까지 황제들이 이어온 역사, 즉 중국은 반고로부터 금까지, 동국은 단군으로부터 우리 본조까지 그 시작한 근원을 책에서 두루 찾아내어, 같고 틀림을 비교하여 그 요긴함을 추려 풍영(諷詠)으로 시를 지으니 서로 계승하고 주고 받으며 일어남이 손바닥을 가리키듯 분명합니다.

① 편년체와 강목체를 결합하여 서술하였다.
② 예맥, 옥저 등을 모두 단군의 후손으로 서술하였다.
③ 불교사를 중심으로 설화와 야사를 많이 서술하였다.
④ 정통론에 입각하여 마한, 신라를 정통국가로 서술하였다.

해설

정답 ②

'중국'의 역사와 '동국'의 역사를 '시(詩)'로 쓴 역사서는 이승휴의 '제왕운기'이다.
② '제왕운기'는 우리의 역사를 단군에서부터 서술하였으며, 이후의 예맥, 옥저, 부여도 역시 단군의 후손이라고 서술하였다.
① '제왕운기'는 7언시와 5언시의 시(詩)이다. 편년체나 강목체와는 거리가 멀다.
③ 불교사를 중심으로 설화와 야사를 많이 서술한 역사서는 일연의 '삼국유사'이다.
④ 정통론에 입각하여 마한, 신라를 정통국가로 서술한 대표적인 역사서는 안정복의 '동사강목'이다.

18 고려 시대의 역사서술에 대한 설명으로 옳지 않은 것은? [2015 서울시 7급]

① 고려 초부터 역대 왕의 치적을 기록한 『실록』을 편찬했는데, 조선 초기에 『고려사』를 편찬할 때 참고자료로 사용되었다.

② 의종 때 김관의가 『편년통록』을 편찬하여 태조 왕건의 가계를 서술하였으나 현재는 남아 있지 않다.

③ 민지가 편찬한 『본조편년강목』에는 성리학적인 역사서술방식이 반영되어 있다.

④ 이승휴는 태조에서 숙종 때까지 역대 임금의 치적을 정리한 『사략』을 편찬하였는데, 현재는 '사찬'만이 남아 있다.

해설 정답 ④

정도전과 정총이 쓴 「고려국사(高麗國史)」는 현재 전해지지 않으나, 정총이 쓴 「고려국사서(高麗國史序)」는 동문선에 수록되어 있어서 그 내용을 확인할 수 있다. 이 글에 의하면, '퇴임한 시중 이제현이 「사략」을 지었으나 숙왕에 그쳤다'고 한다. 숙왕은 제15대 숙종을 말한다. 즉 태조에서 숙종 때까지 역대 임금의 치적을 정리한 것이 이제현이 공민왕 때 쓴 「사략」이다. 이 책의 본문은 현재 남아 있지 않지만, 이제현이 쓴 논찬(사찬)은 남아 있다.

① 고려 초부터 「실록」이 편찬되었으나 거란 침입으로 소실되었고, 7대 실록이 다시 편찬되었으나 이 또한 임진왜란 때 완전히 소실되었다. 그러나 이 자료가 조선 초기까지는 남아 있었으므로, 「고려사」를 편찬할 때 참고자료가 될 수 있었다.

② 의종 때 김관의가 「편년통록」을 편찬하여 태조 왕건의 6대조부터 행적을 적은 설화를 실었으나, 현재 전해지지 않는다.

> 〈김관의가 쓴 「편년통록」에 의하면〉 왕건의 가계(家系)는 대략 다음과 같다. 신라의 성골장군(聖骨將軍)을 칭하던 호경(虎景)이라는 인물이 백두산에서 내려와 송악에 자리잡고 사냥을 업으로 하였는데, 호경은 아간(阿干) 강충(康忠)을 낳고 강충은 거사 보육(寶育)을 낳았다. 보육은 당나라에서 온 돈 많은 귀족을 사위로 삼아 아들을 낳으니 이가 작제건(作帝建)이다. 작제건은 상인(商人)을 따라 중국에 왕래하면서 서해용녀(西海龍女)를 아내로 맞이하여 세조(世祖)를 낳았다. 세조는 한시 여자를 아내로 맞아 아들을 낳으니, 이가 왕건이다. 또한 왕건일가는 모두 무예에 뛰어난 재주를 가졌다고 한다.

③ 성리학적 유교사관에 입각하여 '정통 의식과 대의명분'을 강조한 대표적인 역사서는 이제현의 「사략」이다. 그런데 이러한 성리학적인 역사 서술 방식은 원부 등의 「고금록」, 정가신의 「천추금경록」, 민지의 「본조편년강목」에도 나타난다.

19 다음 역사서에 대한 설명으로 옳지 않은 것은? [2021 국회직 9급]

① 제왕운기 – 중국과 우리나라의 역사를 운율시 형식으로 서술하였다.

② 편년통록 – 성리학적인 역사인식이 반영되었다.

③ 동명왕편 – 고려가 성인의 나라임을 알리기 위해 편찬하였다.

④ 동국사략 – 저자 권근은 여왕을 여주(女主)로 폄하하였다.

⑤ 삼국유사 – 신라 역사를 상고 · 중고 · 하고로 나누어 인식하였다.

해설

정답 ②

「편년통록」은 의종 때 편찬된 역사서로, 아직 성리학이 수용되기 이전이다. 그러므로 「편년통록」에 성리학적인 인식이 반영될 수는 없다.

'성리학적 사관(성리학적 역사인식)'이라는 표현은 다음과 같은 문장에서 사용될 수 있다.
1) (공민왕 때, 이제현에 의해) 성리학적 유교 사관이 반영된 「사략」이 저술되었다. ➲ 2021 소방간부, 2016 지방직 9급
2) (충숙왕 때) 민지가 편찬한 「본조편년강목」에는 성리학적인 역사서술방식이 반영되어 있다. ➲ 2015 서울시 7급

초 기	중 기	무신정권기	원간섭기	말 기
유교사관	유교적 합리주의 사관	민족적 자주사관	민족적 자주사관	성리학적 유교사관

① 「제왕운기」는 충렬왕 때 이승휴가 쓴 역사서이다. 이 책은 우리 역사를 단군에서부터 서술하였다. 또한 중국사와 우리 역사를 한시(운율시)로 표현하였다.

③ 「동명왕편」은 무신정권 때 이규보가 쓴 역사서이다. 이 책은 고려가 성인의 나라임을 알려서 고려인의 자부심과 자주적 국가 의식을 나타냈다.

④ 「동국사략」은 태종 때 권근이 쓴 역사서이다. 권근은 김부식의 「삼국사기」에 자신의 사론(史論)을 추가하여 이 책을 편찬하였으며, 이 책에서 여왕을 여주(女主)로 폄하하기도 하였다. 「동국사략」을 쓴 권근은 '표전 문제'를 수습하기 위해 사신으로 명에 다녀왔다. ➲ 2018 계리직 9급

⑤ 「삼국유사」는 충렬왕 때 일연이 쓴 역사서이다. 이 책에서 일연은 신라 역사를 불교식 왕명 사용 여부에 따라 상고 · 중고 · 하고로 나누었다.

20 「조선왕조실록」에 대한 설명으로 가장 옳지 않은 것은?

[2012 경찰간부]

① 왕이 죽으면 다음 왕때에 임시로 실록청(實錄廳)을 설치하여 전 왕대의 실록을 편찬하였다.
② 전임사관과 겸임사관이 작성한 사초(史草)와 시정기(時政記) 등을 기초자료로 편찬하였다.
③ 임진왜란 이전까지 실록은 춘추관과 오대산, 태백산, 마니산 등의 사고(史庫)에 보관하였다.
④ 포쇄(暴灑)는 3년에 한번씩, 전임사관이 파견되어 일정한 규례에 따라 시행하였다.

해설

정답 ③

임진왜란 이전까지 실록은 서울의 춘추관에 1부, 지방에 3부를 나누어 보관하였다. 그 후 임진왜란 때 전주실록만 남아서 다시 재간하여 서울에 1부, 지방에 4부를 나누어 보관하였다.

임진왜란 이전	임진왜란 이후
춘추관 전주 사고 성주 사고 충주 사고	춘추관 오대산 사고 정족산 사고 태백산 사고 적상산 사고

① 왕이 죽으면 춘추관을 중심으로 임시로 실록청(實錄廳)을 설치하여 실록을 편찬하였다.

② 사관에는 전임사관(專任史官)과 겸임사관(兼任史官)이 있었다. 전임사관은 예문관(藝文館)에서 파견된 한림 8원(翰林八員)을 의미하는데, 전임사관은 승지(承旨)와 함께 왕의 옆에서 국정에 관한 모든 사항을 기록했다. 이들이 쓴 사초(史草)를 입시사초(入侍史草)라 했는데, '사초'란 실록을 편찬할 초고(草稿)라는 뜻이다. 겸임사관은 의정부, 홍문관, 사헌부, 사간원, 6조 등 주요 기관에서 춘추관에 파견된 관원들이다.

④ '포쇄'는 서적을 오랫동안 보존하기 위해 책에 바람을 쐬어서 습기를 제거하여 부식을 방지하는 것이다. 실록은 편찬이 완료되고 인쇄가 끝나서 사고에 봉안되면 3년마다 건조시키는 작업을 통해 엄중히 관리되었다.

21 ㉠ ~ ㉣에 대한 설명으로 가장 적절한 것은?

[2017 국가직 7급]

> (㉠)에 소속된 주서는 왕과 신하 간에 오고 간 문서와 국왕의 일과를 매일 기록하여 (㉡)을/를 작성하였다. 왕이 바뀌면 전왕의 통치기록인 사초, 시정기, 조보 등을 합하여 (㉢)을/를 편찬하여 4부를 만들고 한성에는 (㉣)에 보관하였다.

① ㉠ – 의정의 합좌 기관으로 백관과 서무를 총괄하였다.

② ㉡ – 실록 편찬의 기본 자료였으며, 세계기록유산이다.

③ ㉢ – 임진왜란 이후 전주, 성주, 충주에 지은 사고에 각기 보관하였다.

④ ㉣ – 국왕의 교서를 제찬하고 외교사무를 관장하였다.

해설

정답 ②

주서(注書)란 승정원의 정7품 관직으로, 『승정원일기』의 기록을 담당하였다. 세조 때부터는 춘추관 기사관을 겸임하여 사초의 기록이나 실록 편찬에 참여하였다. 그러므로 ㉠에는 '승정원'이, ㉡에는 '승정원일기'가 들어간다. 왕이 바뀌었을 때 사초, 시정기 등을 합하여 편찬하는 것은 실록이다. 그러므로 ㉢에는 '실록'이, ㉣에는 실록의 보관 장소 중의 하나인 '춘추관'이 들어간다.

① 백관과 서무를 총괄하는 관청은 '의정부'이다.

② 승정원일기는 조선왕조실록을 편찬할 때 기본자료로 이용하였으며, 원본이 1부 밖에 없는 귀중한 자료이다. 2001년에 유네스코 기록 유산에 등재되었다.

③ 실록은 모두 4부를 만들어 서울의 춘추관에 1부, 지방에 3부(전주, 성주, 충주)를 나누어 보관했는데, 임진왜란 때 전주 사고의 실록만이 남아 이를 다시 재간하여 서울에 1부, 지방에 4부(오대산, 태백산, 적상산, 정족산)를 나누어 보관했다.

④ '국왕의 교서를 제찬'한 관청은 예문관이다. '외교 사무 관장'이라는 말이 어느 범위까지 묻는 것인지 명확하지 않으나, 외교 업무 전체적인 것을 묻는 것이면 '예조'이고, 외교문서 작성을 묻는 것이면 '승문원'이다.

22 조선 시대 기록 문화에 대한 설명으로 옳지 않은 것은?

[2019 지방직 7급]

① 실록청에서 사초 · 시정기 · 승정원일기 등을 바탕으로 실록을 편찬하였다.

② 임진왜란 이전에 실록은 4부를 만들어 한양의 춘추관과 전주 · 성주 · 충주의 사고에 보관하였다.

③ 후대 왕에게 본보기로 제공하고자 국왕의 언행을 실록에서 가려 뽑아 『국조보감』을 편찬하였다.

④ 국왕과 대신이 국정을 논의할 때 예문관 한림이 사관으로 참가하여 시정기를 작성하였다.

해설

정답 ④

시정기란 (예문관이 아니라) '춘추관'이 각 관청의 실상과 잘잘못을 기록한 자료로, 실록을 편찬할 때 가장 기본적인 자료가 되었다. 시정기는 매년 편찬되는 것이 원칙이었다.

① 실록청은 조선 시대 실록 편찬을 위해 설치한 임시관청이다. 임금이 죽으면 실록청을 만들고, 임금 재위시의 사초, 시정기, 승정원일기, 의정부등록 등을 수집하여 실록을 편찬하였다.

② 임진왜란 이전에는 실록을 모두 4부 만들어 춘추관에 1부, 지방에 3부(전주, 성주, 충주)에 나누어 보관했다.

③ 세조 때 역대 국왕의 언행을 실록에서 가려 뽑아 『국조보감』을 편찬하였다.

명호샘의 한마디!!

'조선왕조실록' 기출문장을 정리한다.

1) 실록청에서 사초, 시정기, 승정원일기 등을 바탕으로 실록을 편찬하였다. ➲ 2019 지방직 7급
2) 예문관의 하급 관리들은 실록의 기본자료인 사초 작성을 담당하였다. ➲ 2018 서울시 9급 보훈청
3) 춘추관은 각 관청에서 작성한 업무일지인「등록」을 모아 해마다「시정기」를 편찬하고, 실록이 편찬되면 이를 보관하였다. ➲ 2021 해경간부
4) 승정원 일기는 실록 편찬의 기본 자료였으며, 세계기록유산이다. ➲ 2017 국가직 7급
= 조선왕조실록과 승정원일기는 유네스코에 등재된 세계기록유산이다. ➲ 2016 해경간부
5) 임진왜란 이전에 실록은 4부를 만들어 한양의 춘추관과 전주 · 성주 · 충주의 사고에 보관하였다. ➲ 2019 지방직 7급, 2016 경찰간부

23 밑줄 친 '이 책'은 무엇인가?

[2012 서울시 9급]

이 책은 세조 때에 편찬에 착수하였는데, 서거정 등이 고조선에서 고려 말까지의 역사를 정리한 편년체 역사서이다.

① 동국통감
② 동국사략
③ 동사강목
④ 해동역사
⑤ 고려사절요

해설

정답 ①

계유정난으로 왕위에 오른 세조는 강력한 왕권을 확립하기 위하여 양성지 등 훈구파 학자들에게 명하여 단군조선으로부터 고려 말기까지의 역사를 편년체로 적은 우리나라 최초의 통사인「동국통감」을 편찬케 하였다. 그러나 그 완성은 서거정 · 정효항 등에 의해 성종 때 완성되었다(1484).「동국통감」에는 400여 편에 달하는 사론(史論)이 실려 있는데, 이 사론들을 통해 훈구파의 역사관뿐만 아니라「동국통감」 수정 과정에 반영된 사림파의 역사인식도 알 수 있다.「동국통감」은 편년체로 서술되었으며, 단군조선에서 고려 말까지의 역사를 정리하였다. ➲ 2017 기상직 7급

고조선에서 고려에 걸친 통사로서 외기 · 삼국기 · 신라기 · 고려기로 구성되어 있는데, 당시 정계에 진출한 사림 계열의 역사인식이 반영된 결과 사론이 대폭적으로 첨가되었다. ➲ 2011 지방직 7급

「동국통감」은 성종 때에 편찬한 관찬사서로서 삼국균적(三國均敵)을 내세워 삼국을 대등한 국가로 해석하여 고려 시대의 고구려 계승주의와 신라 계승주의의 갈등을 해소하였으며, 개국 후 권력 갈등을 일으켜 온 국왕과 훈구, 사림의 합작품으로 평가받고 있다. ➲ 2017 기상직 7급

②「동국사략」에는 권근의「동국사략」과 박상의「동국사략」이 있다. 권근의「동국사략」은 15세기에 단군 조선에서 삼국 시대에 이르는 고대사를 정리한 것으로, 권근은 이 책에서 여왕을 여주(女主)로 폄하하였다. ➲ 2021 국회직 9급 박상의「동국사략」은 16세기 초반 사림들의 역사의식을 반영하고 있으며,「동국통감」을 비판하였다.
③「동사강목」은 안정복이 1778년(정조 때) 단군조선으로부터 고려 말기에 이르기까지 우리나라 역사를 치밀한 고증에 입각해서 통사로 엮은 책이다. 안정복은 중국 중심의 세계관(화이론, 華夷論)에서 탈피할 것을 주장하였다. 안정복은 이익의 삼한정통론을 계승하여 단군조선 – 기자조선 – 마한으로 이어지는 고대사의 정통 체계를 설정하였다.

④ 「해동역사」는 한치윤이 중국과 일본의 사승(史乘)에서 우리나라에 관한 기사를 뽑아 편찬한 85권의 방대한 역사서이다. 540여 종의 중국 및 일본 서적을 참고하여 쓴 이 책은 동이문화(東夷文化)에 뿌리를 둔 우리나라 문화의 선진성과 중국·일본과의 문화교류가 상세히 정리되어 있다. 2011년 지방직 7급에 출제된 「해동역사」 자료를 참고하기 바란다.

중국과 일본의 문헌을 광범위하게 참작한 유서(類書)적 성격의 사서로서 기전체 형식을 취하고 있지만 열전은 없고 세기·지·고(考)로 구성되어 있다.

⑤ 「고려사절요」는 김종서, 정인지 등이 정도전의 「고려사」를 보완하여 편찬한 편년체 역사서이다. 성리학적 가치관을 바탕으로 고려의 역사를 정리했다는 점은 공통점이나 「고려사절요」는 군주 중심이 아닌 '재상 중심'의 역사서이다.

24 다음 중 단군조선의 역사를 다룬 책으로 옳은 것은? [2017 서울시 9급]

① 『삼국사기』 ② 『표제음주동국사략』

③ 『연려실기술』 ④ 『고려사절요』

해설 정답 ②

「표제음주동국사략」에는 고조선과 관련된 기록이 등장한다. ➲ 2018 경찰간부 「표제음주동국사략」은 조선 중종 때 유희령이 쓴 역사서로 단군조선의 역사를 포함하고 있다. 이 책은 서거정 등이 쓴 「동국통감」을 간략하게 다시 쓰면서, 인명·지명 등의 음(音)을 주(註)로 덧붙인 역사서로, 단군조선부터 고려 시대까지의 역사를 다룬 역사서이다.

① 김부식이 쓴 「삼국사기」는 고구려, 백제, 신라(통일신라 포함)의 역사를 다룬 역사서이다.

③ 이긍익이 쓴 「연려실기술」은 조선 시대의 정치사와 문화사를 다룬 역사서이다.

④ 김종서·정인지 등이 쓴 「고려사절요」는 고려의 역사를 다룬 역사서이다.

25 다음 역사서 저자들의 정치적 입장에 관한 설명으로 옳지 않은 것은? [2009 국가직 9급]

① 〈여사제강〉 – 서인의 입장에서 북벌운동을 지지하였다.

② 〈동사(東事)〉 – 붕당정치를 비판하였다.

③ 〈동사강목〉 – 성리학적 명분론을 비판하였다.

④ 〈동국통감제강〉 – 남인의 입장에서 왕권 강화를 주장하였다.

해설 정답 ③

안정복의 「동사강목」은 지금까지의 명분론에 입각한 역사의식과 실증적 역사연구를 집대성하였다는 점에서 조선 후기의 대표적 통사(通史)로 꼽힌다.

① 현종 때 서인 유계가 쓴 「여사제강」은 북벌운동을 고취하는 대표적 사서이다. 북벌론자들의 칭송을 받은 이 책은 고려가 자치자강에 힘쓰면서 북방족에게 강력히 항전한 것과, 재상이 정치적 주도권을 잡은 사실을 강조하여, 노론 사이에 가장 추앙받는 사서가 되었다.

② 「동사(東事)」는 북벌운동과 붕당정치를 비판하는 시각에서 써진 사서이다.

④ 「동국통감제강」은 영남 남인 홍여하가 쓴 책으로, 우리나라가 기자로부터 도덕과 평화를 사랑하는 유교국가였음을 강조하고, 기자조선–마한–신라로 이어지는 정통성을 내세웠다. 또한 남인들 입장에서 왕권 강화를 강조하고 붕당정치의 폐지를 역설하여 영남 남인들 사이에 가장 추앙받는 사서가 되었다.

26 **다음과 같은 내용으로 편찬된 조선 후기의 역사서는?** [2011 사회복지직 9급]

- 고조선부터 고려 말까지의 역사를 서술하였다.
- 우리 역사의 독자적인 정통론을 세워 이를 체계화하였다.
- 역사사실을 치밀하게 고증하여 고증 사학의 토대를 쌓았다.

① 동국통감
② 해동역사
③ 동사강목
④ 연려실기술

해설

정답 ③

'우리 역사의 독자적인 정통론'이란 단군－기자－삼한－신라로 이어지는 삼한정통론을 말한다. '역사사실을 치밀하게 고증'한 역사 서술 방식은 18세기에 두드러지게 나타난다. 종합해 보면, 안정복의 「동사강목」에 대한 설명이다.
다음은 반드시 알고 있어야 하는 '동사강목' 자료이다. 자료의 밑줄 친 김씨는 김부식을 말한다.

> 삼국사에서 신라를 으뜸으로 한 것은 신라가 가장 먼저 건국되었고, 뒤에 고구려와 백제를 통합하였으며, 고려는 신라를 계승하였으므로 편찬한 것이 모두 신라의 남은 문적을 근거로 하였기 때문이다. 그러므로 편찬한 내용이 신라에 대하여는 약간 자세히 갖추어져 있고 백제에 대하여는 겨우 세대만을 기록했을 뿐 없는 것이 많다. …… 고구려의 강대하고 현저함은 백제에 비할 바가 아니며 신라가 차지한 땅은 남쪽의 일부에 불과할 뿐이다. 그러므로 <u>김씨</u>는 신라사에 쓰여진 고구려 땅을 근거로 했을 뿐이다.
> 「동사강목」

27 **다음 중 영조 대에 편찬된 서적은?** [2016 서울시 9급]

① 「동국문헌비고」
② 「동국지리지」
③ 「동사강목」
④ 「동의보감」

해설

정답 ①

「동국문헌비고」는 영조 때(1770) 우리나라의 역대 문물을 정리한 한국학 백과사전이다. 홍봉한이 주도하여 국가적 사업으로 편찬하였다.
② 「동국지리지」는 광해군 때(1615) 한백겸이 편찬한 역사 지리지이다.
③ 「동사강목」은 정조 때(1778) 안정복이 삼한정통론에 입각하여 저술한 역사서이다.
④ 「동의보감」은 광해군 때(1610) 허준이 동양의학을 집대성하여 저술한 의서이다.

28 **조선 시대의 국학 연구에 대한 설명으로 가장 적절하지 않은 것은?** [2016 경찰]

① 유득공은 「발해고」를 저술하여 발해사 연구를 심화하였다.
② 안정복은 「동사강목」을 저술하여 조선 시대의 정치와 문화를 야사를 중심으로 정리하였다.
③ 김정희는 「금석과안록」을 지어 북한산비가 진흥왕 순수비임을 밝혔다.
④ 한치윤은 500여 종의 중국 및 일본의 자료를 참고하여 기전체 형식의 「해동역사」를 저술하였다.

해설 정답 ②

조선 시대의 정치와 문화를 야사를 중심으로 정리한 역사서는 이긍익의 「연려실기술」(1776)이다. 이 책은 기사본말체로 된 야사로, 당시 조선 왕조의 역사를 원집과 속집에 넣고, 국조(國朝)·사전(祀典)·사대(事大)·관직·정교(政教)·문예·천문·지리·대외관계·역대고전 등을 별집에 수록하여 조선 시대의 정치·문화를 조리 있게 파악하고자 하였다.

② 안정복의 「동사강목」은 고조선부터 고려 말까지의 역사를 서술한 역사서이다.

29 다음 중 각 시대의 역사의식 및 역사서에 대한 설명으로 가장 적절한 것은? [2011 경찰]

① 조선 건국 초기에는 고려 멸망의 부당성을 알리고 조선 건국을 비판하기 위하여 「고려국사」가 편찬되었다.

② 안정복은 「동사강목」을 통하여 한국사의 정통론을 세워 중국 중심의 역사 인식을 탈피하고자 하였다.

③ 김부식이 지은 「삼국사기」는 유교 사관에 의한 편년체의 역사서로 자주성을 강조하고 있다.

④ 박상의 「동국사략」은 외국의 사서를 500여 종이나 인용한 기전체적 분류사로, 삼국사기나 고려사의 누락을 보충하는 등 정통사체에 대한 인식을 심화시켰다.

해설 정답 ②

안정복은 성호 이익의 삼한정통론을 계승하여 단군조선－기자조선－마한으로 이어지는 고대사의 정통 체계를 설정하였다. 또한 화(華)와 이(夷)의 구분 기준이 지리에 있는 것이 아님을 역설하여 전통적인 화이론(華夷論)에서 벗어나려고 하였다.

① 「고려국사」는 고려 멸망의 '당위성'을 알리고 조선 건국의 '정당성'을 밝히기 위해 편찬되었다.

③ 「삼국사기」는 '유교적 합리주의 사관'에 의한 '기전체' 역사서로, '문벌귀족의 역사인식'이 드러난다.

④ '500여 종의 외국자료'는 한치윤의 「해동역사」에 쓰는 표현이다. 박상의 「동국사략」은 조선 중기 사림파의 역사 인식을 보여주는 편년체의 역사서이다.

30 다음에서 설명하는 나라와 관련된 사서로 가장 적절하지 않은 것은? [2012 경찰]

> 상경과 동경의 절터에서는 고구려 양식을 계승한 것으로 여겨지는 불상도 발굴되었다. 이 불상은 흙을 구워 만든 것으로, 두 분의 부처가 나란히 앉아 있는 모습을 하고 있다. 또 벽돌이나 기와무늬는 고구려의 영향을 받아 소박하고 힘찬 모습을 띠고 있다.

① 발해고 ② 동사회강

③ 동사강목 ④ 해동역사

해설 정답 ②

'상경'과 '동경'은 발해의 5경에 포함된다. '두 분의 부처가 나란히 앉아 있는 모습'이란 발해의 이불병좌상을 말한다. 불상, 벽돌 무늬, 기와 무늬 등이 고구려의 영향을 받은 나라도 역시 발해이다. 유득공의 「발해고」, 안정복의 「동사강목」, 한치윤의 「해동역사」에는 모두 '발해'가 수록되어 있다.

② 「동사회강」은 조선 숙종 때 임상덕이 지은 편년체 사서로서, 삼국 시대까지의 역사에는 정통성이 없다고 말하며, 오직 통일신라 이후의 시대만 그 정통성을 인정하는 책이다. 한편 '발해'에 대해서는 기록하지 않았다.

31 **다음에서 설명하는 내용과 가장 부합하는 역사책은?** [2005 국가직 9급 변형]

> 단군·기자·삼한·후조선(위만)을 본기로 하고 세가·열전·연표·지를 두어 사대적 명분을 뒤집는 본격적인 기전체 형식을 취하였다. 그러나 체계적인 정리는 아니고 고조선사를 중심으로 삼국 시대를 연결시키는 국사의 맥을 추적하는 입장의 서술이다. 고대사체계에는 정통론이 도입되어 있어서, 단군－기자－마한－고구려의 삼한정통론적 입장을 취했으면서도 단군－부여－고구려의 연결성도 존중하여서, 고구려는 단군의 혈통·세력과 기자의 문화를 동시에 계승하였음을 주장하였다.

① 이종휘의 「동사」 ② 안정복의 「동사강목」
③ 이이의 「기자실기」 ④ 유득공의 「발해고」

해설 정답 ①

이종휘의 삼한정통론과 안정복의 삼한정통론을 구분해야 한다. 이종휘는 '단군－기자－마한－고구려'로 이어지는 삼한정통론을 주장하였고, 안정복은 '단군－기자－마한－신라'로 이어지는 삼한정통론을 주장하였다. 역사의 정통성을 삼국 중 어느 나라가 이어가느냐에 따라 두 사람의 삼한정통론이 달라진다. 이종휘는 '고구려'를 중시하며, '고대사 연구의 시야를 만주까지 확대'시켰다. ➲ 2004 경남 9급

32 **역사서의 편찬과 관련된 설명으로 옳지 않은 것은?** [2011 국가직 7급]

① 「삼국사기」는 고려 초에 쓰여진 구삼국사를 기본으로 유교적 합리주의 사관에 기초하여 기전체로 서술되었다.

② 한 왕대의 역사를 후대에 남기기 위한 실록의 편찬은 조선 시대부터 시작되어 「태조실록」에서 「철종실록」까지 계속되었다.

③ 「고려사」는 「고려국사」를 계승하여 고려 시대의 역사를 재정리한 기전체 역사서이다.

④ 안정복은 고조선에서 고려 말까지의 역사를 서술한 「동사강목」을 저술하여 우리 역사의 독자적 정통론을 체계화하였다.

해설 정답 ②

실록의 편찬은 '조선 시대부터' 시작된 것이 아니다. 고려 초에도 건국에 정당성을 부여하고 왕권을 강화하기 위해 '왕조실록'을 편찬하였다. 그러나 거란의 침입으로 소실되었고, 이를 다시 복원하여 태조부터 목종까지의 기록을 담은 「7대실록」을 편찬하였으나 이 또한 임진왜란 때 완전히 소실되었다.

33 **다음 중 조선 후기 심화된 국학연구의 성과물에 대한 설명으로 가장 적절하지 않은 것은?** [2012 경찰]

① 이의봉의 「고금석림」에는 방언과 해외언어가 정리되어있다.

② 이종휘의 「동사」는 일본 연구를 통해 고대사의 시야를 해외로 확장하는 데 기여했다.

③ 안정복의 「동사강목」에는 고조선으로부터 고려 말까지의 역사가 서술되어 있다.

④ 정상기의 「동국지도」는 최초로 100리척을 사용하여 정확하고 과학적인 지도 제작에 공헌하였다.

해설

정답 ②

고구려사를 중시하였던 이종휘의 「동사」는 고대사 연구의 시야를 '만주'까지 확대하는 데 기여하였다.

① 이의봉은 1,500여 책의 문헌을 참고하여 우리의 방언과 산스크리트어・몽고어・만주어・일본어・타이어・거란어・퉁구스어 등 해외언어를 정리하여 1789년(정조 때) 「고금석림」을 편찬하였다.

③ 안정복의 「동사강목」은 1) 삼한정통론에 기반을 두고 있으며, 2) 사실들을 치밀하게 '고증'하였으며, 3) 시간적 서술 범위는 '고조선 ~ 고려 말'이다.

④ 정상기의 「동국지도」는 최초로 100리를 1척으로 하는 백리척을 사용하여 지도 제작의 과학화에 기여하였다. 백리척 지도는 그 후 김정호의 「대동여지도」 등에 영향을 주었다.

34 「삼국사기」와 「삼국유사」에 대한 설명으로 가장 옳은 것은? [2005 국가직 9급]

	삼국사기	삼국유사
①	불교사상사 관계 자료는 물론 많은 민간 전승과 신화와 설화를 수집하여 서술하였다.	논찬을 따로 두어 주관적 서술을 제한・구별하고 삼국을 '우리'로 서술하는 등의 객관적이고 합리적인 입장을 표명하였다.
②	다양한 역사 체험을 본기, 열전, 지, 연표의 구성으로 서술하였다.	고승전 체제를 바탕으로, 기이편을 앞부분에 넣고 효선편을 마지막에 붙여서 편집하였다.
③	중국측 사료를 더 신뢰한 결과 민족 시조를 제시했으면서도 체계화하는 노력이 미흡하였다.	고조선 등의 존재를 알면서도 이를 삭제하고 삼국 시대만을 편찬하였다.
④	기층민의 생활상에서 드러나는 반귀족적 사회의식도 어느 정도 반영되었다.	부족 설화, 불교 설화 같이 전통적 생활체험이 담긴 기층 공동체의 체험을 유교적 사관에 맞게 고치거나 탈락시켰다.

해설

정답 ②

①, ③, ④는 「삼국사기」의 내용과 「삼국유사」의 내용이 뒤바뀌었다. 삼국사기와 삼국유사는 문제의 내용을 포함하여 다음의 것들을 비교하여야 한다.

구 분	삼국사기	삼국유사
저 자	김부식 + 보조사관	일연
편찬 시기	고려 중기 인종 때(1145년)	고려 후기 충렬왕 때(1281년)
체 재	기전체	기사본말체, 야사체, 고승전체제
구 성	본기 28권, 지 9권, 연표 3권, 열전 10권	기이, 흥법, 탑상, 의해, 신주, 감통, 피은, 효선
서술범위	삼국 시대만	고조선, 삼한, 부여, 삼국, 고려
사 관	유교적 합리주의 사관 (신라 계승 의식)	불교적 신이사관, 민족적 자주 사관 (고조선 계승 의식)
편찬 목적	이자겸의 난, 묘청의 난 등 정치 변란을 거치며 지내 질서를 재정립할 필요성을 느껴 편찬됨	몽골의 침입과 간섭 속에서 자주성을 회복시키기 위하여 편찬됨
서술 태도	1) 논찬을 따로 두어 주관적 서술을 제한하였다. 2) 객관적이고 합리적인 입장을 표명하였다.	1) 민간전승과 신화・설화를 수집하여 서술하였다. 2) 술이부작(述而不作)의 원칙 아래에 많은 자료를 인용하여 역사를 기록하였다.

대표 사료	성상 폐하께서 …… "지금 학사대부(學士大夫)들은 모두 오경(五經)과 제자(諸子), 진한대(秦漢代)의 사서(史書)는 상세히 말하고 있으나 도리어 우리나라의 사실에는 망연(茫然)하며 그 시말(始末)을 알지 못하니 심히 통탄할 일이다."라고 하였습니다. ➲ 진삼국사기표	무릇 옛날 성인들이 바야흐로 예(禮)와 악(樂)으로 나라를 일으키고 인(仁)과 의(義)로 교화를 펼치고자 할 때면, 괴이한 일과 완력, 어지러운 일과 귀신에 대해서는 말하지 않았다. 그러하지만 제왕이 일어날 때는, 제왕이 되라는 하늘의 명을 받고 예언서를 받게 된다는 점에서 반드시 일반 사람과는 다른 일이 있는 법이다. …… 그러한 즉 삼국의 시조가 모두 다 신비스럽고 기이한 데에서 나온 것을 어찌 괴이하다 하겠는가? 이것이 기이편을 모든 편의 첫머리로 삼는 까닭이며, 그 의도도 바로 여기에 있다. ➲ 삼국유사 기이편

35 다음 해외 견문 기록을 시기순으로 바르게 나열한 것은? [2018 국가직 9급]

㉠ 『표해록』	㉡ 『열하일기』
㉢ 『서유견문』	㉣ 『해동제국기』

① ㉠ → ㉡ → ㉣ → ㉢
② ㉠ → ㉣ → ㉢ → ㉡
③ ㉣ → ㉠ → ㉡ → ㉢
④ ㉣ → ㉢ → ㉠ → ㉡

해설

정답 ③

㉣ 『해동제국기』는 1443년(세종 25년) 신숙주가 일본 사행(使行)을 다녀온 후, 1471년(성종 2년) 왕명을 받아 일본에서 보고 들은 내용을 정리하여 기록한 책이다.

㉠ 『표해록(漂海錄)』이란 말 그대로 해양에서 표류하였던 기록이다. 기대하지 않았던 장소에 당도하여 모험적인 여행을 했던 것을 다룬 견문록으로, 1487년(성종 18년) 최부가 지은 표해록이 대표적이지만, 17세기~18세기에 써진 경섬, 문순득, 장한철 등의 표해록 등도 있으므로, 문제가 어느 표해록을 말하는 것인지는 명확하지 않다.

㉡ 『열하일기』는 조선 후기 실학자 박지원이 청나라에 다녀온 후 기록한 중국 기행문이다. 박지원의 『열하일기』는 조선 후기의 수많은 연행록 중에 가장 뛰어난 저술로 유명하다. 1780년(정조 4년) 박지원은 청나라 황제인 건륭제(乾隆帝)의 칠순 잔치를 기념하기 위한 외교 사절단과 함께 청나라에 방문하였다. 사절단의 원래 목적지는 베이징이었으나 건륭제가 갑작스럽게 이궁(離宮)이 있는 열하(熱河)로 초청하면서 박지원도 그 이전에 조선 사절단이 한 번도 가본 적 없는 열하까지 여행할 수 있게 되었다. 그 내용을 적은 기행문이다.

㉢ 『서유견문』은 유길준이 1889년에 탈고하고, 1895년에 출판한 기행문 형식의 국정 개혁서이다. 유길준은 서양의 근대 문명을 한국에 본격적으로 소개하는 이 책을 국한문 혼용체로 집필하였다.

04 유네스코 등재 유산

01 세계유산으로 등재된 것이 아닌 것은? [2020 지방직 9급]

① 종묘 ② 화성

③ 한양도성 ④ 남한산성

해설 정답 ③

유네스코 등재 유산에는 1) 세계 기록 유산, 2) 세계 유산, 3) 무형 유산이 있다. 세계 유산에는 세계 문화 유산과 세계 자연 유산이 있다.

① 종묘 - 1995년 세계 문화 유산으로 등재

② 화성 - 1997년 세계 문화 유산으로 등재

④ 남한산성 - 2014년 세계 문화 유산으로 등재

③ 수원화성과 남한산성은 유네스코에 등재되어 있지만, 한양도성은 등재되어 있지 않다. 다만 한양 내의 '창덕궁'은 유네스코 세계 문화 유산으로 등재되어 있다.

명호샘의 한마디!!

1) 유네스코 기록유산

세계적 가치가 있는 귀중한 기록물을 가장 적절한 기술을 통해 보존할 수 있도록 지원하기 위하여 2년마다 지정하고 있다.

훈민정음(1997), 조선왕조실록(1997), 직지심체요절(2001), 승정원일기(2001), 조선왕조 의궤(2007), 고려대장경판 및 제경판(2007), 동의보감(2009), 일성록(2011), 5・18 민주화 운동 기록물(2011), 난중일기(2013), 새마을운동 기록물(2013), KBS 특별생방송 '이산가족을 찾습니다' 기록물(2015), 한국의 유교책판(2015), 조선왕실 어보와 어책(2017), 국채보상운동기록물(2017), 조선통신사 기록물(2017), 4・19 혁명 기록물(2023), 동학농민혁명 기록물(2023)

2) 세계유산(문화유산, 자연유산)

자연재해나 전쟁 등으로 위험에 처한 유산의 보호 및 복구 활동 등을 통하여 인류의 문화 및 자연유산을 지키기 위해 지정하고 있다.

해인사 장경판전(1995), 종묘(1995), 석굴암・불국사(1995), 창덕궁(1997), 수원화성(1997), 고창・화순・강화 고인돌 유적(2000), 경주 역사 유적지구(2000), 제주 화산섬과 용암동굴(2007, 자연유산), 조선왕릉(2009), 한국의 역사마을: 하회와 양동(2010), 남한산성(2014), 백제 역사 유적 지구(2015), 산사 한국의 산지 승원(2018), 한국의 서원(2019), 한국의 갯벌(2021, 자연유산), 가야고분군(2023)

3) 무형유산

소멸위기에 처해 있는 가치 있고 독창적인 구전 및 무형 유산을 선정하여 보호하기 위한 것이다.

종묘제례 및 종묘제례악(2001), 판소리(2003), 강릉 단오제(2005), 강강술래(2009), 남사당놀이(2009), 영산재(2009), 처용무(2009), 제주 칠머리당 영등굿(2009), 가곡(2010), 대목장(2010), 매사냥술(2010), 줄타기(2011), 택견(2011), 한산 모시짜기(2011), 아리랑(2012), 김장문화(2013), 농악(2014), 줄다리기(2015), 제주해녀문화(2016), 한국의 전통 레슬링(씨름)(2018), 연등회(2020), 한국의 탈춤(2022)

02 유네스코에 등재된 유산으로 옳게 연결된 것은? [2014 계리직]

① 문화유산 – 영산재, 창덕궁

② 무형유산 – 강강술래, 아리랑

③ 기록유산 – 훈민정음, 해인사 장경판전

④ 자연유산 – 창녕 우포늪, 제주 화산섬과 용암동굴

해설

정답 ②

강강술래와 아리랑은 유네스코 '무형유산'에 등재되어 있다.

① 창덕궁은 문화유산이지만, 영산재(영산제)는 무형유산이다.

③ 훈민정음(훈민정음해례본)은 기록유산이지만, 해인사 장경판전은 문화유산이다.

④ 현재 유네스코에 등재된 유산 중 자연유산은 '제주 화산섬과 용암 동굴'과 '한국의 갯벌'이다. 창녕 우포늪은 유네스코 등재유산이 아니다.

03 우리나라 세계유산과 세계기록유산에 대한 설명으로 옳은 것만을 모두 고르면? [2021 국가직 9급]

ㄱ. 공주 송산리 고분군에는 전축분인 6호분과 무령왕릉이 있다.
ㄴ. 양산 통도사는 금강계단 불사리탑이 있는 삼보 사찰이다.
ㄷ. 남한산성은 병자호란 때 인조가 피난했던 산성이다.
ㄹ. 『승정원일기』는 역대 왕의 훌륭한 언행을 『실록』에서 뽑아 만든 사서이다.

① ㄱ, ㄴ
② ㄴ, ㄷ
③ ㄱ, ㄴ, ㄷ
④ ㄱ, ㄷ, ㄹ

해설

정답 ③

ㄱ. 무령왕릉과 송산리 6호분은 중국 남조의 영향을 받은 벽돌무덤(塼築墳)이다. ➲ 2020 경찰 송산리 고분군은 '백제 역사 유적 지구'에 속하는 세계 문화 유산이다.

ㄴ. 삼보사찰(三寶寺刹)이란 불, 법, 승을 상징하는 통도사, 해인사, 송광사를 말한다. 금강계단 불사리탑이 있는 양산 통도사는 불보사찰(佛寶寺刹)이라고 한다. 고려 대장경을 보관하고 있는 합천 해인사는 법보사찰(法寶寺刹)이라고 한다. 지눌, 혜심 등 큰 스님들을 많이 배출한 순천 송광사는 승보사찰(僧寶寺刹)이라고 한다. 이 중 양산 통도사는 '산사, 한국의 산지 승원'에 속하는 세계 문화 유산이다. '산사, 한국의 산지 승원'에 속하는 절은 통도사, 부석사, 봉정사, 법주사, 마곡사, 선암사, 대흥사이다.

ㄷ. 남한산성은 세계 유산으로 등재된 곳이다. ➲ 2020 지방직 9급, 2017 해경간부 병자호란 때 인조는 남한산성으로 피신하였다.

ㄹ. 후대 왕에게 본보기로 제공하고자 국왕의 언행을 실록에서 가려 뽑아 『국조보감』을 편찬하였다. ➲ 2019 지방직 7급, 2015 국회직 9급

04 **다음 유네스코 세계유산으로 지정된 백제역사유적지구 문화유산 중 부여군에 속한 것만을 모두 고르면?** [2018 국가직 7급]

㉠ 정림사지	㉡ 공산성
㉢ 부소산성과 관북리 유적	㉣ 송산리 고분군

① ㉠, ㉢ ② ㉠, ㉣
③ ㉡, ㉢ ④ ㉡, ㉣

해설 정답 ①

백제 역사 유적 지구는 2015년 유네스코 세계 유산에 등재되었다. 이 유적 지구는 '충남 공주시, 충남 부여군, 전북 익산시'의 3개 지역으로 이루어져 있다. 제시된 보기 중 '정림사지'와 '부소산성, 관북리 유적'은 부여군에 있고, '공산성'과 '송산리 고분군'은 공주시에 있다.

지 역	문화재
공주(웅진성)	공산성, 송산리 고분군
부여(사비성)	관북리 유적(관북리 왕궁지), 부소산성, 정림사지, 능산리 고분군, 부여 나성
익산	왕궁리 유적, 미륵사지

05 **우리나라 유네스코 세계유산에 대한 설명으로 옳지 않은 것은?** [2022 국가직 9급]

① 미륵사지에는 목탑 양식의 석탑이 있다.
② 정림사지에는 백제의 5층 석탑이 남아 있다.
③ 능산리 고분군에는 계단식 돌무지무덤이 있다.
④ 무령왕릉에는 무덤 주인공을 알려주는 지석이 있었다.

해설 정답 ③

부여 능산리 고분군은 모두 굴식돌방무덤으로 되어 있다. 한강 유역에 계단식 돌무지무덤이 있는데, 석촌동 고분군이 대표적이다.
① 익산 미륵사지 석탑은 목탑 양식의 석탑이다.
② 부여 정림사지 5층 석탑은 미륵사지 석탑을 계승한 목탑 양식의 석탑이다.
④ 송산리 고분군에 있는 무령왕릉에서는 왕과 왕비의 정보를 알려주는 지석이 출토되었다.

06 **유네스코에서는 세계적으로 가장 우수한 기록물을 선정하여 '세계기록유산'이라 하고 그 기록물의 보전에 만전을 기하고 있다. 다음 중 우리나라가 보유한 '세계기록유산'이 바르게 연결된 것은?** [2014 기상직 9급, 2012 경찰간부]

① 조선왕조실록－비변사등록－대동여지도－5・18 민주화 운동 기록물

② 삼국사기－동의보감－직지심체요절(하권)－난중일기

③ 조선왕조의궤－훈민정음－목민심서－해인사 팔만대장경

④ 승정원일기－일성록－새마을운동 기록물－5・18 민주화 운동 기록물

해설

정답 ④

① 조선왕조실록(○)－비변사등록(×)－대동여지도(×)－5・18 민주화 운동 기록물(○)
② 삼국사기(×)－동의보감(○)－직지심체요절(하권)(○)－난중일기(○)
③ 조선왕조의궤(○)－훈민정음(○)－목민심서(×)－해인사 팔만대장경(○)
④ 승정원일기(○)－일성록(○)－새마을운동 기록물(○)－5・18 민주화 운동 기록물(○)

07 **㉠~㉣에 대한 설명으로 옳지 않은 것은?** [2013 국가직 9급]

> 유네스코가 세계문화유산으로 등재한 우리나라의 문화유산은 ㉠ 종묘, 해인사 장경판전, 불국사와 석굴암, 수원 화성, 창덕궁, 경주 역사유적지구, ㉡ 고창・화순・강화의 고인돌 유적, 안동 하회마을과 경주 양동마을, 조선 시대 7왕릉 등이다. 또 훈민정음, ㉢ 조선왕조실록, 승정원일기, ㉣ 직지심체요절, 해인사 고려대장경판 및 제경판, 조선왕조의궤, 동의보감, 일성록, 5・18 민주화 운동 기록물 등이 유네스코의 세계기록유산으로 등재되어 있다.

① ㉠ － 조선 시대 왕과 왕비의 신주를 모셨다.

② ㉡ － 청동기 시대의 돌무덤이다.

③ ㉢ － 태조에서 철종 때까지의 역사를 편년체로 기록하였다.

④ ㉣ － 병인양요 때 프랑스 군에게 약탈당하였다.

해설

정답 ④

병인양요(1866) 때 프랑스 군에게 약탈당한 것은 '조선왕조 의궤'이다.

㉠ 종묘 : 종묘는 조선 왕조 역대 왕과 왕비의 신주를 모신 조선 왕조의 사당으로서, 조선 시대의 가장 장엄한 건축물 중의 하나이다.

㉡ 고창・화순・강화의 고인돌 유적 : 우리나라에는 전국적으로 약 3만여 개에 가까운 고인돌이 분포하고 있는 것으로 알려져 있다. 2000년 12월에 세계 유산으로 등록된 고창, 화순, 강화 고인돌 유적은 많은 고인돌이 밀집되어 있을 뿐 아니라, 다양한 형식의 고인돌이 발견되고 있다. 고인돌은 계급이 발생하였음을 보여주는 청동기 시대의 대표적인 유물이다.

㉢ 조선왕조실록 : 조선왕조실록은 조선 왕조의 태조부터 철종까지 25대 472년간의 역사를 편년체로 기록한 책으로, 총 1893권 888책으로 되어 있다.

㉣ 직지심체요절 : 직지심체요절은 1372년(고려 공민왕 때) 백운화상이 저술한 '백운화상초록불조직지심체요절'을 청주 흥덕사에서 1377년 7월에 금속 활자로 인쇄한 것이다. 직지심체요절은 독일의 구텐베르크보다 70여 년이나 앞선 것으로, 1972년 '세계 도서의 해'에 출품되어 세계 최고(最古)의 금속 활자본으로 공인되었다.

08 다음 괄호 안에 들어갈 사항으로 옳은 것만을 [보기]에서 모두 고른 것은? [2015 지방직 9급]

2000년 12월에 유네스코 세계 유산으로 지정된 경주 역사 유적 지구는 남산 지구, 월성 지구, 대릉원 지구, 황룡사 지구, 산성 지구로 세분된다. 이 중에 남산 지구에 해당하는 문화유산으로는 (   ) 등이 있다.

[보기]

㉠ 계림
㉡ 나정(蘿井)
㉢ 포석정
㉣ 분황사
㉤ 첨성대
㉥ 배리 석불 입상

① ㉠, ㉡, ㉢
② ㉠, ㉣, ㉤
③ ㉡, ㉢, ㉥
④ ㉣, ㉤, ㉥

해설 정답 ③

경주 역사 유적 지구는 다음과 같이 세분된다.

지 구	대표적인 문화유산
남산 지구	미륵곡 석불 좌상, 배리 석불 입상, 나정, 포석정
월성 지구	월성, 계림, 첨성대
대릉원 지구	황남리 고분군, 노동리 고분군, 노서리 고분군 등 왕·왕비·귀족의 무덤
황룡사 지구	황룡사지, 분황사
산성 지구	명활산성

09 다음 제시된 내용에서 설명하고 있는 책은? [2007 서울시 9급]

- 조선 시대 왕실이나 국가 주요 행사에 관한 전반적인 내용을 수록하였다.
- 행사가 끝난 후에 논의나 준비 과정, 의식 절차 및 진행 등에 관해 기록하였다.
- 세자 책봉(册封), 왕실의 혼인, 각종 상례(喪禮)와 제례, 궁궐 건축, 국왕 초상화 제작 등에 대한 내용이 포함된다.

① 실록(實錄)
② 등록(謄錄)
③ 사초(史草)
④ 의궤(儀軌)
⑤ 시정기(詩政記)

해설 정답 ④

조선 시대에는 국가의 특별한 행사가 있을 때마다 그 행사과정과 참여자, 비용을 기록하고 행사의 주요장면을 그림으로 그려 넣어 상세한 보고서를 따로 만들었는데, 이를 의궤(儀軌)라 한다. 의궤는 2007년 유네스코 세계기록문화유산으로 등록되었다. 문제에서 제시된 세 문장을 숙지하기 바란다.

10 조선 시대 의궤에 대한 설명으로 옳지 않은 것은? [2014 지방직 9급]

① 왕실의 행사에 사용된 도구, 복식 등을 그림으로 남겨 놓았다.
② 이두와 차자(借字) 및 우리의 고유한 한자어(漢字語) 연구에도 귀중한 자료이다.
③ 왕실 혼례와 장례, 궁중의 잔치, 국왕의 행차 등 국가의 중요한 행사를 기록하였다.
④ 프랑스 국립도서관에는 신미양요 때 프랑스군이 약탈해 간 어람용 의궤가 소장되어 있다.

해설 정답 ④

① 의궤를 통해 행사 자체의 의식, 절차 등을 알 수 있을 뿐만 아니라, 당시의 행정체계나 물자, 인원의 동원 능력 등을 알 수 있다. 또한 각종 도식을 통해 당시의 복제(옷을 어떻게 입었나), 장구(무슨 도구를 썼나) 등의 정보도 알 수 있다.
② 의궤를 제작할 때엔 이두 차자(借字)와 각종 제도어를 사용하고 있어 이 방면의 연구에도 중요한 자료가 된다.
④ 1866년 병인양요 때 프랑스군이 강화도를 침범하여 당시 강화부 소재의 외규장각에 보관되어 있던 340여 도서류를 탈취해 갔다. 그 중 의궤만 189종에 이른다.

명호샘의 한마디!!

의궤와 관련된 기출문장을 정리한다.

1) 왕의 혼례를 기록한 의궤는 가례도감의궤(嘉禮都監儀軌)이다. ➡ 2007 충북 9급
2) 조선 시대 왕세자, 왕세손, 왕세제, 빈궁 및 왕비 등의 책봉에 관한 의식과 절차를 기록한 의궤는 책례도감의궤(册禮都監儀軌)이다. ➡ 2007 충북 9급
3) 화성성역의궤(華城城役儀軌)는 화성의 성곽을 축조한 공사에 관한 내용을 기록한 것이다. ➡ 2008 지방직 9급
4) 강화도 외규장각에 보관되어 있던 의궤들은 병인양요 때 약탈당했다. ➡ 2012 해양경찰
5) 외규장각 의궤는 2011년에 프랑스에서 영구임대 형식으로 반환받았다. ➡ 2012 해양경찰

CHAPTER

03 경제사

01 토지제도의 역사

01 밑줄 친 ㉠ ~ ㉣에 대한 설명으로 옳은 것은? [2016 국가직 7급, 2012 지방직 9급]

- 문무왕 8년(668) 김유신에게 태대각간의 관등을 내리고 ㉠식읍 500호를 주었다.
- 신문왕 7년(687) 문무 관리들에게 ㉡관료전을 차등 있게 주었다.
- 신문왕 9년(689) 내외 관료의 ㉢녹읍을 혁파하고 매년 조를 주었다.
- 성덕왕 21년(722) 처음으로 백성에게 ㉣정전을 지급하였다.

① ㉠ – 조세를 수취하고 노동력을 징발할 권리를 부여하였다.
② ㉡ – 하급관료와 군인의 유가족에게 지급하였다.
③ ㉢ – 전쟁에서 큰 공을 세운 사람에게 공로의 대가로 지급하였다.
④ ㉣ – 왕권이 약화되는 배경이 되었다.

해설 정답 ①

식읍(食邑)은 국가에서 왕족, 공신 등에게 지급한 토지와 가호로, 해당 지역에서의 '조세 수취'뿐만 아니라 '노동력 징발'까지 가능하였다.

㉡ 관료전(官僚田)은 신문왕이 문무 관리에게 지급한 토지이다. 하급관료와 군인의 유가족에게 지급한 토지는 '고려 시대의 구분전(口分田)'이다.

㉢ 녹읍(祿邑)은 국가에서 관료귀족에게 지급한 토지이다. 전쟁에서 큰 공을 세운 사람에게 공로의 대가로 지급한 토지는 '통일신라 시대의 식읍(食邑)', '고려 시대의 역분전(役分田)'과 '조선 시대의 공신전'이다.

㉣ 성덕왕이 백성에게 정전을 지급한 것은 '국가의 토지 지배력 강화'이며, '농민 경제의 안정'을 의미한다. 이것은 기존에 귀족이 독점하였던 토지를 국가가 적극적으로 개입하여 재분배하기 시작하였다는 의미로 '귀족의 권한 약화'로 이해할 수 있다.

02 통일신라 시대 귀족경제의 변화를 말해주고 있는 밑줄 친 '이것'에 대한 설명으로 옳은 것은?

[2014 국가직 9급]

> 전제왕권이 강화되면서 신문왕 9년(689)에 이것을 폐지하였다. 이를 대신하여 조(租)의 수취만을 허락하는 관료전이 주어졌고, 한편 일정한 양의 곡식이 세조(歲租)로서 또한 주어졌다. 그러나 경덕왕 16년(757)에 이르러 다시 이것이 부활되는 변화과정을 겪었다.

① 이것이 폐지되자 전국의 모든 국토는 '왕토(王土)'라는 사상이 새롭게 나오게 되었다.
② 수급자가 토지로부터 조(租)를 받을 뿐 아니라, 그 지역의 주민을 노역(勞役)에 동원할 수 있었다.
③ 삼국통일 이후 국가에 큰 공을 세운 육두품 신분의 사람들에게 특별히 지급하였다.
④ 촌락에 거주하는 양인농민인 백정이 공동으로 경작하였다.

해설

정답 ②

신문왕 때 폐지된 것은 '녹읍'이다. 녹읍의 특징은 토지로부터 조세를 받을 수 있는 권리뿐만 아니라 '노동력 징발'도 할 수 있다는 점이다. 노동력 징발을 이 문제에서는 '지역의 주민을 노역에 동원'이라고 표현하고 있다.
① 삼국 시대에 왕권이 강화되면서 왕토사상이 생겨났다.
③ 녹읍은 특히 '관료 귀족'에게 지급되었다.
④ 촌락에 거주하는 양인 농민이 공동으로 경작한 것은 민정문서에 언급되고 있는 관모전답, 내시령답, 마전 등이다.

03 [보기]는 고려의 토지제도에 대한 설명이다. (㉠)과 (㉡)에 들어갈 것으로 가장 옳게 짝지은 것은?

[2019 서울시 7급]

> [보기]
> 5품 이상의 고위 관리에게는 (A)를 주어 자손에게 상속하게 하였다. 하급 관료의 자제 중 관직에 오르지 못한 사람에게는 (B)를 주고, 직업 군인에게는 군역의 대가로 (C)를 지급하였다. 직역을 계승할 자손이 없으면 국가에서는 토지를 회수하고 대신 유가족의 생활을 보호하기 위해 (㉠)을 지급하였다. 한편 왕실에는 왕실 경비를 충당하기 위해 (D)를 지급하였다. 중앙과 지방의 관청에는 (㉡)을 지급하였고, 사원에는 (E)를 지급하였다.

	㉠	㉡		㉠	㉡
①	구분전	공해전	②	민전	내장전
③	군인전	공해전	④	한인전	내장전

해설

정답 ①

5품 이상의 고위 관리에게는 (A: 공음전)를 주어 자손에게 상속하게 하였다. 하급 관료의 자제 중 관직에 오르지 못한 사람에게는 (B: 한인전)를 주고, 직업 군인에게는 군역의 대가로 (C: 군인전)를 지급하였다. 직역을 계승할 자손이 없으면 국가에서는 토지를 회수하고 대신 유가족의 생활을 보호하기 위해 (㉠: 구분전)을 지급하였다. 한편 왕실에는 왕실 경비를 충당하기 위해 (D: 내장전)를 지급하였다. 중앙과 지방의 관청에는 (㉡: 공해전)을 지급하였고, 사원에는 (E: 사원전)를 지급하였다.

04 **다음 중 고려의 토지제도에 대한 설명으로 적절하지 않은 것은 모두 몇 개인가?** [2011 경찰]

> ㉠ 문종 30년의 경정전시과는 18과로 나누어 지급하고, 지급액수가 전체적으로 이전보다 감소되었으며, 한인・잡류에게도 지급되었다.
> ㉡ 고려 시대는 민전을 공전(公田)이라 하여 수확의 4분의 1을 조(租)로 거두어 들였다.
> ㉢ 경종 원년의 시정전시과는 4색 공복을 기준으로 관품과 인품을 병용하여 토지와 시지를 지급하였다.
> ㉣ 향리와 군인에게 주는 외역전과 군인전은 모두 세습되지 않는 것이 원칙이었다.
> ㉤ 목종 원년의 개정전시과는 18과로 나누어 직・산관을 대상으로 지급하고, 한외과(限外科)가 없어졌다.

① 1개　　② 2개
③ 3개　　④ 4개

해설　　정답 ③

옳지 않은 것은 ㉡, ㉣, ㉤이다.

㉡ 고려 정부는 개인의 사유지인 민전에서 수확의 10분의 1을 전세로 거두어 갔다. 민전이 없는 농민이나 향・부곡민은 왕실 소속의 토지, 공해전, 둔전 등 공유지를 소작하기도 했는데 이런 공전에서는 수확의 4분의 1을 전세로 거두어 갔다.

㉣ 외역전과 군인전은 역이 세습되는 방식으로 토지도 세습되었다.

시 대	고 려	조 선
세습 가능 토지	공음전, 군인전, 외역전	공신전, 수신전, 휼양전
	민전	민전

㉤ 개정전시과는 18과로 나누어 직・산관을 대상으로 지급하였다. 그러나 한외과가 소멸된 것은 문종 때의 경정전시과이다.

05 **(가) 시기에 해당하는 사실로 가장 옳은 것은?** [2024 법원직 9급]

> 노비를 상세히 조사하고 살펴서 옳고 그름을 따져 밝혀내도록 명하였다. 주인을 배반하는 노비들이 이루 다 셀 수가 없을 정도였다. 이로 말미암아 상전을 능멸하는 풍조가 크게 일어나 사람들이 모두 탄식하고 원망하므로 왕비가 간절하게 간언하였으나, 왕이 받아들이지 않았다.

> (가)

> 가을 7월, 교(敎)하기를, "양민이 된 노비들은 해가 점차 멀어지면 반드시 그 본래의 주인을 가벼이 보고 업신여기게 된다. … 만약 그 주인을 욕하는 자가 있으면, 다시 천민으로 되돌려 부리게 할 것이다."라고 하였다.

① 강조가 정변을 일으켰다.

② 거란이 개경을 점령하였다.

③ 전시과가 처음으로 제정되었다.

④ 공신들에게 역분전이 지급되었다.

해설

정답 ③

(첫 번째 사료) 노비를 상세히 조사하고 살펴서 옳고 그름을 따져 밝혀내는 제도는 광종 때 실시된 '노비안검법'이다.

(두 번째 사료) 양민이 다시 천민으로 되돌려지는 제도는 성종 때 실시된 '노비환천법'이다.

③ 광종과 성종 사이에 경종이 있다. 경종 때 전시과가 처음으로 제정되었다(시정전시과가 시행되었다).

① 강조가 정변을 일으킨 시기는 목종(997~1009) 때로, 두 번째 사료 후이다.

② 거란이 개경을 점령한 시기(거란의 2차 침입)는 현종(1009~1031) 때로, 두 번째 사료 후이다.

④ 공신들에게 역분전이 지급된 시기는 태조 왕건(918~943) 때로, 첫 번째 사료 전이다.

06 다음 자료에서 '㉠'이 과거에 급제한 당시의 왕이 개편한 토지제도의 내용으로 옳은 것은?

[2018 기상직 9급]

> (㉠)이/가 죽으니 시호를 문헌(文憲)이라 하였다. 후에 대개 과거에 응시하려는 사람은 역시 모두 9재의 명부에 이름을 올렸으니, 이들을 일러 문헌공도(文憲公徒)라 하였다.
>
> 『고려사』

① 문무 양반과 군인들의 전시과를 개정하였다.

② 현직관리에게만 토지를 지급하였다.

③ 인품과 공복을 기준으로 토지를 지급하였다.

④ 전시과를 고쳐 제1과(科)는 전지 100결, 시지 50결을 지급하였다.

해설

정답 ①

시호가 문헌(文憲)인 인물은 최충(984~1068)이다. 최충은 지방의 향리 가문에서 태어났지만 1005년(목종 8년) 22세의 나이에 과거에 장원 급제하고 이후 요직을 거치며 출세해 그의 가문을 문벌의 반열에 올려놓았다. 최충은 문종 때까지 관료 생활을 하였다. '최충이 과거에 급제한 당시의 왕'이란 '목종'을 말한다. 목종 때의 전시과는 개정 전시과로, 이때 문무 양반과 군인들의 전시과를 '개정'하였다.

② 문종 때의 경정 전시과

③ 경종 때의 시정 전시과

④ 문종 때의 경정 전시과

07 고려의 토지제도 개편 순서를 옳게 나열한 것은? [2009 국가직 7급]

> ㉠ 성행(性行)의 선악과 공로의 대소에 따라 토지를 분급한다.
> ㉡ 한외과(限外科)가 소멸되고, 무관에 대한 차별적인 토지 분급을 시정한다.
> ㉢ 산관(散官)은 현직자에 비하여 몇 과를 낮추어 토지를 분급한다.
> ㉣ 관품을 기준으로 하되 인품을 고려하여 토지를 분급한다.

① ㉠ – ㉡ – ㉢ – ㉣ ② ㉢ – ㉠ – ㉣ – ㉡
③ ㉣ – ㉠ – ㉢ – ㉡ ④ ㉠ – ㉣ – ㉢ – ㉡

해설 정답 ④

㉠ 역분전(태조, 940) → ㉣ 시정전시과(경종, 976) → ㉢ 개정전시과(목종, 998) → ㉡ 경정전시과(문종, 1076)

구분		인품	관등	전직	현직	특징
태조	역분전(940)	○	×	–	–	관계를 논하지 않는다.
경종	시정전시과 (976)	○	○	○	○	광종의 4색 공복제도를 기반으로 한다.
목종	개정전시과 (998)	×	○	○	○	군인전이 지급되었지만, 문신을 우대하는 경향이 있었다.
문종	경정전시과 (1076)	×	○	×	○	문무차별이 완화되었으며, 한외과가 소멸되었다. 공음전이 지급되었다. 별사전이 지급되었다.

> 태조 23년에 처음으로 **역분전** 제도를 설정하였는데, 삼한을 통합할 때 조정의 관료들과 군사들에게 그 관계(官階)가 높고 낮은 지를 논하지 않고 그 사람의 성품과 행동이 착하고 악한지, 공로가 크고 작은지를 참작하여 **역분전**을 차등 있게 주었다. 경종 원년 11월에 비로소 직관(職官), 산관(散官) 각 품의 **전시과**를 제정하였는데, 관품의 높고 낮은 것은 논하지 않고 다만 인품만 가지고 **전시과**의 등급을 결정하였다.
> ➲ 고려사 ➲ 2016 사회복지직

명호샘의 한마디!!

한외과(限外科)란 '경계 밖의 과'란 의미이다. 개정전시과(목종)에서는 관등에 따라 18과로 나누어 토지를 분급하였다. 제1과는 내사령·시중이 받았고, 제18과는 영사·서사 등이 받았으며, 그 이하의 사람들은 '한외과'라 하여 전 17결이 지급되었다. 문종 때 재편성된 '경정전시과'에서는 한외과가 없어지고 그 수급대상이 모두 과내로 편입되었다.

08 (가) 토지제도에 대한 설명으로 옳은 것은? [2019 국가직 9급]

> 비로소 직관(職官) · 산관(散官) 각 품(品)의 (가) 을/를 제정하였는데, 관품의 높고 낮은 것은 논하지 않고 다만 인품만 가지고 그 등급을 결정하였다. ➲『고려사』

① 4색 공복을 기준으로 문반, 무반, 잡업으로 나누어 지급 결수를 정하였다.

② 산관이 지급 대상에서 제외되었으며 무반의 차별 대우가 개선되었다.

③ 전임 관료와 현임 관료를 대상으로 경기지방에 한하여 지급하였다.

④ 고려의 건국과정에서 충성도와 공로에 따라 차등 지급되었다.

해설 정답 ①

경종 1년(976) 11월에 비로소 직관(職官) · 산관(散官)의 각 품(品)의 전시과를 제정하였는데 관품(官品)의 높고 낮은 것은 논하지 않고 다만 인품(人品)만 가지고 전시과의 등급을 결정하였다. '인품만' 가지고 그 등급을 결정하였다고 표현했지만 실제로는 자삼, 단삼, 비삼, 녹삼의 4색 공복을 기준으로 등급을 나누어 토지를 지급하였다. 이것을 '시정 전시과'라고 한다.

② 산관이 지급 대상에서 제외되었으며 무반의 차별 대우가 개선된 것은 '경정 전시과'이다.

③ 전임 관료와 현임 관료를 대상으로 경기지방에 한하여 지급한 것은 '과전법'이다.

④ 고려의 건국과정에서 충성도와 공로에 따라 차등 지급된 것은 '역분전'이다.

09 (가) ~ (다) 전시과에 대한 설명으로 옳은 것을 [보기]에서 모두 고른 것은? [2015 지방직 9급]

과			1	2	3	4	5	6	7	8	9	10	11	12	13	14	15	16	17	18
(가)	지급액수(결)	전지	110	105	100	95	90	85	80	75	70	65	60	55	50	45	42	39	36	32
		시지	110	105	100	95	90	85	80	75	70	65	60	55	50	45	40	35	30	25
(나)		전지	100	95	90	85	80	75	70	65	60	55	50	45	40	35	30	27	23	20
		시지	70	65	60	55	50	45	40	35	33	30	25	22	20	15	10			
(다)		전지	100	90	85	80	75	70	65	60	55	50	45	40	35	30	25	22	20	17
		시지	50	45	40	35	30	27	24	21	18	15	12	10	8	5				

➲『고려사』 식화지

[보기]

㉠ (가)－관품과 함께 인품도 고려되었다.

㉡ (나)－한외과가 소멸되었다.

㉢ (다)－승인과 지리업에게 별사전이 지급되었다.

㉣ (가)~(다)－경기 8현에 한하여 지급되었다.

① ㉠, ㉡ ② ㉠, ㉢

③ ㉡, ㉢ ④ ㉢, ㉣

해설 정답 ②

관료에게 줄 토지가 부족해지자, 전시과가 정비되면서 그 지급량은 점차 줄어들었다. (가)는 경종 때 시행된 시정전시과이다. 16등급 이하의 관리에게 시지가 지급되지 않은 (나)는 목종 때 시행된 개정전시과이다. 15등급 이하의 관리에게 시지가 지급되지 않은 (다)는 문종 때 시행된 경정전시과이다.

㉠ 시정전시과에서는 관품과 인품이 함께 고려되었다.

㉢ 경정전시과에서는 승직과 지리업 종사자에게 별사전이 지급되었다.

㉡ 한외과가 소멸된 것은 경정전시과이다. → (다)

㉣ 경기 8현에 한하여 지급된 토지는 개경환도 직후 시행된 녹과전이다.

10 **전시과 제도의 변천 과정을 나타낸 것이다. (가) 제도에 대한 [보기]의 설명으로 옳은 것만을 모두 고른 것은?** [2016 국가직 9급]

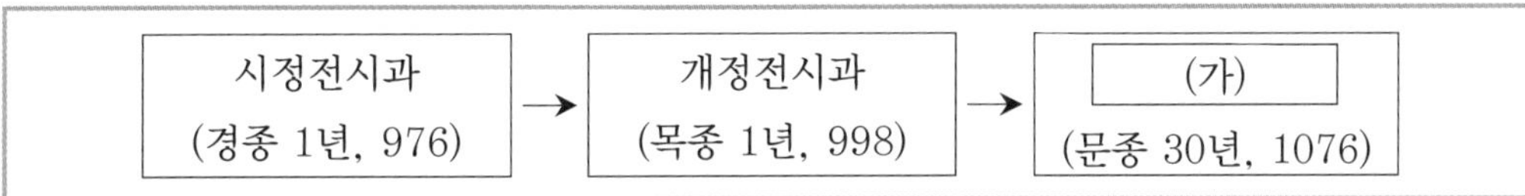

[보기]

㉠ 4색 공복을 기준으로 등급을 나누었다.

㉡ 산직(散職)이 전시의 지급 대상에서 배제되었다.

㉢ 등급별 전시의 지급 액수가 전보다 감소하였다.

㉣ 무반과 일반 군인에 대한 대우가 전반적으로 향상되었다.

① ㉠, ㉡　　② ㉢, ㉣

③ ㉠, ㉡, ㉢　　④ ㉡, ㉢, ㉣

해설 정답 ④

(가)는 경정전시과이다. 전시과 중 경정전시과의 내용이 가장 많고, 그 변화된 내용도 크기 때문에 경정전시과를 명확하게 정리하면 다른 전시과의 내용도 상대적으로 정리하기가 쉽다.

경정전시과의 특징
1. 산직(散職)이 전시의 지급 대상에서 배제되었다. 즉 지급 대상을 현직관료로 제한하였다.
2. 등급별 전시의 지급 액수가 전보다 감소하였다. 특히 15급 이하의 관리에게는 '시지'가 지급되지 않았다.
3. 문신 우대의 경향이 있었던 개정 전시과와는 달리 무반과 일반 군인에 대한 대우가 전반적으로 향상되었다.
4. 한외과가 소멸되었다.
5. 승인과 지리업에게 별사전이 지급되었다.
6. 문벌귀족에게 공음전이 지급되었다.

㉠ 광종 때 정비된 4색 공복을 기준으로 토지와 시지를 지급한 전시과는 경종 때의 '시정 전시과'이다.

11 고려 시대의 토지 제도에 대한 설명으로 가장 적절한 것은? [2016 경찰]

① 경종 때 처음 전시과 제도를 만들었으며, 문종 때에는 지급 대상을 현직 관료로 제한하였다.
② 개정전시과에서는 관등의 고하와 인품을 함께 반영하여 토지를 지급하였다.
③ 중앙과 지방의 각 관청에는 내장전(內莊田)을 지급하여 경비를 충당하게 하였다.
④ 군인의 유가족에게는 군인전(軍人田)을, 6품 이하 하급관료의 자제로서 관직에 오르지 못한 사람에게는 구분전(口分田)을 지급하였다.

해설

정답 ①

976년 경종 때, 시정전시과를 만들면서 전현직 관리에게 모두 전지와 시지를 지급하였다. 그러나 문종 때 경정전시과를 실시하면서 그 지급 대상을 현직 관료로 제한하였다.
② 관등의 고하와 인품을 함께 반영한 토지 제도는 '시정전시과'이다. 개정전시과에서는 인품이 배제되었다.
③ 내장전은 왕실의 경비를 충당하기 위해 지급한 토지이다. 중앙과 지방의 각 관청 경비 충당을 위해 지급한 토지는 공해전이다.
④ 군인전은 중앙군(2군 6위)에게 군역의 대가로 지급한 토지이다. 하급 관리와 군인의 유가족, 퇴역 군인에게 지급된 토지는 구분전(口分田)이며, 6품 이하 하급 관리의 자제로서 관직에 오르지 못한 자에게 지급한 토지는 한인전(閑人田)이다.

12 다음 토지제도에 대한 설명으로 옳은 것은? [2013 지방직 9급]

> 경기는 사방의 근본이니 마땅히 과전을 설치하여 사대부를 우대한다. 무릇 경성에 거주하여 왕실을 시위(侍衛)하는 자는 직위의 고하에 따라 과전을 받는다. 토지를 받은 자가 죽은 후, 그의 아내가 자식이 있고 수신하는 자는 남편의 과전을 모두 물려받고, 자식이 없이 수신하는 자의 경우는 반을 물려받는다. 부모가 모두 사망하고 그 자손이 유약한 자는 휼양전으로 아버지의 과전을 전부 물려받고, 20세가 되면 본인의 과에 따라 받는다. 「고려사」

① 과전을 지급함으로써 조선개국 세력의 경제적 기반이 되었다.
② 관리가 되었으면서도 관직을 받지 못한 사람들에게 한인전을 지급하였다.
③ 관직이나 직역을 담당하는 사람들에게 농지와 땔감을 채취하는 시지를 주었다.
④ 공로가 많은 사람들에게 인품을 기준으로 역분전을 차등 지급하였다.

해설

정답 ①

'경기' 토지를 분급 대상으로 하여 여기에 '과전'을 설치하고, '사대부를 우대'하는 토지제도는 과전법이다. 과전은 '수신하는 자'에게 수신전의 명목으로, '부모가 모두 사망'한 자손에게 휼양전의 명목으로 세습되었다. 과전법 제도의 목적은 '신진사대부의 경제적 기반 확보'이다. 이 문제에서는 '조선개국 세력의 경제적 기반'으로 살짝~ 바꿔서 출제하였다.

명호샘의 **한마디!!**

'수신전, 휼양전'이 언급되면 이것은 '과전법' 문제이므로, '신진사대부의 경제적 기반 확보'라는 기본 목적을 정답으로 고르면 된다. 과전법 문제의 기출문장을 정리한다.

1) 과전은 경기도를 비롯한 8도의 토지로 지급하였다. (×) = 경기 지역의 토지에 한하여 분급하였다. (○) = 경기 일대의 토지를 관료에게 분배하고 수조권을 지급하였다. (○)
2) 과전은 소유권이 아니라 수조권(收租權)의 지급을 의미하였다. (○) = 수조권을 받은 자가 농민에게 직접 조세를 거두었다. (○)
3) 세습을 허락하지 않는 것이 원칙이었다. (○) = 원래 과전은 1대에 한하였으나 사실상 세습이 이루어졌다. (○)
4) (과전법 제도 아래에서) 매년 풍흉에 따라 수확량을 조사하여 납부액을 조정하였다. (○)
5) 전・현직 관리에게 전지와 시지를 지급하였다. (×)

13 고려 말 과전법에 대한 설명으로 옳지 않은 것은? [2016 지방직 7급]

① 제1과 150결에서 제18과 10결까지 차등 지급하였다.
② 지방거주의 한량품관에게 군전으로 5결 혹은 10결씩 지급하였다.
③ 수조율은 공전・사전을 막론하고 1결당 30두로 정하였다.
④ 전민변정도감의 주재 하에 분급 대상인 관인 선정 작업을 시작하였다.

해설 정답 ④

공양왕 3년(1391) 5월에는 과전법이 공포됨으로써 전제개혁이 일단락되었다.

① 과전은 문무관료에게 경제적 기반을 보장하기 위해 현직자[時官, 시관]와 퇴직자[散官, 산관]를 불문하고 18과로 나누어 10결~150결의 전지를 분급하였다.
② 과전법이 공포되면서, 지방의 한량 관리(한량품관)들은 그들이 가지고 있던 토지의 많고 적음에 따라 '품계에 상관없이' 군전(軍田)으로 5결 또는 10결을 지급받았다. 그러나 군전을 받은 자가 중앙의 관직에 나아가면 그땐 경기의 과전을 받았다.
③ 모든 토지는 공전・사전을 불문하고 그 세율이 1결당 30두로 낮아졌다. 논은 조미 30두(斗), 밭은 잡곡 30두로 하였다.
④ 전민변정도감은 1269년(원종 때) 설치되어 충렬왕, 공민왕, 우왕을 거치며 설치와 폐지를 반복하였다. 특히 공민왕 때 신돈이 전민변정도감을 재설치하고 스스로 판사가 되어 의욕적으로 권문세족의 토지와 노비를 개혁하기 위해 노력했지만, 신돈이 실각하면서 전민변정도감의 역할도 무색해졌다. 그러므로 전민변정도감은 1391년에 과전법을 '주재'하지는 못하였다.

14 고려의 전시과와 조선의 과전법에서 공통점에 해당되는 것으로 묶은 것은? [2011 국가직 7급]

㉠ 관리들에게 18등급에 따라 차등적으로 지급하였다.
㉡ 과전은 본인 사후 반납이 원칙이었다.
㉢ 현직관리에게만 지급하였다.
㉣ 5품 이상의 관리들에게 세습이 허용된 별도의 토지가 지급되었다.

① ㉠, ㉡
② ㉠, ㉢
③ ㉡, ㉣
④ ㉢, ㉣

해설

정답 ①

전시과와 과전법의 공통점과 차이점은 다음과 같다.

구 분	전시과(고려)	과전법(조선)
공통점	1) 관리를 품계에 따라 18과로 나누어 차등 분급하였다. 2) 사후반납이 원칙이나 세습 가능한 토지가 있었다.	
차이점	1) 땔감을 수취할 수 있는 시지도 분급 대상이었다. 2) 전국의 토지를 분급 대상으로 하였다.	1) 1과 150결의 토지부터 18과 10결의 토지까지 지급되었다. 2) 경기 지역의 토지만을 분급 대상으로 하였다.

㉢ 현직 관리에게만 토지를 지급한 제도는 (고려) 경정전시과, (조선) 직전법이다.
㉣ 공음전에 대한 설명이다.

15 토지제도 (가)에 대한 설명으로 옳은 것을 [보기]에서 모두 고른 것은? [2019 계리직]

도평의사사(都評議使司)에서 왕에게 글을 올려 (가)을/를 제정할 것을 요청하니 왕이 이 제의를 좇았다. 문종 때에 정한 바에 의하여 경기 주군(京畿州郡)으로 결정된 고을들을 좌우도(左右道)로 나누어 설치한다. 1품으로부터 9품과 산직(散職)에 이르기까지 18과(科)로 나누었다.

『고려사』

[보기]

ㄱ. 전주(田主)는 전객(佃客)에게 전조(田租)로 수확량의 1/10을 징수하였다.
ㄴ. 양반 관료층의 경제적 보장을 위해 현임이나 퇴임을 막론하고 토지를 지급하였다.
ㄷ. 토지를 받았던 관리가 죽었을 경우, 수신전이라는 명목으로 사실상 세습이 가능하였다.
ㄹ. 수조권자의 직접적인 전조(田租)의 수취를 봉쇄하고 납조자(納租者)가 전조를 관리에게 납부하였다.

① ㄱ
② ㄱ, ㄴ
③ ㄱ, ㄴ, ㄷ
④ ㄱ, ㄴ, ㄷ, ㄹ

해설 정답 ③

'도평의사사'는 충렬왕이 도병마사를 개편하여 설치하였다(1279년, 충렬왕 5년). 그러다가 조선 태종 때 도평의사사가 폐지되었다(1400년, 태종 1년). 그러므로 도평의사사라는 말은 고려 충렬왕부터 조선 태종 때까지만 쓸 수 있는 표현이다. 이 기간에 개정된 토지 제도 및 수취 제도이며, '산직'에도 토지를 지급하고 '18과'로 나누어 지급하는 제도는 과전법이다(1391년, 공양왕 3년).

ㄱ. 과전법 아래에서의 수취 제도에서는 그 세율이 '수확량의 1/10'이었다. '전주가 전객에게 징수하는 전조'는 수조권자가 납세자에게 받는 조세를 말한다.

ㄴ. 과전법은 신진사대부의 경제적 기반을 보장(양반 관료층의 경제적 보장)하기 위해 실시하였다. 또 현임(현직)이나 퇴임(산직)에게 모두 토지를 지급하였다.

ㄷ. 과전법은 과전은 원칙적으로 세습이 불가능하였지만, 수신전이나 휼양전이라는 명목으로 세습되기도 하였다.

ㄹ. 조선 성종 때 실시한 관수관급제에 대한 설명이다.

16 다음은 조선 전기의 토지제도에 관한 연표이다. (가)이/가 제정되고 실시된 시기에 대한 설명으로 옳은 것은? [2013 기상직 9급]

1391		1466		1470		1556
과전법의 실시	→	(가)	→	관수 관급제의 실시	→	수조권 지급의 법제적 폐지

① 체계적인 조세수취를 위해 연분9등법, 전분6등법이 실시되었다.

② 고리대의 근절을 위해 기금의 이자로 공적인 사업경비를 충당하는 각종 '보'가 출현하였다.

③ 군역에 있어서 '보법'이 실시되어 정군이 군대에 복무시에 이에 소요되는 비용을 보조하는 보인이 등장하였다.

④ 토지 8결을 기준으로 한 사람씩 동원하고 1년 중 동원할 수 있는 일수를 6일 이내로 제한하는 요역의 규정이 신설되었다.

해설 정답 ③

(가)는 직전법이다. 세조는 국가재정을 안정시키기 위해 퇴직관료에게도 지급하던 과전을 없애고 현직관료에게만 토지를 지급하는 직전법을 시행했다. 세조 때 호적 사업을 강화하고 '보법'을 실시하여 거의 모든 양인 농민이 군역에 편제되었다.

① 연분6등법과 전분9등법은 공법(貢法)의 하위 개념으로 '세종' 때 실시되었다.

② '보'는 고려 시대에도 있었다. 제위보, 팔관보, 학보, 경보 등이 그 예이다.

④ 8결출1부제(八結出一夫制)가 실시된 것은 '성종' 때이다. 2009 경찰 시험에서 출제된 8결출1부제 사료도 확인해 두기 바란다. 다음 자료에서 '이것'이란 '요역'을 말한다.

> 조선 시대 16세 이상의 정남에게는 이것의 의무도 있었다. 이것은 가호를 기준으로 정남의 수를 고려하여 뽑아서 성, 왕릉, 저수지 등의 공사에 동원하였다. 성종 때에는 경작하는 토지 8결을 기준으로 한 사람씩 동원하고, 1년 중에 동원할 수 있는 날도 6일 이내로 제한하도록 규정을 바꾸었으나, 임의로 징발하는 경우도 많았다.

명호샘의 한마디!!

2016년 경찰 시험에서는 과전법, 직전법, 관수관급제를 다음과 같이 정의하였다.

과전법	국가재정을 확충하고 신진 사대부의 경제적 기반을 확보하기 위해 만들었다.
직전법	과전의 세습 등으로 관료에게 지급할 토지가 부족해지자 현직 관리에게만 수조권을 지급하였다.
관수관급제	지방 관청에서 그 해의 생산량을 조사하여 거두고 관리들에게 나누어 주었다.

17 (가), (나) 시기 사이에 있었던 사실로 옳은 것은? [2021 경찰]

> (가) 나는 답험(踏驗)의 폐단을 영원히 없애려고 하여, 모든 대소 신료와 서민들에게까지 의견을 물어본 결과, 시행하기를 원하는 자가 많았으니, 백성들의 의향을 알 수 있었다. 그러나 조정의 의론이 분분해서 잠정적으로 정지하고 시행하지 않은 지 몇 해가 되었다. …… 호조에서는 시행하기에 알맞은 사목(事目)을 자세히 마련하여 아뢰라.
>
> (나) 전하께서 신에게 명하여 해동 여러 나라와 조빙(朝聘)으로 왕래한 고사(故事), 관곡(館穀)을 주어 예우한 전례를 찬술해 가지고 오라 하셨다. 나는 삼가 옛 문적을 상고하고, 보고 들은 것을 덧붙여서, 지도를 그리고 간략히 세계(世系)의 본말과 풍토를 서술하고, 우리나라에서 접대하던 절차에 이르기까지 수집해 모아 책을 만들어 올렸다.

① 현량과가 실시되었다.

② 모문룡이 가도에 주둔하였다.

③ 수신전과 휼양전이 폐지되었다.

④ 낭사가 사간원으로 독립하였다.

해설

정답 ③

(가) '답험의 폐단'이란 수령이 토지의 수확량을 실제로 조사할 때 농민의 부담만 가중된 현상을 말한다. 수령이 모든 토지를 실제로 조사하기도 어려웠을 뿐만이 아니라, 향리들에게 답험을 대신하게 할 땐 그 과정에서 농간이 자행되기도 하였다. 이러한 문제점으로 인해 '세종'은 답험손실법이라는 수세법을 폐지하였다(1444).

(나) 해동(海東)의 제국(諸國, 여러 나라)에 대한 기록은 「해동제국기」이다(1471). 이 책은 신숙주가 '세종' 때 다녀와 '성종' 때 쓴 책이다. 위 자료에서 '책을 만들어 올렸다'고 했으므로 이 시기는 '성종' 때이다.

③ '(가) 세종'과 '(나) 성종' 사이에는 세조가 있다. 세조 때에는 과전법이 폐지되고, 직전법이 실시되었다. '수신전과 휼양전이 폐지'되었다는 것은 바로 과전법이 폐지되었다는 뜻이다.

① 중종 때 현량과의 실시로 사림이 등용되었다(1519). ➲ 2016 교육행정

② 인조 때 모문룡이 가도에 주둔하였다(1623). 이것이 정묘호란의 원인 중의 하나가 되었다.

④ 태종 때 문하부의 낭사를 사간원으로 독립시켜 언론 기능을 강화하고 대신들을 견제하도록 하였다. ➲ 2020 국회직 9급

18 다음 자료를 보고 추론할 수 있는 당시 경제적 상황은? [2016 기상직 9급]

> 근래 흉년이 해마다 더욱 심해진데다가 변경의 일까지 생겨 마구 쓰는 것이 수백가지여서 국고가 고갈되었습니다. 관원을 줄이고 녹봉을 감하여 대전에 기록되어 있는 관리들의 직전까지도 부득이 주지 않고 있는 것입니다.

① 지주전호제가 확산되고 농장이 확대되었다.
② 수신전과 휼양전을 지급하게 되었다.
③ 경기 8현의 토지를 녹봉 대신 나누어 주었다.
④ 현직 관리에게만 전지와 시지를 분급하였다.

해설 정답 ①

조선 정부는 거듭되는 흉년과 전란으로 재정이 더욱 악화된 것을 계기로 1556년(명종 11년)에 직전 분급의 중단을 공포하였다. 제시된 자료는 '관리들에게는 직전을 주지 않으면서' 사찰에는 거승위전(居僧位田)을 주어 관리들로 하여금 불만을 가지게 하였다는 내용의 1557년(명종 12년)의 명종실록 기록이다. 직전의 소멸(직전법의 폐지)은 수조권에 입각한 토지지배 관계가 해체되고, 사적 소유권에 바탕을 둔 토지지배 관계, 즉 지주전호제의 본격적인 전개를 의미하는 것이었다. 이로 인해 토지에 소유 관념이 강화되어 농장 확대 현상이 심화되었다.

> 사헌부가 아뢰기를, "근래 흉년이 잇달아 더욱 심해진 데다가 변경에 일까지 있어 마구 쓰는 것이 수백 가지여서 국고가 고갈되고 조도(調度)가 번거롭기 짝이 없습니다. 그리하여 국가에서 관원을 줄이고 녹봉을 감하여 《대전(大典)》에 기록되어 있는 조관(朝官)의 직전(職田)까지도 아울러 주지 않고 있는데 이는 바로 부득이한 조처인 것입니다. 지금 각 사찰 거승위전(居僧位田)의 세금에 대해 호조가 방계(防啓)하였는데도 특명으로 지급하라 하시었습니다. …… 신들이 위전세(位田稅)를 아껴서가 아니라 응당 받아야 할 직전세(職田稅)도 받지 못했는데, 부세와 역사를 도피하는 무리에게 먼저 받게 하니, 이는 치도를 대우함이 도리어 신하들을 대우하는 것보다 중한 것입니다. 이런 일을 어찌 후세에 전할 수가 있겠습니까. 급히 제급하라는 명을 도로 거두소서." 하니, 답하기를, "거승위전에 대해서는 내가 중들을 비호해서 주는 것이 아니라 조종조로부터 선왕・선후의 능침(陵寢) 수호를 위해 주던 것으로 그 유래가 오래되었으니 진실로 다시 고칠 수 없다. 윤허하지 않는다."하였다. 「명종실록」

02 수취제도의 역사

01 다음과 같은 문서가 작성되었던 시대에 대한 설명으로 옳지 않은 것은? [2016 지방직 9급]

> 토지는 논, 밭, 촌주위답, 내시령답 등 토지의 종류와 면적을 기록하고, 사람들은 인구, 가호, 노비의 수와 3년 동안의 사망, 이동 등 변동 내용을 기록하였다. 그 밖에 소와 말의 수, 뽕나무, 잣나무, 호두나무의 수까지 기록하였다.

① 관료에게는 관료전을, 백성에게는 정전을 지급하였다.
② 인구는 남녀 모두 연령에 따라 6등급으로 나누어 파악하였다.
③ 전국을 9주로 나누고, 주 아래에는 군이나 현을 두어 지방관을 파견하였다.
④ 국가에 봉사하는 대가로 관료에게 토지를 나누어 주는 전시과 제도를 운영하였다.

해설

정답 ④

제시된 자료는 통일 신라 시대에 조세 수취 및 역의 징발을 위하여 작성된 민정문서(신라장적)이다. '다음과 같은 문서가 작성되었던 시대'란 통일신라 시대를 말한다.
④ 전시과는 '고려 시대'에 문무 관리들에게 수조권을 지급하던 토지 제도이다.
① 신문왕 때 문무 관리에게 관료전을 지급하였고, 성덕왕 때 정전이 지급되었다.
② 민정문서에서는 인구는 남녀별, 연령별로 6등급으로 구분하였고, 호(戶)는 인정(人丁)의 수에 따라 9등급으로 구분하였다.
③ 통일 신라의 지방 행정 조직은 9주 5소경 체제로, 전국을 9주로 나누고, 주 아래에는 군이나 현을 두어 지방관을 파견하였다.

02 다음 자료에 대한 설명으로 옳은 것은? [2016 기상직 9급]

> 서원경(청주) 부근 사해점촌 및 4개 촌락에 대한 문서로 당시 촌락의 경제 상황과 조세 제도 운영을 잘 보여 주는 자료이다. 1933년 일본 도다이사(동대사) 쇼소인(정창원)에서 발견되었으며, '신라 장적'이라고도 한다.

① 남녀를 연령에 따라 6등급으로 구분하였다.
② 재산 상속과 분배에 대한 내용이 담겨 있다.
③ 각 촌락의 인구와 토지의 종류, 면적만 조사했다.
④ 조세, 역, 공물 수취를 위해 촌주가 매년 작성하였다.

해설

정답 ①

민정문서에서 호는 9등급으로, 남녀는 연령에 따라 6등급으로 구분하였다.
② 민정문서는 '재산 상속과 분배'에 대해서는 다루지 않는다. 민정문서는 1) 조세 수취와 노동력 징발의 기준을 정하기 위해, 2) 재정 통제를 위해, 3) 생산자원의 편제 및 관리를 위해 작성하였으며, '촌락의 토지면적과 인구, 호(戶), 가축(소, 말), 토산물, 유실수(뽕나무, 잣나무, 대추나무) 등의 수'를 기록하였다.
③ 민정문서에는 각 촌락의 인구, 토지의 종류와 면적의 정보가 담겨져 있다. 그러나 이것만 조사한 것은 아니다.
④ 민정문서는 촌주가 3년마다 작성하였다.

명호샘의 한마디!!

민정문서와 관련된 기출 '정답'과 '오답'을 정리한다.

정 답	1. 농민들은 부역 외에 그 지역에서 나는 특산물을 납부하였다. (○) 2. 국가는 농민 소유 토지를 기반으로 자영농을 보호하여 조세를 안정적으로 수취하고자 하였다. (○) 3. 국가는 생산자원을 철저하게 편제하고 관리하였다. (○) 4. 남녀별, 연령별 인구의 수를 기록한 것은 여성도 노동력 자원으로 파악한 것이다. (○) 5. 3년에 1번씩 촌주가 통계를 내었으나 수취(收取)는 매년 이루어졌다. (○) 6. 개별 호의 등급으로 농민들의 생활 수준을 판단할 수 있었다. (○) 7. 토지는 내시령답, 관모답, 촌주위답, 연수유전답 등으로 나누어 조사하였다. (○) 8. 농민들은 호별로 연수유전답을 소유하고 경제적으로 독립되어 있었다. (○) 9. 이 문서에는 토지 면적, 호수, 인구수, 나무종류와 수까지 기록하고 있다. (○) 10. 정부가 조세와 요역부과의 자료로 파악하였다. (○) 11. 촌민들은 자기의 연수유답을 경작하여 수확을 거둬들이는 대가로 관모답, 내시령답 등을 공동경작하였다. (○) 12. 사해점촌, 살하지촌 등 서원경을 중심으로 하는 4개의 자연 촌락에 대한 조사이다. (○)
오 답	1. 토지의 많고 적음에 따라 가호를 9등급으로 나누어 파악하였다. (×) 2. 촌락에까지 지방관을 파견하여 농민을 조직적으로 관리하였다. (×) 3. 국가의 부역과 조세의 기준 마련을 위해 중앙에서 촌주를 파견하였다. (×) 4. 관모전답・내시령답・촌주위답 등의 토지는 촌민에 의해 소작되었다. (×) 5. 중앙 정부는 자연촌락에까지 지방관을 파견하여 농민을 통제하였다. (×) 6. 촌주가 매년 조사하여 5년마다 작성하였다. (×) 7. 민정문서는 3년마다 각 호의 정남에 의해 작성되었다. (×)

03 통일신라 시대 경제생활에 대한 설명으로 옳지 않은 것은? [2011 지방직 7급]

① 일반 농민은 자기 토지를 경작하는 외에도 관청 소유지를 공동경작하기도 하였다.

② 호(戶)는 상상호(上上戶)에서 하하호(下下戶)까지 6등급으로 나누어 파악하였다.

③ 귀족들은 당이나 아라비아에서 수입한 비단, 양탄자, 유리 그릇, 귀금속 등 사치품을 사용하였다.

④ 귀족들은 소, 말, 돼지를 바다 가운데 섬에서 길러 필요한 때 화살로 쏘아 잡아먹기도 하였다.

해설

정답 ②

통일신라의 민정문서에는 호(戶)는 역(役)을 지는 인정(人丁)의 많고 적음을 기준으로(= 인정의 다과에 따라 = 노동력의 많고 적음에 따라) 상상호(上上戶)부터 하하호(下下戶)까지 9등급으로 구분하였다.

① 국가로부터 연수유전(성덕왕 때 지급한 정전)을 받은 촌민은 그 대가로 '촌주위답, 내시령답, 관모답, 마전' 등을 공동경작해야 했다.

③, ④ 삼국통일 후 신라는 영토와 인구가 늘어나 경제력이 크게 증가하였다. 특히 진골 귀족들은 식읍과 녹읍을 통해 각종 경제적 특권을 누렸으며, 호화로운 저택에서 생활하고 외국에서 사치품을 수입하여 사용하였다.

04 고려 시대 농민의 생활에 대한 설명으로 옳은 것은?

[2013 국가직 7급]

① 특정한 직역을 갖지 않은 농민은 조세와 공납, 국역의 부담을 졌다.
② 백정 농민 중에도 천역을 담당하는 계층이 있었는데 이들을 신량역천이라 하였다.
③ 특정한 죄를 지었을 때 자신의 본관지로 되돌아가게 하는 귀향형(歸鄕刑)에 처해졌다.
④ 군현별로 일정액을 할당하는 비총법(比摠法)이 실시되자 농민은 공동납으로 대응하였다.

해설

정답 ①

직역(職役)과 국역(國役)은 구분해야 한다. 직역이란 정(丁)이 부담하는 공무(公務)를 말한다. 직역이 없는 자를 백정(白丁)이라고 했다. 고려 시대에는 이 백정이 일반 농민을 의미한다. 이들은 직역은 없지만, 조세 · 공납 · 역의 '국역'은 부담해야 했다.

② 고려 시대에 백정은 일반 군현에 거주하는 평민을 의미한다. 천역을 담당하면 그것은 이미 백정이 아니다. 신량역천에는 향 · 소 · 부곡의 주민, 진의 주민 등이 있다.

③ 고려 시대에는 죄를 지으면 자신의 본관지로 되돌아가게 하는 귀향형이 있었다. 그러나 이것은 관직을 가진 귀족에게서 특권을 박탈하는 처벌로, 농민과는 관련이 없다.

④ 비총법은 전세의 총액제이다. 군총제, 환총제와 함께 군현별로 총액이 할당되는 '총액제'는 조선 후기인 18세기에 실시되었다.

05 다음 자료와 관련된 전세제도에 대한 설명으로 옳은 것을 [보기]에서 모두 고른 것은?

[2011 지방직 7급]

> 모든 토지는 6등급으로 나누었다. 20년마다 토지를 다시 측량하여 양안(토지 대장)을 만들어 호조와 해당 도, 고을에 갖추어 둔다. 1등전의 척(尺, 자)은 주척으로 4척 7촌 7분이며, 6등전의 척은 9척 5촌 5분이다. …(중략)… 항상 경작하는 토지를 정전(正田)이라 하고, 경작하다 때로 휴경하는 토지를 속전(續田)이라 부른다. 정전으로 기록되었더라도 토질이 좋지 못하여 곡식이 잘 되지 않는 토지라든지, 속전으로 기록되어도 토질이 비옥하여 소출이 많은 경우에는 수령이 이를 관찰사에게 보고하여 다음에 개정한다.
>
> 「경국대전」

[보기]

㉠ 전세는 풍흉에 따라 6등급으로 나누어 부과하였다.
㉡ 1등전의 1결과 6등전의 1결은 그 생산량이 같았다.
㉢ 조세 액수를 1결당 최고 20두에서 최하 4두를 내도록 하였다.
㉣ 토지를 측량할 때 등급에 따라서 사용하는 척이 달랐다.

① ㉠, ㉡
② ㉡, ㉢
③ ㉠, ㉡, ㉣
④ ㉡, ㉢, ㉣

해설 정답 ④

'모든 토지는 6등급으로 나누었다'는 것은 전분6등법을 말한다. 1등전의 척은 주척으로 4척 7촌 7분이며, 6등전의 척은 9척 5촌 5분이다. 이렇게 토지비옥도에 따라 양전척의 크기가 다른 토지실측법을 수등이척법(隨等異尺法)이라 한다. 과전법 아래에서는 수령이 수확량을 실제로 조사하는 손실답험법을 사용하였으며, 인조 때의 영정법 아래에서는 동일한 크기의 양전척을 쓰는 양척동일법을 채택하였다.

㉠, ㉢ 전세는 풍흉에 따라 9등급으로 나누어 1결당 20두 ~ 4두를 징수하였다.

㉡ 1등전의 1결에서 생산되는 양과 6등전의 1결에서 생산되는 양은 동일하다. 다만 1등전의 1결과 6등전의 1결의 토지 면적이 다를 뿐이다.

06 밑줄 친 '제도'에 대한 설명으로 옳은 것은? [2017 지방직 9급]

> 국왕이 말했다. "나는 일찍부터 이 <u>제도</u>를 시행해 여러 해의 평균을 파악하고 답험(踏驗)의 폐단을 영원히 없애려고 해왔다. 신하들부터 백성까지 두루 물어보니 반대하는 사람은 적고 찬성하는 사람이 많았으므로 백성의 뜻도 알 수 있다."

① 토지의 비옥도에 따라 조세를 차등 징수하였다.

② 풍흉에 상관없이 1결당 4~6두를 조세로 징수하였다.

③ 토지 소유자에게 1결당 미곡 12두를 조세로 징수하였다.

④ 토지 소유자에게 수확량의 10분의 1을 조세로 징수하였다.

해설 정답 ①

과전법 아래에서의 '답험손실법(손실답험법)'의 폐단을 없애고, '수등이척법'에 따라 '공법'을 실시한 왕은 '세종'이다. 세종은 토지의 비옥도에 따라 1결의 면적을 따로 정하고 조세를 차등 징수하였다. 이를 전분6등법이라 한다.

② 16세기 이후 왜란, 호란을 거치며 농경지가 황폐화되고 극히 감소된 상태에서 토지 제도도 함께 문란해졌다. 이에 따라 연분9등법 자체가 무시된 채 1결당 4~6두를 징수하는 것이 관행화되어 있었다. '인조'는 이것을 법제화하여 전세를 풍흉에 상관없이 1결당 미곡 4두로 고정시킨 영정법을 실시하였다.

③ '1결당 미곡 12두'는 조세(전세)가 아닌 대동법에 어울리는 말이다.

④ 과전법 아래에서의 수취 제도에서 '수확량의 10분의 1을 조세로 징수'하였다.

07 (가) ~ (라) 제도를 시행된 순서대로 바르게 나열한 것은? [2022 법원직 9급]

> (가) 그 사람의 성품과 행동의 선악, 공로의 크고 작음을 참작하여 역분전을 차등 있게 주었다.
> (나) 문무의 백관으로부터 부병(府兵)과 한인(閑人)에 이르기까지 과(科)에 따라 받지 않은 자가 없었으며, 또한 과에 따라 땔나무를 베어낼 땅도 지급하였다.
> (다) 경기는 사방의 근본이니 마땅히 과전을 설치하여 사대부를 우대한다. 무릇 경성에 거주하여 왕실을 시위(侍衛)하는 자는 직위의 고하에 따라 과전을 받는다.
> (라) 경상도 · 전라도 · 충청도는 상등, 경기도 · 강원도 · 황해도 3도는 중등, 함길도 · 평안도는 하등으로 삼으며 …… 각 도의 등급과 토지 품질의 등급으로써 수세하는 수량을 정한다.

① (가) - (나) - (다) - (라)
② (가) - (나) - (라) - (다)
③ (나) - (가) - (다) - (라)
④ (나) - (다) - (라) - (가)

해설

정답 ①

이 문제는 고려 및 조선의 토지제도와 수취제도가 섞여 있는 문제이다. 각 제도가 언제 시행되기 시작했는지를 정리해야 한다.

(가) 역분전(고려 태조 왕건)
(나) 시정 전시과(고려 경종)
(다) 과전법(고려 공양왕)
(라) 공법(조선 세종)

명호샘의 한마디!!

고려와 조선의 토지 제도 및 수취 제도는 다음과 같다.

구분	제도의 명칭	시행 시기
토지 제도	역분전	고려 태조
토지 제도	시정 전시과	경종
토지 제도	개정 전시과	목종
토지 제도	경정 전시과	문종
토지 제도	녹과전	원종
토지 제도	과전법	공양왕
수취 제도(전세)	공법	조선 세종
토지 제도	직전법	세조
토지 제도	관수관급제	성종
수취 제도(훈련도감)	삼수미세	선조
수취 제도(공납)	대동법	광해군
수취 제도(전세)	영정법	인조
수취 제도(군역)	균역법	영조

08 (가) ~ (라)를 시기 순으로 바르게 나열한 것은? [2024 지방직 9급]

> (가) 지주에게 결작이라 하여 토지 1결당 미곡 2두씩을 부담시켰다.
> (나) 전세를 풍흉에 관계없이 토지 1결당 미곡 4~6두로 고정시켰다.
> (다) 조세는 토지 1결당 수확량 300두의 10분의 1 수취를 원칙으로 삼았다.
> (라) 조세를 토지 비옥도와 풍흉의 정도에 따라 1결당 최고 20두에서 최하 4두로 하였다.

① (다) → (라) → (가) → (나)
② (다) → (라) → (나) → (가)
③ (라) → (다) → (가) → (나)
④ (라) → (다) → (나) → (가)

해설 정답 ②

(다) 토지 1결당 수확량 300두의 10분의 1 수취를 원칙으로 삼은 수취 제도는 '과전법 제도 아래에서의 수취 제도'이다. 즉 과전법과 시기가 같으므로 고려말 공양왕 때이다.

(라) 조세를 토지 비옥도와 풍흉의 정도에 따라 1결당 최고 20두에서 최하 4두로 한 제도는 연분 9등법이다. 연분 9등법과 전분 6등법을 합한 공법은 조선 세종 때 실시되었다.

(나) 전세를 풍흉에 관계없이 토지 1결당 미곡 4~6두로 고정시킨 제도는 인조 때 실시된 영정법이다. '풍흉에 관계없이'라는 것은 결국 연분 9등법이 폐지되었다는 의미이다.

(가) 영조 때 균역법을 실시하며, 재정 감소 보완책으로 결작, 선무군관포, 어장세, 염세, 선박세 등을 징수하였다. 즉 결작이라 하여 토지 1결당 미곡 2두씩을 부담시킨 시기는 영조 때이다.

09 조선 정부가 다음과 같은 문제를 해결하기 위하여 실시한 것은? [2008 법원직 9급]

> 무릇 백성의 근심은 재해를 살피는 것이 밝지 않고 등분을 정하는 것이 공평하지 않은 데 있습니다. 감사가 수령을 뽑아 보내어 답험하게 하면 수령은 길만 따라가서 위관에게 맡기고 위관은 서리에게 맡깁니다. 서리는 산 넘고 물 건너는 험한 길을 꺼려서 평탄한 길로만 다닙니다. 음식 접대를 받고 뇌물을 기대합니다. 그러므로 힘 있는 자에게는 곡식이 여물어도 재해를 입는 것으로 하고, 가난한 자에게는 재해를 입어도 여문 것이라 합니다. 수령은 많이 거두어들이는 데에 힘쓰므로 흉년이 들어도 흉년이 아니라고 하고 곡식이 조금만 잘되어도 아주 잘 되었다고 하여 그 등급을 높입니다. 애달픈 백성들은 어디에 호소하겠습니까.
> 「조선왕조실록」

① 토지 1결당 4두로 조세 부담을 고정하여 거두었다.
② 수조권자가 직접 농민에게 세금을 거두도록 하였다.
③ 공인을 통해 관청에서 필요한 물품을 납부하도록 하였다.
④ 토지의 비옥도에 따라 등급을 나누는 전분6등법을 만들었다.

해설

정답 ①

풍흉을 고려하여 조세를 거두는 것이 농민들을 위한 것이겠지만, 그 풍흉을 판단하는 것이 공정하지 못하다면 이것은 오히려 농민들을 힘들게 하는 것이다. 그리하여 17세기 인조 때는 풍흉을 고려하지 않고(연분9등법을 폐지하고) 토지 1결당 4두로 조세 부담을 고정시켰다. 이를 영정법이라 한다.

명호샘의 한마디!!

2012 경찰, 2007 서울시 9급 시험 등에서 출제된 영정법 기출문장을 정리한다.

1) 인조대에 풍년이나 흉년에 따라 전세를 조절하는 영정법을 시행하였다. (×) – 영정법에서는 풍흉을 고려하지 않음
2) 종래 20~4두를 징수하다가 영정법을 실시하여 1결당 2두를 징수하였다. (×) – 1결당 4두 징수

10 다음과 같은 제도가 시행된 배경으로 가장 적절한 것은? [2013 경찰]

> 광해군 즉위년에 이원익 등의 주장에 따라 경기도에서 처음 시행하였다. 그 후 실시지역이 확대되어 숙종 34년에는 평안도와 함경도를 제외한 전국에서 실시되었다. 이를 관할하는 관청으로 선혜청을 두었다.

① 제 고장에서 나지 않는 물건을 공물로 내게 하거나, 서리가 상인과 결탁하여 공납물을 미리 국가에 바치고 그 값을 비싸게 책정하여 농민에게 받아냈다.

② 사족이 군역을 회피하는 풍조가 생기고, 요역을 담당할 장정들이 크게 줄어들자 군인을 요역에 동원하게 되었다.

③ 보인(保人)으로부터 조역가를 받아내서 이를 삯전으로 내고, 품을 사서 자신의 역을 대신 지게 하는 대립(代立)이 성립되었다.

④ 춘궁기에 빈민에게 식량을 빌려주고 원곡만을 회수하는 의창제를 대신하여 상평창제가 실시되면서 원곡의 10%를 이자로 받았다.

해설

정답 ①

광해군 즉위년인 1608년에 경기도에서 처음 시행되었고, 숙종 때 전국으로 확대된 제도는 '대동법'이다. 대동법은 '방납의 폐단'을 시정하기 위해 실시되었다.

> 대동법이란 민호에게 토산물을 부과·징수하던 공납을 농토의 결수에 따라 미곡, 포목, 전화(錢貨)로 납부하게 하는 제도였다. 이 제도는 우선 경기도에 시험 삼아 실시된 이후 점차 확대되어 전국으로 실시되는 데 100년이라는 기간이 소요되었다. 정부는 수납한 미곡, 포목, 전화를 공인(貢人)에게 지급하여 필요한 물품을 구입하여 썼다. 농민들은 1결당 미곡 12두를 내었으나 시일이 지나면서 왕실에 상납하는 진상이나 별공은 여전히 부담하였고, 상납미의 비율은 점차 증가하였다.
> 2011 경찰

> 좌의정 박세채(朴世采)가 상소를 올려, "해서(= 황해도) 일대는 부역이 번다하고 무거워 백성들이 제대로 살아가지 못합니다. 신이 이 고장을 왕래한 지가 거의 30년이나 되는데, 다른 여러 도에서 실시하는 대동법을 시행하지 못하는 것을 한탄하는 말을 많이 들었습니다. 대개 그 법의 기원은 율곡 이이에게서 시작된 것인데, 그 동안에 선혜청(宣惠廳)을 두었으며, 먼저 관동(= 강원도)과 경기에 시행했는데, 명칭은 달랐지만 실속은 같았습니다. 그 뒤에 호남(湖南)과 영남(嶺南)에도 시행하였으니, 백성들이 모두 신뢰하였습니다."라고 하였다.
> 2012 법원직 9급

각 고을에서 공물을 상납하려 할 때 각 관청의 사주인들이 여러 가지로 농간을 부려 좋은 것도 불합격 처리를 하기 때문에 바칠 수가 없게 되었습니다. 이리하여 사주인은 자기가 갖고 있는 물품으로 관청에 대신 내고 그 고을 농민들에게는 자기가 낸 물건 값을 턱없이 높게 쳐서 열 배의 이득을 취하니, 이것은 백성의 피와 땀을 짜내는 것입니다.
『선조실록』 2019 서울시 9급

명호샘의 한마디!!

대동법과 관련된 기출문장을 정리한다.

1. 방납의 폐단을 해결하기 위해 도입하였다. (○)
2. 대동법은 집집마다 부과하여 토산물을 징수하던 공물 납부 방식을 토지의 결수에 따라 쌀, 삼베나 무명, 동전 등으로 납부하게 하는 제도였다. (○)
3. 각 고을에서 가호(家戶)를 기준으로 공물을 부과하였다. (×) − 대동법은 토지 결수를 기준으로 공물을 부과한다.
4. 대동법은 경기도에 시험적으로 시행되고 이어서 점차 전국으로 확대되었다. (○)
5. 대동법의 실시 후 물품의 구매가 증가하여 상품 화폐 경제가 발달하였다. (○) = 물품의 수요와 공급이 증가하면서 상품화폐경제가 발전하였다. (○)
6. 대동법은 전국적으로 실시하는 과정에서 1결당 14두를 징수하였다. (×) − 토지 결수를 기준으로 1결당 쌀 12두를 납부하게 하였다.
7. 대동법의 실시 결과 소작농의 부담이 줄어들었다. (○) = 토지가 없거나 적은 농민은 공물 부담이 경감되었다. (○)
8. 대동법의 실시로 공인이라는 상인층이 등장하였다. (○) = 공인이 활약하여 수공업이 활기를 띠고 상품 수요가 증가하였다. (○)
9. 별공(別貢)과 진상(進上)은 그대로 남아 있었다. (○)
10. 광해군 시기에 실시하였다. (○)

11 (가)에 대한 설명으로 옳지 않은 것은? [2023 국가직 9급]

임진왜란 이후에 우의정 유성룡도 역시 미곡을 거두는 것이 편리하다고 주장하였으나, 일이 성취되지 못하였다. 1608년에 이르러 좌의정 이원익의 건의로 (가) 을/를 비로소 시행하여, 민결(民結)에서 미곡을 거두어 서울로 옮기게 하였다.
『만기요람』

① 장시의 확대에 기여하였다.

② 지주에게 결작을 부과하였다.

③ 공납의 폐단을 막기 위해 실시하였다.

④ 공인에게 비용을 지급하고 필요 물품을 조달하였다.

해설 정답 ②

유성룡은 수미법을 주장하였다. 이것이 발전되어 1708년 '대동법'이 되었다. 대동법은 상품화폐경제를 발달시키고, 거래를 활성화시켜 장시의 확대에 기여하였다. 또한 공납의 폐단(방납의 폐단)을 막기 위해 실시하였다. 대동법은 공인에게 비용을 지급하고 필요 물품을 조달하게 하는 방식으로 실시되었다.

② '결작 부과'는 균역법 실시로 인한 재정감소 보완책이다.

12 **다음은 조선시대 어느 관원의 일기에서 발췌한 사실이다. 이와 관련된 내용으로 적절하지 않은 것은?**

[2017 국가직 7급]

> • 1568년 : 광흥창에서 쌀 7섬, 콩 7섬, 명주베 1필, 삼베 3필을 받아왔다.
> • 1568년 : 쌀 4섬 5되와 베 10필, 콩 2섬으로 이형이라는 사람의 밭을 샀다.
> • 1569년 : 노비 석정이 와서 올해 논의 총 수확이 모두 83섬이라고 말했다.
> • 1570년 : 이효원이 찾아와 호조에 속한 공장(工匠)이 만들어 파는 충정관(沖靜冠)의 구입을 권하였다.

① 이 관원은 녹봉을 광흥창에 가서 받았다.
② 이 관원이 이형에게 산 밭은 병작반수의 형태로 경작을 시킬 수 있었다.
③ 이 관원은 논의 총 수확 83섬의 10분의 1을 농민들로부터 수조할 수 있었다.
④ 이 관원은 관청에 소속된 공장들이 개인적으로 생산 판매하는 물품을 구입할 수 있었다.

해설

정답 ③

'이 관원'은 16세기의 인물이다. 이 시기의 수취제도는 세종대 이후 실시된 '공법'이므로, 수조율(조세율)이 '10분의 1'이 아니다. '10분의 1'은 과전법 아래에서의 수취제도에서 책정하였던 조세율이고, '공법'의 수조율은 풍흉에 따라 1결당 4~20두로 하였다.

① 녹봉은 관료들에게 지급되던 급여로, 고정적으로 지급되는 녹(祿)과 특수한 경우 지급되는 봉(俸)을 합친 말이다. 녹봉의 지급은 광흥창(廣興倉)에서 이루어졌는데, 광흥창은 녹봉의 재원을 마련하고 이를 관리하기 위해 세워진 재정 전담 기구였다. 녹봉으로는 쌀, 콩 등의 곡식, 마포(麻布)나 명주 같은 직물, 그리고 저화 등이었다.

② 1556년(명종 때) 직전법이 폐지되면서, 수조권을 지급하던 제도는 완전히 폐지되었다. 그 이전에도 지주전호제가 있었으나, 직전법이 폐지되면서 지주전호제가 발달하고 토지 사유화의 관념이 더욱 확대되었다. 이 관원은 '이형'에게 산 밭을 '5:5로 분배하는' 지주전호제인 '병작반수'의 형태로 소작농에게 경작시킬 수 있었다.

④ '관청에 소속된 공장들'이란 관장(官匠)을 말한다. 관장들은 관청에 소속되어 물품을 만들었지만, 부역기간 중에도 책임량을 초과하여 생산한 물품은 '개인적으로 생산 판매'할 수 있었고, 부역기간이 끝나면 시장을 상대로 필요한 물품을 판매하여 이득을 취하였다. 조선 후기에 공장안이 폐지되어 관영수공업이 사라지기 전까지는, 관장이 개인적으로 생산한 물품을 살 수 있었다.

13 밑줄 친 '이 법'에 대한 설명으로 옳지 않은 것은?

[2016 국가직 9급]

> 현물로 바칠 벌꿀 한 말의 값은 본래 목면 3필이지만, 모리배들은 이를 먼저 대납하고 4필 이상을 거두어 갑니다. 이런 폐단을 없애기 위해 이 법을 시행하면 부유한 양반 지주가 원망하고 시행하지 않으면 가난한 농민이 원망한다는데, 농민의 원망이 훨씬 더 큽니다. 경기와 강원에서 이미 시행하고 있으니 충청과 호남 지역에도 하루빨리 시행해야 합니다.

① 토지 결수를 과세 기준으로 삼았다.

② 인조 때 처음으로 경기도에서 시행하였다.

③ 이 법이 시행된 후에도 왕실에 대한 진상은 계속되었다.

④ 이 법을 시행하면서 관할 관청으로 선혜청을 설치하였다.

해설

정답 ②

'현물'로 바쳐야 할 것을 모리배들이 '대납'하고 그 '이상을 거두어' 가는 것을 방납의 폐단이라고 한다. 방납의 폐단을 없애기 위해 시행한 '이 법'은 대동법이다. 대동법은 광해군 즉위년(1608)에 경기도에서 처음으로 시행하여, 숙종 때(1708) 전국으로 확대 시행하였다.

① 대동법 실시로 가구에 부과하던 공납을 전세화했다. ➲ 2016 법원직 9급 호(戶) 단위 부과에서 토지 결수 기준으로 변경하여, 대체로 1결당 쌀(미곡) 12두를 징수하였다.

③ 상공만 대동법이 적용되고 별공과 진상은 종전 방식대로 징수하였다.

④ 대동법은 선혜청(중앙), 대동청(지방)이라는 기관에서 관장하였다.

14 다음 대화에 나타난 수취 제도에 대한 설명으로 옳은 것은?

[2016 지방직 9급]

> • 갑 : 호(戶)에 부과하던 공물을 토지에 부과하게 되면서 땅이 많은 대가(大家)와 거족(巨族)이 불만을 가져 원망을 하고 있으니 가뜩이나 어려운 시기에 심히 걱정스럽군.
> • 을 : 부자는 토지 소유에 비례하여 많은 액수의 세금을 한꺼번에 내기 어렵다고 불평하지만, 수확과 노동력이 많은 부자가 가난한 사람도 여태껏 그럭저럭 납부해온 것을 왜 못 내겠소?

① 광해군 때 경기도에서 처음으로 실시되었다.

② 농민의 군포 부담을 1년에 1필로 줄여 주었다.

③ 지주에게 토지 1결당 2두의 결작미를 징수하였다.

④ 농민 부담을 낮추기 위해 전세를 토지 1결당 미곡 4두로 고정하였다.

해설

정답 ①

1608년(광해군 때) 공물 납부 방식이 '호에 부과하던 방식'(집집마다 부과하던 방식, 가구마다 부과하던 방식, 戶稅)에서 '토지에 부과하는 방식'으로 변하였다. 이것을 '대동법'이라 한다. 대동법은 광해군 때 경기도에서 처음으로 실시되었으며, 1708년 숙종 때 전국적으로 시행되었다.

②, ③ 균역법에 대한 설명이다.

④ 영정법에 대한 설명이다.

15 다음의 폐단을 시정하기 위해 실시한 제도에 대한 설명으로 옳지 않은 것은? [2012 지방직 9급]

> 나라의 100여 년에 걸친 고질 병폐로서 가장 심한 것은 양역이다. 호포니 구전이니 유포니 결포니 하는 주장들이 분분하게 나왔으나 적당히 따를 만한 것이 없다. 백성은 날로 곤란해지고 폐해는 갈수록 더욱 심해지니, … (중략) … 이웃의 이웃이 견책을 당하고 친척의 친척이 징수를 당하고, 황구는 젖 밑에서 군정으로 편성되고 백골은 지하에서 징수를 당하며 … (후략)

① 양반들도 군역을 지는 것으로 개선하였다.
② 군역 부담자의 군포 부담을 1필로 정하였다.
③ 균역청에서 관리하다가 선혜청이 통합하여 관리하였다.
④ 평안도와 함경도를 제외한 6도의 토지 1결당 쌀 2두씩을 부과하였다.

해설

정답 ①

고질 병폐로서 가장 심하다는 '양역'이란 '양인이 부담하는 국역'을 말한다. 제시된 자료에서는 그 중에서도 '군정의 문란'을 다루고 있다. 누군가 군포를 제대로 납부하지 못하였을 때, 이웃의 이웃이 견책을 당하고(인징), 친척의 친척이 징수를 당하고(족징), 황구는 젖 밑에서 군정으로 편성되고(황구첨정), 백골은 지하에서 징수를 당하기도(백골징포) 하였다. 군포 징수의 부담을 줄여주기 위하여 1) 영조 때 균역법을 실시하였고, 2) 흥선대원군 때 호포제를 실시하였다.

① 이것은 호포제에 대한 잘못된 설명이다. 흥선대원군은 양민에게만 부과하던 군포를 동포 또는 호포로 바꾸어 양반에게도 징수하였다. 그러나 이것은 양반들에게 군포에 상응하는 포를 거두었다는 것일 뿐, 이들에게 '군역'이 생겼다고 말할 수는 없다. 호포제를 실시하면서 이를 군포라고 하지 않고 동포(洞布), 호포(戶布)라고 이름을 바꿔 부른 것도 모두 군역의 의미를 희석하기 위한 것이었다.
② 이것은 균역법에 대한 바른 설명이다. 군포 부담을 1필로 줄인 것이 균역법의 핵심이다.
③ 이것도 균역법에 대한 바른 설명이다. 균역법은 균역청에서 관리하다가 선혜청이 통합하여 관리하였다.
④ 이것도 균역법에 대한 바른 설명이다. 균역법 시행으로 재정이 감소하자, 정부는 '토지 1결당 쌀 2두씩'의 결작이나, 선무군관포, 어장세, 염세, 선박세 등을 징수하였다.

명호샘의 한마디!!

위 문제는 '균역법'을 균역청에서 관리하다가 선혜청이 통합하여 관리하였다고 출제하였다. 그러나 선혜청(宣惠廳)은 대동법을 시행하면서 관할 관청으로 설치한 관청이다. ➲ 2016 국가직 9급 광해군 때 대동법을 시행하면서, 처음에 선혜법이라고 불렀기 때문이다. 즉, 대동미를 관리하는 기관으로 선혜청을 설치하였다. ➲ 2019 국회직 9급 이후 강원, 충청, 전라 등 각 도의 대동법을 관장하던 대동청이 선혜청으로 통합되었으며, 상평청, 진휼청, 균역청도 모두 선혜청으로 흡수되면서, 선혜청은 호조를 능가하는 최대의 재정기관이 되었다. 다음과 같은 선혜청 사료는 '대동법'을 묻기 위한 것이다.

> 영의정 이원익이 의논하기를, "각 고을에서 진상하는 공물이 각 사의 방납인들에 의해 중간에서 막혀 물건 하나의 가격이 몇 배 또는 몇십 배, 몇백 배가 되어 그 폐단이 이미 고질화 되었는데, 기전(畿甸)의 경우는 더욱 심합니다. 그러니 지금 마땅히 별도로 하나의 청(廳)을 설치하여 매년 봄·가을에 백성들에게서 쌀을 거두되, 1결당 매번 8말씩 거두어 본청(廳)에 보내면 본청에서는 당시의 물가를 보아 가격을 넉넉하게 헤아려 정해 거두어들인 쌀로 방납인에게 주어 필요한 때에 사들이도록 함으로써 간사한 꾀를 써 물가가 오르게 하는 길을 끊으셔야 합니다. …(후략)…"
>
> ➲ 2015 지방직 9급

16 **다음 자료에서 제기한 문제를 해결할 수 있는 대책으로 가장 적절한 것은?** [2011 국가직 7급]

> "예전에는 군포가 2필이었던 것이 지금은 1필로 되었으니 백성들이 더욱 넉넉해져야 마땅한 데 더욱 가난해지고 있습니다. 이는 군적에 누락된 장정이 많기 때문입니다." ➲ 「정조실록」

① 재정 확보를 위해 공명첩을 발매해야 한다.

② 도망한 사노비를 찾아서 주인에게 돌려주어야 한다.

③ 서얼출신이 관직에 진출할 수 있도록 제한을 없애야 한다.

④ 양인과 노비 사이에서 태어난 자식은 양인으로 인정해야 한다.

해설 정답 ④

영조 때 균역법을 실시하여 군포를 2필에서 1필로 줄여주었으나, 재정감소 보완책으로 결작, 선무군관포, 어장세, 염세, 선박세 등을 징수하였다. 이로 인해 농민의 부담은 잠시 경감되는 것처럼 보였으나, 다시 가중되었다. 이런 문제를 근본적으로 해결하기 위해서는 군역을 부담하는 양인의 수가 늘어나야 한다. 그래서 영조 때에는 노비종모법을 확정하였다.

> 나라의 100년에 걸친 고질 병폐로 가장 심한 것이 양역이다. 호포니 유포니 결포니 구전이니 하는 주장들이 분분하게 나왔으나 적당히 따를 만한 것이 없다. … 이웃의 이웃이 견책을 당하고 친척의 친척이 징수를 당하고 황구는 젖 밑에서 군정으로 편성되고 백골은 지하에서 징수당하며 … ➲ 「영조실록」 ➲ 2013 기상직 9급

17 **(가), (나) 주장에 따라 시행된 제도에 대한 설명으로 옳지 않은 것은?** [2013 법원직 9급]

> (가) 8도 군포는 수량이 90만 필(疋)에 지나지 않는데, 절반인 45만 필의 돈을 내어놓고 군포 1필을 감해 준다면, 2필을 바치던 무리들이 반드시 힘을 펼 수 있을 것입니다.
>
> (나) 호역(戶役)으로써 군역(軍役)을 대신하고 … 호수(戶數)에 따라 귀천(貴賤)과 존비(尊卑)를 물론하고 일체로 부역(賦役)을 균평하게 한다면 내는 자는 심히 가볍고 거두는 자도 손실이 없을 것입니다.

① (가)는 방납의 폐단을 해결하기 위한 방책이었다.

② (나)는 성리학적 명분론을 바탕으로 양반의 반발이 심하였다.

③ (가)는 영조, (나)는 흥선대원군 때 법제화되었다.

④ (가), (나) 모두 과세 대상이 확대되는 계기가 되었다.

해설 정답 ①

(가) 군포 2필이 1필로 줄어드는 내용이다. 영조 때의 균역법이다.

(나) 군역을 호역이 대신한다. 이것은 곧 군포라는 명칭을 호포로 바꾼 것을 말한다. 귀천과 존비를 물론하고 부역을 균평하게 한다는 것은 양반과 평민에게 군포 부담을 동일하게 한다는 의미이다. 이를 통해 신분제 붕괴를 우려한 양반들이 강력하게 반발하였던 제도는 흥선대원군 때의 호포제이다.

① 균역법은 방납의 폐단이 아닌 '군정의 문란 및 군포부담의 가중' 문제를 해결하기 위한 제도였다.

명호샘의 한마디!!

균역법은 '군포' 문제를 시정하기 위한 것이다. 그래서 다음과 같이 '군정의 문란' 자료를 주고 균역법을 묻는다.

시아버지 죽어서 이미 상복 입었고
갓난아이 배냇물도 떼지 못했건만
삼대의 이름이 군적(軍籍)에 올랐구나.
달려가서 억울함을 호소하려 하여도
관가의 문지기 호랑이 같은데
이정(里正)이 호통치며 마굿간 소마저 끌고 갔네.

➲ 정약용, 애절양 ➲ 2009 서울시 9급

백골징포(白骨徵布)의 폐단은 자고로 없었던 바인데 오늘날에는 백성이 가장 힘들어하는 폐단이 되었습니다. 이 폐단을 바로잡기 위해 군역을 지지 않던 자들에게도 호포(戶布)를 징수할 필요가 있습니다만, 오늘날 갑자기 이를 시행하기는 어렵습니다. 그렇다면 차라리 양역을 부담하는 자들에게 거두어들이는 포의 수를 줄이는 것이 좋겠습니다.

➲ 「비변사등록」

양역을 절반으로 줄이라고 명하였다. "구전(口錢)을 한 집안에서 거두게 되면 주인과 노비의 명분이 문란해진다. 결포(結布)는 정해진 세율이 있어 더 부과하기 어렵다. …… (중략) … 호포나 결포는 모두 문제가 있다. 이제 군포를 1필로 줄이도록 하고 감소된 액수를 채울 수 있는 대책을 강구하라."

➲ 2007 세무직 9급

18 다음 자료와 관계가 깊은 정책을 추진한 배경에 대한 설명으로 옳은 것은? [2021 국회직 9급]

현재 10여 만 호로써 50만 호가 져야 할 양역을 감당해야 합니다. 한 집안에 비록 남자가 4, 5명 있어도 모두 군역에서 벗어나지 못합니다. 군포를 마련할 길이 없어 마침내 죽거나 도망을 가게 되고, 이러한 자의 몫을 채우기 위해 황구첨정 등의 폐단이 생겨나는 것입니다.

① 직전법의 시행으로 농민들의 부담이 늘어났다.
② 호포제가 실시되었지만 백성의 부담은 줄지 않았다.
③ 속오군제 실시로 양반이 군역을 면제 받았다.
④ 감영과 병영이 독자적으로 군포를 거두면서 군포 부담이 증가하였다.
⑤ 공물을 서리, 상인 등이 대납하고 더 많은 대가를 농민에게 요구하였다.

해설

정답 ④

자료에서 '양역(양인이 부담해야 할 국역)'이 언급되고, 특히 '군역'이 언급되고 있다. 군포를 마련할 길이 없어 죽거나 도망을 가게 되면 정부는 '족징'이나 '인징'으로 가까운 사람들에게 군포를 부담시켰고, '황구첨정'이나 '백골징포' 등으로 부족한 부분을 채웠다. 모두 영조 때 실시한 균역법에 대한 설명이다. 이 문제는 균역법 실시의 '배경'을 묻고 있다.

④ 감영과 병영이 독자적으로 군포를 거두면서 군포 부담이 증가하였다. ➲ 2014 국가직 7급 이것이 균역법을 시행한 배경이다. 또 군역 기피 현상으로 대립과 방군수포가 성행하였고, ➲ 2020 서울시 9급(고졸) 호포론, 결포론 등의 양역변통론이 제기되었으나 실효성 있는 것이 없었다는 점도 균역법 시행의 배경이 된다.

① 현직 관리에게만 수조권을 지급하는 직전법의 시행 자체는 농민들에게 부담이 되지 않았지만, 점차 현지 관리들이 농민들을 수탈하면서 그 폐단이 심해졌다. 이것을 해결하기 위해서 조선 성종 때 관수관급제를 시행하였다.

② 호포제는 흥선대원군 때 실시한 제도로, 균역법 시행 이후의 일이다.

③ 임진왜란의 결과 진관체제 복구론이 등장하였고, 그 결과 나타난 것이 속오군제이다. 속오군은 양천혼성군으로 양반, 평민, 노비로 구성하였다.

⑤ '공물을 서리, 상인 등이 대납하고 더 많은 대가를 농민에게 요구'한 것을 방납의 폐단이라고 한다. 이 문제를 해결하기 위해 시행한 제도는 대동법이다.

19 다음 지시에 따라 실시된 제도로 옳은 것은? [2017 지방직 9급]

> 왕이 양역을 절반으로 줄이라고 명령했다. "…… 호포(戶布)나 결포(結布) 모두 문제가 있다. 이제 1필을 줄이는 것으로 온전히 돌아갈 것이니 경들은 1필을 줄였을 때 생기는 세입 감소분을 보충할 방법을 강구하라."

① 지조법을 시행하고 호조로 재정을 일원화하였다.

② 토산물로 징수하던 공물을 쌀이나 무명, 동전 등으로 통일하였다.

③ 황폐해진 농지를 개간하도록 권장하고 전국적인 양전 사업을 시행하였다.

④ 일부 양반층에게 선무군관이라는 칭호를 주고 군포 1필을 납부하게 하였다.

해설 정답 ④

호포론이나 결포론 등의 양역변통론이 모두 문제가 있어서, 영조 때 군포를 2필에서 1필로 줄인 제도는 '균역법'이다. '다음 지시'란 균역법 시행으로 인한 재정 감소 보완책을 말한다. 당시 '일부 상류층(상층 양인들)'에게 선무군관이라는 칭호를 주고 군포 1필을 납부하게 하였다. ➲ 2020 해경, 2018 소방간부, 2016 지방직 7급 이를 선무군관포라 한다. 이들 중에는 양반의 신분을 얻은 이들도 있었지만, 아닌 경우도 있었으므로 '일부 양반층'이라 표현하는 것보다는 다른 기출 문제처럼 '일부 상류층', '상층 양인들', '부유한 양민'이라고 표현하는 것이 좋겠다.

① 갑신정변 때 지조법을 '개혁'하고 호조로 재정을 일원화자고 주장하였다.

② '토산물로 징수하던 공물을 쌀이나 무명, 동전 등으로 통일'한 제도는 대동법이다.

③ '황폐해진 농지를 개간하도록 권장하고 전국적인 양전 사업을 시행'하였다는 문장은 여러 왕에 어울릴 수 있다. 그 중 왜란 후 전후복구사업을 추진했던 광해군에 가장 잘 어울린다.

명호샘의 한마디!!

균역법과 관련된 정답과 오답을 정리한다. 균역법에 대한 설명과 '대동법', '영정법'에 대한 설명을 구분하여야 한다.

정답	1) '청계천 정비'와 '속대전 편찬'을 한 왕은 균역법을 시행하여 백성들에게 큰 부담이 되었던 군역 부담을 줄여주었고, 형벌 제도를 개선하여 가혹한 형벌을 금지하였다. (○) ➲ 2020 법원직 9급 2) 균역법을 통해 양인의 군역 부담을 군포 1필로 낮추었다. (○) ➲ 2018 계리직 9급 = 군포를 12개월마다 1필만 내게 하였다. (○) ➲ 2017 국회직 9급 3) 지주에게는 결작이라고 하여 토지 1결당 미곡 2두를 부담하게 하였다. (○) ➲ 2017 국회직 9급 = 영조 때에는 균역법을 실시하였으며, 2필이던 군포를 1필로 감해 주고 부족한 부분에 대해서는 토지 1결당 결작 2두를 부과하는 방법으로 보충하려 하였다. ➲ 2017 경찰 4) 토지에 부과되는 결작의 부담이 소작 농민에게 돌아가는 경우도 있었다. (○) ➲ 2017 국회직 9급 5) 종래 군역이 면제되었던 상층 양인들을 선무군관으로 처음 편성하여 수포하였다. (○) ➲ 2016 지방직 7급 6) 각 아문이나 궁방에서 받아들이던 어세, 염세, 선세를 균역청에서 관할하게 하였다. (○) ➲ 2017 국회직 9급
오답	1) 영조는 균역법을 시행하여 양반과 상민이 똑같이 군포를 부담하게 하였다. (×, 호포제에 대한 설명) ➲ 2019 서울시 9급 2) 영조는 균역법을 시행하여 4필이었던 군포를 2필로 감해주었다. (×, 2필에서 1필로 낮춤) ➲ 2016 정보통신경찰

CHAPTER

04 지역의 역사

01 다음의 비문에 관한 설명으로 옳지 않은 것은? [2017 사회복지직]

> 오라총관 목극등은 국경을 조사하라는 교지를 받들어 이 곳에 이르러 살펴보고 서쪽은 압록강으로 하고 동쪽은 토문강으로 경계를 정해 강이 갈라지는 고개 위에 비석을 세워 기록하노라.

① 조선과 청의 대표는 현지 답사를 생략한 채 비를 세웠다.
② 토문강의 위치는 간도 귀속 문제와도 관련이 되었다.
③ 국경 지역 조선인의 산삼 채취나 사냥이 비 건립의 한 배경이었다.
④ 조선 숙종대 세워진 비석의 비문 내용이다.

해설

정답 ①

제시된 자료는 숙종 때 세운 '백두산 정계비'의 비문이다. 1880년대에 조선과 청은 간도 영유권 문제로 두 차례 외교 교섭을 하였는데, 청은 백두산 정계비의 '토문강'을 두만강이라고 주장하고, 우리 측은 토문강이 쑹화강(송화강)의 상류라고 주장하였다. 조선과 청의 대표는 현지답사 후, 북방경계선을 확정지어 백두산 정상에서 동남방 4킬로미터 지점에 경계비를 세웠다(1712).

② 정계비를 세울 당시에는 토문강의 정확한 위치가 큰 문제가 되지 않았다. 그러나 19세기 중엽부터 조선인의 간도 이주가 급격하게 늘어났고, 청도 자국 백성이 만주에 출입하는 것을 허용하면서 '국경선'의 의미를 갖는 토문강의 위치가 문제가 되었다.
③ 조선인 중에는 일찍부터 압록강이나 두만강을 넘어 만주에서 사냥을 하거나 산삼을 채취하는 사람이 많았다. 그런데 17세기 후반부터 청이 만주 일대를 성역화하고, 출입금지 지역으로 정하면서 조선과 분쟁이 생겼다.
④ 숙종의 키워드(북벌, 환국, 국경) 중의 하나는 '국경'이다. 그리고 간도(만주) 지방의 국경 문제를 해결하기 위해 백두산 정계비를 세웠다.

02 (가)~(라) 시기에 있었던 역사적 사실로 적절하지 않은 것은? [2016 경찰]

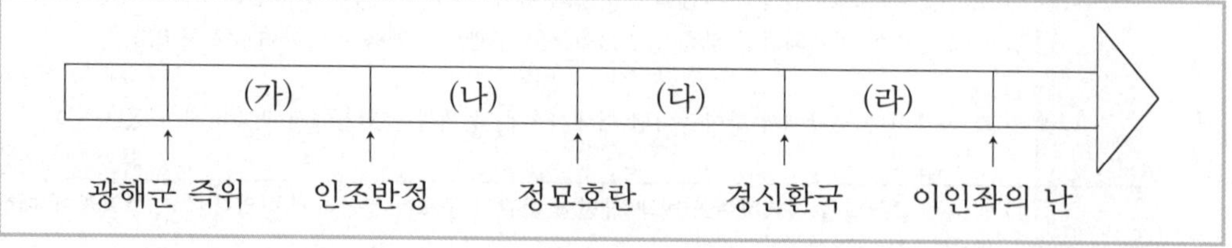

① (가) – 명나라의 요청으로 강홍립을 도원수로 삼아 약 1만 3천 명의 원병을 파견하였다.
② (나) – 공로 평가에 불만을 품은 이괄이 난을 일으켰다.
③ (다) – 청과 국경을 확정하고 백두산에 정계비를 세웠다.
④ (라) – 안용복이 일본에 가서 울릉도와 우산도가 우리 영토임을 확인받았다.

해설 정답 ③

숙종의 재위기간은 1674~1720년이다. 경신환국은 1680년에 일어났고, 백두산 정계비는 1712년에 건립되었다. 즉 백두산 정계비는 (라)에 들어간다.

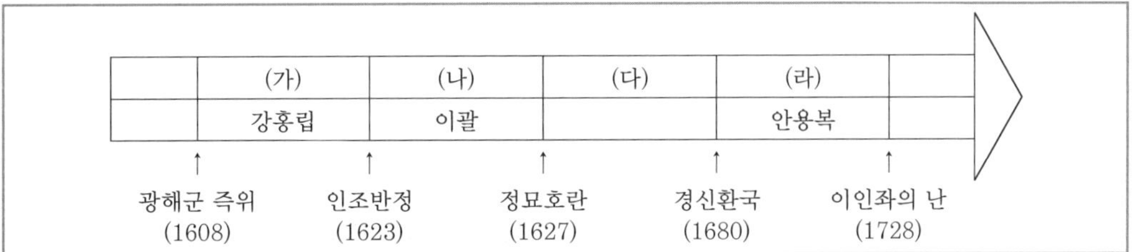

① (가) – 명나라의 요청으로 강홍립을 도원수로 삼아 약 1만 3천 명의 원병을 파견하였다(1619).
② (나) – 공로 평가에 불만을 품은 이괄이 난을 일으켰다(1624).
④ (라) – 안용복이 일본에 가서 울릉도와 우산도가 우리 영토임을 확인받았다(1696).

03 동북아시아의 영토와 역사 갈등에 대한 설명 중 가장 옳지 않은 것은? [2019 해양경찰]

① 일본은 야마토 조정의 임나일본부설을 수록한 후소샤 교과서를 중학교 역사 교과서로 채택하였다.
② 일본은 센카쿠 열도의 영유권을 놓고 러시아와 갈등을 빚고 있다.
③ 중국은 중국 내 55개 민족 모두 중화 민족이고 그들의 역사도 중국의 역사라는 논리로 동북공정을 추진하고 있다.
④ 일본은 대한민국의 독도에 대한 역사적 사실이나 실효적 지배를 인정하지 않고 자국의 영토라고 주장하고 있다.

해설 정답 ②

센카쿠 열도는 일본 오키나와의 서남쪽에 있는 8개 무인도를 말한다. 현재 일본이 실효 지배하고 있으며, '일본, 중국, 대만'이 영유권을 주장하고 있다. 중국은 센카쿠 열도를 '다오위다오'라고 부른다. 중국은 이 지역이 역사적으로 중국의 고유한 영토지만, 1895년 시모노세키 조약으로 일본에 일시 할양하였다고 주장한다.
① 임나일본부설은 일본의 야마토 조정이 한반도 남부에 진출하여 '일본부'라는 기관을 두어 지배하였다는 주장이다. 후소샤 교과서는 임나일본부설을 수록하고 있다.
③ 동북공정이란 중국 국경 안에서 전개된 모든 역사를 중국의 역사로 만들기 위해 2002년부터 중국이 추진하고 있는 연구 프로젝트이다. 중국은 그 일환으로 '중화민족(中華民族)'이라는 개념을 이론화하는 시도를 하고 있다. 중화민족이란 한족(漢族)을 주체로 하고 55개 소수민족을 포괄하는 56개 민족으로 구성된 하나의 큰 민족 개념이다.
④ 대한민국이 독도를 실효 지배하고 있음에도 불구하고, 일본은 '다케시마의 날'을 지정하는 등 독도를 자국의 영토라고 주장하고 있다.

명호샘의 한마디!!

임나일본부설을 정면으로 반박할 수 있는 것은 광개토대왕릉비 비문의 신묘년(391) 기사에 대한 정인보(1930년대)의 재해석일 것이다. 광개토대왕릉비 비문 중 "백제와 신라는 예부터 속민으로 조공을 해왔다. 그런데 신묘년(391)에 왜가 바다를 건너와서(渡海) 백제와 신라를 깨뜨리고 이들을 신민으로 삼았다."라는 부분이 있는데 이를 신묘년 기사라고 한다. 신묘년 기사에서 '도해(渡海)'의 주체를 일본 학자들은 왜로 보고, 일본이 한반도에 영향력을 행사했다고 주장한다. 그러나 이 '도해(渡海)'의 주체는 광개토대왕릉비의 주체인 광개토대왕으로 해석하는 것이 당연한 것이다. 일제 강점기에 정인보는 신묘년 기사의 주체를 왜가 아닌 고구려로 해석하여 임나일본부설을 반박하였다.

04 다음은 간도와 관련된 역사적 사실들이다. 옳지 않은 것은? [2010 국가직 9급]

① 1909년 일제는 청과 간도협약을 체결하여 남만주의 철도 부설권을 얻는 대가로 간도를 청의 영토로 동북공정을 통해 인정하였다.

② 조선과 청은 1712년 "서쪽으로는 압록강, 동쪽으로는 토문강을 국경으로 한다."는 내용의 백두산 정계비를 세웠다.

③ 통감부 설치 후 일제는 1906년 간도에 통감부 출장소를 두어 간도를 한국의 영토로 인정하였다.

④ 1902년 대한제국 정부는 간도관리사로 이범윤을 임명하는 한편, 이를 한국 주재 청국 공사에게 통고하고 간도의 소유권을 주장하였다.

⑤ 조선정부는 1883년 어윤중을 서북경략사로 보내어 간도가 우리 영토임을 확인하였다.

해설

정답 ③

을사조약의 이행을 위해 일제는 1906년 2월 서울에 통감부를 설치하고, 1907년 간도에 통감부 출장소를 두어 간도가 '조선의 영토'임을 인정하였다.

05 고려 시대 의주에 대한 설명으로 옳지 않은 것은? [2017 국가직 9급]

① 청천강변에 위치하며 도호부가 설치된 곳이다.

② 강동 6주 가운데 하나인 흥화진이 있던 곳이다.

③ 요(遼)와 물품을 거래하던 각장이 설치된 곳이다.

④ 요(遼)와 금(金)의 분쟁을 이용하여 회복하려고 시도한 곳이다.

해설

정답 ①

고려는 안북도호부, 안변도호부, 안서도호부 등 군사적 방비의 중심적인 역할을 맡은 곳을 도호부로 정하였다. 청천강변에 위치하였던 고려의 도호부는 '안북도호부(안북대도호부)'이다. 안북도호부가 설치되었던 지역은 영주(지금의 평안남도 안주) 지역이다. '의주'는 청천강이 아니라 '압록강' 근처이다.

②, ④ 강동 6주 중 하나인 '흥화진'은 의주를 말한다. 서희는 요(遼)와 금(金)의 분쟁을 이용하여 이 지역을 회복하려고 시도하였다.

③ '각장(榷場)'이란 고려와 거란, 여진족 등 사이에 무역을 위해 설치한 장소이다. 고려 시대에 의주 지역에 요(遼)와 물품을 거래하던 각장이 설치되었다.

06 밑줄 친 '이곳'에서 일어난 일로 옳은 것은? [2018 지방직 9급]

> 고려 정종 때 이곳으로 천도 계획을 세웠으나 실현되지 못했고, 문종 때 이곳 주위에 서경기 4도를 두었다.

① 이곳에서 현존 세계 최고의 직지심체요절이 간행되었다.

② 지눌이 이곳을 중심으로 수선사 결사 운동을 전개하였다.

③ 조위총이 정중부 등의 타도를 위해 이곳에서 반란을 일으켰다.

④ 강조가 군사를 이끌고 이곳으로 들어와 김치양 일파를 제거하였다.

해설 정답 ③

서경(평양)은 고려 태조 때부터 고구려의 옛 수도이자 지맥(支脈)의 근본으로서 중시되었다. 제3대 임금인 정종은 서경 천도를 계획하였으며(947), 12세기 중반 인종 대에도 묘청 등이 서경 천도를 주장하였다. 문종 때 서경 주변의 영역에 서경기(西京畿) 4도를 설정한 적도 있었으나(1062), 묘청의 난을 진압된 후 서경기도 해체되었다.

③ 서경유수 조위총이 '서경'에서 반란을 일으켰다(1174).

① 청주 흥덕사, ② 전남 순천 송광산 수선사, ④ 개경

07 (가) 지역에 대한 설명으로 옳은 것은? [2021 지방직 9급]

> 나는 삼한(三韓) 산천의 음덕을 입어 대업을 이루었다. (가) 는/은 수덕(水德)이 순조로워 우리나라 지맥의 뿌리가 되니 대업을 만대에 전할 땅이다. 왕은 춘하추동 네 계절의 중간달에 그곳에 가 100일 이상 머물러서 나라를 안녕케 하라. 「고려사」

① 이곳에 대장도감을 설치하여 재조대장경을 만들었다.

② 지눌이 이곳에서 수선사 결사 운동을 펼쳤다.

③ 망이 · 망소이가 이곳에서 봉기하였다.

④ 몽골이 이곳에 동녕부를 두었다.

해설 정답 ④

제시된 자료는 서경(평양)을 '수덕이 순조로워 우리나라 지맥의 뿌리'라고 설명하는 태조의 훈요십조이다. (가) 지역은 평양이다.

④ 몽골은 자비령 이북, 즉 서경에 동녕부를 설치하였다(1270). 고려의 반환 요청에 따라 동녕부는 충렬왕 때 반환되었다(1290).

① 강화도, ② 전남 순천, ③ 공주

08 밑줄 친 '이곳'에 대한 설명으로 옳은 것은?

[2023 국가직 9급]

- 장수왕은 남진정책의 일환으로 수도를 이곳으로 천도하였다.
- 묘청은 이곳으로 수도를 옮길 것을 주장하였다.

① 쌍성총관부가 설치되었다.
② 망이·망소이가 반란을 일으켰다.
③ 제너럴 셔먼호 사건이 발생하였다.
④ 1923년 조선 형평사가 결성되었다.

해설

정답 ③

장수왕은 '평양'으로 천도하였다(427). 묘청은 '서경(평양)'으로 천도할 것을 주장하였다(1135).

③ 1866년 8월 평양에서 미국 상선 제너럴셔먼호가 격침되었다.

① 쌍성총관부는 고려 후기에 화주(지금의 함경남도 영흥)에 설치되었다.

② 망이·망소이가 반란을 일으킨 곳은 공주이다.

④ 조선 형평사가 결성된 곳은 진주이다.

09 다음 글의 밑줄 친 '이곳' 지역에 대한 설명 중 옳은 것을 [보기]에서 모두 고른 것은?

[2009 법원직 9급]

덕원(원산) 부사 정현석이 장계를 올립니다. 신이 다스리는 이곳 읍은 해안의 요충지에 있고 아울러 개항지가 되어 소중함이 다른 곳에 비할 바가 못됩니다. 개항지를 빈틈없이 운영해 나가는 방도는 인재를 선발하여 쓰는 데 달려 있고, 인재 선발의 요체는 교육에 있습니다. 그러므로 학교를 설립하여 연소하고 총명한 자를 뽑아 교육하고자 합니다.

〈덕원부계록〉

[보기]

㉠ 1876년 강화도 조약을 맺어 개항하였다.
㉡ 1923년 조선형평사가 창립되었다.
㉢ 1904년 미국에 의하여 경원선이 부설되었다.
㉣ 1929년 노동자들이 총파업을 실행하였다.

① ㉠, ㉡
② ㉠, ㉣
③ ㉠, ㉡, ㉣
④ ㉠, ㉡, ㉢, ㉣

해설

정답 ②

제시된 자료는 개화파 관료였던 덕원 부사 정현석이 학교 설립을 건의하는 장계이다. '이곳'은 원산이다. 1876년 강화도 조약으로 개항되었으며, 1929년에는 총파업이 크게 일어났다.

㉡ 조선형평사는 경상도 진주에서 처음 창립되었다.

㉢ 경원선은 서울과 원산을 잇는 철도로, 일제 강점기인 '1914년'에 개통되었다.

10 (가) 지역에 대한 설명으로 옳은 것을 [보기]에서 모두 고른 것은? [2023 법원직 9급]

> 몽골의 대군이 경기 지역으로 침입하자 최이가 재추 대신들을 모아 놓고 (가) 천도를 의논하였다. 사람들은 옮기기를 싫어하였으나 최이의 세력이 두려워서 감히 한마디도 발언하는 자가 없었다. 오직 유승단이 "작은 나라가 큰 나라를 섬기는 것은 도리에 맞는 일이니, 예로써 섬기고 믿음으로써 사귀면 그들도 무슨 명목으로 우리를 괴롭히겠는가? 성곽과 종사를 내버리고 섬에 구차히 엎드려 세월을 보내면서 장정들을 적의 칼날에 죽게 만들고, 노약자들을 노예로 잡혀가게 하는 것은 국가를 위한 계책이 아니다."라고 반대하였다.

[보기]

ㄱ. 동녕부가 설치되었다.
ㄴ. 조선왕조실록 사고가 세워졌다.
ㄷ. 망이·망소이의 난이 일어났다.

① ㄱ ② ㄱ, ㄴ
③ ㄴ ④ ㄴ, ㄷ

해설 정답 ③

'몽골의 대군'을 피해 '최이(최우)'가 천도(1232)한 (가) 지역은 강화도이다.
ㄴ. 강화도에는 정족산 사고라는 조선왕조실록 사고가 있다.
ㄱ. 동녕부는 절령(자비령) 이북, 즉 서경(평양)에 설치되었다.
ㄷ. 망이 · 망소이의 난이 일어난 곳은 공주이다.

11 지도의 (가) ~ (라) 지역과 관련된 역사적 사실로 가장 옳지 않은 것은? [2016 법원직 9급]

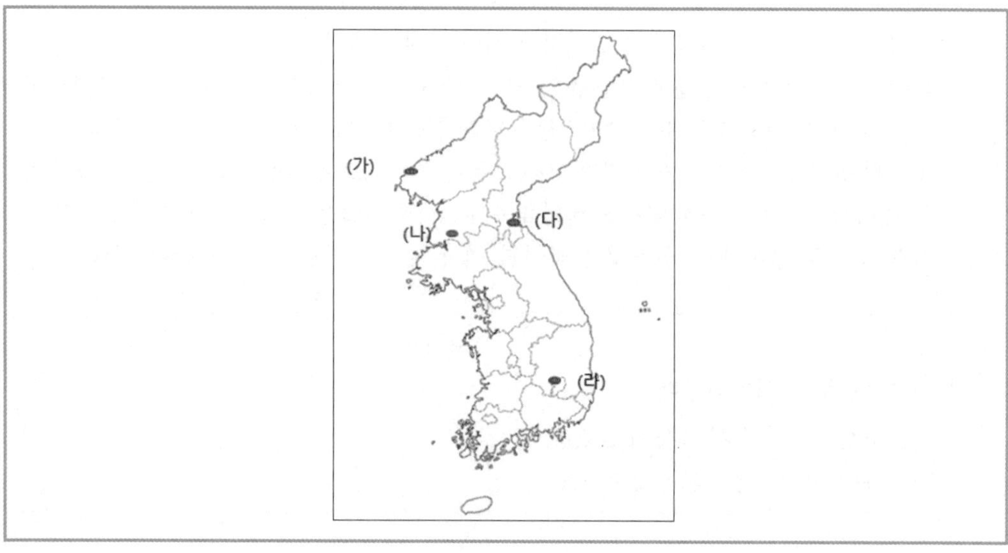

① (가) – 임진왜란 때 선조가 피난하였다.
② (나) – 남북 정상 회담(2000년, 2007년)이 개최되었다.
③ (다) – 강화도 조약 체결에 따라 개항이 이루어졌다.
④ (라) – 물산 장려 운동이 처음 시작되었다.

해설 정답 ④

(가) 의주, (나) 평양, (다) 원산, (라) 대구
④ 물산 장려 운동이 처음 시작된 곳은 평양이다.

12 (가) 지역에 대한 설명으로 옳은 것은? [2016 교육행정 9급]

> 김위제가 도선의 비기를 공부한 후, 남경 천도를 청하며 다음과 같은 글을 올렸다. "『도선기』에는 '고려 땅에 세 곳의 수도가 있으니, (가) 이/가 중경, 목멱양이 남경, 평양이 서경이다. 11월에서 2월까지는 중경에서, 3월에서 6월까지는 남경에서, 7월에서 10월까지는 서경에서 지내면 36개국이 와서 조공할 것이다.'라고 했습니다."

① 견훤이 국도로 삼은 곳이다.
② 묘청이 반란을 일으킨 곳이다.
③ 망이 · 망소이의 난이 일어난 곳이다.
④ 거란의 침략에 대비하여 나성이 축조된 곳이다.

해설

정답 ④

김위제는 남경(현재의 서울)으로 천도하자고 주장하며, 남경개창도감 설치를 건의했던 인물이다. 김위제가 고려 땅에 '세 곳'의 수도가 있다며 강조한 지역은 개경(중경), 목멱양(남경), 평양(서경)이다. 즉 (가)에 들어갈 지역은 '개경(개성)'이다.

④ 귀주대첩 이후, 개경의 외곽에 나성을 쌓아서 외적의 침입에 대비하였다.

① 견훤이 후백제의 국도(수도)로 삼은 지역은 완산주(전주)이다.

② 묘청이 반란을 일으킨 곳은 서경(평양)이다.

③ 망이 · 망소이의 난이 일어난 곳은 웅진(공주)이다.

13 밑줄 친 '이 지역'에 대한 설명으로 옳은 것은? [2020 국가직 9급]

> 장수왕은 군사 3만을 거느리고 백제를 침공하여 왕도인 이 지역을 함락시켜, 개로왕을 살해하고 남녀 8천 명을 사로잡아 갔다.

① 망이, 망소이가 반란을 일으켰다.

② 고려 문종 대에 남경이 설치되었다.

③ 보조국사 지눌이 수선사 결사를 주도하였다.

④ 고려 태조가 북진 정책의 전진 기지로 삼았다.

해설

정답 ②

백제 개로왕이 북위에 국서를 보내 군사 원조를 요청하였으나 별다른 성과를 얻지 못하였고 오히려 고구려의 대대적인 침공을 불러왔다. 장수왕 63년 9월에 3만 명의 고구려 군이 백제를 공격하여 백제의 왕도를 함락시켰다. '이 지역'은 서울(한성, 한양)이다.

② 문종 대에 남경길지설에 따라 서울에 '남경'이 설치되었다.

① 망이, 망소이가 반란을 일으킨 지역은 공주 명학소이다.

③ 수선사는 전라남도 순천에 있다.

④ 태조가 북진 정책의 전진 기지로 삼은 지역은 평양(서경)이다.

14 다음 중 서울에 대한 설명으로 옳지 않은 것은? [2009 서울시 9급]

① 신석기 시대의 유적이 서울에서 발견되어 신석기인의 활동을 입증하고 있다.

② 삼국 간의 항쟁기에 서울은 백제, 고구려, 신라 순으로 지배하였다.

③ 서울은 고려의 3경(三京) 중 하나이며, 분사제도가 실시되었다.

④ 서울을 중심으로 활동한 사상인 경강상인은 조선업에도 진출하였다.

⑤ 일제 강점기에는 서울 중심부에 일본인 거리가 만들어지기도 하였다.

해설

정답 ③

고려 초기의 3경은 개경, 서경, 동경이었다. 문종 때 남경길지설에 따라 '서울'이 3경에 포함되었다. 그러므로 서울이 고려 3경 중 하나라는 말은 맞으나, 분사제도가 실시된 지역은 '서경'이다. 고려 태조는 평양을 북진정책의 전진기지로 삼고, 서경(西京)으로 승격시키면서 개경과 비슷한 규모의 관청을 설치하였는데 이를 분사제도(分司制度)라고 한다.

① 서울에서 발견된 신석기 시대의 유적이란 '암사동 선사 유적지'를 말한다.

② 3세기 고이왕 때 백제가 한강 유역을 완전히 장악하였으나, 5세기 장수왕 때 고구려 영토가 되었고, 6세기 진흥왕 때에는 신라의 영토가 되었다.

④ 한강을 중심으로 활동한 사상인 경강상인은 한강과 서남해안을 중심으로 운송을 장악하였으며, 조선업에도 진출하여 거상으로 성장하였다.

15 **다음은 조선 시대의 한양을 설명한 것이다. (가) ~ (라)에 각각 들어갈 단어를 순서대로 나열한 것은?** [2016 서울시 7급]

> 한양은 통치의 중심 공간인 ((가))을 ((나)) 아래에 남향으로 짓고 그 좌우에 종묘와 사직을 건설하였다. ((다))은 안산에 해당한다. 도성에는 네 개의 대문이 건설되었는데 동은 흥인지문, 서는 ((라)), 남은 숭례문, 북은 숙청문이다.

	(가)	(나)	(다)	(라)
①	경복궁	인왕산	남산	소의문
②	경복궁	백악산	남산	돈의문
③	창덕궁	인왕산	낙산	소의문
④	창덕궁	백악산	낙산	돈의문

해설

정답 ②

한양은 통치의 중심 공간인 (경복궁)을 (백악산) 아래에 남향으로 짓고 그 좌우에 종묘와 사직을 건설하였다. (남산)은 안산에 해당한다. 도성에는 네 개의 대문이 건설되었는데 동은 흥인지문, 서는 (돈의문), 남은 숭례문, 북은 숙청문이다.

(가) 이성계가 1394년 신도궁궐조성도감(新都宮闕造成都監)을 열어 창건하였고 다음 해에 완성하였다. 경복궁의 정전(正殿)은 근정전(勤政殿)이다. 시경의 '이미 술에 취하고 이미 덕에 배부르니 군자만년 그대의 큰 복을 도우리라'는 말에서 '큰 복을 도우리라'[景福]이라는 두 자를 따서 궁궐의 이름을 지었다.

(나) 백악산(白岳山)은 북악산(北岳山)을 말하는데, 경복궁 북쪽에서 경복궁을 내려다보고 있는 산이다.

(다) 안산(案山)이란 '앞에 있는 산'이란 뜻이다. 한양의 안산은 남산(南山)인데, 목멱산이라고도 한다.

(라) 한양 도성에는 4개의 큰 성문이 있다. 동쪽의 흥인지문(동대문), 서쪽의 돈의문(서대문), 남쪽의 숭례문(남대문), 북쪽의 숙청문을 사대문(四大門)이라 한다.

16 밑줄 친 '대궐'이 위치한 도성에 대한 설명으로 옳은 것은? [2021 경찰]

> 동성왕 22년 봄, 대궐 동쪽에 임류각(臨流閣)을 세웠는데 높이가 다섯 길이었다. 또한 연못을 파고 기이한 짐승을 길렀다. 신하들이 이에 항의하여 글을 올렸으나 듣지 않고 다시 간(諫)하는 자가 있을까 염려하여 대궐 문을 닫아 버렸다. ➲ 「삼국사기」

① 외곽에 나성이 축조되었다.
② 김헌창의 난이 일어난 곳이다.
③ 사비성 혹은 소부리성으로 불렸다.
④ 북성, 내성, 중성, 외성으로 구성되었다.

해설 정답 ②

웅진 시대의 왕인 동성왕은 왕궁 안에 화려한 임류각(臨流閣)을 지어 그 주위에 연못을 파고 기이한 짐승(기이한 새들)을 길렀다. 신하들이 그 사치스러움에 항의하여 글을 올렸지만 동성왕은 듣지 않았다. 임류각이 있었던 '대궐'은 웅진성으로, 지금의 '공주'이다.

② 김헌창이 공주를 근거로 반란을 일으켰다. ➲ 2019 지방직 7급 왕권 경쟁에서 밀려난 김헌창이 공주를 근거지로 반란을 일으켜 국호를 장안이라고 하였다. ➲ 2013 경찰
① 귀주대첩 이후 고려는 개경 외곽에 나성을 축조하였다. ➲ 2021 경찰
③ 사비성 혹은 소부리성으로 불린 산성은 부여에 있는 부소산성이다.
④ 평양성은 북성 · 중성 등 4개의 성곽으로 이루어졌다. ➲ 2016 국가직 7급

17 다음 밑줄 친 '이 도시'의 역사적 사실에 대한 설명으로 옳은 것은? [2018 기상직 9급]

> 이 도시는 2015년, 유네스코에서 지정한 우리나라의 12번째 세계문화유산과 관련된 지역이다. 유네스코는 이 도시의 역사 유적지인 아래 두 곳을 포함해 '백제역사유적지구'를 지정하였다.

공산성

송산리 고분군

① 백제 금동대향로가 출토되었다.
② 호암사에 있는 정사암에서 중대한 회의가 이루어졌다.
③ 헌덕왕 17년(825) 내물계 후손 김헌창이 난을 일으켰다.
④ 명종 6년(1176) 망이 · 망소이의 난이 벌어졌다.

해설 정답 ④

백제 역사 유적 지구는 충청남도 공주시와 부여군, 전라북도 익산시에 분포하는 백제와 관련된 역사 유적으로 2015년 유네스코 세계문화유산으로 등재되었다. 이 중 공산성과 송산리 고분군이 있는 이 도시는 '공주시'이다.

④ '공주' 명학소에서 망이 · 망소이가 봉기하였다. ➲ 2017 경찰

① 백제 금동대향로가 출토된 곳은 '부여 능산리 절터'이다.

② 정사암은 백제 시대에 정치를 논의하고 재상을 뽑던 장소이다. 「삼국유사」에 따르면 정사암은 사비(지금의 부여군) 부근의 호암사에 있었다고 한다.

③ 김헌창의 난이 '공주'에서 일어난 것은 맞다. 그러나 김헌창의 난은 822년(헌덕왕 14년)에 일어났다. 김헌창은 '무열계' 진골 귀족이다.

18 다음 문화유산이 소재한 지역에서 있었던 역사적 사실로 옳은 것은? [2022 소방]

① 안승의 보덕국 건국 ② 매소성 전투의 전개

③ 진흥왕의 순수비 건립 ④ 원종과 애노의 난 발생

해설 정답 ①

왼쪽 사진은 '익산 미륵사지 석탑'이고, 오른쪽 사진은 '익산 왕궁리 5층 석탑'이다. 신라 문무왕은 익산(금마저)에 보덕국을 세우고 안승을 보덕왕으로 임명하였다(674).

② 매소성 전투의 전개 : 경기도 양주(또는 연천)

③ 진흥왕의 순수비 건립 : 북한산비(서울 북한산), 창녕비(경남 창녕), 황초령비(함경남도 함흥), 마운령비(함경남도 함흥)

④ 원종과 애노의 난 발생 : 경북 상주(사벌주)

19 우리 역사 속의 제주도에 관한 설명으로 옳은 것은? [2010 국가직 9급]

① 원래 탐라라고 불렸는데 고려 시대에 제주라는 이름으로 바뀌었다.

② 삼별초는 관군의 압박이 심해지자 이 섬을 버리고 진도로 옮겨갔다.

③ 장보고는 완도에 청해진, 이곳에 혈구진을 세워 해상 세력을 형성하였다.

④ 구한말 영국 함대가 러시아를 견제하기 위해 이곳을 무단 점령하였다.

해설 정답 ①

고려 시대에 제주도의 명칭이 탐라에서 '제주'로 바뀌었다.

20 다음 중 독도에 대한 설명으로 옳은 것은 모두 몇 개인가? [2010 경찰]

> ㉠ 「고려사」에는 우산국 사람들이 고려에 토산물을 바친 기록이 나온다.
> ㉡ 「세종실록지리지」에는 울릉도와 독도를 구분하지 않고 모두 우산이라 하였다.
> ㉢ 대한제국은 지방제도 개편시 울릉도에 군을 설치하고 독도를 이에 포함시켰다.
> ㉣ 한국은 1945년 해방과 동시에 독도를 한국 영토로 하였다.
> ㉤ 조선 고종 때 일본 육군이 조선전도를 편찬하면서 울릉도와 독도를 조선 영토로 표시하였다.
> ㉥ 일본의 역사서인 「은주시청합기」에는 울릉도와 독도를 일본의 영토로 기록하고 있다.

① 1개 ② 2개
③ 3개 ④ 4개

해설 정답 ③

㉠, ㉢, ㉤이 옳다. 울릉도와 독도의 다양한 명칭을 숙지한 후 '독도' 문제에 들어가기 바란다.

울릉도	우릉(羽陵), 무릉(武陵), 울릉(鬱陵)
독 도	우산도(于山島), 삼봉도(三峯島), 가지도(可支島), 석도(石島), 독도(獨島)

㉠ 「고려사」 태조13년(930) 우릉도(우산국)에서 사신 둘을 보내 지방의 산물을 공물로 바치니 백길(白吉)을 정위로, 토두(土豆)를 정조로 삼았다는 기사가 있다. 이들이 받은 벼슬은 향직에 해당하는 직위였다. 덕종 원년(1032)에도 우릉(울릉도)성주가 그의 아들을 보내와 토산물을 바쳤다는 기록이 있다.

㉢ 대한제국은 일본인들의 울릉도 불법 입국과 정착을 방지하는 대책의 일환으로 지방행정체계를 개편하여 1900년 10월 25일 칙령 제41호를 제정・반포하였다. 이에 따라 울릉도를 울도로 개칭하고, 도감(島監)을 군수(郡守)로 승격시켜 강원도 울진군에 속했던 울릉도를 강원도의 27번째 군(郡)으로 정하였다. 이 칙령에서는 울도군(鬱島郡)의 관할구역을 '울릉도 및 죽도, 석도(石島, 독도)'로 명시하고 있으며, 울릉군을 남면과 북면으로 나눠 독도는 울릉군 남면에 속하게 하였다. 그리고 이 관제 개정을 중앙 「관보」에 게재하여 독도가 대한제국 영토임을 공표하였다.

㉤ 1875년 고종 때 일본 육군이 「조선전도」를 편찬하면서 울릉도(죽도・竹島로 표기)와 독도(송도・松島로 표기)를 조선 영토로 표시하였다. 이 사실은 일본군의 조사내용을 바탕으로 1895년에 일본인이 만든 「실측일청한군용정도」라는 지도에서 재확인된다.

㉡ 「세종실록지리지」(1454) 강원도 울진현 조(條)에서 '우산(于山)과 무릉(武陵) 두 섬이 현의 정동(正東) 해중(海中)에 있다.'고 하여 울릉도와 독도를 '구분'하여 기록하고 있다.

㉣ 광복 후 연합국 최고 사령부는 '1946년' 1월, 연합국 최고 사령관 지령 제677호를 통하여 제주도와 울릉도, 독도를 통치 및 행정상 일본 주권에서 제외하여 한국에 반환한다고 명시하였다. 또한 지령 제1033호는 그 12해리 이내의 수역에 일본 선박이 접근하는 것을 금지하였다.

㉥ 1667년 간행된 「은주시청합기(隱州視聽合紀)」는 일본인 관리가 은주(현 시마네현 오키섬)를 순시한 후 작성한 지리서로, 독도에 관한 일본 최초의 문헌이다. 일본의 서북 경계는 은주로 한계를 삼고, 그 바깥에 있는 울릉도[竹島]와 독도[松島]는 조선의 영역으로 기록하였다.

> 이 두 섬(울릉도와 독도)은 사람이 살지 않는 땅으로 이 섬에서 고려를 보는 것이 운슈(雲州)에서 오키 섬을 바라보는 것과 같다. 그런즉 일본의 북쪽 경계는 이 주(오키 섬)를 한계로 한다. 일본의 '은주시청합기'(1667)

21 다음 독도에 관한 설명 중 가장 적절하지 않은 것은? [2011 경찰 변형]

① 일본 막부는 1699년에 다케시마(竹島 : 당시 일본에서 울릉도를 일컫던 말)와 부속 도서를 조선 영토로 인정하는 문서를 조선 조정에 넘겼다.

② 울릉도가 통일신라 시대에 이사부의 우산국 정벌로 인해 신라 영토로 편입된 이후, 독도도 고려・조선 말까지 우리나라 영토로 이어져 내려왔다.

③ 「팔도총도」는 울릉도와 독도를 별개의 섬으로 하여 그림으로 그려놓은 최초의 지도가 되었다.

④ 「통항일람」은 19세기 중반에 일본에서 기록한 사서로, 안용복에게 독도가 조선의 땅임을 인정하는 사료가 기록되어 있다.

⑤ 1855년 11월 17일 프랑스 함정 콩스탄틴느(Constantine)호가 조선해(東海)를 통과하면서 북위 37도선 부근의 한 섬을 보고 '로세리앙쿠르(Roche Liancourt)'라고 명명하였다.

해설 정답 ②

이사부가 우산국을 정벌한 것은 지증왕 때(512)이다. 즉 통일신라 시대가 아니라 삼국 시대이다.

① 수군 출신의 안용복이 조선 숙종 때 울릉도와 우산도(독도)에 출몰하는 왜인을 쫓아내고 일본당국과 담판하여 우리의 영토임을 승인받았고(1696), 당시 일본에서는 '송도(松島)'로 기록하였다. ➲ 2017 지방직 7급 안용복 사건을 계기로 조선 정부는 일본 막부와 울릉도 귀속문제를 확정하고, 적극적으로 영해를 막는 정책을 강화하면서, 울릉도 경영에 나섰다. 마침내 일본 막부는 울릉도와 부속도서를 조선 영토로 인정하는 문서를 조선 조정에 넘겼다(1699).

③ 「팔도총도」는 신증동국여지승람의 첫머리에 수록된 조선전도이다. 현존하는 인쇄본 단독 지도로는 가장 오래된 것으로, 울릉도와 독도를 따로 그려 넣었다.

④ 「통항일람」(1853)은 일본의 사서로, 조선국속도(조선의 섬)의 죽도(울릉도) 항목에 안용복에게 독도가 조선의 땅임을 인정하는 사료가 기록되어 있다.

명호샘의 한마디!!

일본 정부는 1870년대에 조선의 영토임을 인정했으면서도, 1905년 국제법상 무주지(無主地)라는 명목으로 일본 영토에 편입시켰다. ➲ 2017 지방직 7급

> 일본은 이 섬이 주인 없는 땅이므로 자국의 영토로 편입하였다는 무주지(無主地) 선점론을 내세우고 있다. 그러나 이 섬을 강제로 일본에 편입시킬 당시 일본의 내무성 관리마저도 "외국 여러 나라들이 우리가 한국을 병탄하려 한다고 의심하게 될 것이다."라며 반대하였다. 사실 무주지 선점론은 이 섬이 예로부터 일본의 땅이었다고 하는 고유 영토론 주장과 모순된다. 고유 영토론 역시 1877년 일본 최고 행정 기관인 태정관이 이 섬은 일본의 영토와 관계없다고 확정한 사실과 정면으로 배치된다. ➲ 2012 수능

위 자료처럼 '일본의 태정관 지령문(1877)'도 독도가 우리 땅이라는 증거 중의 하나이다. ➲ 2020 국가직 9급

22 독도가 우리나라 영토임을 입증하는 근거로만 옳게 짝지어진 것은? [2017 국가직 9급]

① 이범윤의 보고문 – 은주시청합기

② 대한제국 칙령 제41호 – 삼국접양지도

③ 미쓰야 협정 – 시마네 현 고시 제40호

④ 조선국교제시말내탐서 – 어윤중의 서북경략사 임명장

해설 정답 ②

'독도가 우리나라 영토임을 입증하는 근거'는 은주시청합기, 대한제국 칙령 제41호, 삼국접양지도, 조선국교제시말내탐서이다.

② 대한제국은 대한제국 칙령 제41호에 따라 울릉도를 군으로 승격시켜 독도를 관할하게 하였다(1900). 삼국접양지도(三國接壤之圖)는 일본인이 조선, 류큐, 하이국(홋카이도)을 그린 지도로, 울릉도와 독도가 '조선의 소유'라고 명시되어 있다(1785). ➲ 2020 국가직 9급

① 이범윤은 북간도에 간도관리사로 파견되었다(1902). 그러므로 이범윤의 보고문은 '간도'가 우리 영토라는 증거이다. / 1677년 간행된 독도에 관한 일본 최초의 문헌 「은주시청합기」에 울릉도와 독도가 조선의 영토로 표시되어 있다. ➲ 2020 국가직 9급

③ 미쓰야 협정은 조선 총독부 경무 국장과 둥산성의 지배자 장쭤린이 체결한 협약이다. 만주의 한국인 독립운동자를 체포하여 일본 영사관에 넘기면 상금을 지불한다는 취지의 협약으로 '영토 문제'와는 거리가 멀고, 특히 관련된 지역은 독도가 아니라 간도 지역이다. / 일제는 러일 전쟁 도발 후에 군사적으로 한국을 점령하고, 시마네 현의 고시 제40호에 의하여 독도를 일방적으로 일본의 영토로 편입하였다(1905. 2).

④ 조선국교제시말내탐서(朝鮮國交際始末內探書)는 일본이 우리나라를 정탐한 기록인데(1870), 메이지 정부 최고 기관인 태정관의 지령으로 일본 외무성이 작성한 것이다. 여기에서 일본은 울릉도와 독도를 조선의 영토로 인정하고 있다. / 경략사(經略使)는 1882년부터 1884년까지 서북 지역(평안도, 함경도)의 국경 문제 및 지방관 행정 감독을 위해 일시적으로 두었던 관직이다. 1883년 10월 어윤중이 서북경략사로 임명되었는데, 이것은 한반도 서북 지역과 관련된 내용이다.

2025 대비 최신개정판

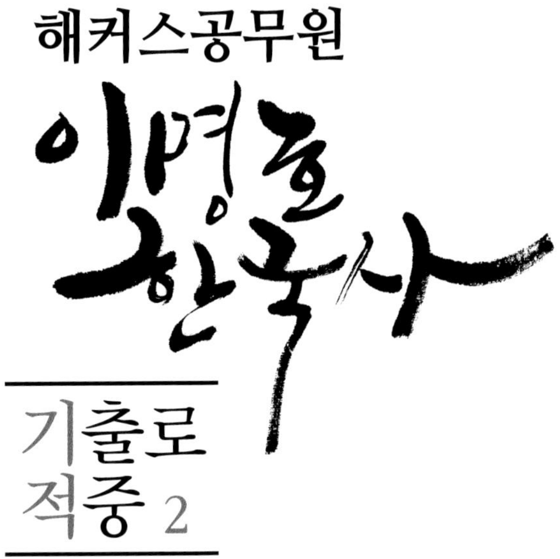

해커스공무원 이명호 한국사 기출로 적중 2

개정 5판 1쇄 발행 2024년 9월 2일

지은이	이명호
펴낸곳	해커스패스
펴낸이	해커스공무원 출판팀
주소	서울특별시 강남구 강남대로 428 해커스공무원
고객센터	1588-4055
교재 관련 문의	gosi@hackerspass.com 해커스공무원 사이트(gosi.Hackers.com) 교재 Q&A 게시판 카카오톡 플러스 친구 [해커스공무원 노량진캠퍼스]
학원 강의 및 동영상강의	gosi.Hackers.com
ISBN	2권: 979-11-7244-132-6 (14910) 세트: 979-11-7244-130-2 (14910)
Serial Number	05-01-01